G000061967

E L James
As Cinquenta Sombras
– Livre

Fifty Shades Freed

Traduzido do inglês por
Carla Melo

Título Original
Fifty Shades Freed

© 2011, Fifty Shades Ltd 2011
A autora publicou uma versão anterior desta história *online*, com personagens diferentes,
como "Masters of the Universe", sob o pseudónimo Snowqueen's Icedragon.

Esta é uma obra de ficção. Todos os nomes, locais e incidentes nela mencionados são utilizados ficcio-
nalmente ou são produto da imaginação do autor. Quaisquer semelhanças com pessoas reais, vivas ou
mortas, acontecimentos ou locais, são mera coincidência.

1.ª edição / novembro de 2012
19.ª edição / agosto de 2014
ISBN: 978-989-23-2142-4
Depósito Legal n.º: 380 022/14

lua de papel®

[Uma chancela do grupo LeYa]
Rua Cidade de Córdova, n.º 2
2610-038 Alfragide
Tel. (+351) 21 427 22 00
Fax. (+351) 21 427 22 01
luadepapel@leya.pt
editoraluadepapel.blogs.sapo.pt
www.luadepapel.pt

Para mi mamá con todo mi amor y gratitud
E para o meu querido pai
Papá, sinto a tua falta todos os dias

AGRADECIMENTOS

Agradeço ao Niall, o meu rochedo.

A Kathleen, por ser uma fantástica ouvinte, amiga, confidente e maga da informática.

A Bee, pelo interminável apoio moral.

A Taylor (outro mago da informática), Susi, Pam e Nora, por mostrarem a uma rapariga como se pode divertir.

E pelo conselho e tato gostaria mesmo de agradecer:

À Dr.ª Raina Sluder, pelo auxílio em todas as questões médicas; a Anne Forlines, pelos conselhos financeiros; a Elizabeth de Vos, pelos amáveis conselhos quanto ao sistema de adoção norte-americano.

Agradeço a Maddie Blandino, pela sua arte maravilhosa e inspiradora.

E a Pam e Gillian, pelos cafés de domingo de manhã e por me trazerem de novo para a vida real.

Agradeço ainda à minha equipa editorial, Andrea, Shay e a sempre encantadora e apenas ocasionalmente disparatada Janine, que tolera as minhas tolices com paciência, resistência e um grande sentido de humor.

Agradeço a Amanda e a toda a equipa da The Writer's Coffee Shop Publishing House e, por fim, deixo um enorme «obrigada» a todo o pessoal da Vintage.

PRÓLOGO

Mamã! Mamã! A mamã está a dormir no chão. Já dorme há muito tempo. Escovo-lhe o cabelo porque ela gosta. Não acorda. Abano-a. Mamã! Dói-me a barriga. Ele não está aqui. Tenho sede. Na cozinha, encosto uma cadeira ao lava-loiça e bebo. A água salpica-me a camisola azul. A mamã continua a dormir. Mamã, acorda! Não se mexe. Está fria. Vou buscar a minha mantinha, tapo-a e deito-me ao lado dela no tapete verde e pegajoso. A mamã está a dormir. Tenho dois carrinhos. Correm pelo chão onde a mamã está deitada. Acho que a mamã está doente. Procuro qualquer coisa para comer. No congelador, encontro ervilhas. Estão frias. Como-as devagar. Dão-me dores de barriga. Durmo ao lado da mamã. As ervilhas acabaram. Há qualquer coisa no frigorífico. Tem um cheiro esquisito. Lambo-a e fico com a língua colada à coisa. Sabe mal. Bebo água. Brinco com os meus carrinhos e durmo ao lado da mamã. A mamã está tão fria e não acorda. A porta abre-se. Tapo a mamã com a minha mantinha. Ele está aqui. *Foda-se. Que merda se passou? Oh, esta cabra marada. Merda. Foda-se. Sai-me do caminho, pirralho de merda.* Dá-me um pontapé e eu bato com a cabeça no chão. Dói-me a cabeça. Ele liga a alguém e vai-se embora. Tranca a porta. Deito-me ao lado da mamã. Dói-me a cabeça. Chegou a senhora polícia. Não. Não. Não. Não me toquem. Não me toquem. Não me toquem. Eu fico com a mamã. Não. Deixem-me. A senhora polícia tem a minha mantinha e agarra-me. Grito. Mamã! Mamã! Quero a minha mamã. As palavras desaparecem. Não consigo dizer as palavras. A mamã não me ouve. Não tenho palavras.

– Christian! Christian! – A sua voz é urgente, arranca-o às profundezas do pesadelo, às profundezas do desespero. – Estou aqui. Estou aqui.

Ele acorda e ela está debruçada sobre ele, a segurar-lhe os ombros, com o rosto contorcido pela angústia, os olhos azuis arregalados e cheios de lágrimas.

– Ana. – A voz dele é um sussurro ofegante, o sabor do medo queima-lhe a boca. – Estás aqui.

– Claro que estou aqui.

– Tive um sonho...

– Eu sei. Estou aqui. Estou aqui.

– Ana. – Ele segreda o nome dela e é um talismã contra o pânico negro e sufocante que lhe percorre o corpo.

– Chiu, estou aqui. – Ela enrola-se nele, com os membros a formarem um casulo à volta dele, o calor dela a libertar-se no corpo dele, expulsando as sombras, fazendo o medo recuar. Ela é um raio de sol, ela é luz... ela é sua.

– Por favor, não vamos discutir.

Ele fala com uma voz rouca enquanto a envolve nos seus braços.

– Ok.

– Os votos. Sem obediência. Eu consigo fazer isso. Arranjaremos uma forma. – As palavras saem-lhe da boca num corrupio de emoção, confusão e ansiedade.

– Sim. Arranjaremos. Encontraremos sempre uma forma – sussurra ela. Depois pousa os lábios nos dele, silenciando-o, levando-o de novo para o momento presente.

CAPÍTULO UM

Espreito por entre os intervalos do chapéu de sol de palha e fito o céu azulíssimo, azul de verão, azul de Mediterrâneo, com um suspiro satisfeito. Christian está ao meu lado, deitado numa espreguiçadeira. O meu marido – o meu marido lindo e sensual, em tronco nu e de calções de ganga – está a ler um livro que prevê o colapso do sistema bancário ocidental. Ao que tudo indica, é impossível parar de o ler. Nunca o tinha visto tão quieto. Parece mais um estudante do que o CEO de uma das maiores empresas privadas dos Estados Unidos.

Na última parte da nossa lua de mel, preguiçamos sob o sol da tarde na praia do hotel com o nome apropriado Beach Plaza Monte Carlo, no Mónaco, embora não estejamos lá hospedados. Abro os olhos e observo o *Fair Lady* ancorado na doca. Estamos instalados, como é óbvio, a bordo de um iate motorizado de luxo. Construído em 1928, flutua majestosamente na água, rei de todos os iates da marina. Parece um brinquedo de corda. O Christian adora-o – suspeito de que se sente tentado a comprá-lo. Sinceramente... os rapazes e os seus brinquedos.

Recostando-me, escuto a seleção musical de Christian Grey no meu iPod e dormito sob o sol da tardinha, enquanto recordo ociosamente a sua proposta de casamento. Oh, o pedido de casamento de sonho na casa dos barcos... Quase sinto a fragrância das flores silvestres...

– Podemos casar amanhã? – murmura ele suavemente junto à minha orelha.

Eu estou deitada sobre o peito dele no caramanchel da casa da marina, saciada depois da sessão apaixonada de amor.

– Hum.

– Isso é um sim? – Ouço a sua surpresa esperançada.

– Hum.

– Um não?

– Hum. – Pressinto o seu sorriso.

– Miss Steele, é incoerente?

Sorrio também.

– Hum.

Ele ri-se, abraça-me com força e dá-me um beijo no cocuruto.

– Las Vegas, amanhã, então.

Sonolenta, levanto a cabeça.

– Acho que os meus pais não iam ficar muito contentes com isso.

Ele tamborila as pontas dos dedos nas minhas costas nuas, acariciando-me com delicadeza.

– O que queres, Anastasia? Las Vegas? Um grande casamento com todos os extras? Diz-me.

– Grande não... Só amigos e familiares. – Olho para ele, comovida com o apelo silencioso dos seus olhos brilhantes e cinzentos. O que quer ele?

– Ok. – Ele acena com a cabeça. – Onde?

Encolho os ombros.

– Podia ser aqui? – pergunta, hesitante.

– Na casa dos teus pais? Eles não se importavam?

Ele resfolega.

– A minha mãe ficaria no sétimo céu.

– Então fazemos aqui. Tenho a certeza de que a minha mãe e o meu pai prefeririam assim.

Ele acaricia-me o cabelo. Poderia eu ser mais feliz?

– Então, já estabelecemos onde, agora falta decidir quando.

– Deves ter de perguntar à tua mãe.

– Hum. – O sorriso de Christian cresce. – Posso dar-lhe um mês, não mais. Quero-te demasiado para esperar.

– Christian, tu já me tens. Já me tens há algum tempo. Mas está bem... um mês então. – Beijo-lhe o peito, com um beijo suave e terno, e sorrio-lhe.

– Vais-te queimar – sussurra-me Christian ao ouvido, despertando-me da minha dormência.

– Só por ti. – Ofereço-lhe o meu sorriso mais doce. O sol da tarde moveu-se e eu fiquei mesmo sob os seus raios. Ele ri-se e, com um movimento fluido, passa a minha espreguiçadeira para a sombra do chapéu de sol.

– Quero-a fora do alcance do sol mediterrânico, Mrs. Grey.

– Obrigada pelo seu altruísmo, Mr. Grey.

– O prazer é todo meu, Mrs. Grey, e não estou a ser altruísta de todo. Se apanhares um escaldão, não poderei tocar-te. – Arqueia uma sobrancelha, com um brilho de divertimento nos olhos, e o meu coração expande-se. – Mas desconfio de que sabes disso e estás a rir-te de mim.

– Eu faria isso?! – exclamo, fingindo inocência.

– Sim, farias e fazes. Muitas vezes. É uma das muitas coisas que adoro em ti.

Reclina-se e beija-me, mordiscando-me o lábio inferior de forma provocadora.

– Estava com esperança de que me massajasses com mais protetor solar. – Faço beicinho contra os lábios dele.

– Mrs. Grey, é um trabalho duro... mas eis uma oferta que não posso recusar. Sente-se – ordena-me com a voz rouca.

Faço o que ele me manda e, com movimentos meticulosos dos seus dedos fortes e flexíveis, cobre-me de protetor solar.

– És mesmo encantadora. Sou um homem com sorte – murmura enquanto os seus dedos me percorrem o peito, para espalhar a loção.

– Sim, é, Mr. Grey. – Lanço-lhe um olhar tímido por entre as pestanas.

– A modéstia favorece-a, Mrs. Grey. Vira-te. Quero pôr-te creme nas costas.

– Que reação terias se eu fizesse *topless*, como as outras mulheres desta praia? – pergunto-lhe.

– De desagrado – responde sem hesitar. – Não estou lá muito satisfeito por estares a usar tão pouca roupa. – Debruça-se e sussurra-me ao ouvido: – Não abuses da sorte.

– Isso é um desafio, Mr. Grey?

– Não. É a constatação de um facto, Mrs. Grey.

Suspiro e abano a cabeça. *Oh, Christian... meu Christian possessivo, ciumento, maníaco do controlo.*

Quando acaba, dá-me uma palmada no traseiro.

– Por agora chega, diabrete. – O seu Blackberry omnipresente e sempre ativo vibra. Franzo o sobrolho e ele esboça um sorriso trocista. – Só para os meus olhos, Mrs. Grey.

Arqueia uma sobrancelha num aviso divertido, dá-me outra palmada no rabo e torna a recostar-se na espreguiçadeira para atender a chamada.

A minha deusa interior ronrona. Talvez hoje à noite possamos fazer algum espetáculo só para os olhos dele. Ela sorri com um ar sapiente, arqueando uma sobrancelha. A ideia faz-me sorrir e eu volto à minha *siesta* da tarde.

– *Mam'selle? Un Perrier pour moi, un Coca-Cola Light pour ma femme, s'il vous plaît. Et quelque chose à manger... laissez-moi voir la carte.*

Hum... a cadência fluente de Christian a falar francês acorda-me. As minhas pestanas tremulam sob o brilho do sol e deparo-me com Christian a observar-me enquanto uma criada jovem de libré se afasta, de tabuleiro na mão e o rabo-de-cavalo a oscilar, provocador.

– Tens sede? – pergunta-me.

– Sim – murmuro, sonolenta.

– Era capaz de passar o dia a olhar para ti. Estás cansada? Coro.

– Não dormi muito ontem à noite.

– Nem eu. – Sorri, pousa o BlackBerry e levanta-se. Os seus calções descem um pouco... revelam os calções de banho que usa por baixo. Ele despe os calções e descalça os chinelos. Perco o fio aos pensamentos. – Vem nadar comigo. – Estende-me a mão enquanto fico a olhar para ele, estonteada. – Nadar – volta a dizer, inclinando a cabeça para o lado, com uma expressão divertida no rosto. Como não respondo, abana lentamente a cabeça. – Acho que precisas de ser acordada.

De repente, salta e pega-me ao colo enquanto eu guincho, mais pela surpresa do que por alarme.

– Christian! Pousa-me no chão! – grito.

Ele ri-se.

– Só no mar, querida.

Vários banhistas observam-nos com aquele desinteresse bem-

-disposto – tão típico, apercebo-me agora, dos Franceses – à medida que Christian me leva para o mar, a rir-se, e entra na água.

Eu aperto os braços à volta do pescoço dele.

– Não serias capaz – digo-lhe, ofegante, tentando conter as risadas. Ele sorri.

– Oh, Ana, querida, não aprendeste nada no pouco tempo que passámos juntos?

Ele beija-me e eu aproveito a oportunidade, passando-lhe os dedos pelo cabelo, agarrando duas madeixas e correspondendo-lhe ao beijo, invadindo-lhe a boca com a minha língua. Ele inspira bruscamente e inclina-se para trás, com os olhos vidrados mas desconfiados.

– Percebo o teu jogo – sussurra e, lentamente, baixa-se na água fresca e límpida, levando-me consigo enquanto os seus lábios tornam a encontrar os meus.

Depressa esqueço o frio do Mediterrâneo ao entrelaçar as pernas à volta do meu marido.

– Pensava que querias nadar – murmuro com a boca encostada à dele.

– És uma grande distração. – Christian corre os dentes pelo meu lábio inferior. – Mas não tenho a certeza de querer que as boas gentes de Monte Carlo vejam a minha mulher a entregar-se à paixão.

Passo os dentes pelo maxilar dele, sinto a barba que me pica a língua e não me importo nem um pouco com as boas gentes de Monte Carlo.

– Ana – geme ele.

Prende-me o rabo-de-cavalo à volta do pulso e puxa-o delicadamente, inclinando-me a cabeça para trás e expondo-me a garganta. Beija-me da orelha ao pescoço.

– Levo-te para mar alto? – segreda.

– Sim – sussurro eu.

Christian afasta-se e observa-me, com os olhos cálidos, desejosos e divertidos.

– Mrs. Grey, é insaciável e ousada. Que monstro criei?

– Um monstro à tua medida. Querias que eu fosse diferente?

– Possuo-te como quer que sejas, sabes isso. Mas não agora. Não com público.

Aponta para a costa com um gesto da cabeça.

O quê?

E, de facto, vários banhistas na praia abandonaram a indiferença e observam-nos agora com interesse. De repente, Christian agarra-me pela cintura e atira-me ao ar, deixando-me cair na água e afundar-me nas ondas até à areia macia. Venho à superfície, a tossir, a engasgar-me e a rir.

– Christian! – ralho-lhe, com um olhar furioso. Pensava que íamos fazer amor no mar... e riscar mais uma primeira vez. Ele morde o lábio inferior para abafar o riso. Atiro-lhe com água e ele faz-me o mesmo.

– Temos a noite toda – diz ele, com um sorriso de orelha a orelha. – Adeusinho, querida.

Mergulha no mar e emerge a um metro de mim, após o que, num *crawl* fluido e gracioso, se afasta da costa e de mim.

Ora! Cinquenta Sombras provocante e tentador! Escudo os olhos do sol com a mão enquanto o vejo afastar-se. É tão provocador... o que posso fazer para que regresse? Enquanto nado para a costa, contemplo as opções que tenho. Nas espreguiçadeiras, as nossas bebidas já chegaram e dou um pequeno gole na minha Coca-Cola. Christian é apenas um ponto ao longe.

Hum... deito-me de barriga para baixo e, debatendo-me com as fitas do biquíni, tiro a parte de cima e lanço-a descontraidamente para a espreguiçadeira de Christian. Pronto... veja quão ousada sou capaz de ser, Mr. Grey. Toma e embrulha. Fecho os olhos e deixo que o sol me aqueça a pele... que me aqueça os ossos e me faça divagar sob o calor, com os pensamentos a voltarem-se para o dia do meu casamento.

– Pode beijar a noiva – anuncia o reverendo Walsh.

Sorrio ao meu marido.

– Finalmente, és minha – sussurra ele, puxando-me para os seus braços e dá-me um beijo casto nos lábios.

Estou casada. Sou Mrs. Grey. Estou tonta de alegria.

– Estás linda, Ana – murmura ele e sorri, com os olhos a brilhar de amor... e de algo mais sombrio, algo ardente. – Não deixes que ninguém te dispa esse vestido sem ser eu, compreendes?

O seu sorriso aquece enquanto me percorre a face com a ponta dos dedos, inflamando-me o sangue.

Caramba... Como é que ele faz isto, até aqui, com todas estas pessoas a olharem para nós?

Aceno com a cabeça, em silêncio. Espero que ninguém nos consiga ouvir. Por sorte, o reverendo Walsh chegou-se discretamente para trás. Olho de relance para o grupo reunido, nas suas melhores roupas de casamento... a minha mãe, Ray, Bob e os Grey estão a aplaudir – até Kate, a minha madrinha, que fica espetacular de rosa-claro, ao lado do padrinho de Christian, o seu irmão Elliot. Quem diria que até Elliot seria capaz de se apresentar tão bem? Todos têm sorrisos enormes e iluminados – exceto Grace, que chora graciosamente para um elegante lenço branco.

– Pronta para se divertir, Mrs. Grey? – murmura Christian, oferecendo-me um sorriso tímido.

Derreto-me. Ele fica divinal num simples *smoking* preto com o colete e a gravata prateados. É tão... *elegante.*

– Pronta como sempre estarei – respondo com um sorriso apatetado.

Mais tarde, a festa do casamento está no auge... Carrick e Grace deram o seu melhor. Voltaram a montar a tenda e decoraram-na airosamente em tons de rosa-claro, prateado e marfim, com os lados abertos, de frente para a baía. Fomos abençoados por um tempo fantástico e o sol da tarde brilha sobre a água. Há uma pista de dança numa ponta da tenda, um *buffet* generoso na outra.

Ray e a minha mãe estão a dançar e a rir-se. Tenho sentimentos contraditórios ao vê-los juntos. Espero que eu e o Christian duremos mais. Não sei o que faria se ele me deixasse. *Quem casa muito prontamente, arrepende-se muito longamente.* O ditado atormenta-me.

Kate está ao meu lado, tão linda no seu vestido comprido de seda. Olha de relance para mim e franze o sobrolho.

– Ei, este devia ser o dia mais feliz da tua vida – ralha-me.

– E é – sussurro.

– Oh, Ana, o que se passa? Estás a ver a tua mãe e o Ray?

Assinto com a cabeça, triste.

– Estão felizes.

– São mais felizes separados.

– Estás com dúvidas? – pergunta Kate, alarmada.

– Não, de todo. É só que... amo-o tanto. – Interrompo-me, sem conseguir ou sem querer verbalizar os meus medos.

– Ana, é óbvio que ele te adora. Sei que a vossa relação teve um começo pouco convencional, mas vejo que têm estado muito felizes no último mês. – Agarra-me as mãos e aperta-as. – Além disso, agora é demasiado tarde para isso – acrescenta com um sorriso de orelha a orelha.

Solto uma risada. Kate está sempre disposta a salientar o óbvio. Puxa-me para um Abraço Especial de Katherine Kavanagh.

– Ana, vais ficar bem. E se ele te magoar, nem que seja um cabelo, vai ter de se haver comigo. – Ao libertar-me, sorri a quem quer que se encontra atrás de mim.

– Olá, querida. – Christian põe os braços à minha volta, surpreendendo-me, e beija-me uma têmpora. – Kate – cumprimenta-a. – Continua a tratá-la com frieza, mesmo passadas seis semanas.

– Olá de novo, Christian. Vou procurar o teu padrinho, que por acaso é o meu par.

Com um sorriso dirigido a nós os dois, encaminha-se para Elliot, que está a beber com o irmão dela, Ethan, e com o nosso amigo José.

– Está na hora de irmos – murmura Christian.

– Já? É a primeira festa na qual não me importo de ser o centro das atenções. – Viro-me nos seus braços para o encarar.

– Mereces ser. Estás fantástica, Anastasia.

– Também tu.

Ele sorri, com a expressão a aquecer.

– Este lindo vestido favorece-te.

– Este trapo velho? – Coro timidamente e puxo a renda delicada do vestido simples e feito à minha medida pela mãe de Kate. Adoro que a renda seja só até aos ombros – recatado, mas sedutor, espero.

Ele inclina-se e beija-me.

– Vamos. Não quero continuar a partilhar-te com estas pessoas todas.

– Podemos deixar o nosso próprio casamento?

– Querida, a festa é nossa, podemos fazer o que quisermos. Já partimos o bolo. E, agora, gostava de te levar daqui e ficar contigo só para mim.

Solto um risinho.

– Vai ter-me durante o resto da vida, Mr. Grey.

– Muito folgo em ouvi-lo, Mrs. Grey.

– Oh, aí estão vocês! Os pombinhos!

Resmungo mentalmente... a mãe de Grace encontrou-nos.

– Christian, querido... mais uma dança com a tua avó?

Christian contrai os lábios.

– Claro, avó.

– E tu, linda Anastasia, vai dar uma alegria a um velhote... dança com o Theo.

– O Theo, Mrs. Trevelyan?

– O avô Trevelyan. E acho que podes chamar-me "avó". Agora, vocês têm mesmo de começar a dar-me netos. Não hei de durar muito mais. – Dirige-nos um sorriso afetado. Christian olha para ela e pestaneja, horrorizado.

– Vamos, avó – diz ele, apressando-se a dar-lhe a mão e a levá-la para a pista de dança. Olha para mim, quase a fazer beicinho, e revira os olhos. – Adeusinho, querida.

Enquanto avanço para o avô Trevelyan, José aborda-me.

– Não te vou pedir outra dança. Acho que já monopolizei demasiado o teu tempo na pista de dança... Fico feliz por te ver feliz, mas estou a falar a sério, Ana. Estarei aqui... se precisares de mim.

– José, obrigada. És um bom amigo.

– É sentido. – Os seus olhos escuros brilham com sinceridade.

– Eu sei que é. Obrigada, José. Agora, se me dás licença... tenho um encontro com um velhote.

Confuso, ele franze o sobrolho.

– O avô do Christian – esclareço.

Ele sorri.

– Boa sorte para isso, Annie. Boa sorte para tudo.

– Obrigada, José.

E, depois de dançar com o avô encantador de Christian, fico diante das janelas de sacada, observando o Sol a pôr-se sobre Seattle, lançando tons vivos de laranja e azul-marinho pela baía.

– Vamos – insta-me Christian.

– Tenho de mudar de roupa.

Agarro-lhe a mão, tencionando puxá-lo pelas janelas de sacada e para o andar de cima comigo. Ele franze o sobrolho, sem compreender, e resiste com delicadeza, parando-me.

– Pensava que querias ser tu a tirar-me este vestido – explico. Os seus olhos animam-se.

– Correto. – Esboça um sorriso lascivo. – Mas não te vou despir aqui. Não partiríamos até... não sei... – Acena com a sua mão de dedos compridos, deixando a frase incompleta mas o significado bem explícito.

Coro e solto-lhe a mão.

– E também não desfaças o penteado – murmura num tom sombrio.

– Mas...

– Nada de mas, Anastasia. Estás linda. E quero ser eu a despir-te.

Oh. Franzo o sobrolho.

– Traz as tuas roupas de viagem – ordena-me. – Vais precisar delas. O Taylor tem a tua mala de viagem.

– Ok.

Qual será o plano dele? Não me contou onde vamos. Na verdade, acho que ninguém sabe onde vamos. Nem Mia nem Kate conseguiram extrair-lhe essa informação. Viro-me para a minha mãe e para Kate, que se encontram ali perto.

– Não vou mudar de roupa.

– O quê? – espanta-se a minha mãe.

– O Christian não quer que eu o faça. – Encolho os ombros, como se isso devesse explicar tudo. A sua testa franze-se por um instante.

– Não lhe prometeste obediência – recorda-me ela com tato.

Kate tenta disfarçar o riso trocista com uma tossidela. Nem ela nem a minha mãe fazem ideia da discussão que eu e Christian tivemos por causa disso. Não quero reacender essa questão. *Caramba, se o meu Cinquenta Sombras amua... e tem pesadelos.* A memória é suficiente para me acalmar.

– Eu sei, mãe, mas ele gosta deste vestido e quero agradar-lhe.

A sua expressão suaviza-se. Kate revira os olhos e tem o cuidado de se afastar para nos deixar a sós.

– Estás tão encantadora, querida. – Carla ajeita-me delicadamente uma madeixa solta do cabelo e acaricia-me o queixo. – Estou tão orgulhosa de ti. Vais fazer do Christian um homem muito feliz.

18

Puxa-me para me abraçar. *Oh, mãe!*

— Nem acredito em como estás crescida. A começar uma vida nova... Lembra-te só de que os homens são de um planeta diferente do nosso e tudo correrá bem.

Rio-me. Christian é de um universo diferente, ela nem imagina.

— Obrigada, mãe.

Ray junta-se a nós, dirigindo um sorriso doce à minha mãe e a mim.

— Fizeste uma menina linda, Carla — diz ele, com os olhos a brilhar de orgulho.

Está tão elegante no seu *smoking* preto, com aquele colete rosa-pálido. Sinto lágrimas a arderem-me nos olhos. Oh, não... até agora consegui não chorar.

— E tu tomaste conta dela e ajudaste-a a crescer, Ray. — A voz da minha mãe está plena de nostalgia.

— E adorei todos os momentos. És uma noiva e peras, Annie. — Ray põe-me a mesma madeixa solta atrás da orelha.

— Oh, pai... — Abafo um soluço e ele abraça-me, à sua maneira breve e desajeitada.

— Também vais ser uma mulher e peras — sussurra, com a voz rouca. — Quando me liberta, Christian está de novo a meu lado. Ray aperta-lhe a mão num gesto caloroso.

— Toma conta da minha menina, Christian.

— É mesmo essa a minha intenção, Ray. Carla. — Cumprimenta o meu padrasto com um aceno de cabeça e dá um beijo à minha mãe.

O resto dos convidados formam um longo arco humano para que nós passemos até à parte da frente da casa.

— Pronta? — pergunta-me Christian.

— Sim.

Dando-me a mão, guia-me por baixo dos braços estendidos enquanto os convidados nos gritam votos de boa sorte e felicidades, e nos atiram arroz. À espera ao fundo do arco, com sorrisos e abraços, estão Grace e Carrick. Abraçam-nos e beijam-nos à vez. Grace volta a emocionar-se quando nos despedimos à pressa.

Taylor aguarda por nós para nos levar dali no jipe da *Audi*. Enquanto Christian mantém a porta aberta para que eu entre, viro-me e atiro o *bouquet* de rosas brancas e cor-de-rosa para o grupo de mulheres jovens que se reuniu. Mia apanha-o no ar com um gesto triunfante e um sorriso de orelha a orelha.

Enquanto deslizo para o interior do todo-o-terreno, rindo-me da forma audaz como Mia apanhou o *bouquet*, Christian baixa-se para recolher a cauda do meu vestido. Assim que me encontro em segurança no interior, ele despede-se da multidão.

Taylor abre a porta do lado dele.

– Parabéns, senhor.

– Obrigado, Taylor – responde Christian enquanto se senta ao meu lado.

À medida que Taylor afasta o veículo, os nossos convidados atiram arroz. Christian dá-me a mão e beija-me os nós dos dedos.

– Até agora tudo bem, Mrs. Grey?

– Até agora tudo maravilhoso, Mr. Grey. Onde vamos?

– Para o Aeroporto de Seattle. – É a resposta simples dele, acompanhada por um sorriso de esfinge.

Hum... que estará ele a planear?

Taylor não se dirige para o terminal das partidas como eu esperava, passando antes por um portão de segurança e indo diretamente para a pista de alcatrão. O quê? E depois vejo-o: o jato de Christian... *Grey Enterprises Holdings, Inc.*, em grandes letras azuis na fuselagem.

– Não me digas que vais voltar a abusar da propriedade da empresa!

– Oh, espero que sim, Anastasia – responde ele, a sorrir.

Taylor para o *Audi* junto às escadas do avião e sai para abrir a porta de Christian. Trocam umas palavras breves, após o que Christian abre a porta do meu lado – e, em vez de recuar para me dar espaço para sair, debruça-se e pega-me ao colo.

Uau!

– O que estás a fazer? – guincho.

– A levar-te ao colo para o avião – responde.

– Oh. – *Isso não deveria ser para entrar em casa?*

Leva-me sem esforço pelos degraus e Taylor segue-nos com a minha pequena mala de viagem, que deixa à entrada do avião antes de regressar para o *Audi*. No *cockpit*, reconheço Stephan, o piloto de Christian, fardado.

— Bem-vinda a bordo, Mrs. Grey — cumprimenta-me com um sorriso.

Christian pousa-me e dá um aperto de mão a Stephan. Para além deste, há também uma mulher de cabelo escuro com... o quê? Uns trinta e poucos anos? Também está fardada.

— Parabéns aos dois — continua Stephan.

— Obrigado, Stephan. Anastasia, já conheces o Stephan. Será o nosso comandante hoje, e esta é a copiloto Beighley.

Ela cora quando Christian a apresenta e pestaneja rapidamente. Apetece-me revirar os olhos. Mais uma mulher completamente cativada pelo meu marido demasiado-bonito-para-o-seu-próprio-bem.

— É um prazer conhecê-la — balbucia Beighley.

Sorrio-lhe com brandura. Afinal... ele é meu.

— Está tudo preparado? — pergunta-lhes Christian enquanto observo o avião.

O interior é todo de madeira de ácer e couro num tom creme--pálido. É encantador. Outra jovem fardada encontra-se ao fundo da cabina do avião — uma morena muito *bonita*.

— Já recebemos autorização para descolar. O tempo está bom daqui até Boston.

Boston?

— Turbulência?

— Até Boston, não. Há um sistema frontal sobre Shannon que é capaz de nos sacudir um pouco.

Shannon? Irlanda?

— Compreendo. Bem, espero dormir enquanto passarmos por isso — diz Christian, num tom factual.

Dormir?

— Vamos dar início à viagem, senhor — informa Stephan. — Deixamo-los entregues aos cuidados competentes da Natalia, a vossa assistente de bordo.

Christian olha de relance para ela e franze o sobrolho, mas vira--se para Stephan com um sorriso.

– Excelente – profere. Dando-me a mão, leva-me até um dos sumptuosos assentos de cabedal. Devem ser uns doze no total.

– Senta-te – diz-me, despindo o casaco e desabotoando o belo colete de brocado prateado. Ficamos sentados um em frente ao outro, com uma pequena mesa muito polida entre nós.

– Bem-vindos a bordo, meu senhor e minha senhora, e parabéns. – Natalia está ao nosso lado, a oferecer-nos taças de champanhe cor-de-rosa.

– Obrigado – agradece Christian, ao que ela nos sorri educadamente e se afasta para a copa.

– A um casamento feliz, Anastasia. – Christian ergue o seu copo e brindamos. O champanhe é delicioso.

– *Bollinger?* – pergunto.

– Isso mesmo.

– Da primeira vez que o bebi, foi em chávenas de chá. – Sorrio.

– Lembro-me bem desse dia. Quando terminaste o curso.

– Onde vamos? – Já não consigo conter a curiosidade durante mais tempo.

– Shannon – responde ele, com os olhos a brilhar de entusiasmo. Parece um rapazinho.

– Na Irlanda? – Vamos à Irlanda!

– Para reabastecermos o avião – acrescenta, provocante.

– E depois? – insisto.

O seu sorriso alarga-se e ele abana a cabeça.

– Christian!

– Londres – diz ele, observando-me intensamente para tentar avaliar a minha reação.

Arquejo. *Fogo.* Tinha pensado que talvez fôssemos a Nova Iorque ou a Aspen, talvez até às Caraíbas. Mal consigo acreditar. Sempre tive o desejo de visitar Londres. Estou iluminada por dentro, incandescente de felicidade.

– Depois Paris.

O quê?

– E depois o Sul de França.

Uau!

– Eu sei que sempre sonhaste ir à Europa – diz-me num tom suave.

— Quero concretizar os teus sonhos, Anastasia.

— Tu és o meu sonho concretizado, Christian.

— É recíproco, Mrs. Grey — sussurra ele.

Oh, céus...

— Põe o cinto.

Sorrio e faço o que ele me diz.

Enquanto o avião percorre a pista, bebericamos o champanhe, sorrindo como tolos um para o outro. Mal posso acreditar. Aos vinte e dois anos, estou finalmente a sair dos Estados Unidos e a ir à Europa — a *Londres*, ainda por cima!

Depois de descolarmos, a assistente de bordo serve-nos mais champanhe e prepara-nos o banquete nupcial. E que banquete é — salmão fumado, seguido de perdiz assada com salada de feijão-verde e batatas *dauphinoise*, tudo cozinhado e servido pela muitíssimo eficiente Natalia.

— Sobremesa, Mr. Grey? — pergunta.

Ele abana a cabeça e passa o dedo pelo lábio inferior enquanto me fita com um ar interrogativo e uma expressão sombria e indecifrável.

— Não, obrigada — murmuro, incapaz de desviar o olhar do dele. Os seus lábios curvam-se num sorriso ligeiro e secreto, ao que Natalia se afasta.

— Bom — murmura ele. — Tinha planeado ter-te a ti como sobremesa.

Oh... aqui?

— Anda — diz ele, enquanto se levanta e me oferece a mão. Encaminha-me para o fundo da cabina. — Há uma casa de banho ali.

Aponta para uma pequena porta e depois leva-me por um corredor curto e faz-me passar por uma porta ao fundo.

Caramba... um quarto. A cabina é creme e de madeira de ácer e a pequena cama de casal está coberta de almofadas douradas e castanho-acinzentadas. Parece muito confortável.

Christian vira-se e puxa-me para os seus braços, olhando para mim.

— Achei que podíamos passar a nossa noite de núpcias a trinta e cinco mil pés de altitude. É uma coisa que nunca fiz.

Outra estreia. Fito-o boquiaberta, com o coração a bater muito depressa... o clube das milhas aéreas. Já ouvi falar disto.

— Mas primeiro tenho de te tirar esse vestido fabuloso. — Os seus olhos brilham com amor e algo mais sombrio, algo que eu adoro... algo que apela à minha deusa interior. Ele deixa-me sem fôlego.

– Vira-te. – Fala com uma voz grave, autoritária e *sexy* como tudo.

Como consegue ele infundir tanta promessa numa única palavra? Obedeço de bom grado e as mãos dele avançam para o meu cabelo. Delicadamente, tira-me cada gancho, com os seus dedos ágeis a tornarem a tarefa simples. O cabelo cai-me em feixes sobre os ombros, uma madeixa de cada vez, tapando-me as costas e chegando-me ao peito. Tento manter-me quieta e não me contorcer, mas anseio pelo toque dele. Depois do nosso dia longo, cansativo mas excitante, quero-o – todo.

– Tens um cabelo tão bonito, Ana.

Tem a boca perto da minha orelha e eu sinto-lhe a respiração, embora os seus lábios não me toquem. Quando já não tenho ganchos, passa-me os dedos pelo cabelo e massaja-me o couro cabeludo ao de leve... *oh, céus...* Fecho os olhos e saboreio a sensação. Os seus dedos viajam para baixo e ele puxa-me e inclina-me a cabeça para me expor a garganta.

– És minha – sussurra e mordisca-me o lóbulo da orelha.

Gemo.

– Silêncio – admoesta-me.

Passa-me o cabelo por cima do ombro e percorre-me as costas com um dedo, de um ombro ao outro, seguindo o contorno de renda do meu vestido. Tremo de expectativa. Pousa-me um beijo suave nas costas, por cima do primeiro botão do vestido.

– Tão linda – diz ele enquanto o desabotoa. – Hoje fizeste de mim o homem mais feliz do mundo. – Com uma lentidão infinita, desaperta o resto do vestido, continuando a descer-me pelas costas. – Amo-te tanto. – Beijos que me percorrem desde nuca à beira do ombro. Entre cada beijo, murmura: – Eu. Quero-te. Tanto. Eu. Quero. Estar. Dentro. De. Ti. Tu. És. Minha.

Cada palavra é inebriante. Fecho os olhos e inclino a cabeça, facilitando-lhe o acesso ao meu pescoço, e rendo-me ainda mais ao feitiço que é Christian Grey, o meu marido.

– Minha – sussurra ele mais uma vez.

Faz o vestido passar-me pelos braços até que ele se espalha a meus pés numa nuvem de seda e renda cor de marfim.

— Vira-te — murmura, com a voz subitamente rouca. Assim faço, e ele arqueja.

Estou vestida com um corpete justo rosa-pálido com ligas, cuecas de renda a condizer e meias de seda brancas. Os olhos de Christian viajam avidamente pelo meu corpo, mas ele não diz nada. Limita-se a fitar-me, com os olhos arregalados de desejo.

— Gostas? — sussurro, ciente do tom rosado que se insinua nas minhas faces.

— Mais do que gostar, querida. Estás sensacional. Apoia-te. — Estende-me a mão e, agarrando-a, saio do meu vestido. — Fica quieta — ordena baixinho e, sem desviar os olhos cada vez mais escuros dos meus, passa o dedo do meio pelo meu peito, seguindo o contorno do corpete.

A minha respiração acelera e ele repete a viagem pelos meus seios, com o seu dedo provocador a causar-me arrepios na espinha. Para e gira o dedo indicador no ar, para me dizer que quer que eu me vire.

Por ele, neste momento, eu faria qualquer coisa.

— Para — ordena-me.

Estou de frente para a cama, de costas para ele. O seu braço envolve-me a cintura, puxando-me contra si, e ele encosta o nariz ao meu pescoço. Com delicadeza, segura-me nos seios, brincando com eles, enquanto os seus polegares descrevem círculos nos meus mamilos, que enrijecem contra o tecido do corpete.

— Minha — sussurra.

— Tua — respondo.

Soltando-me o peito, passa-me as mãos pelo estômago, pela barriga, até às coxas, com os polegares a roçarem-me no sexo. Abafo um gemido. Os seus dedos passam por uma liga e depois por outra e, com a destreza habitual, solta cada uma das meias. As mãos aproximam-se do meu rabo.

— Minha — murmura enquanto as suas mãos se abrem no meu traseiro, com as pontas dos dedos a roçar-me no sexo.

— Ah.

— Silêncio.

Viaja com as mãos até à parte de trás das minhas coxas e desprende o resto das ligas. Debruçando-se, puxa as cobertas da cama.

– Senta-te.

Serva das suas palavras, faço o que me manda e ele ajoelha-se à minha frente e descalça-me delicadamente os *Jimmy Choo* de noiva. Segura na parte de cima da minha meia esquerda e puxa-a devagar, passando-me os polegares pela perna... Repete o processo com a outra meia.

– É como desembrulhar presentes de Natal. – Sorri ao olhar para cima, fitando-me por entre as suas longas pestanas escuras.

– Um presente que já tiveste...

Ele franze o sobrolho, reprovador.

– Oh, não, querida. Desta vez é mesmo meu.

– Christian, sou tua desde que disse "sim". – Chego-me para a frente e seguro-lhe o rosto entre as mãos. – Sou tua. Serei sempre tua, meu marido. Agora, acho que estás com demasiada roupa.

Debruço-me para o beijar e, de repente, ele estica-se, beija-me os lábios e agarra-me a cabeça, com os dedos a entrelaçarem-se no meu cabelo.

– Ana – ofega. – Minha Ana.

Os seus lábios voltam a reclamar os meus, a sua língua é de uma invasão persuasiva.

– Roupas – sussurro, com os nossos hálitos a mesclarem-se enquanto lhe puxo o colete e ele se esforça por o despir, libertando-me por um instante.

Interrompe-se, a fitar-me, com os olhos bem abertos, cheios de desejo.

– Por, favor, deixa-me ajudar-te. – A minha voz é suave e sedutora. Quero despir o meu marido, o meu Cinquenta.

Ele volta a acocorar-se e, debruçando-me, agarro-lhe a gravata, a gravata cinza-prateada, a minha preferida – e, lentamente, desfaço o nó e tiro-lha. Ele levanta o queixo para me deixar atacar o botão de cima da camisa branca; depois, passo para os punhos. Está a usar botões de punho de platina – com as iniciais *A* e *C* entrelaçadas –, o presente de casamento que lhe dei. Depois de lhos tirar, ele agarra nos botões de punho e fecha-os na mão. Em seguida, beija a mão e guarda-os no bolso das calças.

– Mr. Grey, que romântico.

– Para si, Mrs. Grey... corações e flores. Sempre.

Dou-lhe a mão e, espreitando por entre as minhas pestanas, beijo-lhe a aliança simples de platina. Ele geme e fecha os olhos.

– Ana – sussurra, e o meu nome é uma prece.

Levando a mão ao segundo botão da camisa dele e imitando o que fez, vou-lhe beijando suavemente o peito enquanto o desabotoo e sussurro entre cada beijo:

– Tu. Fazes-me. Tão. Feliz. Eu. Amo-te.

Ele geme e, num movimento ligeiro, agarra-me pela cintura e levanta-me sobre a cama, deitando-se nela comigo. Os seus lábios encontram os meus, as suas mãos percorrem-me a cabeça, imobilizam-me enquanto as nossas línguas se regozijam uma na outra. Abruptamente, Christian ajoelha-se e deixa-me sem fôlego e a ansiar por mais.

– És tão linda... mulher. – Passa as mãos pelas minhas pernas até agarrar no meu pé esquerdo. – Tens umas pernas tão bonitas. Quero beijar cada centímetro delas. A começar por aqui.

Encosta-me os lábios ao dedo grande do pé e roça os dentes pela base. Tudo o que fica a sul da minha cintura se agita. Percorre-me a planta do pé com a língua e os seus dentes rasam-me o calcanhar e sobem até ao tornozelo. Beija-me a barriga da perna, continuando a subir; beijos suaves e molhados. Esperneio.

– Quieta, Mrs. Grey – avisa-me e, de súbito, vira-me de barriga para baixo e continua a viagem ociosa com a boca pela parte de trás das minhas pernas, chegando às coxas, ao traseiro e depois interrompe-se. Gemo.

– Por favor...

– Quero-te nua – murmura ele e, devagar, desaperta-me o corpete, um colchete de cada vez.

Quando a peça de roupa fica ao meu lado na cama, ele percorre-me a coluna com a língua.

– Christian, por favor.

– O que quer, Mrs. Grey?

As suas palavras são suaves e ditas junto à minha orelha. Está quase deitado por cima de mim... sinto-o duro contra o meu traseiro.

– A ti.

– E eu a ti, meu amor, minha vida – sussurra e, antes que eu perceba o que está a acontecer, virou-me de barriga para cima.

Levanta-se com agilidade e, num único gesto eficiente, livra-se das calças e dos *boxers*, ficando gloriosamente nu, grande e pronto por cima de mim. A pequena cabina é eclipsada pela sua beleza impressionante e pelo quanto ele me quer e deseja. Debruça-se e tira-me as cuecas, após o que me fita.

– Minha – boqueja.

– Por favor – imploro e ele sorri... um sorriso devasso, libertino, tentador, com todas as cinquenta sombras.

Ele regressa para a cama e percorre-me desta vez a perna direita com beijos... até chegar ao cimo das minhas coxas. Afasta-me mais as pernas.

– Ah... minha mulher – murmura ele e, em seguida, a sua boca está em mim.

Fecho os olhos e rendo-me à sua língua oh-tão-ágil. As minhas mãos cerram-se no cabelo dele à medida que as ancas oscilam para a frente e para trás, escravas do ritmo dele, e depois se erguem na cama. Ele agarra-me as ancas a fim de me imobilizar... mas não para a tortura deliciosa. Estou quase, quase...

– Christian – gemo.

– Ainda não – sussurra ele e sobe pelo meu corpo, mergulhando-me a língua no umbigo.

– Não!

Raios! Sinto o seu sorriso contra a minha barriga enquanto ele prossegue a viagem para norte.

– Que impaciente, Mrs. Grey. Temos tempo até aterrarmos na ilha Esmeralda.

Reverencialmente, beija-me os seios e puxa-me o mamilo esquerdo entre os lábios. Quando olha para mim, tem os olhos escuros como uma tempestade tropical que me provoca.

Oh, céus... tinha-me esquecido. *Europa.*

– Marido, quero-te. Por favor.

Ele coloca-se por cima de mim, com o corpo a tapar o meu, suportando o seu peso nos cotovelos. Encosta o nariz ao meu e eu percorro-lhe as costas lisas com as mãos até chegar ao seu belo, belo traseiro.

– Mrs. Grey... mulher. O nosso objetivo é agradar. – Os seus lábios roçam nos meus. – Amo-te.

– Também te amo.

– De olhos abertos. Quero ver-te.

– Christian... ah... – grito quando ele entra lentamente em mim.

– Ana, oh, Ana – ofega ele e começa a mexer-se.

– Que porra é que julgas que estás a fazer? – grita Christian, acordando-me do sonho tão agradável. Está diante de mim, molhado e lindo, à frente da minha espreguiçadeira, com um olhar furioso.

O que é que eu fiz? *Oh, não... Estou deitada de barriga para cima...* Merda, merda, merda, e ele está fulo. Merda. Está mesmo fulo.

CAPÍTULO DOIS

De repente, estou muito desperta, tendo esquecido o sonho erótico.

– Estava de barriga para baixo. Devo ter-me virado enquanto dormia – sussurro debilmente em minha defesa.

Os seus olhos chispam de fúria. Ele baixa-se, apanha a parte de cima do meu biquíni que está em cima da espreguiçadeira dele e atira-ma.

– Põe isso – silva.

– Christian, ninguém está a ver.

– Confia em mim. Estão a ver. Tenho a certeza de que o Taylor e os seguranças estão a gostar do espetáculo! – rosna.

Grande merda! Porque estou sempre a esquecer-me deles? Tapo os seios, em pânico, procurando escondê-los. Desde a sabotagem do *Charlie Tango* que somos constantemente seguidos por seguranças.

– Sim – continua ele. – E algum *paparazzo* nojento podia tirar-te uma foto. Queres aparecer na capa da revista *Star?* E, desta vez, nua?

Merda! Os paparazzi! Foda-se! Enquanto enfio atabalhoadamente a parte de cima do biquíni, parecendo que perdi toda a destreza, fico sem pinga de sangue na cara. Estremeço. A memória desagradável de ser perseguida pelos *paparazzi* no exterior da Seattle Independent Publishing depois de o nosso noivado ter sido revelado regressa... tudo isso faz parte do conjunto Christian Grey.

– *L'addition!* – exige ele a uma empregada de passagem. – Vamos embora – diz-me.

– Agora?

– Sim. Já.

Oh, merda, não vai dar para discutir.

Christian veste os calções de ganga, apesar de os de banho estarem ensopados, e a *t-shirt* cinzenta. A empregada volta pouco depois com o cartão de crédito dele e a conta.

Com relutância, enfio o vestido turquesa e calço os chinelos. Depois de a empregada se afastar, Christian agarra no livro e no BlackBerry, e esconde a fúria atrás de uns óculos de sol espelhados, à aviador. Todo ele vibra de tensão e raiva. O meu coração afunda-se. Todas as outras mulheres da praia estão a fazer *topless* – não é um crime assim tão grande. Na verdade, eu pareço estranha *com* a parte de cima vestida. Suspiro interiormente, desanimada. Tinha julgado que ele acharia engraçado... mais ou menos... talvez se eu tivesse ficado de barriga para baixo, mas o seu sentido de humor evaporou-se.

– Por favor, não fiques zangado comigo – sussurro, pegando no livro e no BlackBerry dele, que guardo na minha mochila.

– É demasiado tarde para isso – responde num tom calmo... demasiado calmo. – Anda.

Depois de me dar a mão, faz sinal a Taylor e aos dois colegas dele, os seguranças franceses Philippe e Gaston. Estranhamente, são gémeos idênticos. Têm estado pacientemente a observar-nos e a toda a gente na praia da varanda. Porque passo a vida a esquecer-me deles? Como é possível? Taylor mostra-se com uma expressão empedernida por detrás dos óculos de sol. Merda, também está fulo comigo. Ainda não estou habituada a vê-lo vestido com tanto à vontade, de calções e um polo preto.

Christian leva-me para o hotel, atravessa o átrio comigo e depois chegamos à rua. Mantém-se silencioso, amuado e mal-humorado, e a culpa é toda minha. Taylor e a sua equipa seguem-nos.

– Onde vamos? – pergunto num tom hesitante, olhando para ele.

– De volta para o barco.

Ele não olha para mim.

Não faço ideia de que horas sejam. Talvez cinco ou seis da tarde, parece-me. Quando chegamos à marina, Christian encaminha-me para a doca, onde a lancha e o *jet ski* do *Fair Lady* estão parados. Enquanto Christian desamarra o *jet ski*, passo a minha mochila a Taylor. Nervosa, olho de relance para ele mas, à semelhança da de Christian, a sua expressão nada revela. Coro, pensando no que ele viu na praia.

– Aqui tem, Mrs. Grey.

Taylor passa-me um colete salva-vidas que tirou da lancha e eu apresso-me a vesti-lo. Porque serei a única a ter de usar um salva-vidas?

Christian e Taylor entreolham-se. Caramba, também estará zangado com Taylor? Depois Christian verifica as tiras do meu colete, apertando bem a do meio.

– Assim está bem – resmoneia em tom taciturno, continuando a não olhar para mim. *Merda*.

Monta graciosamente o *jet ski* e estende a mão para que eu o acompanhe. Segurando-a com força, consigo passar a perna por cima do assento sem cair na água, enquanto Taylor e os gémeos entram para a lancha. Christian afasta o *jet ski* da doca e este flutua suavemente para a marina.

– Agarra-te – ordena-me e eu passo os braços à volta dele.

Isto é aquilo de que mais gosto ao viajar de *jet ski*. Abraço-o, muito próxima dele, com o nariz encostado às suas costas, maravilhando-me por ter havido uma altura em que ele não teria tolerado que eu lhe tocasse assim. Cheira bem... a Christian e a mar. *Perdoa-me, Christian... por favor?*

Ele retesa-se.

– Firme – diz ele, num tom mais meigo.

Beijo-lhe as costas e apoio a face ao seu corpo, olhando para a doca onde alguns veraneantes se reuniram para assistir ao espetáculo.

Christian dá à chave e o motor ganha vida. Com uma torção do acelerador, o *jet ski* lança-se para diante e avança pela água escura e fresca, percorrendo a marina em direção ao porto onde se encontra o *Fair Lady*. Aperto-o mais. Adoro isto – é tão emocionante. Todos os músculos do corpo esguio de Christian se evidenciam enquanto me agarro a ele.

Taylor segue ao nosso lado na lancha. Christian olha para ele de relance e torna a acelerar, ao que nos lançamos para a frente, chicoteando as águas como um seixo atirado com mestria. Taylor abana a cabeça, numa exasperação resignada, e encaminha-se diretamente para o iate, enquanto Christian passa o *Fair Lady* e avança para mar alto.

A espuma do mar salpica-nos, o vento quente atinge-me a cara e agita-me o rabo-de-cavalo. Isto é tão *divertido*. Talvez a emoção da volta disperse o mau humor de Christian. Não lhe vejo o rosto, mas percebo que está a divertir-se – despreocupado, agindo de acordo com a idade que tem, para variar.

Descreve um enorme semicírculo e eu observo a costa – os barcos na marina, o mosaico de apartamentos e escritórios amarelos, brancos e cor de areia, e as montanhas lá atrás. Tudo parece tão desorganizado – ao contrário dos quarteirões regimentados a que estou habituada – mas também tão pitoresco. Christian olha por cima do ombro para me ver e há um espectro de um sorriso a bailar-lhe nos lábios.

– Outra vez? – grita para se fazer ouvir acima do barulho do motor.

Aceno entusiasticamente com a cabeça. O sorriso com que me responde é estonteante, antes de tornar a dar-lhe gás e acelerar à volta do *Fair Lady*, lançando-se de novo para o mar... e eu acho que estou perdoada.

– Bronzeaste-te – comenta Christian num tom ameno enquanto me desaperta o colete salva-vidas.

Ansiosa, tento perceber com que estado de espírito se encontra. Estamos no convés do iate e um dos criados de bordo aguarda discretamente ali perto, à espera do meu salva-vidas. Christian entrega-lho.

– Será tudo, senhor? – pergunta o jovem.

Adoro o sotaque francês dele. Christian olha para mim, tira os óculos de sol e pendura-os no colarinho da *t-shirt*.

– Queres uma bebida? – pergunta-me.

– Preciso?

Ele inclina a cabeça para o lado.

– Porque dizes isso? – inquire numa voz suave.

– Sabes porquê.

Ele franze o sobrolho, como se sopesasse alguma coisa.

Oh, em que está ele a pensar?

– Dois gins tónicos, por favor. E uns frutos secos e azeitonas – diz ao criado, que assente com a cabeça e desaparece num ápice.

– Achas que vou castigar-te? – A voz de Christian é sedosa.

– Queres fazê-lo?

– Sim.

– Como?

– Há de me ocorrer qualquer coisa. Talvez depois de teres tomado a tua bebida.

É uma ameaça sensual. Engulo em seco e a minha deusa interior semicerra os olhos na sua espreguiçadeira, onde tenta apanhar raios de sol com um refletor prateado disposto no pescoço.

Christian volta a franzir o sobrolho.

– Queres ser castigada?

Como é que ele sabe?

– Depende – murmuro, a corar.

– De quê? – Ele disfarça o sorriso.

– Se queres magoar-me ou não.

A sua boca contrai-se numa linha retesada, já sem humor. Inclina-se para a frente e beija-me a testa.

– Anastasia, és minha mulher, não minha submissa. Não quero magoar-te nunca. Já devias saber isso. Mas... não tires a roupa em público. Não quero ver-te nua nos tabloides. Tu também não queres, e tenho a certeza de que a tua mãe e o Ray também não.

Oh! Ray. Grande merda, ainda tinha um ataque cardíaco. O que me passou pela cabeça? Repreendo-me mentalmente.

O criado de bordo aparece com as nossas bebidas e aperitivos e coloca-os na mesa de teca.

– Senta-te – ordena-me Christian. Obedeço e ocupo uma das cadeiras de lona. Ele senta-se ao meu lado e passa-me um gin tónico. – À nossa, Mrs. Grey.

– À nossa, Mr. Grey. – Dou um gole de bom grado. Mata-me a sede, está gelado e delicioso. Quando olho para ele, vejo que me observa cuidadosamente, com uma disposição indecifrável. É muito frustrante... Não sei se continua zangado comigo. Sirvo-me da minha técnica patenteada de distração. – A quem pertence este barco?

– A um cavaleiro britânico. *Sir* Fulano-ou-Sicrano. O tetravô dele fundou uma mercearia. A filha casou com um príncipe europeu.

Oh.

– Super-ricos?

De repente, Christian parece cauteloso.

– Sim.

– Como tu – murmuro.

– Sim.

Oh.

– É como tu – sussurra ele antes de levar uma azeitona à boca. Pestanejo rapidamente... uma visão dele de *smoking* e colete prateado vem-me à memória... os seus olhos a arder com sinceridade e a observarem-me durante a cerimónia do nosso casamento. – *Tudo o que é meu agora é teu* – continua ele, numa voz clara, recitando de cor os seus votos nupciais.

Tudo meu?

– É esquisito. Passar de não ter nada a... – Aceno com a mão para indicar a opulência que nos rodeia – ...a ter tudo.

– Vais-te habituar.

– Acho que nunca me vou habituar.

Taylor aparece no convés.

– Senhor, tem uma chamada.

Christian franze o cenho, mas aceita o BlackBerry que Taylor lhe passa.

– Grey – atende, já a levantar-se do assento e indo até à proa do iate.

Eu fito o mar, desligando da conversa que ele está a ter com Ros – acho eu – o seu braço direito. Sou rica... podre de rica. Não fiz nada para ganhar este dinheiro... limitei-me a casar com um homem rico. Estremeço quando a minha mente divaga para a conversa que tivemos sobre o acordo pré-nupcial. Foi no domingo depois do aniversário dele e estávamos todos sentados à mesa da cozinha, a desfrutar de um pequeno-almoço ocioso... todos nós. Elliot, Kate, Grace e eu estávamos a debater os méritos do *bacon*, por oposição às salsichas, enquanto Carrick e Christian liam o jornal de domingo...

– Vejam só – guincha Mia e pousa o *netbook* na mesa da cozinha à nossa frente. – Há um artigo nas páginas sociais do *site* Seattle Nooz Web acerca do teu noivado, Christian.

– Já? – espanta-se Grace. Depois a sua boca contrai-se, com algum pensamento obviamente desagradável.

Christian franze o sobrolho. Mia lê a crónica em voz alta:

– Aqui no *Nooz* ficámos a saber que o solteiro mais desejado de Seattle, o Christian Grey, foi finalmente arrematado e que há sinos de igreja prestes a badalar. Mas quem será a jovem sortuda? O *Nooz* está a investigar. De certeza que ela está a ler uma data de condições pré-nupciais.

Mia solta um risinho, mas cala-se abruptamente quando Christian lhe lança um olhar furioso. Instala-se o silêncio e a atmosfera na cozinha dos Grey enregela.

Oh, não? Um acordo pré-nupcial? Nunca tinha pensado em tal coisa. Engulo em seco, sentindo todo o sangue a fugir-me do rosto. *Por favor, chão, engole-me agora!*

Christian mexe-se com desconforto na cadeira quando o olho com apreensão.

— Não — boqueja-me.

— Christian — começa Carrick num tom delicado.

— Não vou voltar a discutir este assunto — riposta a Carrick, que me lança um olhar nervoso e abre a boca para dizer qualquer coisa. — Não há acordo pré-nupcial! — declara Christian, quase a gritar, após o que regressa à leitura do jornal, ignorando todos os outros à mesa.

Eles vão olhando ora para mim ora para ele... e depois para qualquer lado onde nós não estejamos.

— Christian — murmuro. — Eu assinarei qualquer coisa que tu e o Mr. Grey queiram.

Caramba, não seria a primeira vez que me obrigaria a assinar qualquer coisa. Christian levanta a cabeça e fita-me com um olhar furioso.

— Não — responde.

Volto a ficar exangue.

— É para te proteger.

— Christian, Ana... Parece-me que deveriam discutir isto em privado — admoesta-nos Grace.

Olha para Carrick e Mia. Oh, céus, parece que eles também estão em apuros.

— Ana, a questão não és tu — murmura Carrick, para me tranquilizar. — E, por favor, trata-me por Carrick.

Christian semicerra os olhos frios e observa o pai, ao que sinto um aperto no coração. *Raios... Está mesmo zangado.*

Todos desatam a conversar numa grande animação, e Mia e Kate levantam-se num pulo para tirarem as coisas da mesa.

– Eu não tenho dúvidas, prefiro salsichas – exclama Elliot.

Quanto a mim, fito os meus dedos entrelaçados. Merda. Espero que Mr. e Mrs. Grey não julguem que sou alguma oportunista. Christian debruça-se sobre a mesa e segura-me as mãos nas suas.

– Para com isso.

Como é que ele sabe o que eu estou a pensar?

– Não ligues ao meu pai – diz-me baixinho, para só eu ouvir. – Está mesmo lixado por causa da Elena. Aquilo tudo era para mim. Quem me dera que a minha mãe tivesse ficado calada.

Sei que Christian ainda está magoado com a "conversa" que teve com Carrick na noite passada.

– Ele tem razão, Christian. És muito abastado e eu não trago nada para este casamento, a não ser as dívidas do meu empréstimo universitário.

Christian fita-me com um olhar sombrio.

– Anastasia, se me deixares, bem podes levar tudo. Já me deixaste uma vez. Sei o que me faz sentir.

Merda!

– Isso foi diferente – sussurro, impressionada com a sua intensidade. – Mas... tu podes querer deixar-me.

Fico maldisposta só com a ideia. Ele resfolega e abana a cabeça, afetando um desgosto profundo.

– Christian, sabes que eu sou capaz de fazer qualquer coisa excecionalmente estúpida... e tu... – Olho para as minhas mãos entrelaçadas, com a dor a perfurar-me, e sou incapaz de terminar a frase. Perder Christian... *merda.*

– Para. Para já. Este assunto está encerrado, Ana. Não vamos voltar a discuti-lo. Não há acordo pré-nupcial. Nem agora, nem nunca. – Mira-me com um olhar de "agora desiste", que me silencia. Depois vira-se para Grace. – Mãe, podemos fazer o casamento aqui?

E não tornou a mencioná-lo. Na verdade, tem aproveitado todas as oportunidades para me tranquilizar quanto à sua fortuna... que também é minha. Estremeço ao recordar o frenesim louco de compras a que Christian me exigiu que me dedicasse com Caroline Acton – a *personal shopper* de Nieman Marcus – para preparar esta lua de mel. Só o meu biquíni custou quinhentos e quarenta dólares. Quer dizer, é bonito, mas a sério... é uma quantidade ridícula de dinheiro por quatro pedaços triangulares de tecido.

– Vais-te habituar – interrompe-me Christian o devaneio ao reocupar o seu lugar à mesa.

– Habituar-me?

– Ao dinheiro – esclarece ele, revirando os olhos.

Oh, Cinquenta, talvez com tempo. Empurro o pequeno prato de amêndoas e cajus salgados na direção dele.

– Os seus frutos[1], senhor – digo, com uma expressão tão séria quanto consigo, tentando trazer algum humor à conversa, depois dos meus pensamentos sombrios e da gafe com a parte de cima do biquíni.

Ele esboça um sorriso irónico.

– Sou louco por ti. – Serve-se de uma amêndoa, com os olhos a brilhar com humor matreiro, apreciando a minha piada. Lambe os lábios. – Acaba a bebida. Vamos para a cama.

O quê?

– Bebe – repete sem som, com o olhar a ficar mais sombrio.

Oh, céus, o olhar que me lança poderia ser o único responsável pelo aquecimento global. Agarro no meu gin e esvazio o copo, sem desviar o olhar dele. A sua boca entreabre-se e vislumbro-lhe a ponta da língua entre os dentes. Sorri-me com lascívia. Num único movimento fluido, está de pé e debruçado sobre mim, apoiando as mãos nos braços da minha cadeira.

– Vou dar-te uma lição. Anda. Não faças chichi – sussurra-me ao ouvido.

Arquejo. *Não faças chichi? Mas que grosseiro.* O meu subconsciente desvia os olhos do livro – *As Obras Completas de Charles Dickens* – com alarme.

– Não é o que estás a pensar. – Christian esboça um sorriso sardónico e estende-me a mão. – Confia em mim.

Tem um ar tão *sexy* e genial. Como posso resistir?

---

1. *Nuts* tanto quer dizer nozes e frutos secos como "louco" e a expressão "your nuts" (os seus frutos) facilmente se confunde com "you're nuts" (és louco). (N. da T.)

– Ok?

Dou-lhe a mão porque, muito simplesmente, lhe confio a minha própria vida. Que terá ele em mente? O meu coração começa a latejar de expectativa.

Conduz-me pelo convés e atravessamos as portas para o salão principal, luxuoso e belíssimo, de onde seguimos por um corredor estreito e passamos pela sala de jantar, após o que descemos as escadas para o nosso camarote.

O camarote foi limpo desde que saímos hoje de manhã e a cama está feita. É um quarto encantador. Com duas vigias a estibordo e a bombordo, está decorado com elegante mobília escura de castanheiro, paredes beges e estofos suaves dourados e vermelhos.

Christian solta-me a mão, despe a *t-shirt* puxando-a pela cabeça e atira-a para uma cadeira. Descalça os chinelos e despe os calções e os calções de banho num só movimento gracioso. *Oh, céus. Alguma vez me fartarei de o ver nu?* É absolutamente lindo e todo meu. A sua pele brilha – também se bronzeou e o seu cabelo cresceu e cai-lhe sobre a testa. Sou uma rapariga muito, muito afortunada.

Ele segura-me o queixo e puxa-o um pouco para eu parar de morder o lábio, após o que passa o polegar pelo meu lábio inferior.

– Assim está melhor.

Vira-se e avança até ao armário impressionante onde guarda as suas roupas. De lá retira dois pares de algemas metálicas e uma máscara para os olhos de uma companhia aérea, que tinha na gaveta de baixo.

Algemas! Nunca usámos algemas. Lanço um olhar rápido e nervoso à cama. Onde raio é que ele vai prendê-las? Ele volta-se e fita-me, com os olhos escuros e luminosos.

– Podem ser bastante dolorosas. Podem ferir-te a pele se puxares com demasiada força. – Mostra-me um par. – Mas queria mesmo usá-las em ti agora.

Que grande porra. Fico com a boca seca.

– Toma. – Dá uns quantos passos graciosos em frente e passa-me um conjunto. – Queres experimentá-las primeiro?

Têm um toque sólido e o metal é frio. Ocorre-me vagamente que espero nunca ter de usar um par destes numa situação real.

Christian está a observar-me com intensidade.

– Onde estão as chaves? – A voz treme-me.

Ele abre a mão e revela uma pequena chave metálica.

– Esta é a dos dois conjuntos. De todos, na verdade.

Mas quantos pares de algemas tem ele? Não me lembro de os ter visto na cómoda de museu.

Ele acaricia-me a cara com o dedo indicador, que leva até à minha boca. Inclina-se como se fosse beijar-me.

– Queres brincar? – pergunta-me, com uma voz grave, e tudo no meu corpo se encaminha para sul enquanto o desejo me desabrocha no ventre.

– Sim – ofego.

Ele sorri.

– Bom. – Dá-me um beijo na testa, suave como uma pena. – Vamos precisar de uma palavra de segurança.

O quê?

– "Para" não será suficiente porque é provável que vás dizer isso sem ser o que queres realmente que aconteça.

Percorre-me o nariz com o seu... é o único contacto entre nós.

O meu coração recomeça a palpitar. *Merda...* Como é que ele consegue fazer isto servindo-se apenas de palavras?

– Isto não vai magoar-te. Será intenso. Muito intenso, porque não vou permitir que te mexas. Ok?

Oh, céus. Isto parece ser tão excitante. A minha respiração é audível. *Bolas, já estou a ofegar.* Graças a Deus estou casada com este homem, caso contrário seria embaraçoso. O meu olhar divaga até à ereção dele.

– Ok – respondo num tom quase inaudível.

– Escolhe uma palavra, Ana.

Oh...

– Uma palavra de segurança – diz-me com delicadeza.

– Gelado – arquejo.

– Gelado? – repete ele, divertido.

– Sim.

Ele sorri ao chegar-se para trás para me observar.

– Que escolha interessante. Levanta os braços.

Assim faço e Christian pega na bainha do meu vestido, passa-mo por cima da cabeça e atira-o para o chão. Estende-me a mão e eu devolvo-lhe as algemas. Pousa os dois conjuntos na mesa de cabeceira, ao lado da venda, e puxa a manta da cama, deixando-a cair no chão.

– Vira-te.

Volto-me e ele desata-me a parte de cima do biquíni, que também cai no chão.

– Amanhã vou agrafar-te isto ao corpo – resmoneia e puxa-me o elástico do cabelo, soltando-o. Segura-me o cabelo com uma mão e puxa-o ao de leve para eu recuar. Contra o peito dele. Contra a ereção dele. Arquejo quando me inclina a cabeça e me beija o pescoço.

– Foste muito desobediente – murmura-me junto ao ouvido, provocando-me arrepios deliciosos.

– Sim – sussurro.

– Hum. O que vamos fazer quanto a isso?

– Aprender a viver com isso – cicio.

Os beijos suaves e lânguidos dele estão a deixar-me louca. Sorri com a boca encostada ao meu pescoço.

– Ah, Mrs. Grey. É sempre tão otimista.

Ele endireita-se. Agarrando-me no cabelo, divide-o cuidadosamente em três, entrança-o devagar e depois prende a trança com o meu elástico. Puxa-ma ao de leve e volta a aproximar-se da minha orelha.

– Vou ensinar-te uma lição – murmura.

Com um gesto súbito, agarra-me pela cintura, senta-se na cama e deita-me por cima do seu joelho, pelo que lhe sinto a ereção a fazer-me pressão contra a barriga. Dá-me uma palmada no traseiro, com força. Grito e logo de seguida estou deitada de costas na cama e ele está a fitar-me com aqueles olhos cinzentos derretidos. Vou entrar em combustão.

– Sabes que és linda?

Percorre-me a coxa com a ponta dos dedos e eu fico com formigueiro... por todo o lado. Sem desviar o olhar de mim, levanta-se da cama e pega nos dois conjuntos de algemas. Segura-me na perna esquerda e fecha um grilhão à volta do meu tornozelo.

Oh!

Erguendo-me a perna direita, repete o processo; fico com um par de algemas preso a cada tornozelo. Ainda não faço ideia de onde vai ele prendê-las.

— Senta-te — ordena-me, ao que obedeço de imediato.

— Agora abraça os joelhos.

Pestanejo, mas depois dobro as pernas à minha frente e envolvo-as com os braços. Ele baixa-se, levanta-me o queixo e dá-me um beijo apaixonado antes de me tapar os olhos com a venda. Não vejo nada; só ouço a minha respiração acelerada e o som da água que embate no iate e o faz baloiçar suavemente no mar.

Oh, céus. Estou tão excitada... já.

— Qual é a palavra de segurança, Anastasia?

— Gelado.

— Bom.

Ele agarra-me na mão esquerda e fecha o grilhão das algemas e depois repete o processo com a minha mão direita. Tenho a mão esquerda presa à perna direita e a mão direita à perna esquerda. Não posso endireitar as pernas. *Grande porra.*

— Agora — sussurra Christian —, vou foder-te até gritares.

O quê? E fico sem fôlego.

Ele segura-me pelos calcanhares e inclina-me até eu cair de costas na cama. Não tenho escolha para além de manter as pernas dobradas. As algemas apertam-se quando faço força. Ele tem razão... espetam-se-me na pele e quase me magoam... Isto é esquisito — estar presa e indefesa... num barco. Christian afasta-me os tornozelos e eu gemo.

Beija-me o interior das coxas e eu quero contorcer-me debaixo dele, mas não posso. Não tenho como mexer as ancas. Tenho os pés suspensos. Não consigo mexer-me.

— Vais ter de absorver todo o prazer, Anastasia. Sem movimento — murmura enquanto sobe pelo meu corpo, beijando-me à volta da parte de baixo do biquíni.

Puxa-me as fitas de cada lado e o tecido solta-se. Agora estou nua e à sua mercê. Ele beija-me a barriga e mordisca-me o umbigo.

— Ah — suspiro.

Isto vai ser complicado... não fazia ideia. Descreve um rasto de pequenos beijos e dentadinhas até aos meus seios.

– Chiu – acalma-me ele. – És tão linda, Ana.

Gemo, frustrada. Numa situação normal, estaria a abanar as ancas, a responder ao seu toque com um ritmo meu, mas não posso mexer-me. Gemo e puxo os grilhões. O metal afunda-se-me na pele.

– Ai! – queixo-me. Mas, na verdade, não me interessa.

– Tu deixas-me louco – sussurra ele. – Por isso, vou deixar-te louca.

Agora está em cima de mim, apoiado nos cotovelos, e concentra-se nos meus seios. Mordisca, suga, gira-me os mamilos entre os dedos e os polegares, deixa-me fora de mim. Não para. É enlouquecedor. *Oh. Por favor.* A ereção dele faz-me pressão contra o corpo.

– Christian – imploro e sinto o seu sorriso triunfante na minha pele.

– Queres que te faça vir assim? – murmura com a boca encostada ao meu mamilo, fazendo-o enrijecer mais. – Sabes que sou capaz.

Ele chupa com força e eu grito, com o prazer a espraiar-se do meu peito para o baixo-ventre. Puxo desesperadamente as algemas, inundada pela sensação.

– Sim – choramingo.

– Oh, querida, isso seria fácil de mais.

– Oh... por favor.

– Chiu.

Os dentes dele raspam-me o queixo quando leva os lábios até à minha boca e eu arquejo. Ele beija-me. A sua língua destra invade-me a boca, saboreando, explorando, dominando, mas a minha língua corresponde ao desafio e contorce-se contra a dele. Sabe a gin fresco e a Christian Grey e cheira a mar. Segura-me o queixo, mantendo-me a cabeça imóvel.

– Quieta, querida. Quero-te quieta – sussurra contra a minha boca.

– Quero ver-te.

– Oh, não, Ana. Vais sentir mais assim.

E, com uma lentidão agonizante, flete as ancas e entra parcialmente em mim. Normalmente eu inclinaria a bacia para ir ao seu encontro, mas não consigo mexer-me. Ele retira-se.

– Ah! Christian, por favor.

– Outra vez? – provoca-me, com a voz enrouquecida.

– Christian!

Ele volta a entrar em mim e depois retira-se, com os dedos a puxarem-me o mamilo. É uma sobrecarga de prazer.

– Não!

– Queres-me, Anastasia?

– Sim – imploro.

– Diz-me – murmura ele, com a respiração ofegante e volta a provocar-me: entra... e sai.

– Quero-te – choramingo. – Por favor.

Ouço o suspiro suave dele junto ao meu ouvido.

– E vais ter-me, Anastasia.

Ele recua e lança-se para dentro de mim. Grito, inclinando a cabeça para trás, puxando os grilhões enquanto ele atinge o meu ponto de prazer e toda eu sou sensação, por todo o lado – uma agonia doce, tão doce, e não posso mexer-me. Ele imobiliza-se, depois descreve círculos com as ancas e o movimento irradia profundamente dentro de mim.

– Porque me desafias, Ana?

– Christian, para...

Ele faz círculos profundos dentro de mim outra vez, ignorando os meus rogos, sai lentamente e depois torna a investir.

– Diz-me. Porquê? – silva e eu tenho uma vaga noção de que o faz por entre dentes cerrados.

Solto um uivo incoerente... isto é demasiado.

– Diz-me.

– Christian...

– Ana, preciso de saber.

Ele volta a lançar-se para dentro de mim, investe muito profundamente e preenche-me... a sensação é tão intensa – inunda-me, espalha-se em espirais que provêm do meu baixo-ventre e avançam para cada membro, para cada grilhão de metal.

– Não sei! – grito. – Porque posso! Porque te amo! Por favor, Christian.

Ele solta um gemido ruidoso e arremete profundamente, uma e outra vez, sem parar, e eu perco-me, tentando absorver o prazer. É de perder a cabeça... o corpo... anseio por esticar as pernas, controlar o meu orgasmo iminente, mas não posso... estou indefesa. Sou dele, só dele, para que faça comigo o que quiser... Vêm-me lágrimas aos olhos. Isto é demasiado intenso. Não consigo pará-lo. Não quero pará-lo... Quero.. Quero... oh, não, oh, não... isto é demasiado...

– Assim mesmo – resmoneia Christian. – Sente, querida.

Detono à volta dele, uma e outra vez, de novo e de novo, gritando bem alto enquanto o orgasmo me rasga, me queima como um fogo descontrolado, consumindo tudo. Fico exausta, com lágrimas a escorrerem-me pelo rosto – e o corpo a latejar e a tremer.

E apercebo-me de que Christian se ajoelha, ainda dentro de mim, e me puxa até eu estar no seu colo. Agarra-me a cabeça com uma mão e as costas com a outra e vem-se violentamente dentro de mim enquanto o meu interior continua a estremecer com réplicas de prazer. É esgotante, é estafante, é um inferno... é o céu. É um hedonismo selvagem.

Christian arranca-me a venda e beija-me. Beija-me os olhos, o nariz, as faces. Limpa-me as lágrimas com beijos, segurando-me o rosto entre as mãos.

– Amo-a, Mrs. Grey – sussurra. – Apesar de me deixar tão zangado... sinto-me tão vivo consigo.

Não tenho energia para abrir os olhos ou a boca para lhe responder. Com muita delicadeza, ele volta a deitar-me na cama e sai de dentro de mim.

Murmuro um protesto sem palavras. Christian levanta-se da cama e solta as algemas. Quando fico livre, esfrega-me suavemente os pulsos e os tornozelos e depois volta a deitar-se ao meu lado, puxando-me para os seus braços. Estico as pernas. Oh, céus, sabe mesmo bem. Sinto-me bem. Foi, sem dúvida, o clímax mais intenso que já tive. Hum... uma foda punitiva das cinquenta sombras de Christian Grey.

Tenho mesmo de me portar mal com mais frequência.

Uma necessidade premente da minha bexiga acorda-me. Quando abro os olhos, estou desorientada. Vejo pela janela que é de noite. *Onde estou? Londres? Paris?* Oh – o barco. Sinto-o oscilar e avançar e ouço a vibração calma dos motores. Estamos em movimento. *Que estranho.* Christian encontra-se ao meu lado, a trabalhar no portátil, informalmente vestido com uma camisa de linho branco e umas calças de algodão, descalço. Ainda tem o cabelo molhado e sinto o odor do seu corpo acabado de sair do duche e a cheirar a Christian Grey... *Hum.*

– Olá – murmura ele, baixando a cabeça para me fitar com um olhar caloroso.

– Olá. – Sorrio, de súbito a sentir-me tímida. – Quanto tempo estive a dormir?

– Só uma hora, mais ou menos.

– Estamos a avançar?

– Achei que, como jantámos fora ontem à noite e fomos ao *ballet* e ao casino, podíamos jantar a bordo esta noite. Uma noite tranquila *à deux.*
Sorrio-lhe.

– Onde vamos?

– A Cannes.

– Ok.

Espreguiço-me, sentindo-me hirta. Não havia treino com Claude que pudesse ter-me preparado para aquela tarde.

Levanto-me a custo, pois preciso de ir à casa de banho. Agarro no meu robe de seda e apresso-me a vesti-lo. Porque estou tão envergonhada? Sinto o olhar de Christian a seguir-me. Quando olho para ele, torna a concentrar-se no portátil, com o sobrolho franzido.

Enquanto lavo as mãos distraidamente no lavatório, recordando a noite anterior no casino, o meu robe abre-se. Chocada, fito o meu reflexo no espelho.

Grande porra! O que me fez ele?

CAPÍTULO TRÊS

Fito horrorizada as marcas vermelhas que me cobrem os seios. Chupões! Tenho chupões! Estou casada com um dos homens de negócios mais respeitados dos Estados Unidos e ele fez-me chupões, caraças. Porque não o senti a fazer-me aquilo? Coro. O facto é que sei exatamente porquê – o Sr. Orgástico usou as suas fabulosas capacidades sexuais em mim.

O meu subconsciente espreita por cima dos seus óculos em forma de meia-lua e faz um som reprovador, enquanto a minha deusa interior se espreguiça na *chaise longue*, fora de jogo. Olho boquiaberta para o meu reflexo. Os meus pulsos têm vergões vermelhos por causa das algemas. Não há dúvida que irão ficar negros. Examino os tornozelos – mais vergões. Com mil demónios, parece que tive alguma espécie de acidente. Miro-me, tentando assimilar a minha aparência. O meu corpo está tão diferente ultimamente. Foi mudando subtilmente desde que o conheci... tornei-me mais esguia e musculada e tenho o cabelo brilhante e bem cortado. Tenho as mãos e os pés arranjados, as sobrancelhas depiladas numa forma belíssima. Pela primeira vez na vida, estou bem cuidada – exceção feita aos hediondos chupões.

Não quero pensar em cuidados estéticos. Estou demasiado furiosa. Como se atreve ele a marcar-me assim, como se fosse adolescente? Estamos juntos há pouco tempo, mas nunca me fez chupões. Estou com um aspeto horrível. Sei porque fez isto. Maldito maníaco do controlo. *Está bem!* O meu subconsciente cruza os braços sob o seu peito pequeno – desta vez, ele foi longe de mais. Saio da casa de banho da suíte e avanço para o roupeiro, tendo o cuidado de evitar olhar sequer de relance na direção dele. Dispo o robe, visto umas calças de ginástica e uma camisola de alças. Desfaço a trança, pego numa escova que está em cima do toucador e escovo o cabelo emaranhado.

– Anastasia – chama-me Christian e eu ouço a sua ansiedade. – Estás bem?

Ignoro-o. *Se estou bem? Não, não estou bem.* Depois do que me fez, duvido que possa usar um fato de banho, quanto mais os meus biquínis ridiculamente caros, durante o resto da nossa lua de mel. De repente, a ideia enfurece-me. Como se *atreve?* Já lhe mostro *se estou bem.* Também sou capaz de me comportar como uma adolescente! Voltando a entrar no quarto, atiro-lhe com a escova, viro-me e saio – embora não sem antes ter visto a sua expressão chocada e o reflexo rápido que o faz levantar o braço para proteger a cabeça, pelo que a escova lhe embate ineficazmente no antebraço e cai na cama.

Saio intempestivamente do nosso camarote, corro escadas acima e vou para o convés, fugindo em direção à proa. A brisa amena transporta o cheiro do Mediterrâneo e o aroma a jasmim e a buganvílias na costa. O *Fair Lady* avança sem esforço pelo calmo mar de cobalto enquanto eu pouso os cotovelos na amurada de madeira, fitando a costa distante onde há luzes minúsculas a tremeluzir. Inspiro profundamente para me recompor e, devagar, começo a acalmar-me. Apercebo-me de que ele está atrás de mim antes de o ouvir.

– Estás zangada comigo – sussurra.

– A sério, génio?!

– Quão zangada?

– Numa escala de um a dez, diria que estou no cinquenta. Apropriado, há?

– Tão zangada.

Parece surpreendido e impressionado.

– Sim. A ponto de ser violenta.

Ele mantém-se calado enquanto eu me viro e o fito com um esgar; observa-me com os olhos bem abertos e cautelosos. A sua expressão e o facto de não fazer tentativa alguma de me tocar dizem-me que está sem pé.

– Christian, tens de parar de tentar fazer-me ceder unilateralmente. Foste bem claro na praia. E com grande eficiência, se bem me lembro.

Ele encolhe os ombros.

– Bem, não vais voltar a tirar a parte de cima do biquíni – murmura ele num tom petulante.

E isso justifica o que me fez? Fito-o com um olhar fulo.

– Não gosto que me deixes com marcas. Bem, pelo menos não tantas. Há limites! – silvo-lhe.

– E eu não gosto de que te dispas em público. Para mim, esse é um limite – rosna ele.

– Acho que já estabelecemos isso – sibilo entre dentes. – Olha para mim!

Puxo a camisola de alças para lhe revelar a parte de cima dos meus seios. Christian fita-me, sem desviar o olhar do meu rosto, com uma expressão receosa e insegura. Não está habituado a ver-me tão zangada. Será que não percebe o que fez? Não verá quão ridículo é? Apetece-me gritar com ele, mas contenho-me – não quero abusar. Sabe Deus o que ele faria. Por fim, ele suspira e ergue as palmas das mãos num gesto resignado e conciliatório.

– Ok – diz, numa voz apaziguadora. – Eu entendo.

Aleluia!

– Ainda bem!

Passa a mão pelo cabelo.

– Desculpa. Por favor, não fiques zangada comigo.

Finalmente, parece arrependido – usando as minhas próprias palavras para pedir desculpa.

– Às vezes comportas-te como um adolescente – ralho-lhe, teimosa, mas a minha voz já não está zangada e ele percebe.

Aproxima-se com alguma hesitação e levanta uma mão para me prender uma madeixa atrás da orelha.

– Eu sei – reconhece num tom brando. – Tenho muito a aprender.

Recordo-me das palavras do Dr. Flynn. *O Christian é um adolescente em termos emocionais, Ana. Essa fase da sua vida escapou-lhe por completo. Canalizou todas as suas energias para o sucesso no mundo dos negócios, e conseguiu-o, ultrapassando todas as expectativas. O seu universo emocional tem de correr para o apanhar.* O meu coração derrete-se um pouco.

– Ambos temos.

Suspiro e ergo a mão com cuidado, pousando-a sobre o coração dele. Não se encolhe, como dantes, mas retesa-se. Tapa-me a mão com a sua e esboça um sorriso tímido.

– Acabei de aprender que tem força e pontaria, Mrs. Grey. Nunca teria adivinhado, mas estou constantemente a subestimá-la. Surpreende-me sempre.

Arqueio uma sobrancelha.

– Treino de tiro com o Ray. Sou capaz de atirar e disparar na mira, Mr. Grey, e será bom que tenha isso presente.

– Esforçar-me-ei para o ter em conta, Mrs. Grey, ou para assegurar que todos os objetos projetáveis são retirados do seu alcance e que não tenha acesso a uma arma.

Fita-me com um sorriso sardónico, que eu retribuo, semicerrando os olhos.

– Sou desembaraçada.

– Lá isso é – sussurra ele e solta-me a mão para me envolver com os braços. Puxando-me para um abraço, enterra o nariz no meu cabelo. Eu agarro-o com força e sinto que a tensão lhe abandona o corpo enquanto encosta a cara ao meu pescoço. – Estou perdoado?

– E eu?

Sinto o seu sorriso.

– Sim – responde.

– Tu também.

Ficamos a abraçar-nos e eu esqueço-me do rancor que sentia. Ele cheira mesmo bem, seja ou não adolescente. Como posso resistir-lhe?

– Tens fome? – pergunta-me passado algum tempo.

Tenho os olhos fechados e a cabeça encostada ao peito dele.

– Sim. Estou faminta. Toda a... hum... atividade deixou-me com apetite. Mas não estou vestida para jantar.

Estou certa de que as minhas calças de ginástica e camisola de alças seriam alvo de reprovação na sala de jantar.

– Para mim estás ótima, Anastasia. Para além disso, por esta semana o barco é nosso. Podemos vestir-nos como quisermos. Faz de conta que é uma terça-feira informal na Côte d'Azur. Seja como for, tinha pensado que podíamos comer no convés.

– Sim, isso agrada-me.

Ele beija-me – um verdadeiro beijo de "perdoa-me" – e depois vamos de mãos dadas até à proa, onde o nosso gaspacho nos espera.

O criado de bordo serve-nos o *crème brulée* e retira-se discretamente.

– Porque é que me entranças sempre o cabelo? – pergunto a Christian, por curiosidade.

Estamos sentados um ao lado do outro na mesa e tenho uma perna enrolada na dele. Ele faz uma pausa antes de pegar na colher de sobremesa e franze o sobrolho.

– Não quero que o teu cabelo nos atrapalhe – diz em voz baixa e, por um momento, fica perdido em pensamentos. – Uma questão de hábito, suponho – comenta.

De repente, franze o cenho e arregala os olhos, com as pupilas dilatadas, alarmado.

De que se terá lembrado? Calculo que seja algo doloroso, alguma memória de infância. Não quero recordá-lo disso. Inclino-me para ele e pouso o dedo indicador nos seus lábios.

– Não, não importa. Não preciso de saber. Estava apenas curiosa. – Ofereço-lhe um sorriso caloroso e tranquilizador. O seu olhar é desconfiado mas, pouco depois, descontrai visivelmente, com um alívio evidente. Debruço-me para lhe beijar o canto da boca. – Amo-te – murmuro, e ele esboça o seu sorriso tímido e comovente, que me derrete. – Vou amar-te sempre, Christian.

– E eu a ti – diz ele em voz baixa.

– Apesar da minha desobediência? – Arqueio uma sobrancelha.

– Por causa da tua desobediência, Anastasia. – Ele sorri.

Quebro a crosta de açúcar queimado da minha sobremesa e abano a cabeça. Alguma vez compreenderei este homem? Hum... este *crème brulée* é delicioso.

Assim que o criado levanta os pratos da sobremesa, Christian pega na garrafa de *rosé* e volta a encher-me o copo. Asseguro-me de que estamos sozinhos e pergunto-lhe:

– Para que foi aquilo de não ir à casa de banho?

– Queres mesmo saber?

Esboça um leve sorriso, com os olhos iluminados por um brilho matreiro.

– Quererei?

Fito-o por entre as pestanas enquanto beberico o meu vinho.

– Quanto mais cheia estiver a tua bexiga, mais intenso será o teu orgasmo, Ana.

Coro.

– Oh, estou a ver.

Caramba, isso explica muito. Ele sorri, com um ar demasiado entendido. Ficarei sempre um passo atrás do Sr. Sexperiente?

– Sim. Bem...

Desesperada, olho em redor à procura de outro tema de conversa. Ele apieda-se de mim.

– O que queres fazer durante o resto da noite?

Christian inclina a cabeça para o lado e presenteia-me com o seu sorriso esquivo.

O que quiseres, Christian. Voltar a testar a tua teoria? Encolho os ombros.

– Eu sei o que quero fazer – murmura ele. Pegando no seu copo de vinho, levanta-se e estende-me a mão. – Anda.

Dou-lhe a mão e ele encaminha-me para o salão principal.

Tem o iPod na coluna em cima da cómoda. Liga-o e escolhe uma música.

– Dança comigo.

Puxa-me para os seus braços.

– Se insistes.

– Insisto, Mrs. Grey.

Uma canção melosa e pirosa começa. Será uma dança latina? Christian sorri-me e começa a mexer-se, levando-me consigo às voltas pelo salão.

Um homem com uma voz que parece caramelo quente derretido canta. É uma música que eu já ouvi mas que não consigo lembrar-me onde. Christian inclina-me bem para trás e eu grito de surpresa e rio-me. Ele sorri, com os olhos cheios de humor. Depois levanta-me e faz-me rodopiar.

– Danças tão bem – digo-lhe. – É como se eu soubesse dançar.

Ele esboça um sorriso esfíngico mas não responde e fico a pensar se será por estar a pensar nela... em Mrs. Robinson, a mulher que o ensinou a dançar – e a foder. Já não me lembrava dela há algum tempo. Christian não a menciona desde o seu aniversário e, tanto quanto sei, a relação profissional deles terminou. Ainda que com relutância, tenho de admitir que foi uma professora e tanto.

Ele volta a inclinar-me para trás e dá-me um beijo breve nos lábios.

– Iria sentir a falta do teu amor – murmuro, repetindo o que diz a canção.

– Eu sentiria falta de mais do que do teu amor – diz ele e volta a fazer-me rodopiar. Depois canta-me a letra ao ouvido, deixando-me extasiada.

A música termina e Christian olha para mim, com os olhos escuros e luminosos, já sem qualquer humor e, de repente, fico sem fôlego.

– Vens para a cama comigo? – sussurra, um rogo sentido que me comove o coração.

Christian, conquistaste-me quando dissemos "Sim" – há duas semanas e meia. Mas eu sei que é a sua forma de pedir desculpa e de se assegurar de que está tudo bem entre nós depois do nosso arrufo.

Quando acordo, o sol brilha pelas vigias e a água reflete padrões cintilantes no teto do camarote. Não há sinal de Christian. Espreguiço-me e sorrio. Hum... não me importava nada de fazer sexo punitivo seguido de uma queca de reconciliação todos os dias. Maravilho-me com o que é ir para a cama com dois homens diferentes – Christian zangado e Christian deixa-me-compensar-te-de-qualquer-maneira-que-consiga. É difícil decidir de qual gosto mais.

Levanto-me e vou até à casa de banho. Ao abrir a porta, deparo-me com Christian, que está a fazer a barba, nu à exceção da toalha que tem enrolada à cintura. Vira-se e sorri-me, nada incomodado por eu estar a interrompê-lo. Descobri que ele nunca tranca a porta se for a única pessoa em dada divisão – o motivo é sério e não tenho vontade de pensar nisso.

– Bom dia, Mrs. Grey – diz ele, com um bom humor contagiante.

– Bom dia!

Sorrio-lhe enquanto o observo a barbear-se. Adoro vê-lo a fazer a barba. Estica o queixo e barbeia-se por baixo, com gestos longos e deliberados, e eu dou por mim a imitar-lhe as ações. Baixo o lábio superior tal como ele faz para rapar o filtro labial. Ele vira-se e esboça um sorriso trocista, com metade da cara ainda coberta de espuma de barbear.

— Estás a gostar do espetáculo? — pergunta-me.

Oh, Christian, podia ficar horas a ver-te.

— É um dos meus favoritos de sempre — murmuro, ao que ele se inclina e me dá um beijo rápido, deixando-me com o rosto cheio de espuma de barbear.

— Queres que volte a fazer-te isto? — sussurra num tom malandro, enquanto me mostra a lâmina.

Faço beicinho.

— Não — resmungo, fingindo-me amuada. — Da próxima vez faço com cera.

Lembro-me da alegria dele, em Londres, quando descobriu que, durante uma das suas reuniões, eu tinha rapado os pelos púbicos, por curiosidade. Claro que não o tinha feito de acordo com os altos padrões de exigência do Sr. Rigoroso...

— Mas que raio fizeste tu? — exclama Christian. Não é capaz de conter o seu divertimento horrorizado. Senta-se na cama da nossa suíte do Brown's Hotel, perto de Piccadilly, acende a luz e observa-me, com a boca num O assarapantado. Deve ser meia-noite. Coro até ficar da cor dos lençóis do quarto e tento puxar a camisa de dormir de cetim para ele não ver. Ele agarra-me na mão para me travar.

— Ana!

— Eu... hã... rapei-me.

— Bem vejo. Porquê?

Ele está com um sorriso de orelha a orelha. Tapo o rosto com as mãos. Porque estou tão embaraçada?

— Ei — diz ele num tom suave enquanto me afasta as mãos. — Não te escondas. — Morde o lábio para não se rir. — Conta-me. Porquê?

Os olhos dele bailam com uma expressão contente. Porque achará tanta graça a isto?

— Para de te rir de mim.

— Não estou a rir-me de ti. Desculpa. Estou... encantado — diz ele.

– Oh...

– Conta-me. Porquê?

Inspiro profundamente.

– Hoje de amanhã, depois de teres saído para a tua reunião, tomei um duche e estava a recordar todas as tuas regras.

Ele pestaneja. O humor da sua expressão desvaneceu-se e fita-me com cautela.

– E estava a verificá-las uma a uma, enquanto ia pensando no que sinto a respeito delas; depois lembrei-me do salão de beleza e achei... que era assim que gostavas. Não tive coragem suficiente para fazer com cera. – A minha voz desaparece, transformada num sussurro.

Ele fita-me, com os olhos a brilhar – desta feita não com diversão causada pelo meu disparate, mas com amor.

– Oh, Ana – murmura ele. Debruça-se e beija-me com ternura. – Tu seduzes-me – sussurra ele contra os meus lábios antes de me dar mais um beijo, segurando-me o rosto com as duas mãos.

Depois de um momento sem fôlego, afasta-se e apoia-se num cotovelo. O humor regressou.

– Parece-me que será melhor fazer uma inspeção aturada do seu trabalho manual, Mrs. Grey.

– O quê? Não.

Ele só pode estar a gozar! Tapo-me, protegendo a minha área recentemente desflorestada.

– Oh, isso é que não, Anastasia.

Ele agarra-me as mãos e afasta-mas, movendo-se com ligeireza até ficar entre as minhas pernas, continuando a segurar-me uma mão de cada lado. Lança-me um olhar tórrido que poderia incendiar palha seca mas, antes de eu entrar em combustão, dobra-se e roça os lábios pela minha barriga nua até ao meu sexo. Contorço-me debaixo dele, resignando-me com relutância ao que me espera.

– Bem, o que temos aqui?

Christian dá-me um beijo onde, até hoje de manhã, eu tinha pelos públicos – e depois raspa o queixo áspero por aquela área.

– Ah! – exclamo eu.

Uau... está muito sensível. Os olhos de Christian dardejam na direção dos meus, cheios de desejo dissoluto.

– Acho que deixaste escapar um bocadinho – murmura ele e puxa ao de leve, mesmo por baixo.

– Oh... raios – resmungo, esperando que isto ponha fim ao seu escrutínio francamente intrusivo.

– Tenho uma ideia.

Nu, salta da cama e encaminha-se para a casa de banho.

Mas o que estará ele a fazer? Regressa pouco depois, com um copo de água, uma caneca, a minha lâmina, o seu pincel de barbear, espuma e uma toalha. Pousa a água, o pincel, a espuma e a lâmina na mesa de cabeceira e fita-me, de toalha na mão.

Oh, não! O meu subconsciente fecha *As Obras Completas de Charles Dickens*, salta do cadeirão e leva as mãos às ancas.

– Não. Não. Não – guincho eu.

– Mrs. Grey, se vale a pena fazer algo, vale a pena fazê-lo bem. Ancas para cima.

Os seus olhos cintilam como uma tempestade cinzenta de verão.

– Christian! Não me vais rapar!

Ele inclina a cabeça para o lado.

– Mas porque não?

Coro... não é óbvio?

– Porque... é demasiado...

– Íntimo? – sussurra ele. – Ana, anseio por ter intimidade contigo. Além disso, depois de algumas das coisas que já fizemos, não faz sentido que te ponhas com prurido comigo. E eu conheço esta parte do teu corpo melhor do que tu.

Fico boquiaberta a olhar para ele. De todas as coisas arrogantes que... é verdade, conhece – mas, ainda assim:

– Isso não se faz! – A minha voz soa afetada e chorosa.

– Faz, sim. É sensual.

Sensual? A sério?

– Isto excita-te? – Não consigo disfarçar o espanto na minha voz.

Ele resfolega.

– Não dá para ver? – Olha de relance para a sua ereção. – Quero rapar-te – sussurra.

Oh, que se lixe. Recosto-me e passo um braço por cima da cara para não ter de assistir.

– Se te deixa contente, Christian, força. És tão devasso – murmuro enquanto levanto as ancas para ele pôr a toalha debaixo de mim. Beija-me a parte de dentro da coxa.

– Oh, querida, tens toda a razão.

Ouço a água a ser agitada e depois o rodopio suave do pincel no copo. Ele agarra-me no tornozelo esquerdo e afasta-me as pernas; depois a cama afunda-se quando ele se senta entre as minhas pernas.

– Gostava mesmo de te amarrar agora – murmura.

– Prometo que fico quieta.

– Bom.

Arquejo quando ele passa o pincel com espuma por cima do meu osso púbico. Está morno. A água no copo deve estar quente. Remexo-me um pouco. Faz cócegas... mas das boas.

– Não te mexas – admoesta-me Christian e volta a passar o pincel. – Se mexeres, *vou* amarrar-te – acrescenta num tom sombrio que me provoca um arrepio delicioso na espinha.

– Alguma vez fizeste isto? – pergunto-lhe a medo, quando ele leva a mão à lâmina.

– Não.

– Oh. Bom. – Sorrio.

– Mais uma estreia, Mrs. Grey.

– Hum. Gosto de estreias.

– Também eu. Cá vai. – E, com uma delicadeza que me surpreende, passa a lâmina pela minha pele sensível. – Não te mexas – repete, num tom absorto que me faz perceber que está muito concentrado.

É apenas uma questão de minutos até que agarra na toalha e limpa todo o excesso de espuma.

– Pronto... assim está melhor – comenta ele e eu tiro finalmente o braço de cima da cara para olhar para ele enquanto se senta a admirar o seu trabalho.

– Contente? – pergunto-lhe, com a voz rouca.

– Muito.

Ele esboça um sorriso travesso e insere lentamente um dedo dentro de mim.

– Mas foi divertido – diz ele, com um olhar de troça gentil.

– Talvez para ti.

Tento fazer beicinho – só que ele tem razão... foi... excitante.

– Julgo lembrar-me de que o que aconteceu depois foi muito satisfatório.

Christian volta-se para acabar de se barbear. Olho de relance para os meus dedos. Sim, foi. Não fazia ideia de que a ausência de pelos púbicos podia fazer uma diferença tão grande.

– Ei, estou só a provocar-te. Não é isso que fazem os maridos completamente apaixonados pelas suas mulheres?

Christian toca-me no queixo para me levantar a cara, com os olhos subitamente cheios de apreensão enquanto tenta decifrar-me a expressão.

Hum... está na altura da vingança.

– Senta-te – resmungo.

Ele fita-me sem compreender. Eu empurro-o ao de leve para o banco branco solitário da casa de banho. Perplexo, ele senta-se eu tiro-lhe a lâmina da mão.

– Ana – avisa-me, ao aperceber-se da minha intenção.

Eu debruço-me e beijo-o.

– Cabeça para trás – sussurro.

Ele hesita.

– Olho por olho, Mr. Grey.

Ele observa-me com uma descrença desconfiada mas divertida.

– Sabes o que estás a fazer? – pergunta-me em voz baixa.

Eu abano a cabeça lenta e deliberadamente, tentando parecer tão séria quanto possível. Ele fecha os olhos e diz que não com a cabeça, após o que a inclina para trás, num gesto de rendição.

Caraças, ele vai deixar-me barbeá-lo. Hesitante, deslizo a mão pelo cabelo húmido que lhe cai sobre a testa, agarrando-o com força para o manter quieto. Ele contrai os olhos fechados e entreabre-os enquanto inspira. Com muito cuidado, passo a lâmina do pescoço ao queixo dele, revelando uma faixa de pele sob a espuma. Christian expira.

— Achavas que te ia magoar?

— Nunca sei o que vais fazer, Ana, mas não... não de propósito.

Volto a passar-lhe a lâmina pelo pescoço, clareando uma faixa maior na espuma.

— Nunca te magoaria de propósito, Christian.

Ele abre os olhos e passa os braços à minha volta enquanto eu faço a lâmina descer-lhe pela face até à parte de baixo da patilha.

— Eu sei — diz ele, inclinando a cabeça para eu lhe barbear o resto da cara.

Mais duas passagens e terminei.

— Já está, e nem uma gota de sangue vertida — declaro, com um sorriso orgulhoso.

Ele acaricia-me a perna, levantando-me a camisa de noite pela coxa, e puxa-me para si, ao que fico sentada em cima dele. Apoio-me com as mãos nos seus antebraços. Ele é mesmo muito musculoso.

— Posso levar-te a um sítio, hoje?

— Nada de banhos de sol?

Fito-o com uma sobrancelha arqueada. Ele lambe nervosamente os lábios.

— Não. Hoje não. Achei que poderias preferir uma coisa diferente.

— Bem, dado que me cobriste de chupões e deste mesmo cabo dessa hipótese, porque não?

Sensatamente, ele opta por ignorar o meu tom.

— É uma viagem longa, mas vai valer a pena, pelo que li. O meu pai recomendou-me que a visitássemos. É uma vila no topo de uma colina, chamada Saint-Paul-de-Vence. Há algumas galerias lá. Pensei que podíamos escolher umas quantas pinturas ou esculturas para a casa nova, se encontrarmos alguma coisa de que gostemos.

Inclino-me para trás e fito-o. Arte... ele quer comprar arte. *Como é que eu posso comprar arte?*

— O que foi? — pergunta-me.

— Eu não sei nada sobre arte, Christian.

Ele encolhe os ombros e esboça um sorriso indulgente.

— Só compraremos aquilo de que gostarmos. Não se trata de um investimento.

Investimento? Bolas.

– O que foi? – repete ele.

Abano a cabeça.

– Olha, sei que ainda no outro dia recebemos os projetos da arqui-teta... mas não faz mal irmos ver, e a vila é um lugar antigo, medieval.

Oh, a arquiteta. Ele tinha de me lembrar *dela*... Gia Matteo, uma amiga de Elliot que trabalhava na estância do Christian em Aspen. Sempre que nos reunimos, ela não largava o Christian.

– O que foi agora? – exclama ele. – Conta-me – insta-me.

Como posso dizer-lhe que não gosto de Gia? A minha antipatia é irracional. Não quero parecer uma mulher ciumenta.

– Não continuas zangada por causa do que te fiz ontem?

Ele suspira e encosta a cara entre os meus seios.

– Não. Tenho fome – resmoneio, sabendo bem que assim irei distraí-lo do interrogatório.

– Porque não disseste?

Ele ajuda-me a içar-me do seu colo e levanta-se.

Saint-Paul-de-Vence é uma aldeia medieval fortificada, no cimo de uma colina, e um dos lugares mais pitorescos que alguma vez vi. Pas-seio abraçada a Christian pelas ruas empedradas e estreitas, com a mão no bolso traseiro dos calções dele. Taylor e Gaston ou Philippe – não consigo distingui-los – seguem-nos. Passamos por uma praça cheia de árvores onde três velhotes, um deles a usar a boina tradicional apesar do calor, estão a jogar à petanca. Há muitos turistas, mas eu sinto-me confortavelmente aninhada debaixo do braço de Christian. Há tanto para ver – pequenos becos e ruelas que dão para átrios com fontes de pedra elaboradas, esculturas antigas e modernas, e pequenas *boutiques* e lojas fascinantes.

Na primeira galeria, Christian olha distraidamente para as foto-grafias eróticas dispostas à nossa frente, sugando levemente a haste dos seus óculos de sol à aviador. São de Florence D'elle – mulheres nuas em várias poses.

– Não era bem o que eu tinha em mente – resmungo em tom de reprovação.

Fazem-me pensar na caixa de fotografias que encontrei no armário dele, no nosso armário. Não sei se terá chegado a destruí-las.

– Nem eu – diz Christian, fitando-me com um sorriso.

Dá-me a mão e avançamos para o artista seguinte. Ociosamente, pergunto-me se deverei deixá-lo tirar-me fotografias.

A exibição seguinte é de uma pintora especializada em naturezas mortas – frutos e vegetais em grande plano e representados em cores fortes e gloriosas.

– Gosto daqueles. – Aponto para três quadros de pepinos. – Fazem-me lembrar quando cortaste vegetais no meu apartamento.

Solto uma risada. A boca de Christian contorce-se enquanto ele tenta, sem sucesso, disfarçar o seu divertimento.

– Pensava que tinha tratado disso com bastante competência – murmura. – Fui só um pouco lento e, seja como for... – Puxa-me para me abraçar. – ...estavas a distrair-me. Onde é que os punhas?

– O quê?

Christian está a encostar o nariz à minha orelha.

– Os quadros... onde é que os punhas?

Morde-me o lóbulo da orelha e a sensação chega-me ao baixo-ventre.

– Na cozinha – murmuro.

– Hum. Bela ideia, Mrs. Grey.

Semicerro os olhos para ver o preço. Cinco mil euros cada um. *Com o caraças!*

– São mesmo caros! – arquejo.

– E depois? – Volta a acariciar-me com o nariz. – Habitua-te, Ana.

Solta-me e avança até ao balcão onde se encontra uma jovem toda de branco, a olhar para ele, boquiaberta. Tenho vontade de revirar os olhos, mas volto a concentrar-me nas pinturas. Cinco mil euros... fogo.

Acabámos de almoçar e estamos a descontrair e a beber café no Hotel Le Saint Paul. A vista do campo que nos rodeia é espantosa. Vinhas e campos de girassóis formam uma manta de retalhos na planície, intervalada aqui e ali por quintas francesas pequenas e aprumadas. O dia está tão límpido e bonito que a vista se estende até ao mar, a cintilar tenuemente no horizonte. Christian interrompe-me o devaneio.

– Perguntaste-me porque te entranço o cabelo – murmura ele.

O seu tom alarma-me. Parece... culpado.

– Sim.

Oh, merda.

– A prostituta viciada em *crack* costumava deixar-me brincar com o cabelo dela, acho. Não sei se é uma memória ou se sonhei.

Ena! A mãe biológica dele.

Ele fita-me com uma expressão indecifrável. Sinto o coração a saltar-me para a boca. O que hei de dizer quando me conta coisas destas?

– Gosto que me mexas no cabelo. – A minha voz é hesitante.

Ele observa-me com um ar incerto.

– Gostas?

– Sim. – É verdade. Agarro-lhe a mão. – Acho que tu amavas a tua mãe biológica, Christian.

Os seus olhos arregalam-se e ele fita-me com uma expressão impassível, sem dizer nada.

Grande merda. Terei abusado? *Diz qualquer coisa, Cinquenta... por favor.* Mas ele mantém-se resolutamente mudo, a mirar-me com os seus impenetráveis olhos cinzentos enquanto o silêncio se alonga entre nós. Parece perdido.

Olha para a minha mão, pousada sobre a dele, e franze o sobrolho.

– Diz qualquer coisa – sussurro, porque já não suporto o silêncio.

Ele abana a cabeça, expirando profundamente.

– Vamos.

Solta-me a mão e levanta-se com uma expressão reservada. Terei passado do limite? Não faço ideia. Sinto um peso no coração e não sei se devo dizer algo ou deixar apenas que tudo passe. Escolho a segunda hipótese e sigo-o obedientemente para fora do restaurante.

Na encantadora rua estreita, ele dá-me a mão.

– Onde queres ir?

Ele fala! E não está zangado comigo – graças a Deus. Expiro, aliviada, e encolho os ombros.

– Estou contente por ainda falares comigo.

– Sabes que não gosto de falar destas merdas todas. Está tudo acabado. Terminou – diz em voz baixa.

Não, Christian, não está. A ideia entristece-me e, pela primeira vez, pergunto-me se alguma vez estará acabado. Ele será sempre o Cinquenta Sombras... o meu Cinquenta Sombras. Quererei que mude? Não, nem por isso – só quero que se sinta amado. Olhando para ele, tomo algum tempo para admirar a sua beleza cativante... e é *meu*. E não é apenas o encanto do seu belo, belo rosto e do seu corpo que me fascina. É o que existe por detrás disso que me seduz, que me atrai... a sua alma frágil e magoada.

Ele fita-me com aquele olhar do alto do seu nariz, em parte divertido, em parte cauteloso, completamente *sexy*, e depois passa-me o braço por cima do ombro e avançamos por entre os turistas em direção ao lugar onde Philippe/Gaston estacionou o *Mercedes* espaçoso. Enfio a mão no bolso traseiro dos calções de Christian, agradecida por ele não estar zangado. Mas, sinceramente, qual é a criança de quatro anos que não adora a mãe, por pior mãe que ela seja? Solto um grande suspiro e aperto mais o abraço. Sei que atrás de nós vem a equipa de segurança e pergunto-me ociosamente se eles terão comido.

Christian detém-se à frente de uma pequena *boutique* que vende joias elegantes e fita a montra antes de olhar para mim. Agarra-me a mão livre e passa o polegar pela linha vermelha e esmaecida da marca das algemas, inspecionando-a.

– Não me dói – garanto-lhe.

Ele vira-se e eu tiro a outra mão do bolso dele. Agarra também nessa mão, virando-a com delicadeza para me examinar o pulso. O relógio *Omega* de platina que me deu ao pequeno-almoço na nossa primeira manhã em Londres obscurece a linha vermelha. A inscrição ainda me deixa estonteada:

Anastasia
És O Meu Mais,
O Meu Amor, A Minha Vida
Christian

Apesar de tudo, de todas as suas cinquenta sombras, o meu marido é capaz de ser tão romântico... Baixo o olhar para observar as marcas ténues dos meus pulsos. A verdade é que também é capaz de ser um selvagem. Solta-me a mão, levanta-me o queixo com os dedos e perscruta-me a expressão, com um olhar perturbado.

– Não dói – repito.

Ele puxa-me a mão até aos lábios e dá-me um pequeno beijo apologético no interior do pulso.

– Anda – diz-me, e encaminha-me para o interior da loja.

– Toma.

Christian segura na pulseira de platina que acabou de comprar. É lindíssima, com um trabalho tão delicado, filigrana a formar pequenas flores abstratas com pequenos diamantes nas corolas. Fecha-a à volta do meu pulso. É larga, semelhante a uma algema, pelo que esconde os vergões. *Também custou trinta mil euros*, penso eu, embora não tenha realmente conseguido seguir a conversa em francês com a empregada. Nunca usei algo tão dispendioso.

– Pronto, assim está melhor – murmura.

– Melhor? – sussurro, fitando-lhe os olhos cinzentos luminosos, consciente de que a empregada magra como um palito nos mira com uma expressão invejosa e reprovadora.

– Sabes porquê – diz Christian num tom inseguro.

– Não preciso disto.

Sacudo o pulso e a pulseira mexe-se. O sol da tarde, que entra pela montra da *boutique*, incide na superfície da pulseira e pequenos arco-íris brilhantes espraiam-se dos diamantes para todas as paredes da loja.

– Eu preciso – afirma ele, com uma sinceridade absoluta.

Porquê? Porque precisa ele disto? Sente-se culpado? Por causa do quê? Das marcas? Da mãe biológica? Por não fazer de mim sua confidente? *Oh, Cinquenta*.

– Não, Christian, não precisas. Já me deste tanto... Uma lua de mel mágica, Londres, Paris, a Côte d'Azur... e tu. Sou uma rapariga muito afortunada – sussurro, e o seu olhar suaviza-se.

– Não, Anastasia, eu é que sou um homem muito afortunado.

– Obrigada.

Ponho-me em bicos de pés, passo os braços à volta do pescoço dele e beijo-o... não por me dar a pulseira, mas por ser meu.

De volta ao carro, ele mostra-se introspetivo, a observar os campos de girassóis luminosos, cujas corolas seguem e absorvem o sol da tarde. Um dos gémeos – parece-me que é Gaston – está a conduzir e Taylor vai ao seu lado. Christian está a matutar em qualquer coisa. Dou-lhe a mão e aperto-a para o tranquilizar. Ele olha para mim de relance, antes de me soltar a mão e acariciar o joelho. Estou a usar uma saia curta, tufada, azul e branca, e um *top* justo de alças. Christian hesita e eu não sei se a sua mão irá subir-me pela coxa ou descer-me pela perna. A expectativa faz-me retesar sob o toque suave dos seus dedos e contenho a respiração. *O que irá ele fazer?* Escolhe descer, agarrando-me um tornozelo de repente e puxando-me o pé para o seu colo. Giro o traseiro para o fitar no assento de trás do carro.

– Também quero o outro.

Lanço um olhar nervoso a Taylor e Gaston, que continuam resolutamente concentrados na estrada em diante, e pouso o outro pé no colo dele. O seu olhar descontrai, ele estica-se e pressiona um botão na sua porta. À nossa frente, um ecrã ligeiramente fumado sai de um painel e, dez segundos depois, estamos efetivamente a sós. Uau... não admira que a parte de trás deste carro tenha tanto espaço para as pernas.

– Quero ver-te os tornozelos – é a explicação calma de Christian.

As marcas das algemas? *Caramba...* Pensava que já tínhamos resolvido este assunto. Se tenho marcas, estão escondidas pelas tiras das sandálias. Não me lembro de ter reparado em vergões hoje de manhã. Com delicadeza, ele acaricia-me o peito do pé com o polegar, o que me faz contorcer. Um sorriso baila-lhe nos lábios enquanto desata com destreza uma tira, ao que o seu sorriso se desvanece, pois depara-se com as marcas vermelhas mais escuras.

– Não me dói – murmuro.

Ele olha para mim com uma expressão triste, a boca contraída numa linha fina. Assente uma vez com a cabeça como se acreditasse no que lhe digo enquanto abano o pé para a sandália cair, mas sei que o perdi. Está distraído e a matutar outra vez, afagando-me o pé mecanicamente e voltando a fitar a paisagem.

– Ei. O que esperavas? – pergunto-lhe em voz baixa.

Ele olha para mim e encolhe os ombros.

– Não esperava sentir o que sinto ao ver essas marcas – diz ele.

Oh! Reticente num momento e direto no seguinte? Como... *Cinquenta!* Como posso acompanhá-lo?

– O que é que *sentes?*

Olhos sombrios fitam-me.

– Desconforto – murmura.

Oh, não. Desprendo o cinto de segurança e deslizo para junto dele, deixando os pés no seu colo. Quero ir para o colo dele e abraçá-lo; era o que faria, se à frente fosse apenas Taylor. Mas saber que Gaston está ali embaraça-me, apesar do painel divisório. Se ao menos fosse mais escuro... Aperto-lhe as mãos.

– Do que não gosto é dos chupões – sussurro. – Tudo o resto... o que fizeste – continuo, numa voz ainda mais baixa – com as algemas, gostei disso. Bem, mais do que gostei. Foi fantástico. Podes voltar a fazer-me isso sempre que quiseres.

Ele mexe-se no assento.

– Fantástico?

A minha deusa interior levanta a cabeça, sobressaltada, distraindo-se da leitura de Jackie Collins.

– Sim.

Sorrio. Dobro os dedos dos pés por cima do entrepernas dele, que enrijece e, mais do que ouvir, vejo-o a inspirar bruscamente, com os lábios a entreabrirem-se.

– Devia mesmo ter o cinto de segurança posto, Mrs. Grey.

Ele fala numa voz baixa e eu volto a apertá-lo com os dedos dos pés. Ele inspira, os seus olhos escurecem e agarra-me o tornozelo, para me avisar. Quer que pare? Que continue? Larga-me, franze o sobrolho e pesca o omnipresente BlackBerry para atender uma chamada, enquanto olha para o relógio. Fica com a testa ainda mais franzida.

– Barney – atende.

Porra. O trabalho a interromper-nos outra vez. Tento afastar os pés, mas ele volta a cingir-me o tornozelo com os dedos.

– Na sala do servidor? – pergunta, incrédulo. – O sistema de supressão de fogo foi ativado?

Um incêndio! Tiro os pés do colo dele e, desta vez, ele deixa-me fazê-lo. Torno a sentar-me no meu lugar, ponho o cinto de segurança e mexo nervosamente na pulseira de trinta mil euros. Christian carrega no botão da porta e o painel de privacidade desce.

– Houve feridos? Estragos? Compreendo... Quando? – Christian volta a olhar para o relógio e depois passa os dedos pelo cabelo. – Não. Nem os bombeiros nem a polícia. Ainda não, pelo menos.

Um incêndio? No escritório de Christian? Olho para ele boquiaberto, com a mente a mil. Taylor vira-se para ouvir a conversa de Christian.

– Ai foi? Bom... Ok. Quero um relatório pormenorizado dos estragos. E uma vistoria completa a todos os que tiveram acesso ao espaço durante os últimos cinco dias, incluindo o pessoal da limpeza... Contacta a Andrea e diz-lhe que me telefone... Sim, parece que o árgon é igualmente eficaz, vale o que pesa em ouro.

Relatório de danos? Árgon? Desencadeia uma memória distante de uma aula de química... é um elemento, acho.

– Tenho noção de que é cedo... Manda-me um *e-mail* daqui a duas horas... Não, preciso de saber. Obrigado por teres ligado.

Christian desliga e marca de imediato um número no BlackBerry.

– Welch... Bom... Quando? – Christian consulta mais uma vez o relógio. – Uma hora, então... sim... Vinte e quatro horas por dia no armazém de dados do escritório... bom. – Desliga. – Philippe, preciso de estar a bordo daqui a uma hora.

– *Monsieur.*

Merda, é Philippe, não Gaston. O carro acelera.

Christian olha de relance para mim, com uma expressão indecifrável.

– Alguém ficou ferido? – pergunto-lhe em voz baixa.

Christian abana a cabeça.

– Muito poucos estragos. – Estica-se e agarra-me a mão, apertando-a para me tranquilizar. – Não te preocupes com isto. A minha equipa está a tratar do assunto.

E ei-lo, o CEO, a comandar a operação, com tudo sob controlo, nada perturbado.

– Onde foi o incêndio?

– Na sala do servidor.

– Grey House?

– Sim.

Dá-me respostas curtas, pelo que percebo que não quer falar disto.

– Porque houve tão poucos estragos?

– A sala do servidor está equipada com um sistema de supressão de fogo de última geração.

Claro que está.

– Ana, por favor... não te preocupes.

– Não estou preocupada – minto.

– Não temos a certeza de que tenha sido fogo posto – diz ele, indo direto ao âmago da minha ansiedade.

Aperto a garganta, com medo. *Charlie Tango* e agora isto?

O que virá a seguir?

CAPÍTULO QUATRO

Estou inquieta. Christian fechou-se no escritório do iate há mais de uma hora. Tentei ler, ver televisão, apanhar sol – completamente vestida – mas não consigo descontrair e não sou capaz de me livrar desta sensação nervosa. Depois de mudar de roupa, vestindo uns calções e uma *t-shirt*, tiro a pulseira absurdamente cara e vou à procura de Taylor.

– Mrs. Grey – diz ele, quando lhe interrompo a leitura do romance de Anthony Burgess. Está sentado na pequena antessala do lado de fora do escritório de Christian.

– Gostaria de ir às compras.

– Sim, senhora.

Ele levanta-se.

– Gostaria de levar o *jet ski*.

Ele fica boquiaberto.

– Hã...

Franze o sobrolho, sem saber o que dizer.

– Não quero incomodar o Christian por causa disto.

Ele reprime um suspiro.

– Mrs. Grey... hã... não me parece que Mr. Grey fosse ficar muito à vontade com essa situação e gostaria de manter o meu emprego.

Oh, por amor de Deus! Apetece-me revirar os olhos mas, em vez disso, semicerro-os, com um grande suspiro que expressa, creio eu, a quantidade certa de indignação frustrada por não ser dona do meu próprio destino. Por outro lado, não quero que Christian fique zangado com Taylor – ou, já agora, comigo. Contorno-o com passos confiantes, bato à porta do escritório e entro.

Christian está a falar ao seu BlackBerry, apoiado na secretária de mogno. Olha para mim.

– Andrea, dê-me um momento – diz ele para o telefone, com uma expressão séria.

O seu olhar é de expectativa cordial. Merda. Porque é que me sinto como se tivesse entrado no gabinete do diretor? Este homem ainda ontem me pôs algemas. Recuso ficar intimidada por ele, é o meu marido, raios partam. Endireito os ombros e ofereço-lhe um sorriso rasgado.

– Vou às compras. Levo seguranças.

– Claro, leva um dos gémeos e o Taylor – diz ele e eu percebo que, seja lá o que for que está a acontecer, é sério, pois não me faz mais perguntas.

Fico diante dele, perguntando-me se poderei ajudar.

– Mais alguma coisa? – pergunta. Quer que me vá embora.

– Queres que te traga alguma coisa? – pergunto-lhe.

Ele esboça o seu sorriso tímido e doce.

– Não, querida, estou bem – diz. – A tripulação vai cuidar de mim.

– Ok.

Quero beijá-lo. Raios, posso fazê-lo – é o meu marido. Avanço determinadamente para ele e dou-lhe um beijo nos lábios, o que o surpreende.

– Andrea, já lhe ligo – diz ele entre dentes.

Pousa o BlackBerry na secretária atrás de si, puxa-me para me abraçar e beija-me com paixão. Estou sem fôlego quando me liberta. Os seus olhos estão escuros e carentes.

– Estás a distrair-me. Preciso de resolver isto para poder voltar à minha lua de mel.

Acaricia-me o rosto e o queixo com o dedo indicador, fazendo-me erguer a cara.

– Ok. Desculpa.

– Por favor, não peça desculpa, Mrs. Grey. Adoro as suas distrações.

Dá-me um beijo no canto da boca.

– Vai lá gastar dinheiro.

Solta-me.

– Assim farei.

Olho para ele com um sorriso de troça antes de sair do escritório. O meu subsconsciente abana a cabeça e contrai os lábios. *Não lhe disseste que ias de jet ski*, censura-me na sua voz melodiosa. Ignoro-o... *harpia*.

Taylor espera-me pacientemente.

– Já está tudo aprovado pelo comando superior... Podemos ir? – Sorrio e tento não revelar sarcasmo na minha voz.

Taylor não disfarça o sorriso de admiração.

– Mrs. Grey, faça favor.

Taylor ensina-me calmamente a usar os comandos do *jet ski* e a conduzi-lo. Tem modos serenos e autoritários; é um bom professor. Estamos na lancha, a balouçar nas águas calmas da doca ao lado do *Fair Lady*. Gaston olha em diante, com a expressão ocultada pelos óculos de sol, e um dos membros da tripulação do *Fair Lady* está ao comando da lancha. Caramba... três pessoas comigo, só porque quero ir às compras. É ridículo.

Enquanto aperto o colete salva-vidas, sorrio de orelha a orelha a olhar para Taylor. Ele estende a mão para me ajudar a montar o *jet ski*.

– Prenda a tira da chave da ignição ao pulso, Mrs. Grey. Se cair, o motor parará de imediato – explica-me.

– Ok.

– Pronta?

Aceno com a cabeça, muito entusiasmada.

– Carregue no botão da ignição quando estiver a cerca de um metro e vinte do barco. Nós seguimo-la.

– Ok.

Ele afasta o *jet ski* da lancha e este flutua suavemente para a doca principal. Quando me faz sinal, carrego no botão da ignição e o motor ganha vida com um rugido.

– Ok, Mrs. Grey, vá com calma! – grita Taylor.

Aperto o acelerador. O *jet ski* lança-se para a frente e depois para. *Merda!* Como é que o Christian faz com que pareça tão fácil? Tento outra vez e outra ainda, fico parada. *Grande merda!*

– Mantenha o acelerador firme, Mrs. Grey – aconselha-me Taylor.

– Está bem, está bem – resmungo entre dentes.

Tento mais uma vez, apertando a manivela muito suavemente, e o *jet ski* lança-se para diante – mas, desta vez, continua a avançar. *Sim!* Continua a andar. *Ah, ah! Ainda está a avançar!* Quero gritar e guinchar de entusiasmo, mas contenho-me. Afasto-me suavemente do iate em direção à doca principal. Atrás de mim, ouço o rumorejar gutural da lancha. Quando carrego mais no acelerador, o *jet ski* dá um salto em frente, deslizando na água. Com a brisa amena no cabelo e salpicos leves de ambos os lados, sinto-me livre. Isto é o *máximo!* Não admira que Christian nunca me deixe conduzir.

Em vez de me encaminhar para a costa e encurtar a diversão, viro para dar a volta ao imponente *Fair Lady*. Uau – isto é muito mais *divertido*. Ignoro Taylor e a tripulação atrás de mim e acelero noutra volta ao iate. Quando completo o circuito, diviso Christian no convés. Dá-me a impressão de estar a observar-me de queixo caído, mas é difícil ter a certeza. Corajosamente, levanto uma mão dos manípulos e aceno-lhe com entusiasmo. Ele parece ser feito de pedra mas, por fim, ergue uma mão numa espécie de aceno rígido. Não consigo desvendar-lhe a expressão e algo me diz que não quero percebê-la, pelo que me encaminho para a marina, acelerando pela água azul do Mediterrâneo, que cintila sob o sol da tarde.

Na doca, espero e deixo que Taylor pare à minha frente. Está com uma expressão soturna e o meu coração desanima, embora Gaston pareça algo divertido. Por um breve instante, fico a pensar se terá acontecido algo que tenha esfriado as relações franco-americanas mas, no fundo, sei que sou eu o problema. Gaston salta da lancha e prende-a ao ancoradouro enquanto Taylor me faz sinal para que avance para o lado. Com muito cuidado, coloco o *jet ski* na posição certa ao lado da lancha e fico ao lado dele. A sua expressão suaviza-se um pouco.

– Desligue o motor, Mrs. Grey – diz-me num tom calmo, enquanto leva a mão ao manípulo e me estende a outra para me ajudar a entrar na lancha. Embarco agilmente, impressionada por não cair. – Mrs. Grey – continua com nervosismo, outra vez com as faces rosadas. – Mr. Grey não se sente completamente à vontade com o facto de a senhora conduzir o *jet ski*.

Ele quase se contorce de tanto embaraço e eu percebo que recebeu uma chamada furiosa de Christian.

Oh, meu pobre marido patologicamente protetor, o que hei de fazer contigo?

Esboço um sorriso sereno.

– Compreendo. Bem, Taylor, Mr. Grey não está aqui e, se não *se sente completamente à vontade*, tenho a certeza de que mo dirá pessoalmente quando eu voltar ao iate.

Taylor faz um esgar.

– Muito bem, Mrs. Grey – responde em voz baixa, passando-me a mala.

Quando saio da lancha, vejo de esguelha o seu sorriso relutante, que me dá vontade de sorrir também. Nem acredito o quanto gosto de Taylor, mas de facto não aprecio que me censure – não é meu pai nem meu marido.

Suspiro. O Christian está fulo – e já tem o suficiente com que se preocupar neste momento. O que me passou pela cabeça?

Enquanto espero por Taylor na doca, sinto o meu BlackBerry a vibrar e tiro-o da bolsa. A música "Your Love Is King", de Sade, é o meu toque para Christian – só para Christian.

– Olá – murmuro.

– Olá – diz ele.

– Volto na lancha. Não fiques zangado.

Ouço o seu pequeno arquejo de surpresa.

– Há...

– Mas foi divertido – sussurro.

Ele suspira.

– Bem, longe de mim querer impedi-la de se divertir, Mrs. Grey. Mas tem cuidado. Por favor.

Oh, céus! Permissão para me divertir!

– Terei. Queres alguma coisa da cidade?

– Só a ti, que voltes inteira.

– Farei o meu melhor por cumprir o que me pede, Mr. Grey.

– Folgo em ouvi-la, Mrs. Grey.

– O nosso objetivo é agradar – respondo com um risinho.

Ouço o sorriso na voz dele:

– Tenho outra chamada... adeusinho, querida.

– Até logo, Christian.

Ele desliga. *Crise de jet ski evitada*, penso eu. O carro está à minha espera e Taylor abre-me a porta. Pisco-lhe o olho ao entrar e ele abana a cabeça, divertido.

No carro, escrevo um *e-mail*.

———

De: Anastasia Grey
Assunto: Obrigada
Data: 17 agosto 2011 16:55
Para: Christian Grey

Por não seres demasiado rezingão.

A tua mulher apaixonada.
Bjs

———

De: Christian Grey
Assunto: A Tentar Manter-me Calmo
Data: 17 agosto 2011 16:59
Para: Anastasia Grey

Não tens de quê.
Volta inteira.
Isto não é um pedido.
Beijo

Christian Grey
CEO & Marido Superprotetor, Grey Enterprises Holdings, Inc.

———

A sua resposta provoca-me um sorriso. O meu maníaco do controlo.

Mas porque quis vir às compras? Detesto fazer compras. Porém, no fundo, sei porquê e caminho de modo determinado, passando pelas lojas *Chanel, Gucci, Dior* e pela outras *boutiques* de marcas até encontrar o antídoto para o que me assola numa loja pequena, apinhada e turística. É uma pequena pulseira para o tornozelo, de prata, com corações e guizos pequenos. Tilinta de forma doce e custa cinco euros. Assim que a compro, ponho-a. Isto sou eu – é disto que gosto. Sinto-me logo mais confortável. Não quero esquecer a rapariga que gosta disto, nunca. No meu âmago, sei que não me sinto assoberbada só por Christian, mas também pela sua opulência. Alguma vez me habituarei?

Taylor e Gaston cumprem o dever de me seguir por entre as multidões da tardinha e depressa me esqueço de que estão comigo. Quero comprar algo a Christian, algo que o distraia do que está a acontecer em Seattle. Mas o que hei de comprar ao homem que tem tudo? Paro numa praça pequena e quadrada, rodeada por lojas, e fito cada uma à vez. Quando vislumbro uma loja de produtos eletrónicos, recordo-me da nossa visita à galeria ao início do dia e da ocasião em que fomos ao Louvre. Estávamos a admirar a *Vénus de Milo*, nessa altura... as palavras de Christian ecoam-me na cabeça: *Todos somos capazes de apreciar a figura feminina. Adoramos vê-la, seja em mármore, pintada a óleo, em cetim ou em fotografias.*

Isso dá-me uma ideia, uma ideia ousada. Só preciso de ajuda para escolher a certa e só há uma pessoa capaz de me ajudar. Saco o Black-Berry da mala e telefono a José.

– Quem... – resmunga ele, sonolento.

– José, é a Ana.

– Ana, olá! Onde estás? Estás bem? – Já parece mais alerta, preocupado.

– Estou em Cannes, no Sul de França, e estou ótima.

– No Sul de França, hã? Estás nalgum hotel sofisticado?

– Hã... não. Estamos num barco.

– Num barco?

– Num barco grande – esclareço com um suspiro.

– Estou a ver. – O seu tom esfria. Merda, não lhe deveria ter ligado. Não preciso disto agora.

– José, preciso de um conselho teu.

– De um conselho meu? – Parece estupefacto. – Claro – responde e, desta vez, mostra-se muito mais amistoso. Conto-lhe o meu plano.

Duas horas depois, Taylor ajuda-me a passar da lancha para os degraus que dão para o convés. Gaston está a auxiliar um marinheiro a levar o *jet ski*. Não há sinal de Christian e corro para o nosso camarote para embrulhar o presente, com uma sensação de encanto infantil.

– Estiveste fora durante algum tempo – surpreende-me Christian no momento em que aplico o último pedaço de fita-cola.

Viro-me e vejo que está à entrada do camarote, a fitar-me com um olhar intenso. *Ainda estou em apuros por causa do* jet ski? *Ou estará assim devido ao incêndio no escritório?*

– Está tudo controlado no teu escritório? – pergunto-lhe em tom hesitante.

– Mais ou menos – responde-me, com o sobrolho franzido pela irritação.

– Fiz umas compras – murmuro, esperando aligeirar-lhe a disposição e rezando para que a sua irritação não seja comigo.

Sorri-me calorosamente e eu percebo que estamos bem.

– O que compraste?

– Isto.

Ponho o pé em cima da cama e mostro-lhe o fio no tornozelo.

– Muito bonito – diz ele.

Dá um passo na minha direção e toca nos guizos pequenos, que tilintam docemente no meu tornozelo. Volta a franzir o cenho e percorre-me a marca, o que me deixa a perna a latejar.

– E isto.

Mostro-lhe a caixa embrulhada, esperando distraí-lo.

– Para mim? – pergunta-me, surpreendido.

Aceno timidamente com a cabeça. Ele aceita a caixa e abana-a ao de leve. Esboça o seu sorriso arrapazado e estonteante e senta-se ao meu lado na cama. Debruçando-se, segura-me o queixo e beija-me.

– Obrigado – diz-me, com um encanto embaraçado.

– Ainda não abriste.

– Vou adorar, seja o que for. – Fita-me, com os olhos a brilhar. – Não recebo muitos presentes.

– É difícil comprar-te coisas. Tens tudo.

– Tenho-te a ti.

– Pois tens.

Sorrio-lhe. *Oh, se tens, Christian.* Ele rasga o papel de embrulho com desenvoltura.

– Uma *Nikon?*

Levanta a cabeça e olha para mim, intrigado.

– Eu sei que tens a tua câmara digital compacta, mas esta é para... hã... retratos e coisas assim. Tem duas lentes.

Ele pestaneja, ainda sem compreender.

– Hoje, na galeria, tu gostaste das fotografias da Florence D'elle. E lembro-me do que disseste no Louvre. E, claro, havia as outras fotografias.

Engulo em seco, esforçando-me ao máximo por não recordar as imagens que encontrei no seu armário.

Ele para de respirar, com os olhos a arregalarem-se à medida que se apercebe do que estou a dizer, pelo que continuo apressadamente, antes que perca a coragem.

– Pensei que poderias... hum... gostar de tirar fotografias... minhas.

– Fotografias. Tuas?

Ele fica boquiaberto a olhar para mim, ignorando a caixa que tem ao colo.

Eu aceno com a cabeça, tentando desesperadamente avaliar a sua reação. Por fim, volta a olhar para a caixa e desliza os dedos pela ilustração da câmara na frente, com uma reverência fascinada.

Em que está ele a pensar? Oh, não era reação que eu esperava e o meu subconsciente fita-me como se eu fosse um animal de quinta domesticado. Christian *nunca* reage como eu espero. Ele torna a levantar a cabeça e o seu olhar está cheio de, quê, dor?

– Porque achas que eu quero isto? – pergunta-me, intrigado.

Não, não, não! Tu disseste que ias adorar...

– Não queres? – indago, recusando-me a encarar o que me diz o subconsciente que, por seu turno, questiona porque haveria alguém de querer fotografias eróticas minhas. Christian engole em seco e passa uma mão pelo cabelo; parece tão perdido, tão confuso. Inspira profundamente.

— Para mim, fotos dessas têm sido, regra geral, uma espécie de seguro, Ana. Sei que objetifiquei as mulheres durante muito tempo — diz ele, após o que faz uma pausa desconfortável.

— E parece-te que fotografares-me é... há... objetificares-me?

Todo o ar se escapa do meu corpo e fico sem pinga de sangue no rosto. Ele cerra os olhos com muita força.

— Estou tão confuso — sussurra.

Quando volta a abrir os olhos, estes estão arregalados e receosos, plenos de alguma emoção pura.

Merda. Será culpa minha? Por causa das perguntas que lhe fiz sobre a mãe biológica? Ou é o incêndio no seu escritório que o preocupa?

— Porque dizes isso? — sussurro, com o pânico a crescer-me na garganta.

Pensava que ele estava feliz. Pensava que estávamos felizes. Pensava que o fazia feliz. Não quero *confundi-lo.* Ou quero? A minha mente fica a mil. Ele não vê Flynn há quase três semanas. Será isso? Será essa a razão que o faz ir-se abaixo? Merda, deverei ligar a Flynn? E, num momento possivelmente único de compreensão e clareza, percebo — o incêndio, *Charlie Tango,* o *jet ski...* Ele está assustado, está assustado por minha causa e ver estas marcas na minha pele deve trazer esse medo à superfície. Passou o dia a falar delas, a confundir-se porque não está habituado a sentir-se desconfortável por infligir dor. A ideia enregela-me.

Ele encolhe os ombros e, mais uma vez, o seu olhar desce até ao meu pulso, aquele onde estava a pulseira que me comprou hoje à tarde. *Bingo!*

— Christian, isto não tem importância. — Levanto o pulso, revelando o vergão a desvanecer-se. — Deste-me uma palavra de segurança. Merda... ontem *divertimo-nos.* Eu gostei. Para de cismar sobre isso... Eu gosto de sexo à bruta, já te tinha dito.

Fico corada como um tomate enquanto tento reprimir o meu pânico crescente. Ele fita-me com intensidade e eu não faço ideia do que esteja a pensar. Talvez esteja a sopesar as minhas palavras. Continuo:

– É por causa do incêndio? Achas que está relacionado com o *Charlie Tango*? É por isso que estás preocupado? Fala comigo, Christian, por favor.

Ele fita-me, sem dizer uma palavra, e o silêncio volta a crescer entre nós como durante a tarde. *Mas que grandessíssima merda!* Ele não vai falar comigo, já sei.

– Não dês a isto uma importância que não tem, Christian – censuro num tom calmo e as palavras ecoam, reavivando uma memória do passado recente: as palavras que me disse sobre o seu estúpido contrato. Estendo a mão, tiro-lhe a caixa do colo e abro-a. Ele observa-me, passivo, como se eu fosse uma criatura extraterrestre fascinante. Sabendo que a câmara foi preparada pelo muito solícito empregado da loja, e que está pronta a funcionar, saco-a da caixa e tiro a proteção da lente. Aponto-lhe a objetiva e o seu lindo e ansioso rosto preenche o ecrã. Carrego no botão e mantenho-o pressionado, ao que dez retratos da expressão alarmada ficam digitalmente preservados para a posteridade. – Então objetifico-te eu – murmuro, voltando a carregar no botão.

Na última foto, os seus lábios mexem-se de forma quase impercetível. Eu torno a carregar e, desta vez, ele sorri... um sorriso ligeiro, mas não deixa de ser um sorriso. Volto a pressionar o botão e vejo-o a relaxar fisicamente à minha frente e a fazer beicinho – um beicinho evidente, naquela pose ridícula que se vê no filme *Zoolander*, e eu rio-me. *Oh, graças a Deus.* O Sr. Inconstante regressou – e eu nunca fiquei tão satisfeita por revê-lo.

– Pensava que isso era um presente para *mim* – resmunga num tom taciturno, mas parece-me que está a brincar.

– Bem, a ideia era que fosse divertido, mas, ao que tudo indica, é um símbolo da opressão das mulheres.

Continuo a disparar, a tirar mais fotos, e vou vendo a diversão a aumentar no rosto dele enquanto o retrato em grande plano. Depois os seus olhos escurecem e a sua expressão transforma-se na de um predador.

– Queres ser oprimida? – murmura numa voz sedosa.

– Não, oprimida não – murmuro em resposta, tirando mais uma foto.

– Eu podia oprimi-la e bem, Mrs. Grey – ameaça ele num tom rouco.

– Eu sei que podia, Mr. Grey. E é o que faz, com frequência.

A sua expressão abate-se. *Merda.* Baixo a máquina e fito-o.

– O que se passa, Christian? – A minha voz verte frustração. *Conta-me!*

Ele não diz nada. *Ah!* É tão enfurecedor. Mais uma vez, encosto a câmara ao olho.

– Diz-me – insisto.

– Não é nada – diz ele e, abruptamente, desaparece do ecrã.

Num único movimento fluido, atira a caixa da câmara para o chão do camarote, agarra-me e empurra-me para a cama. Senta-se por cima de mim, com uma perna de cada lado.

– Ei! – exclamo e tiro-lhe mais fotografias enquanto ele me sorri com uma intenção sombria. Ele pega na câmara pela lente e a fotógrafa torna-se modelo quando ele me aponta a *Nikon* e carrega no botão.

– Então, quer que lhe tire fotos, Mrs. Grey? – pergunta, divertido. Tudo o que vejo do seu rosto é o cabelo desgrenhado e um sorriso rasgado na boca escultural. – Bem, para começar, acho que deveria estar a rir-se – diz ele e faz-me cócegas desapiedadas debaixo das costelas, o que me leva a guinchar, a soltar gargalhadas e a contorcer-me até que lhe apanho o pulso, numa tentativa vã de o obrigar a parar.

O seu sorriso alarga-se e ele esforça-se mais enquanto continua a tirar fotos.

– Não! Para! – grito.

– Estás a gozar? – resmoneia ele, antes de pousar a câmara ao nosso lado para poder torturar-me com ambas as mãos.

– Christian! – balbucio num protesto engasgado, ainda a rir-me.

Ele nunca me tinha feito cócegas. *Merda... para!* Atiro a cabeça de um lado para o outro, tento sair de baixo dele, soltando risinhos e empurrando-lhe as duas mãos, mas ele é implacável – sorri-me e aprecia o meu tormento.

– Christian, para! – imploro e, de repente, ele para.

Segura-me as duas mãos, uma de cada lado da cabeça enquanto se mantém por cima de mim. Estou a ofegar, sem fôlego de tanto rir. A sua respiração reflete a minha e ele fita-me com... o quê? Os meus pulmões deixam de funcionar. Fascínio? Amor? Reverência? *Com o caraças. Que olhar!*

– És. Tão. Linda – murmura.

Observo-lhe o rosto tão, tão querido, banhado pela intensidade do seu olhar, e é como se ele me visse pela primeira vez. Debruçando--se, fecha os olhos e beija-me, arrebatado. A sua reação é um apelo que me desperta a libido... vê-lo assim, desarmado, por mim. *Oh, céus.* Ele solta-me as mãos e dirige os dedos à minha cabeça, entrelaça-os no meu cabelo, segurando-me com delicadeza, e o meu corpo eleva-se e enche-se de desejo, respondendo ao seu beijo. E, de repente, a natureza do beijo altera-se, já não é doce, reverencial e admiradora, mas carnal, profunda e devoradora – a língua dele invade-me a boca, toma em vez de dar, o seu beijo possui uma característica desesperada e carente. E, à medida que o desejo me corre pelas veias e acorda todos os músculos e tendões enquanto flui, sinto um arrepio de alarme.

Oh, Cinquenta, o que se passa?

Ele inspira bruscamente e geme.

– Oh, o que tu me fazes – sussurra, perdido e sensível.

Mexe-se de repente, deita-se em cima de mim, pressiona-me contra o colchão – com uma mão a segurar-me o queixo, a outra a passar-me pelo corpo, pelo peito, pela cintura, pela anca e, dando a volta, pelo meu traseiro. Volta a beijar-me, com as pernas entre as minhas, levanta-me o joelho e roça-se contra mim, com a ereção a fazer pressão nas nossas roupas e no meu sexo. Arquejo e gemo nos lábios dele, perdendo-me na sua paixão fervente. Esqueço o alarme que me ressoa ao fundo da mente, sabendo que ele me quer, que precisa de mim e que, no que diz respeito a comunicar comigo, esta é a sua forma preferida de se expressar. Beijo-o com uma entrega renovada, passo os dedos pelo seu cabelo, cerro as mãos, aperto com força. Ele sabe tão bem e cheira a Christian, ao meu Christian.

Abruptamente, ele para, levanta-se e puxa-me da cama; fico de pé à sua frente, estonteada. Desabotoa-me os calções e ajoelha-se muito depressa, arranca-mos e às cuecas e, antes que eu possa voltar a respirar, estou outra vez deitada na cama debaixo dele e ele está a desabotoar a braguilha. Uau! Não se vai despir nem tirar-me a *t-shirt*. Agarra-me a cabeça e, sem qualquer preâmbulo, investe dentro de mim, fazendo--me gritar – mais de surpresa do que por qualquer outra coisa – mas ainda ouço o ciciar da sua respiração forçada por entre dentes cerrados.

– Ssssim – silva ele junto à minha orelha. Imobiliza-se e depois volta a balouçar as ancas, lançando-se mais profundamente, fazendo-me gemer. – Preciso de ti – rosna numa voz baixa e rouca.

Passa os dentes pelo meu maxilar, mordiscando e sugando, e depois beija-me outra vez, com força. Envolvo-o com as pernas e os braços, embalando-o e segurando-o bem contra mim, determinada a libertá-lo do que quer que o preocupe, e ele começa a mexer-se... a mexer-se como se quisesse meter-se dentro de mim. Uma e outra vez, frenético, primário, desesperado e, antes de me perder no ritmo louco que ele está a marcar, torno a perguntar-me por um instante o que o levará a isto, o que o preocupará. Mas o meu corpo sobrepõe-se, elimina o pensamento, deixa-se ir e inunda-me de sensações, indo ao seu encontro investida após investida. Ouço a sua respiração áspera, forçada e feroz junto ao meu ouvido. Sei que está perdido em mim... gemo muito alto, a ofegar. É tão erótica – a necessidade que ele tem de mim. Estou a chegar... a chegar... e ele leva-me mais longe, assoberba-me, possui-me e eu quero isto. Quero tanto isto... por ele e por mim.

– Vem-te comigo – arqueja ele e arqueia-se para trás, pelo que tenho de o largar.

– Abre os olhos – ordena-me. – Preciso de te ver.

Denota uma urgência implacável na voz. Os meus olhos entreabrem-se momentaneamente e vejo-o acima de mim – com a cara retesada pelo ardor, os olhos fervorosos, a brilhar. A sua paixão e o seu amor são a minha perdição e então venho-me, lançando a cabeça para trás enquanto o meu corpo lateja à volta dele.

– Oh, Ana – grita, e junta-se ao meu clímax, investindo mais uma vez dentro de mim.

Depois para e cai sobre o meu corpo. Rola e eu fico deitada em cima dele, com ele ainda dentro de mim. Quando recupero do orgasmo e o meu corpo se acalma, apetece-me fazer algum comentário acerca de ser objetificada e oprimida, mas mordo a língua, sem saber ao certo como está a sua disposição. O meu olhar desvia-se do peito dele para o seu rosto. Tem os olhos fechados e os braços à minha volta, num aperto cerrado. Beijo-lhe o peito por cima do tecido fino da camisa de linho.

— Diz-me, Christian, o que se passa? — pergunto-lhe num tom suave, e fico ansiosamente à espera, querendo saber se agora, saciado pelo sexo, me contará.

Sinto os seus braços a apertarem-me mais, mas é a única resposta que obtenho. Não vai falar. Sou acometida pela inspiração.

— Juro solenemente ser a tua parceira fiel na saúde e na doença, ficar ao teu lado nos bons e nos maus momentos, partilhar tanto a alegria como a tristeza — murmuro.

Ele imobiliza-se. O seu único movimento é arregalar os olhos e fitar-me enquanto prossigo os meus votos nupciais.

— Prometo amar-te incondicionalmente, apoiar-te nos teus objetivos e sonhos, honrar-te e respeitar-te, rir-me contigo e chorar contigo, partilhar os meus sonhos e esperanças e dar-te consolo sempre que precises. — Faço uma pausa, desejando que fale comigo. Ele observa-me, de lábios entreabertos, mas não diz uma palavra. — E prezar-te até que a morte nos separe. — Suspiro.

— Oh, Ana — sussurra ele e volta a mexer-se, interrompendo o nosso contacto anterior e fazendo com que fiquemos deitados lado a lado. Acaricia-me o rosto com os nós dos dedos.

— Juro solenemente defender e estimar no meu coração a nossa união e a ti — sussurra ele, numa voz rouca. — Prometo amar-te fielmente, esquecendo todas as outras, nos bons e nos maus momentos, na saúde e na doença, onde quer que a vida nos leve. Proteger-te-ei, confiarei em ti e respeitar-te-ei. Partilharei as tuas alegrias e as tuas mágoas e consolar-te-ei quando precisares. Prometo prezar-te, apoiar as tuas esperanças e sonhos e manter-te segura ao meu lado. Tudo o que é meu passa a ser teu. Dou-te a mão, o coração e o meu amor de ora em diante até que a morte nos separe.

Vêm-me lágrimas aos olhos. O seu rosto suaviza-se enquanto olha para mim.

— Não chores — murmura ele, apanhando com o polegar uma lágrima que me caiu.

— Porque não falas comigo? Por favor, Christian. — Ele fecha os olhos como se tivesse dores. — Jurei que te daria consolo sempre que precisasses. Por favor, não me obrigues a faltar aos meus votos — imploro.

Ele suspira e abre os olhos, com uma expressão sombria.

– Foi fogo posto – é tudo o que diz e, de súbito, parece muito jovem e vulnerável.

Oh, merda.

– E a minha maior preocupação é que andem atrás de mim. E, se andarem... – interrompe-se, sem conseguir continuar.

– ...são capazes de me atingir – sussurro. Ele fica exangue e eu percebo que, por fim, cheguei à raiz da sua ansiedade. Faço-lhe uma festa no rosto. – Obrigada.

Ele franze o sobrolho.

– Porquê?

– Por me contares.

Ele abana a cabeça e um sorriso ténue aflora-lhe aos lábios.

– Consegue ser muito persuasiva, Mrs. Grey.

– E tu consegues agastar-te e interiorizar todos os sentimentos e preocupares-te de morte. Ainda morres de ataque cardíaco antes dos quarenta e eu quero que vivas bem mais do que isso.

– *Tu* é que ainda me matas. Quando te vi no *jet ski*, por pouco não tive um AVC.

Deixa-se cair sobre a cama, tapa os olhos com a mão e eu sinto-o estremecer.

– Christian, é um *jet ski*. Até os miúdos conduzem *jet skis*. Estás a imaginar como vai ser quando visitarmos a tua casa em Aspen e eu for esquiar pela primeira vez?

Ele abre a boca e vira-se para me encarar e eu fico com vontade de me rir da sua expressão horrorizada.

– A nossa casa – acaba por dizer.

Ignoro-o.

– Sou adulta, Christian, e muito mais forte do que pareço. Quando é que vais perceber isso?

Ele encolhe os ombros e a sua boca contrai-se. Decido mudar de assunto.

– Então, o incêndio. A polícia sabe que foi fogo posto?

– Sim.

Ele está com uma expressão séria.

— Bom.

— As medidas de segurança vão tornar-se mais restritas — diz num tom factual.

— Compreendo.

Baixo o olhar para o corpo dele. Christian ainda está com os calções e a camisa e eu continuo de *t-shirt* vestida. Caramba... isto é que foi *pimba, pimba, obrigadinha*. A ideia faz-me rir.

— O que foi? — pergunta ele, intrigado.

— Tu.

— Eu?

— Sim. Tu. Ainda vestido.

— Oh.

Christian observa-se e depois torna a olhar para mim e, no seu rosto, surge um enorme sorriso.

— Bem, sabe que tenho dificuldades em manter as mãos longe de si, Mrs. Grey... sobretudo quando solta risinhos como uma colegial.

Oh, sim — as cócegas. *Ah!* As cócegas. Mexo-me rapidamente e monto-o, mas ele, percebendo de imediato a minha intenção, agarra-me os pulsos.

— Não — diz num tom muito sério. Faço beicinho, mas concluo que ele não está preparado para isso. — Por favor, não me faças cócegas — sussurra. — Nunca me fizeram cócegas quando era pequeno. — Ele interrompe-se e eu descontraio as mãos para ele saber que não tem de me prender. — Costumava ver o Carrick com o Elliot e a Mia, a fazer-lhes cócegas mas eu... eu...

Pouso um dedo nos lábios dele.

— Pronto, eu sei — murmuro e dou-lhe um beijo suave nos lábios onde o meu dedo acaba de estar, antes de me aninhar no seu peito.

A mágoa dolorosa e familiar cresce cá dentro e a tristeza profunda que sinto por Christian enquanto rapazinho volta a apoderar-se de mim. Sei que faria qualquer coisa por este homem porque o amo tanto.

Ele envolve-me com os braços e encosta o nariz ao meu cabelo, inspirando profundamente enquanto me acaricia as costas ao de leve. Não sei durante quanto tempo ficamos assim mas, por fim, interrompo o silêncio confortável que se instalou.

– Qual foi o máximo de tempo que ficaste sem ver o Dr. Flynn?

– Duas semanas. Porquê? Tens uma vontade irreprimível de me fazer cócegas?

– Não. – Rio-me. – Acho que ele te ajuda.

Christian solta uma risada trocista.

– É bom que ajude; pago-lhe bem. – Puxa-me o cabelo com cuidado, virando-me o rosto para eu olhar para ele. Levanto a cabeça e correspondo-lhe ao olhar. – Está preocupada com o meu bem-estar, Mrs. Grey? – pergunta-me em voz baixa.

– Todas as boas esposas se preocupam com os maridos adorados, Mr. Grey – replico num tom provocador.

– Adorados? – sussurra ele, uma pergunta pungente que fica a pairar entre nós.

– Muito adorados.

Trepo por ele para o beijar e ele esboça o seu sorriso tímido.

– Queres ir a terra comer?

– Quero comer onde tu te sentires mais feliz.

– Bom. – Ele sorri de orelha a orelha. – A bordo é onde posso manter-te a salvo. Obrigado pelo presente.

Estende a mão e agarra na câmara; mantendo o braço esticado, tira uma fotografia ao nosso abraço pós-cócegas, pós-coito e pós-confissões.

– O prazer foi todo meu.

Sorrio e os seus olhos iluminam-se.

Vagueamos pelo esplendor setecentista, opulento e dourado do palácio de Versalhes. Outrora um humilde pavilhão de caça, foi transformado pelo Rei-Sol numa sede de poder magnificente e luxuosa mas, ainda antes de o século XVIII chegar ao fim, assistiu à queda do último desses monarcas absolutistas.

A divisão mais impressionante é, de longe, a Galeria dos Espelhos. A luz do início da tarde entra pelas janelas a oeste, incidindo nos espelhos que cobrem a parede leste e iluminando a decoração de folha de ouro e os enormes candelabros de cristal. É de cortar a respiração.

– É interessante ver o que acontece a um déspota megalómano

que se isola em tanto esplendor – murmuro a Christian, que se encontra ao meu lado.

Ele inclina a cabeça para olhar para mim e observa-me com uma expressão humorada.

– Onde quer chegar, Mrs. Grey?

– Oh, era apenas um comentário, Mr. Grey.

Faço um gesto vago que abarca o que nos rodeia. Com um sorriso sardónico, ele segue-me até ao centro do salão, onde eu paro e me maravilho com a vista – os jardins espetaculares refletidos nos espelhos e o espetacular Christian Grey, meu marido, também refletido, com o seu olhar brilhante e arrojado.

– Eu construiria isto para ti – sussurra ele. – Só para ver a forma como a luz te ilumina o cabelo, aqui e agora. – Passa-me uma madeixa para trás da orelha. – Pareces um anjo. – Beija-me mesmo por baixo do lóbulo da orelha, dá-me a mão e murmura: – Nós, os déspotas, fazemos isso pelas mulheres que amamos.

Coro com o seu elogio, esboço um sorriso tímido e sigo-o pela vasta galeria.

– Em que estás a pensar? – pergunta-me em voz baixa, enquanto beberica o seu café depois do jantar.

– Em Versalhes.

– Ostentoso, não era? – Sorri.

Olho em redor, observando a grandiosidade mais subtil da sala de jantar do *Fair Lady*, e faço beicinho.

– Isto dificilmente pode ser considerado ostentoso.

– Eu sei. É encantador. A melhor lua de mel que uma rapariga poderia desejar.

– A sério? – pergunta ele, genuinamente surpreendido. E esboça o seu sorriso tímido.

– Claro que sim.

– Já só nos restam dois dias. Há alguma coisa que gostasses de ver ou fazer?

– Só estar contigo – murmuro.

Ele levanta-se, contorna a mesa e dá-me um beijo na testa.

– Bem, será que podes passar uma hora sem mim? Preciso de consultar os *e-mails*, descobrir o que se passa no escritório.

– Claro – respondo num tom alegre, tentando disfarçar a desilusão que sinto por ir estar uma hora sem ele. Será bizarro querer passar todo o tempo com ele?

– Obrigado pela máquina – murmura ele antes de se encaminhar para o gabinete.

De volta ao camarote, decido verificar também a minha correspondência, pelo que abro o portátil. Tenho *e-mails* da minha mãe e de Kate, que me informam acerca dos mexericos mais recentes e me perguntam como vai a lua de mel. Ora, ia muito bem, até alguém ter decidido pegar fogo à GHE, Inc. ... No momento em que termino a resposta para a minha mãe, chega um *e-mail* de Kate à minha caixa de correio.

De: Katherine L. Kavanagh
Data: 17 agosto 2011 11:45
Para: Anastasia Grey
Assunto: OH MEU DEUS!

Ana, acabei de saber do incêndio no escritório do Christian.
Acham que foi fogo posto?
Bjs,
K

Kate está *online*! Passo para o brinquedo que descobri há pouco tempo – o *chat* do Skype – e vejo que ela está disponível. Digito depressa uma frase.

Ana: Olá, estás aí?

Kate: SIM, Ana! Como estás? Como corre a lua de mel? Recebeste o meu *e-mail*? O Christian sabe do incêndio?

Ana: Estou bem. A lua de mel corre às mil maravilhas. Sim, recebi o teu *e-mail*. Sim, o Christian sabe.

Kate: Foi o que calculei. As notícias são vagas quanto ao que aconteceu. E o Elliot não me conta nada.

Ana: Andas à pesca de uma história.

Kate: Conheces-me bem de mais.

Ana: O Christian não me disse muito.

Kate: O Elliot soube pela Grace!

———

Oh, não – tenho a certeza de que Christian não quererá que isto seja divulgado por toda a cidade de Seattle. Experimento a minha técnica patenteada para distrair a tenaz Kate.

———

Ana: Como estão o Elliot e o Ethan?

Kate: O Ethan entrou no mestrado de psicologia de Seattle. O Elliot é adorável.

Ana: Boa, Ethan!

Kate: Como está o nosso ex-dominador preferido?

Ana: Kate!

Kate: Que foi?

Ana: TU SABES O QUE FOI!

Kate: Ok. Desculpa.

Ana: Está bem. Mais do que bem. :)

Kate: Bem, desde que estejas feliz, fico feliz.

Ana: Estou felicíssima.

Kate: :) Tenho de ir. Podemos falar depois?

Ana: Não sei. Vê se estou *online*. Os fusos horários são uma chatice!

Kate: Pois são. Adoro-te, Ana.

Ana: E eu a ti. Adeusinho. Bjs

Kate: Até logo. <3

———

Claro que Kate tinha de andar atrás desta história. Reviro os olhos e desligo o Skype antes que Christian veja a conversa. Ele não apreciaria o comentário dela a chamar-lhe ex-dominador e eu não tenho bem a certeza de que seja completamente ex...

Suspiro bem alto. Kate sabe de tudo, desde a nossa noite de copos, três semanas antes do casamento, quando por fim sucumbi à inquisição Kavanagh. Foi um alívio falar finalmente com alguém.

Olho de relance para o relógio. Já passou cerca de uma hora desde o jantar e sinto a falta do meu marido. Volto para o convés, para ver se ele acabou o trabalho que tinha de fazer.

Estou na Galeria dos Espelhos e Christian está ao meu lado, sorrindo-me com amor e afeto. *Pareces um anjo.* Correspondo-lhe ao sorriso, mas, quando torno a olhar para o espelho, estou sozinha e a divisão é cinza e pardacenta. Não! A minha cabeça volta-se muito depressa para o rosto dele e descubro que o seu sorriso é triste e melancólico. Ajeita-me uma madeixa de cabelo atrás da orelha. Depois vira-se e, sem nada dizer, afasta-se devagar, com o som dos seus passos a ecoar nos espelhos enquanto percorre a divisão enorme até às portas duplas ornamentadas ao fundo... um homem solitário, um homem sem reflexo... e acordo, a ofegar com falta de ar, com o pânico a apoderar-se de mim.

— Ei — sussurra ele, ao meu lado na escuridão, com uma voz muito preocupada.

Oh, ele está aqui. Está a salvo. O alívio corre-me pelas veias.

— Oh, Christian — balbucio, tentando recuperar o controlo da minha pulsação acelerada. Ele abraça-me e só então me apercebo de que tenho lágrimas a correr pelo rosto.

— Ana, o que se passa?

Afaga-me a cara, limpa-me o rosto e eu apercebo-me da angústia na sua voz.

– Nada. Um pesadelo parvo.

Ele beija-me a testa e as faces molhadas, para me reconfortar.

– Foi só um sonho mau – murmura. – Eu estou contigo. Vou manter-te segura.

Inspirando o seu odor, aninho-me à volta dele, tentando ignorar a sensação de perda e devastação do meu sonho e, nesse momento, percebo que o meu medo mais profundo e sombrio é perdê-lo.

CAPÍTULO CINCO

Mexo-me e procuro Christian instintivamente, mas apenas sinto a sua ausência. Merda! Acordo de imediato e, ansiosa, olho em redor. Christian está a observar-me, sentado no pequeno cadeirão estofado junto à cama. Debruçando-se, pousa qualquer coisa no chão e depois avança e deita-se na cama ao meu lado. Está a usar os seus calções e uma *t-shirt* cinzenta.

– Então, não entres em pânico. Está tudo bem – diz-me, com uma voz suave e tranquilizadora... como se falasse com um animal selvagem encurralado. Num gesto ternurento, afasta-me o cabelo da cara e eu acalmo-me de imediato. Percebo que ele tenta, sem conseguir, esconder as suas próprias preocupações. – Tens andado tão nervosa nos últimos dois dias – murmura ele, com os olhos esbugalhados e sérios.

– Estou bem, Christian. – Ofereço-lhe o meu sorriso mais animado porque não quero que ele saiba quão preocupada estou com o incidente do fogo posto. A lembrança dolorosa de como me senti quando o *Charlie Tango* foi sabotado e Christian desapareceu (o vazio oco, a dor indescritível) continua a vir à tona; a memória incomoda-me e corrói-me o coração. Enquanto mantenho o sorriso no rosto, tento reprimi-la. – Estavas a ver-me a dormir?

– Sim – diz ele, continuando a olhar para mim, a observar-me. – Estavas a falar.

– Oh?

Merda! O que terei dito?

– Estavas preocupada – acrescenta ele, com os olhos carregados de preocupação. Não poderei esconder nada deste homem? Ele aproxima-se de mim e beija-me entre as sobrancelhas. – Quando franzes a testa, ficas com um *V* pequeno aqui. É um sítio suave para beijar. Não te preocupes, querida, vou cuidar de ti.

– Não é comigo que estou preocupada, é contigo – resmungo. – Quem é que vai cuidar de ti?

O meu tom provoca-lhe um sorriso indulgente.

– Sou suficientemente crescido e feio para cuidar de mim mesmo. Anda. Levanta-te. Há uma coisa que eu gostava de fazer antes de voltarmos para casa.

Olha para mim com um grande sorriso arrapazado que diz sim-é--verdade-só-tenho-vinte-e-oito-anos, e dá-me uma palmada. Grito, surpreendida, e apercebo-me de que hoje vamos regressar a Seattle, pelo que a minha melancolia renasce. Não quero partir. Adorei estar com ele vinte e quatro horas por dia, sete dias por semana, e não estou preparada para o partilhar com a empresa e a família. Tivemos uma lua de mel bem-aventurada. Com alguns altos e baixos, admito, mas isso decerto será normal para um casal recém-casado?

Todavia, Christian não consegue conter o seu entusiasmo infantil e, apesar dos meus pensamentos sombrios, é contagiante. Quando se levanta graciosamente da cama, eu sigo-o, intrigada. O que terá em mente?

Christian prende a fita da chave ao meu pulso.

– Queres que eu conduza?

– Sim. – Ele sorri. – Não está demasiado apertada?

– Está bem. É por isso que estás a usar um colete salva-vidas? Arqueio uma sobrancelha.

– Sim.

Não sou capaz de conter o riso.

– Tanta confiança nas minhas capacidades de condutora, Mr. Grey!

– Como em tudo, Mrs. Grey.

– Bem, não me dês sermões.

Christian ergue as mãos num gesto defensivo, mas está a sorrir.

– Eu atrevia-me?

– Sim, atrevias e, sim, atreves, e aqui não podemos encostar à beira da estrada para discutirmos.

– Defendeu bem o seu argumento, Mrs. Grey. Vamos passar o dia nesta plataforma a debater as suas capacidades de condutora, ou vamos divertir-nos?

– Defendeu bem o seu argumento, Mr. Grey.

Agarro os manípulos do *jet ski* e monto-o. Christian segue-me e afasta-nos do iate com os pés. Taylor e dois dos marinheiros observam-nos, divertidos. Deslizando para a frente, Christian põe os braços à minha volta e encosta as coxas às minhas. *Sim, é isto que me agrada neste meio de transporte.* Insiro a chave na ignição e carrego no botão, dando vida ao motor barulhento.

– Preparado? – grito para que ele me ouça.

– Como sempre – diz ele, com a boca junto à minha orelha.

Com cuidado, puxo o manípulo e o *jet ski* afasta-se do *Fair Lady*, demasiado devagar para o meu gosto. Christian abraça-me com mais força. Acelero mais, lançamo-nos para a frente e fico encantada por não pararmos.

– Uau! – exclama ele atrás de mim e a excitação na sua voz é palpável.

Ultrapasso o *Fair Lady* em direção ao mar alto. Estamos ancorados junto a Saint-Laurent-du-Var e o Aeroporto Nice Côte d'Azur está aninhado ao longe, construído no Mediterrâneo, ou assim parece. Ouvi um ou outro avião a aterrar desde que chegámos ontem à noite. Decido que temos de o ir ver mais de perto.

Aceleramos nessa direção, avançando rapidamente por cima das ondas. Adoro isto e estou maravilhada por Christian me deixar conduzir. Toda a preocupação que senti nos últimos dois dias se desvanece à medida que avançamos para o aeroporto.

– Da próxima vez que fizermos isto, vamos ter dois *jet skis* – grita Christian.

Sorrio, pois a ideia de fazer uma corrida com ele é emocionante.

Enquanto percorremos o mar azul e frio em direção àquilo que parece ser o fim da pista, o rumorejar ribombante de um jato por cima de nós assusta-me quando começa a aterrar. É tão barulhento que entro em pânico, viro e carrego no acelerador ao mesmo tempo, confundindo-o com o travão.

– Ana! – grita Christian, mas é demasiado tarde.

Sou catapultada do *jet ski*, a espernear e a dar aos braços, levando Christian comigo num chapão espetacular.

A gritar, mergulho no mar azul cristalino e tenho a desagradável experiência de engolir água do Mediterrâneo. A água está fria, a esta distância da costa, mas regresso à tona num instante, graças ao meu colete salva-vidas. A tossir e a cuspir, limpo a água do mar dos olhos e procuro Christian. Ele já está a nadar na minha direção. O *jet ski* flutua, inofensivo, a poucos metros de nós, com o motor calado.

— Estás bem?

O seu olhar transborda de pânico quando me alcança.

— Sim — rouquejo, mas não sou capaz de conter a satisfação. *Estás a ver, Christian? Isto é o pior que pode acontecer quando se anda de* jet ski! Ele puxa-me para si e depois agarra-me na cabeça para me examinar a cara com atenção. — Vês, não foi assim tão mau!

Sorrio-lhe enquanto nadamos. Acaba por me lançar um sorriso sardónico, obviamente aliviado.

— Não, suponho que não. Só que estou molhado — resmunga ele, mas num tom brincalhão.

— Eu também estou molhada.

— Gosto de ti molhada — responde com um olhar lascivo.

— Christian! — ralho, tentando fazer um tom de indignação moralista.

Ele sorri, com um ar lindíssimo, e depois aproxima-se de mim e dá-me um beijo apaixonado. Quando se afasta, estou sem fôlego.

— Anda. Vamos regressar. Agora vamos ter de tomar um duche. Eu conduzo.

Preguiçamos na sala de espera da primeira classe da British Airways do aeroporto de Heathrow, nos arredores de Londres, aguardando pelo nosso voo de ligação a Seattle. Christian está concentrado a ler o *Financial Times*. Eu saco da máquina fotográfica dele, pois quero tirar-lhe algumas fotos. Ele está tão *sexy* com a sua roupa habitual, uma camisa de linho branca e umas calças de ganga, com os óculos à aviador enfiados no V da camisa aberta. O *flash* distrai-o. Pestaneja e olha para mim, esboçando o seu sorriso tímido.

— Como está, Mrs. Grey? — pergunta-me.

— Triste por estarmos a regressar — murmuro. — Gosto de te ter só para mim.

Ele aperta-me a mão e, levando-a aos lábios, dá-me um beijo doce nos nós dos dedos.

– Eu também.

– Mas? – pergunto, já que ouvi aquela pequena palavra no final da sua frase simples.

Ele franze o sobrolho.

– Mas? – repete num tom pouco sincero. Inclino a cabeça para o lado, fitando-o com a expressão de "conta-me" que tenho vindo a aperfeiçoar nos últimos dois dias. Ele suspira e pousa o jornal. – Quero este incendiário apanhado e longe das nossas vidas.

– Oh.

Parece razoável, mas fico surpreendida com a sua franqueza.

– Vou pôr os tomates do Welch numa bandeja se ele volta a deixar uma coisa destas acontecer.

O tom ameaçador provoca-me um arrepio na espinha. Ele fita-me com uma expressão impassível e eu não sei se está a desafiar-me a ser frívola ou quê. Faço a única coisa que me ocorre para desanuviar a tensão súbita que se instalou entre nós: levanto a máquina e tiro-lhe outra fotografia.

– Ei, dorminhoca, chegámos – murmura Christian.

– Hum – balbucio, sem querer abandonar o sonho tentador que estou a ter, comigo e Christian numa manta de piquenique em Kew Gardens.

Estou tão cansada. Viajar é esgotante, mesmo que seja em primeira classe. Estamos acordados há mais de dezoito horas, acho – a minha fadiga fez-me perder a conta. Ouço a minha porta a abrir-se e vejo Christian debruçado sobre mim. Solta-me o cinto de segurança e pega-me ao colo, acordando-me.

– Então, eu posso andar – protesto, ainda ensonada.

Ele resfolega.

– Tenho de passar o limiar da porta contigo ao colo.

Ponho os braços à volta do pescoço dele.

– Vais subir os trinta andares comigo ao colo? – pergunto, com um sorriso desafiador.

– Mrs. Grey, é com muito gosto que anuncio que ganhou algum peso.

– O quê?

Ele sorri.

– Por isso, se não se importar, iremos de elevador.

Fita-me com os olhos semicerrados, embora eu saiba que ele está a provocar-me.

Taylor abre as portas do átrio do Escala e sorri.

– Bem-vindos a casa, Mr. Grey, Mrs. Grey.

– Obrigado, Taylor – diz Christian.

Eu dirijo-lhe um sorriso muito breve e vejo-o a voltar para o *Audi*, onde Sawyer aguarda ao volante.

– Porque disseste que ganhei peso?

Lanço um olhar furioso a Christian. Ele esboça um largo sorriso e aperta-me mais contra o seu peito enquanto me leva pelo átrio.

– Não foi muito – assegura-me, mas, de repente, a sua expressão ensombra-se.

– O que foi? – Tento controlar o alarme na voz.

– Recuperaste algum do peso que perdeste quando me deixaste – responde em voz baixa ao mesmo tempo que carrega no botão para chamar o elevador. Uma expressão taciturna tolda-lhe o rosto.

A sua angústia súbita e surpreendente comove-me.

– Ei. – Passo os dedos pela cara e pelo cabelo dele, puxando-o para mim. – Se eu não tivesse ido embora, estarias aqui, assim, agora?

Os seus olhos derretem-se, da cor de uma nuvem de tempestade, e ele esboça o seu sorriso tímido, o meu preferido.

– Não – diz ele e entra no elevador ainda a segurar-me. Baixa a cabeça e dá-me um beijo suave. – Não, Mrs. Grey, não estaria. Mas saberia como mantê-la em segurança, pois não me desafiaria.

Parece vagamente rancoroso... *Merda.*

– Eu gosto de te desafiar – afirmo, a testar as águas.

– Eu sei. E isso tem-me feito tão... feliz.

Ele sorri-me, divertido.

Oh, graças a Deus.

– Apesar de eu estar gorda?

Christian ri-se.

– Apesar de estares gorda.

Volta a beijar-me, com mais paixão desta vez, e eu agarro-lhe o cabelo, prendendo-o contra mim enquanto as nossas línguas se contorcem numa dança lenta e sensual. Quando o elevador para e apita ao chegar ao último andar, estamos ambos sem fôlego.

– Muito feliz – murmura ele. O seu sorriso está mais sombrio, os olhos toldados e cheios de promessas devassas. Ele abana a cabeça como se quisesse recuperar a compostura e leva-me para o vestíbulo. – Bem--vinda a casa, Mrs. Grey.

Volta a beijar-me, desta vez mais castamente, e brinda-me com o sorriso patenteado de alta voltagem de Christian Grey, com os olhos a bailar de alegria.

– Bem-vindo a casa, Mr. Grey.

Também sorrio, com o coração a responder ao apelo dele, plena de alegria.

Julgo que Christian me vai pôr no chão, mas ele não o faz. Leva-me pelo *hall* de entrada, atravessa o corredor, passa pelo salão e deposita--me na ilha da cozinha, onde fico sentada com as pernas a abanar. Tira duas *flutes* do armário e uma garrafa de champanhe gelado do frigorífico – é o nosso preferido, *Bollinger*. Abre a garrafa com destreza, sem desperdiçar uma gota, serve o champanhe cor-de-rosa e passa-me um dos copos. Com o outro na mão, afasta-me delicadamente as pernas e avança, de modo a posicionar-se entre elas.

– À nossa, Mrs. Grey.

– À nossa, Mr. Grey – sussurro, consciente do meu sorriso tímido. Brindamos e damos um gole.

– Sei que estás cansada – murmura, roçando o nariz no meu. – Mas gostava mesmo de ir para a cama... e não dormir. – Beija-me o canto da boca. – É a nossa primeira noite de volta aqui e és mesmo minha.

A sua voz desvanece-se à medida que me vai dando beijos suaves no pescoço. É o fim da tarde em Seattle e eu estou abaixo de cão, mas o desejo emerge-me do baixo-ventre.

Christian está a dormitar calmamente ao meu lado enquanto eu observo os laivos cor-de-rosa e dourados da aurora pela janela enorme.

Tem o braço por cima do meu peito e eu tento imitar a sua respiração para voltar a adormecer, mas não consigo. Estou completamente desperta, com o relógio biológico acertado pelo maldito fuso horário de Greenwich, com a mente a mil.

Aconteceu tanta coisa nas últimas três semanas – *quem é que estou a tentar enganar, nos últimos três meses* – que sinto que os meus pés não tocaram no chão. E agora aqui estou, Mrs. Christian Grey, casada com o magnata mais delicioso, *sexy*, filantropo e absurdamente rico que uma mulher poderia encontrar. Como é que isto aconteceu tudo tão depressa?

Viro-me de lado para olhar para ele. Sei que costuma observar-me enquanto durmo, mas raras vezes tenho a oportunidade de retribuir o gesto. A dormir, ele parece jovem e despreocupado, com as longas pestanas a tocarem-lhe na face, uma leve sombra de barba a cobrir-lhe o maxilar e os lábios esculturais ligeiramente entreabertos, descontraídos enquanto respira profundamente. Quero beijá-lo, enfiar a língua entre os seus lábios, passar os dedos pela sombra de barba suave mas que pica. Tenho mesmo de combater o impulso para não lhe tocar, não o incomodar. Hum... podia apenas mordiscar-lhe e sugar-lhe o lóbulo da orelha. O meu subconsciente lança-me um olhar furioso por cima dos óculos em forma de meia-lua, distraindo-se da leitura do segundo volume das *Obras Completas de Charles Dickens*, e censura-me mentalmente. *Deixa o coitado em paz, Ana.*

Segunda-feira estarei de volta ao trabalho. Temos o dia de hoje para regressar à rotina. Será estranho passar o dia inteiro sem o ver, depois de termos passado praticamente todos os momentos juntos nas últimas três semanas. Torno a deitar-me de barriga para cima e fito o teto. Seria de pensar que passar tanto tempo na companhia um do outro fosse sufocante, mas isso pura e simplesmente não aconteceu. Adorei todos os minutos, até aqueles em que discutimos. Todos os minutos... exceto quando recebemos a notícia do incêndio na Grey House.

O meu sangue enregela-se. Quem poderá querer fazer-lhe mal? A minha mente volta a debater-se com este mistério. Alguém com quem tenha negócios? Uma ex? Um empregado ressentido? Não faço ideia, e Christian mantém-se calado a esse respeito, dando-me o mínimo de informação a conta-gotas, por querer proteger-me. Suspiro. O meu resplandecente cavaleiro branco e preto está sempre a tentar proteger-me. Como hei de fazer com que se abra mais?

Ele mexe-se e eu imobilizo-me, pois não quero acordá-lo. Contudo, o efeito é o oposto. *Raios!* Dois olhos luminosos fitam-me.

– O que se passa?

– Nada. Dorme.

Tento sorrir-lhe de forma a tranquilizá-lo. Ele espreguiça-se, esfrega a cara e depois sorri-me.

– *Jet lag?* – pergunta.

– Será isso? Não consigo dormir.

– Tenho a panaceia universal aqui mesmo, só para ti, querida.

Sorri como um rapazinho, fazendo-me revirar os olhos e rir ao mesmo tempo. E, de uma maneira tão simples, os meus pensamentos sombrios são postos de lado e os meus dentes encontram o lóbulo da orelha dele.

Christian e eu seguimos para norte na I-5, em direção à ponte 520, no *Audi R8.* Vamos almoçar com os pais dele, num almoço domingueiro de boas-vindas. Toda a família dele estará lá, bem como Kate e Ethan. Será estranho termos companhia depois de passarmos tanto tempo só os dois. Não tive uma oportunidade para falar com Christian durante quase toda a manhã. Esteve trancado no escritório enquanto eu desfazia as malas. Disse-me que eu não tinha de o fazer, que Mrs. Jones trataria disso. Mas essa é mais uma coisa a que tenho de me habituar – ter criados em casa. Absorta, passo os dedos pelo cabedal da porta para me distrair dos pensamentos que vagueiam. Sinto-me esquisita. Será por causa do *jet lag?* Do fogo posto?

– Deixavas-me conduzir isto? – pergunto-lhe, surpreendida por as palavras serem ditas em voz alta.

– Claro – responde Christian a sorrir. – O que é meu é teu. No entanto, se o amolgares, levo-te para o Quarto Vermelho da Dor.

Lança-me um olhar rápido com uma expressão maliciosa.

Merda! Fico boquiaberta a olhar para ele. Será uma piada?

– Estás a gozar. Castigavas-me por te fazer uma amolgadela no carro? Gostas mais do carro do que de mim? – provoco.

— Quase — diz ele, e estica a mão para me apertar o joelho. — Mas o carro não me aquece à noite.

— Isso pode resolver-se. Podes dormir no carro — riposto.

Christian ri-se.

— Ainda não se passaram vinte e quatro horas desde que chegámos e já estás a expulsar-me?

Ele parece encantado. Observo-o e vejo que está com um sorriso de orelha a orelha e, apesar de querer zangar-me com ele, é impossível quando está com esta disposição. Agora que penso nisso, anda muito mais animado desde que saiu do escritório hoje de manhã. E apercebo--me de que estou a ser petulante porque temos de voltar à realidade e não sei se ele regredirá ao Christian mais reservado que era antes da lua de mel, ou se poderei manter a nossa versão melhorada.

— Porque estás tão satisfeito? — pergunto-lhe.

Ele presenteia-me com mais um sorriso.

— Porque esta conversa é tão... normal.

— Normal! — troço. — Ao fim de três semanas de casamento? Não posso crer.

O sorriso desfaz-se.

— Estou a brincar, Christian — apresso-me a balbuciar, pois não quero arruinar-lhe o bom humor.

Impressiona-me quão inseguro se mostra por vezes. Suspeito de que sempre foi assim, limitando-se a disfarçar a insegurança com uma postura intimidante. É muito fácil provocá-lo, provavelmente porque não está habituado a isso. É uma revelação e eu volto a maravilhar-me por ainda termos tanto para aprender acerca um do outro.

— Não te preocupes, eu restrinjo-me ao *Saab* — murmuro e viro-me para a janela, tentando livrar-me do meu mau humor.

— Ei. O que se passa?

— Nada.

— Às vezes és tão exasperante, Ana. Conta-me.

Viro-me e lanço-lhe um sorriso trocista.

— É mútuo, Grey.

Ele franze o sobrolho.

— Estou a esforçar-me — diz em voz baixa.

– Eu sei. Eu também.

Sorrio e a minha disposição aligeira-se um pouco.

Carrick, diante do churrasco, está com um aspeto ridículo com aquele chapéu de *chef* e o avental que diz *Licença para Grelhar*. Sempre que olho para ele, tenho vontade de sorrir. Na verdade, estou bem mais animada. Estamos todos sentados à mesa do terraço da casa de família dos Grey, aproveitando o sol do final do verão. Grace e Mia estão a dispor várias saladas na mesa; Elliot e Christian trocam insultos amigáveis e discutem os planos para a casa nova e Ethan e Kate interrogam-me acerca da lua de mel. Christian está a dar-me a mão e um dos seus dedos vai-me mexendo no anel de noivado e na aliança.

– Então se puderes finalizar as plantas com a Gia, eu tenho um intervalo entre setembro e meados de novembro em que posso pôr toda a equipa a trabalhar nisso – diz Elliot ao mesmo tempo que se espreguiça e envolve os ombros de Kate com um braço, o que a faz sorrir.

– Combinei com a Gia discutirmos os planos para a casa amanhã à noite – responde Christian. – Espero que fique tudo finalizado.

Vira-se e olha para mim com uma expressão expectante.

Oh... isto é novidade.

– Claro.

Sorrio-lhe, sobretudo por causa da família dele, mas o meu ânimo volta a cair a pique. Porque é que ele toma estas decisões sem me dizer? Ou será a ideia de Gia – toda lábios proeminentes, seios cheios, roupas caras de *designer* e perfume – a sorrir de forma demasiado provocadora ao meu marido? O meu subconsciente lança-me um olhar reprovador. *Ele não te deu nenhuma razão para seres ciumenta.* Merda, hoje estou mesmo instável. O que se passa comigo?

– Ana! – exclama Kate, arrancando-me ao devaneio. – Ainda estás no Sul de França?

– Sim – respondo a sorrir.

– Estás com tão bom aspeto – diz ela, embora franza o sobrolho ao afirmá-lo.

– Estão os dois – comenta Grace, sorrindo enquanto Elliot nos volta a encher os copos.

— Ao casal feliz. — Carrick sorri e ergue o copo, ao que toda a gente em volta da mesa brinda.

— E parabéns ao Ethan por ter entrado para o curso de psicologia em Seattle — acrescenta Mia, muito orgulhosa.

Fita-o com um sorriso adorador e ele retribui com um sorriso sardónico. Pergunto-me ociosamente se ela terá conseguido algum avanço com ele. É difícil perceber.

Vou ouvindo as conversas à mesa. Christian está a descrever o nosso itinerário extensivo das últimas três semanas, embelezando um ou outro pormenor. Parece descontraído e com tudo sob controlo, como se tivesse esquecido a preocupação a respeito do incendiário. Eu, por outro lado, pareço não conseguir libertar-me da disposição cabisbaixa. Vou mexendo na comida com o garfo. Ontem Christian disse que eu estava gorda. *Ele estava a brincar!* O meu subconsciente volta a criticar-me. Elliot deixa cair o copo no terraço, o que assusta toda a gente e dá azo a um rodopio súbito de atividade, para limpar tudo.

— Vou levar-te para o estaleiro e finalmente espancar-te lá, se a tua disposição não melhorar — sussurra-me Christian.

Arquejo, chocada, viro-me e fito-o boquiaberta. *O quê?* Estará a provocar-me?

— Não te atreverias! — rosno-lhe e, no meu íntimo, sinto uma excitação familiar e bem-vinda.

Ele arqueia uma sobrancelha. Claro que se atreveria. Olho de relance para Kate, sentada do outro lado da mesa. Está a observar-nos com interesse. Viro-me de novo para Christian e semicerro os olhos.

— Terias de me apanhar primeiro... e eu estou de sapatos rasos — silvo.

— Iria divertir-me a tentar — sussurra ele com um sorriso licencioso e eu *acho* que está a brincar.

Coro. Por confuso que seja, sinto-me melhor.

Quando terminamos a sobremesa de morangos com *chantilly*, desata a chover. Todos saltamos dos nossos lugares para levantarmos a louça da mesa, que depositamos na cozinha.

— Ainda bem que fez bom tempo até acabarmos — diz Grace, satisfeita, enquanto vamos para a sala.

Christian senta-se ao piano vertical preto e brilhante, pisa o pedal de surdina e começa a tocar uma música familiar que não consigo identificar de imediato.

Grace pergunta-me o que achei de Saint-Paul-de-Vence. Ela e Carrick foram lá há anos durante a lua de mel e ocorre-me que isso é um bom presságio, dado que são tão felizes juntos. Kate e Elliot estão aninhados num dos sofás demasiado estofados enquanto Ethan, Mia e Carrick estão embrenhados numa conversa acerca de psicologia, segundo me parece.

De repente, como se fossem um só, todos os Grey se calam e olham boquiabertos para Christian.

O que foi?

Christian está a cantar baixinho ao piano. O silêncio instala-se entre todos nós, pois esforçamo-nos por ouvir a sua voz suave e melodiosa, que canta "Wherever You Will Go". Já o ouvi a cantar; será que eles não? Ele para, subitamente consciente do silêncio de morte que se apoderou da sala. Kate lança-me um olhar interrogativo e eu encolho os ombros. Christian vira-se no banco e franze o sobrolho, embaraçado por ser o centro das atenções.

– Continua – incentiva-o Grace em voz baixa. – Nunca te tinha ouvido cantar, Christian. Nunca.

Ela mira-o, maravilhada. Ele continua sentado ao piano, olha para ela com um ar absorto e, um instante depois, encolhe os ombros. Os seus olhos dardejam nervosamente para mim e, em seguida, para as janelas de sacada. Todos os outros desatam a tagarelar, inibidos, e eu fico a observar o meu querido marido.

Grace distrai-me, agarrando-me as mãos e, de súbito, abraçando-me.

– Oh, querida menina! Obrigada, obrigada – sussurra ela, de forma a que só eu a ouça. Sinto um nó na garganta.

– Há...

Correspondo-lhe ao abraço, sem saber ao certo porque está a agradecer-me. Mr. Grey sorri, com os olhos a brilhar, e dá-me um beijo na face. *O que foi que eu fiz?*

– Vou preparar o chá – diz ela, com a voz enrouquecida por lágrimas contidas.

Deambulo até Christian, que entretanto se levantou e está a observar a paisagem pelas janelas de sacada.

– Olá – murmuro.

– Olá.

Ele passa-me um braço à volta da cintura, puxa-me contra si e eu faço uma mão deslizar para o bolso traseiro das suas calças de ganga. Fitamos a chuva.

– Sentes-te melhor?

Aceno com a cabeça.

– Bom.

– Não há dúvida que sabes silenciar uma sala.

– Passo a vida a fazê-lo – responde ele com um sorriso.

– No trabalho, sim, mas não aqui.

– É verdade, não aqui.

– Ninguém te tinha ouvido a cantar? Nunca?

– Parece que não – comenta com secura. – Vamos?

Levanto a cabeça para olhar para ele, tentando avaliar a disposição com que se encontra. Tem um olhar meigo, caloroso e ligeiramente divertido. Decido mudar de assunto.

– Vais-me espancar? – sussurro e, de repente, sinto borboletas na barriga. Talvez seja disso que preciso... o que me tem feito falta.

Ele observa-me, com os olhos a toldarem-se.

– Não quero magoar-te, mas terei todo o gosto em brincar.

Lanço um olhar nervoso em redor da grande sala, mas ninguém pode ouvir-nos.

– Só se se portar mal, Mrs. Grey – murmura ele ao meu ouvido.

Como será capaz de incutir tanta promessa em sete palavras?

– Verei o que posso fazer – respondo com um sorriso.

Depois de nos termos despedido, caminhamos até ao carro.

– Toma. – Christian atira-me as chaves do *R8*. – Não o amolgues – acrescenta com um ar muito sério –, ou ficarei mesmo lixado.

Sinto a boca seca. Ele vai-me deixar conduzir o seu carro? A minha deusa interior calça as luvas de cabedal e os sapatos rasos. *Oh, sim!*, exclama ela.

– Tens a certeza? – boquejo.

– Sim, antes que mude de ideias.

Acho que nunca fiz um sorriso tão grande. Ele revira os olhos e abre a porta do lado do condutor para que eu entre. Dou à chave ainda antes de ele ter chegado ao outro lado e ele apressa-se a entrar.

– Ansiosa, Mrs. Grey? – pergunta com um sorriso sardónico.

– Muito.

Devagar, faço marcha atrás e viro o carro no acesso. Consigo que não vá abaixo, o que me surpreende. Caramba, a embraiagem é sensível. Avançando cuidadosamente pelo acesso, espreito pelo espelho retrovisor e vejo Sawyer e Ryan a entrarem para o *Audi* todo-o-terreno. Não fazia ideia de que nos tinham seguido até aqui. Paro o carro antes de entrar na estrada principal.

– Tens a certeza quanto a isto?

– Sim – responde Christian num tom ríspido, o que me indica que não tem de todo a certeza. *Oh, meu pobre, pobre Cinquenta.* Tenho vontade de me rir, tanto dele como de mim, pois estou nervosa e entusiasmada. Há uma pequena parte de mim que quer despistar Sawyer e Ryan, só pela diversão. Verifico se vem algum carro e depois avanço lentamente para a estrada. Christian contorce-se com tensão e eu não consigo resistir. A estrada está livre. Carrego no acelerador e lançamo-nos para a frente.

– Calma! Ana! – grita ele. – Abranda... ainda nos matas.

Alivio de imediato a pressão no acelerador. Uau, este carro voa!

– Desculpa – resmungo, tentado parecer contrita mas falhando redondamente.

Christian fita-me com um sorriso matreiro, para disfarçar o alívio, parece-me.

– Bem, isso conta como mau comportamento – comenta num tom descontraído, que me faz abrandar ainda mais.

Olho de relance para o espelho retrovisor. Não há sinal do jipe, só vejo um carro solitário com vidros fumados atrás de nós. Imagino Sawyer e Ryan frustrados, a tentarem alcançar-nos e, sem que perceba bem porquê, isso emociona-me. Porém, como não quero provocar um ataque cardíaco ao meu querido marido, decido comportar-me e conduzir racionalmente, com uma confiança crescente, em direção à ponte 520.

De repente, Christian pragueja e, a custo, saca o BlackBerry do bolso das calças de ganga.

– O quê? – pergunta num tom zangado a quem quer que esteja do outro lado da linha. – Não – responde, e olha para trás de nós. – Sim. Está.

Verifico rapidamente o espelho retrovisor, porém não vejo nada de estranho, apenas alguns carros lá atrás. O todo-o-terreno está uns quatro carros atrás de nós e todos avançamos a um ritmo regular.

– Compreendo. – Christian solta um longo suspiro e esfrega a testa com os dedos; emana tensão. *Passa-se qualquer coisa.* – Sim... Não sei. – Olha de relance para mim e afasta o telemóvel da orelha. – Está tudo bem. Continua – diz calmamente, sorrindo, mas sem que o sorriso lhe chegue aos olhos. *Merda!* A adrenalina percorre-me o corpo. Ele volta a levantar o telemóvel. – Ok quanto à 520. Assim que chegarmos lá... Sim... Assim farei.

Enfia o telemóvel no dispositivo de alta voz e ativa a funcionalidade mãos livres.

– O que se passa, Christian?

– Toma só atenção à estrada, querida – diz num tom suave.

Eu encaminho-me para a rampa de acesso à 520, na direção de Seattle. Quando olho de relance para Christian, ele está a fitar a estrada em frente.

– Não quero que entres em pânico – instrui-me calmamente. – Mas, assim que entrarmos na 520, quero que aceleres. Estamos a ser seguidos.

Seguidos! Grande merda. O coração salta-me para a boca, a latejar, sinto o couro cabeludo arrepiado e a garganta apertada com pânico. Seguidos por quem? O meu olhar dardeja para o espelho retrovisor e, não há dúvida, o carro escuro que vi antes continua atrás de nós. *Merda! Será aquele?* Semicerro os olhos para tentar ver quem estará a conduzir atrás do para-brisas fumado, mas não vejo nada.

– Mantém-te concentrada na estrada, querida – diz Christian num tom delicado, não no truculento que costuma usar quando se refere à minha condução.

Controla-te! Esbofeteio-me mentalmente para suprimir o terror que ameaça apoderar-se de mim. E se quem quer que esteja a seguir-nos tiver uma arma? Armado e a perseguir Christian! *Merda!* Sou acometida por náuseas.

– Como é que sabemos que estamos a ser seguidos? – A minha voz é um sussurro débil e esganiçado.

– A matrícula do *Dodge* que vem atrás de nós é falsa.

Como é que ele sabe?

Faço pisca quando nos aproximamos da 520 a partir da rampa de acesso. É crepúsculo e, apesar de a chuva ter parado, a estrada está molhada. Felizmente, o trânsito está razoavelmente fluido.

A voz de Ray ecoa-me na cabeça, com um dos seus muitos sermões de autodefesa. *É o pânico que te matará ou magoará a sério, Annie.* Inspiro profundamente, tentando controlar a respiração. Quem quer que esteja a seguir-nos anda atrás de Christian. Ao inspirar profundamente mais uma vez, a minha mente começa a desanuviar e o estômago a acalmar-se. Tenho de manter Christian a salvo. Queria conduzir este carro e queria conduzi-lo depressa. *Bem, eis a minha oportunidade.* Agarro o volante com força e olho uma última vez para o espelho retrovisor. O *Dodge* está a aproximar-se.

Abrando um pouco, ignorando o olhar repentino e assustado de Christian, e preparo a minha entrada na 520 de forma a obrigar o *Dodge* a ter de esperar por um intervalo no trânsito. Meto uma mudança abaixo e piso o acelerador. O *R8* lança-se para a frente, encostando-nos aos assentos. O velocímetro marca cento e vinte quilómetros por hora.

– Mantém-te firme, querida – diz Christian calmamente, embora eu tenha a certeza de que ele está tudo menos calmo.

Ziguezagueio entre as duas faixas como uma peça preta de um jogo de damas, ultrapassando de modo eficiente os carros e os camiões. Esta ponte está tão próxima do lago que parece que deslizamos na própria água. Deliberadamente, ignoro os olhares reprovadores dos outros condutores. Christian aperta as mãos no colo, mantendo-se o mais quieto possível e, apesar dos meus pensamentos febris, pergunto-me se estará a fazê-lo para não me distrair.

– Linda menina – murmura para me encorajar. Olha de relance para trás. – Não vejo o *Dodge*.

– Estamos mesmo por trás do *susp*, Mr. Grey – anuncia Sawyer em alta voz. – Está a tentar alcançá-lo, senhor. Vamos tentar ultrapassá-lo e ficar entre o seu carro e o *Dodge*.

Susp? O que quer isso dizer?

– Bom. Mrs. Grey está a ir a bom ritmo. Se continuarmos assim e desde que o trânsito continue fluido, conforme parece até onde consigo ver, sairemos da ponte dentro de poucos minutos.

– Sim, senhor.

Passamos muito depressa pela torre de controlo da ponte, o que quer dizer que já atravessámos metade do lago Washington. Quando verifico a velocidade, continuo a cento e vinte.

– Estás a ir mesmo muito bem, Ana – torna Christian a murmurar enquanto olha para trás do *R8*.

Por um momento passageiro, o seu tom traz-me à memória o nosso primeiro encontro no seu quarto do prazer, quando me encorajou pacientemente a representar a nossa primeira cena. A ideia é distrativa, pelo que me apresso a livrar-me dela.

– Para onde vou? – pergunto, relativamente mais calma.

Já conheço o carro. É um prazer conduzi-lo, tão silencioso e ligeiro que custa acreditar que vamos tão depressa. É simples conduzir este carro a esta velocidade.

– Mrs. Grey, dirija-se para a I-5 e depois para sul. Quero ver se o *Dodge* continua a seguir-vos – diz Sawyer pelo telemóvel em alta voz.

Os semáforos da ponte estão verdes – graças a Deus – e continuo a avançar.

Olho nervosamente para Christian e ele dirige-me um sorriso tranquilizador. Depois a sua expressão tolda-se.

– Merda! – pragueja em voz baixa.

Há fila à nossa frente quando saímos da ponte e tenho de abrandar. Voltando a olhar pelo espelho retrovisor, parece-me ver o *Dodge*.

– Uns dez carros atrás de nós?

– Sim, estou a vê-lo – confirma Christian, espreitando pela janela estreita da bagageira. – Gostava de saber quem raio será.

– Também eu. Sabemos se é um homem que está ao volante? – pergunto na direção do BlackBerry no dispositivo mãos livres.

– Não, Mrs. Grey. Tanto pode ser um homem como uma mulher.

Os vidros fumados são demasiado escuros para conseguirmos perceber.

– Uma mulher? – espanta-se Christian.

Encolho os ombros.

– A tua Mrs. Robinson? – sugiro, sem desviar o olhar da estrada.

Christian retesa-se e tira o BlackBerry do dispositivo.

– Ela não é a minha Mrs. Robinson – resmunga. – Já não falo com ela desde os meus anos. E a Elena não faria isto. Não é o estilo dela.

– A Leila?

– Está no Connecticut com os pais. Já te disse.

– Tens a certeza?

Ele demora um pouco a responder.

– Não. Mas, se tivesse fugido, decerto os pais dela teriam avisado Flynn. Falamos disto quando chegarmos a casa. Concentra-te no que estás a fazer.

– Mas pode ser um carro qualquer.

– Não vou correr riscos. Não quando tu estás em jogo – riposta.

Volta a instalar o BlackBerry no dispositivo para ficarmos novamente em contacto com a nossa equipa de segurança.

Oh, merda. Não quero irritar Christian agora… mais tarde, talvez. Mordo a língua. Felizmente, o trânsito está a desanuviar um pouco. Consigo acelerar pelo cruzamento de Mountlake em direção à I-5, voltando a ultrapassar vários carros.

– E se formos mandados parar pela polícia? – pergunto.

– Isso seria positivo.

– Não para a minha carta de condução.

– Não te preocupes com isso – diz ele. Inesperadamente, ouço humor na sua voz.

Volto a carregar no acelerador e a atingir os cento e vinte quilómetros por hora. Caramba, se este carro anda. Adoro-o – é tão ligeiro. Chego aos cento e trinta e cinco. Acho que nunca conduzi tão depressa. Era uma sorte quando o meu carocha chegava aos oitenta quilómetros por hora.

– Ele ultrapassou o trânsito e atingiu uma boa velocidade. – A voz sem corpo de Sawyer é calma e informativa. – Vai a cento e quarenta e cinco.

Merda! Mais depressa! Carrego no acelerador e o carro ronrona a cento e cinquenta quilómetros por hora enquanto nos aproximamos da entrada para a I-5.

– Continua assim, Ana – murmura Christian.

Abrando por um breve momento enquanto entramos na I-5. A estrada interestadual está relativamente livre e consigo passar diretamente para a faixa mais rápida num abrir e fechar de olhos. Quando piso o acelerador, o glorioso *R8* voa pela estrada e nós vamos a rasgar pela faixa da esquerda, enquanto os meros mortais se desviam para nos deixarem passar. Se não estivesse tão assustada, poderia apreciar mesmo isto.

– Ele vai a cento e sessenta quilómetros por hora, senhor.

– Acompanha-o, Luke – ordena Christian a Sawyer.

Luke?

Um camião lança-se para a faixa mais rápida – *Merda!* – e eu tenho de carregar no travão.

– Idiota de merda! – insulta Christian o condutor enquanto a travagem nos faz debruçar. Fico agradecida por termos os cintos de segurança apertados. – Ultrapassa-o, querida – diz ele entre dentes cerrados.

Controlo os espelhos e atravesso três pistas. Ultrapassamos os veículos mais lentos e depois regressamos à faixa da esquerda.

– Bela manobra, Mrs. Grey – murmura Christian num tom apreciativo. – Onde estão os polícias quando precisamos deles?

– Não quero ser multada, Christian – resmungo, concentrando-me na autoestrada à nossa frente. – Alguma vez foste multado a conduzir este carro?

– Não – responde, mas, quando olho de relance para ele, vejo o seu sorriso trocista.

– Já te mandaram parar?

– Sim.

– Oh.

– Charme. É tudo uma questão de charme. Agora concentra-te. Onde está o *Dodge*, Sawyer?

– Acaba de atingir os cento e oitenta, senhor – diz Sawyer.

Merda! Mais uma vez, sinto o coração na boca. Conseguirei conduzir mais depressa? Torno a carregar no acelerador e voo pelo tráfego.

– Dá-lhe com os máximos – ordena-me Christian quando um *Ford Mustang* não sai do caminho.

– Mas isso faria de mim uma otária.

– Então sê uma otária! – replica ele.

Bolas. Ok!

– Hã, onde é que é?

– No pisca. Puxa-o para ti.

Assim faço e o *Mustang* afasta-se, embora não antes de o condutor me mostrar o dedo do meio num gesto nada simpático. Passo por ele.

– Ele é que é um otário – diz Christian entre dentes, após o que me ordena: – Sai na Stewart.

Sim, senhor!

– Vamos sair pela Stewart Street – diz Christian a Sawyer.

– Vá diretamente para o Escala, senhor.

Abrando, olho para os espelhos, faço pisca e depois cruzo quatro faixas com uma facilidade surpreendente, saindo da autoestrada para a rampa. Ao passar para a Stewart Street, encaminhamo-nos para sul. A rua está tranquila, com poucos veículos. *Onde está toda a gente?*

– Tivemos uma sorte dos diabos com o trânsito. Mas isso quer dizer que o *Dodge* também. Não abrandes, Ana. Leva-nos para casa.

– Não me lembro do caminho – balbucio, em pânico por o *Dodge* continuar a seguir-nos.

– Vai para sul na Stewart. Continua em frente até eu te dizer. – Christian parece estar outra vez ansioso.

Percorro três quarteirões mas o semáforo muda para amarelo na Yale Avenue.

– Passa, Ana! – grita Christian.

Sobressalto-me tanto que piso o pedal do acelerador, encostando-nos os dois aos assentos, acelerando e passando o sinal que entretanto ficou vermelho.

– Ele está a avançar para a Stewart – diz Sawyer.

– Segue-o, Luke.

– Luke?

– É o nome dele.

Um olhar de soslaio e vejo que Christian me fita como se eu fosse louca.

– Olhos na estrada! – zanga-se.

Ignoro o tom dele.

– Luke Sawyer.

– Sim! – Parece exasperado.

– Ah.

Como é que eu não sabia isto? Há seis semanas que o trabalho do homem é seguir-me e eu nem sequer sabia o seu primeiro nome.

– Sou eu, minha senhora – diz Sawyer, assustando-me, embora esteja a falar no tom calmo e monocórdico que usa sempre. – O *susp* está a descer a Stewart, senhor. Está mesmo a ganhar velocidade.

– Vá, Ana. Menos conversa fiada, porra – resmunga Christian.

– Estamos parados no primeiro semáforo da Stewart – informa--nos Sawyer.

– Ana... depressa... aqui – grita Christian, apontando para um parque de estacionamento no lado sul da Boren Avenue.

Viro, com os pneus a chiarem em protesto enquanto entro no parque sobrelotado.

– Dá a volta. Rápido – ordena ele. Conduzo o mais depressa que consigo até às traseiras, fora da vista da rua. – Ali.

Christian aponta para um lugar. *Merda!* Ele quer que eu o estacione. *Porra!*

– É só estacionar, porra – diz ele.

E eu assim faço... na perfeição. Provavelmente foi a primeira vez que estacionei na perfeição.

– Estamos escondidos no parque de estacionamento entre a Stewart e a Boren – diz Christian, falando para o BlackBerry.

– Ok, senhor. – Sawyer parece irritado. – Fiquem onde estão; nós vamos seguir o *susp*.

Christian vira-se para mim e perscruta-me o rosto.

– Estás bem?

– Claro – sussurro.

Christian esboça um sorriso sardónico.

– Quem quer que esteja ao volante daquele *Dodge* não nos ouve, sabes?

E eu rio-me.

— Estamos a passar o cruzamento da Stewart com a Boren, senhor. Já vi o parque. Ele seguiu em frente, senhor.

Em simultâneo, ambos nos recostamos, aliviados.

— Muito bem, Mrs. Grey. Bela condução.

Christian acaricia-me delicadamente o rosto com as pontas dos dedos e eu estremeço com o contacto, inspirando fundo. Não fazia ideia de que estava a conter a respiração.

— Isso quer dizer que vais deixar de te queixar da forma como conduzo? — pergunto.

Ele ri-se — um riso ruidoso e catártico.

— Não diria tanto.

— Obrigada por me deixares guiar o teu carro. E logo em circunstâncias tão emocionantes. — Tento desesperadamente manter um tom ligeiro.

— Talvez seja melhor se for eu a conduzir agora.

— Para ser sincera, acho que não consigo já sair do carro para que te sentes aqui. As minhas pernas parecem feitas de gelatina.

De repente, estou a estremecer e a tremer.

— É da adrenalina, querida — diz ele. — Saíste-te espantosamente bem, como de costume. Deixas-me de cara à banda, Ana. Nunca me desiludes.

Toca-me na face num gesto carinhoso com as costas da mão, tendo no rosto uma expressão plena de amor, medo, arrependimento — tantas emoções ao mesmo tempo — e as suas palavras comovem-me. Assoberbada, um soluço escapa-se-me da garganta apertada e começo a chorar.

— Não, querida, não. Por favor, não chores.

Ele aproxima-se de mim e, apesar do espaço limitado de que dispomos, puxa-me por cima do manípulo das mudanças para me embalar no seu colo. Afasta-me o cabelo da cara, beija-me os olhos, as faces, e eu abraço-o e soluço baixinho contra o pescoço dele. Ele encosta-me o nariz ao cabelo e envolve-me nos seus braços, abraçando-me com força. Ficamos assim, sem dizermos o que quer que seja, apenas agarrados um ao outro.

A voz de Sawyer sobressalta-nos.

— O *susp* abrandou perto do Escala. Está a vigiar o espaço.

— Segue-o — responde Christian.

Limpo o nariz às costas da mão e inspiro profundamente para me acalmar.

— Usa a minha camisa.

Christian beija-me a têmpora.

— Desculpa — balbucio, embaraçada por ter chorado.

— Porquê? Não peças desculpa.

Volto a limpar o nariz. Ele levanta-me o queixo e dá-me um beijo suave nos lábios.

— Os teus lábios ficam tão macios quando choras, minha menina linda e corajosa — sussurra-me.

— Beija-me outra vez. — Christian estaca, com uma mão nas minhas costas, a outra no meu traseiro. — Beija-me — digo baixinho, e vejo os seus lábios a entreabrirem-se enquanto inspira bruscamente.

Debruçando-se sobre mim, tira o BlackBerry do dispositivo mãos livres e atira-o para o assento do condutor, ao lado das sandálias que tenho calçadas. Depois a sua boca encontra a minha enquanto a sua mão direita sobe até ao meu cabelo, imobilizando-me, e a esquerda me acaricia o rosto. A língua dele invade-me a boca e é bem-vinda. A adrenalina transforma-se em desejo e percorre-me o corpo. Agarro-lhe a cara, passo os dedos pelas suas patilhas, adorando o sabor dele. A minha reação ardente fá-lo soltar um gemido baixo, profundo e gutural e a o meu baixo-ventre contrai-se fortemente com desejo carnal. A mão dele desce-me pelo corpo, roça-me num seio, na cintura e chega-me ao traseiro. Viro-me um pouco.

— Ah! — exclama ele e afasta-se, a ofegar.

— O que foi? — murmuro com a boca encostada à sua.

— Ana, estamos num parque de estacionamento em Seattle.

— E então?

— Bem, neste momento quero foder-te e tu não paras de te mexer em cima de mim... é desconfortável.

As suas palavras descontrolam-me o desejo, fazendo com que todos os meus músculos abaixo da cintura voltem a contrair-se.

— Fode-me, então.

Beijo-o no canto da boca. Quero-o. Aquela perseguição foi excitante. Demasiado excitante. Aterradora... e o medo despertou-me a libido. Ele recosta-se para me observar, com os olhos escuros e toldados.

– Aqui? – pergunta numa voz rouca.

Fico com a boca seca. Como é que ele é capaz de me excitar só com uma palavra?

– Sim. Quero-te. Agora.

Ele inclina a cabeça para um lado e fita-me por alguns instantes.

– Mrs. Grey, mas que ousada – sussurra, depois daquilo que parece uma eternidade.

A mão dele aperta-me mais o cabelo na nuca, mantendo-me firmemente quieta, e a sua boca volta à minha, com mais brutalidade desta vez. A outra mão desliza-me pelo corpo, até ao traseiro e mais abaixo ainda, até à coxa. Entrelaço os dedos no seu cabelo comprido.

– Estou tão contente por estares de saia – murmura enquanto me enfia a mão na saia azul e branca para me acariciar a coxa. Eu torno a contorcer-me no seu colo e o ar silva ao sair-lhe por entre os dentes. – Fica quieta – rosna.

Põe a mão no meu sexo e eu paro de imediato. O polegar dele roça-me no clítoris e eu fico com a respiração presa na garganta quando um prazer elétrico me percorre bem fundo.

– Quieta – repete, baixinho.

Beija-me mais uma vez enquanto o seu polegar vai descrevendo círculos leves sobre a renda fina da minha roupa interior de marca. Lentamente, passa dois dedos para dentro das minhas cuecas e para dentro de mim. Gemo e empurro as ancas na direção da mão dele.

– Por favor – sussurro.

– Oh. Estás tão pronta – diz ele, deslizando os dedos para dentro e para fora, numa tortura lenta. – Perseguições de carros excitam-te?

– Tu excitas-me.

Ele esboça um sorriso lupino e retira os dedos de repente, deixando-me a querê-lo. Passa o braço por baixo dos meus joelhos e, surpreendendo-me, pega-me ao colo e vira-me para o para-brisas.

– Põe uma perna de cada lado das minhas – ordena-me, juntando as pernas no meio do assento. Eu faço o que me manda, colocando os pés no chão, do lado de fora dos dele. Percorre-me as coxas para baixo e depois sobe-me a saia. – Mãos nos joelhos, querida. Inclina-te para a frente. Levanta esse rabo glorioso. Cuidado com a cabeça.

Merda! Vamos mesmo fazer isto, num parque de estacionamento público. Perscruto rapidamente a área à nossa frente e não vejo ninguém, mas sinto a emoção a percorrer-me. Estou num parque de estacionamento. Isto é tão *excitante!* Christian mexe-se debaixo de mim e eu ouço o som revelador do fecho das suas calças. Com um braço à volta da minha cintura e a outra mão a afastar-me as cuecas, empala-me num único movimento veloz.

– Ah! – grito, descendo por ele, que solta a respiração por entre os dentes.

O seu braço serpenteia à minha volta até ao meu pescoço e ele agarra-me por baixo do queixo, puxando-me para trás e inclinando-me a cabeça para o lado para poder beijar-me o pescoço. A outra mão segura-me a anca e, em conjunto, começamos a mover-nos.

Eu impulsiono-me para cima com os pés e ele inclina-se para mim – para dentro e para fora. A sensação é... gemo bem alto. É tão profundo assim. A minha mão esquerda agarra o travão de mão e a direita está encostada à porta. Mordisca-me o lóbulo da orelha com os dentes e puxa – é quase doloroso. Continua a investir para dentro de mim. Eu subo e desço e, quando estabelecemos um ritmo, ele passa a mão direita por baixo da minha saia até ao cimo das coxas e os seus dedos tocam-me ao de leve no clítoris por cima do tecido fino das cuecas.

– Ah!

– Sê. Rápida – sussurra-me ao ouvido por entre dentes cerrados, ainda com a mão a segurar-me o pescoço por baixo do queixo. – Temos de fazer isto depressa, Ana.

E aumenta a pressão dos dedos contra o meu sexo.

– Ah!

Sinto o crescendo familiar do prazer, a acumular-se profunda e espessamente dentro de mim.

– Vá lá, querida – rouqueja ao meu ouvido. – Quero ouvir-te.

Volto a gemer e toda eu sou sensação, com os olhos cerrados. A voz dele junto à minha orelha, a respiração no meu pescoço, o prazer a irradiar de onde os seus dedos provocam o meu corpo e de onde investe bem fundo dentro de mim, estou perdida. O meu corpo toma conta da situação, ansiando pela descarga.

– Sim – silva Christian ao meu ouvido e eu abro os olhos por um instante, fitando o tejadilho de tecido do *R8*, e volto a fechá-los com força quando me venho à volta dele.

– Oh, Ana – murmura ele, maravilhado, e abraça-me antes de investir uma última vez e atingir o clímax dentro de mim.

Ele passa-me o nariz pelo maxilar e beija-me suavemente a garganta, a face, a têmpora enquanto eu me recosto nele, com a cabeça caída contra o seu pescoço.

– Tensão aliviada, Mrs. Grey? – Christian volta a morder-me o lóbulo da orelha e puxa. O meu corpo está esgotado, completamente exausto, e eu gemo. Sinto o seu sorriso na minha pele. – Sem dúvida que ajudou a aliviar a minha – acrescenta ele, afastando-me. – Perdeste a voz?

– Sim – murmuro.

– Bem, não és uma criatura devassa? Não fazia ideia de que fosses tão exibicionista.

Sento-me de imediato, alarmada. Ele retesa-se.

– Ninguém está a ver-nos, pois não?

Lanço um olhar ansioso pelo parque de estacionamento.

– Achas que eu deixava alguém ver a minha mulher a vir-se?

Acaricia-me as costas para me tranquilizar, mas o seu tom de voz provoca-me arrepios na espinha. Viro-me para o encarar e esboço um sorriso envergonhado.

– Sexo no carro! – exclamo.

Ele corresponde ao sorriso e ajeita-me uma madeixa atrás da orelha.

– Vamos voltar. Eu conduzo.

Christian abre a porta para me deixar sair do colo dele para o parque. Quando olho para baixo, vejo que está a fechar apressadamente a braguilha. Segue-me e depois segura na porta enquanto eu entro. Dá a volta ao carro até ao lugar do condutor, senta-se a meu lado, recupera o BlackBerry e faz uma chamada.

– Onde está o Sawyer? – pergunta. – E o *Dodge*? Porque é que o Sawyer não está contigo?

Escuta intensamente o que lhe diz Ryan, creio eu.

– Ela? – espanta-se. – Continua a segui-la.

Christian desliga e olha para mim.

Ela! A condutora do carro? Quem poderá ser... Elena? Leila?

– Era uma mulher quem ia ao volante do *Dodge*?

– Parece que sim – responde em voz baixa. A sua boca contrai-se numa linha fina e zangada. – Vamos lá levar-te a casa – resmunga.

O *R8* ganha vida com um rugido e sai suavemente do lugar de estacionamento em marcha atrás.

– Onde é que está o... hã... *susp*? O que é que isso quer dizer, já agora? Parece um termo de BDSM.

Christian esboça um sorriso breve enquanto sai do parque para a Stewart Street.

– É uma abreviatura de Suspeito Desconhecido. O Ryan é um ex-agente do FBI.

– Do FBI?

– Não queiras saber.

Christian abana a cabeça. É óbvio que está profundamente concentrado.

– Bem, onde está essa *susp*?

– Na I-5, a avançar para sul.

Lança-me um olhar de relance, com os olhos sombrios. *Uau* – de apaixonado a calmo e a ansioso numa questão de poucos momentos. Estendo a mão e afago-lhe a coxa, percorrendo ociosamente a costura interna das calças de ganga dele com a ponta dos dedos, numa tentativa de lhe melhorar o estado de espírito. Ele tira a mão do volante e detém a subida lenta da minha mão.

– Não – diz-me. – Já chegámos aqui. Não vais querer que tenha um acidente a três quarteirões de casa.

Leva-me a mão aos lábios e dá-me um beijo descontraído no dedo indicador para anular a ferroada da sua admoestação. Relaxado, calmo, autoritário... Meu Cinquenta. E, pela primeira vez em algum tempo, faz-me sentir como uma criança desobediente. Retiro a mão e fico em silêncio durante algum tempo.

– Mulher?

– Parece que sim.

Ele suspira, vira para a garagem subterrânea do Escala e marca o código de acesso no teclado de segurança. O portão abre-se e ele prossegue, arrumando o carro com ligeireza no lugar que lhe está atribuído.

– Gosto mesmo deste carro – murmuro.

– Também eu. E agrada-me a forma como o guiaste... e como conseguiste não lhe fazer mossas.

– Podes oferecer-me um no meu aniversário – comento com um sorriso brincalhão. Christian fica boquiaberto enquanto eu saio do carro. – Mas em branco, acho eu – acrescento, dobrando-me para lhe sorrir.

Ele também sorri.

– Anastasia Grey, nunca deixas de me surpreender.

Fecho a porta e vou até às traseiras do carro para esperar por ele. Sai graciosamente, observando-me com aquele olhar... aquele olhar que apela a algo no meu íntimo. Conheço bem este olhar. Quando se posta à minha frente, inclina-se e sussurra:

– Tu gostas do carro. Eu gosto do carro. Fodi-te nele... se calhar devia foder-te em cima dele.

Arquejo. E um elegante *BMW* prateado entra na garagem. Christian lança-lhe um olhar ansioso que depois se torna de enfado e presenteia-me com um sorriso matreiro.

– Mas parece que temos companhia. Anda.

Dá-me a mão e encaminha-se para o elevador da garagem. Carrega no botão para o chamar e, enquanto esperamos, o condutor do *BMW* junta-se a nós. É jovem, está vestido num estilo informal e tem cabelo comprido e escadeado. Parece que trabalha nos *media*.

– Olá – cumprimenta-nos com um sorriso caloroso.

Christian põe o braço à minha volta e responde com um aceno cordial de cabeça.

– Acabei de me mudar para aqui. Para o apartamento dezasseis.

– Olá. – Correspondo-lhe ao sorriso. Tem uns olhos amáveis, castanho-claros.

O elevador chega e todos entramos. Christian olha para mim, com uma expressão indecifrável.

– É Christian Grey – afirma o jovem.

Christian confirma com um sorriso amarelo.

– Noah Logan. – Estende a mão. Relutante, Christian aperta-a.
– Para que andar? – pergunta Noah.

– Tenho de inserir um código.

– Oh.

– É o último andar.

– Oh. – Noah esboça um grande sorriso. – Com certeza. – Carrega no botão do oitavo andar e as portas fecham-se. – Mrs. Grey, suponho.

– Sim.

Esboço um sorriso educado e cumprimentamo-nos com um aperto de mão. Noah cora ligeiramente, o seu olhar detém-se em mim durante um pouco de tempo a mais. Eu também fico vermelha e o braço de Christian aperta-me com mais força.

– Quando é que se mudou? – pergunto-lhe.

– No fim de semana passado. Adoro este sítio.

Dá-se uma pausa incómoda antes de o elevador parar no andar de Noah.

– Foi ótimo conhecer-vos – diz ele num tom que parece de alívio.

As portas fecham-se silenciosamente. Christian marca o código e o elevador continua a subir.

– Achei-o simpático – murmuro. – Nunca tinha conhecido um dos vizinhos.

Christian faz um esgar.

– Eu prefiro assim.

– Isso é por seres um eremita. Ele pareceu-me bastante agradável.

– Um eremita?

– Eremita. Encerrado na tua torre de marfim – declaro num tom factual.

Os lábios de Christian retorcem-se, divertidos.

– A nossa torre de marfim. E a mim parece-me que tem mais um nome a acrescentar à lista dos seus admiradores, Mrs. Grey.

Reviro os olhos.

– Christian, para ti todos são meus admiradores.

– Acabaste de me revirar os olhos?

A minha pulsação acelera-se.

– Foi mesmo – sussurro, com a respiração presa na garganta.

Ele inclina a cabeça para o lado, mostrando a sua expressão ardente, arrogante e divertida.

– O que havemos de fazer quanto a isso?

– Qualquer coisa bruta.

Ele pestaneja para disfarçar a surpresa.

– Bruta?

– Por favor.

– Queres mais?

Aceno lentamente com a cabeça. As portas do elevador abrem-se e chegamos a casa.

– Quão bruta? – sussurra, com os olhos a toldarem-se.

Eu fito-o em silêncio. Ele fecha os olhos por um instante, após o que me agarra a mão e puxa para o átrio.

Quando entramos pelas portas duplas, Sawyer encontra-se no *hall* de entrada, a olhar para nós com um ar expectante.

– Sawyer, gostaria de ser informado dentro de uma hora – diz Christian.

– Sim, senhor.

Virando-se, Sawyer encaminha-se para o escritório de Taylor.

Temos uma hora!

Christian olha de relance para mim.

– À bruta?

Assinto com a cabeça.

– Bem, Mrs. Grey, está com sorte. Hoje estou a aceitar pedidos.

CAPÍTULO SEIS

– Tens alguma coisa em mente? – murmura Christian, fitando-me com o seu olhar arrojado.

Eu encolho os ombros, de repente sem fôlego e agitada. Não sei se foi a perseguição, a adrenalina, o mau humor com que estava... não compreendo, mas quero isto, quero muito. Uma expressão intrigada perpassa o rosto de Christian.

– Uma queca depravada? – pergunta-me, e as suas palavras são uma carícia.

Aceno com a cabeça, sentindo a cara a ficar vermelhíssima. Porque estou envergonhada? Já dei todas as espécies de quecas depravadas com este homem. *É o meu marido, raios partam!* Estarei embaraçada por querer isto e ter vergonha de o admitir? O meu subconsciente lança-me um olhar zangado. *Não penses tanto.*

– *Carte blanche?* – sussurra ele, com um olhar especulativo como se tentasse adivinhar-me os pensamentos.

Carte blanche? Merda... o que implicará?

– Sim – murmuro nervosamente, enquanto a excitação desabrocha dentro de mim. Ele esboça um sorriso lento e *sexy*.

– Anda – diz ele, a puxar-me para as escadas. A sua intenção é clara. *Quarto do prazer!*

No cimo das escadas, solta-me a mão e destranca a porta do quarto do prazer. A chave está no porta-chaves com a inscrição *Sim Seattle* que lhe dei há não muito tempo.

– Faça favor, Mrs. Grey – diz ele, ao abrir a porta.

O quarto do prazer tem um cheiro familiar que me tranquiliza, a cabedal e madeira recentemente envernizada. Coro, sabendo que Mrs. Jones deve ter vindo limpar esta divisão enquanto estávamos em lua de mel. Quando entramos, Christian acende as luzes e as paredes vermelho-

-escuras são iluminadas por uma luz suave e difusa. Fico a olhar para ele, com a expectativa a correr-me nas veias. *O que irá fazer?* Tranca a porta e vira-se. Inclinando a cabeça para um lado, observa-me com ar pensativo e depois abana a cabeça, divertido.

– O que queres, Anastasia? – pergunta num tom suave.

– A ti. – A minha resposta é ofegada.

Ele faz um sorriso sardónico.

– Já me tens. Desde o dia em que caíste no meu escritório.

– Então surpreenda-me, Mr. Grey.

A sua boca contorce-se com humor reprimido e promessas carnais.

– Como queira, Mrs. Grey. – Cruza os braços e leva um dos longos dedos indicadores aos lábios enquanto me avalia. – Acho que devemos começar por livrá-la dessas roupas.

Dá um passo em frente. Agarrando na lapela do meu blusão de ganga curto, abre-o e puxa-o por cima dos ombros, fazendo-o cair ao chão. Segura-me a bainha do *top* preto.

– Levanta os braços.

Obedeço e ele tira-mo pela cabeça. Debruçando-se, dá-me um beijo suave nos lábios, com os olhos a brilhar numa mescla cativante de luxúria e amor. O *top* junta-se ao blusão no chão.

– Toma – digo baixinho, olhando para ele com nervosismo enquanto tiro o elástico do cabelo que tenho no pulso e lho ofereço. Ele imobiliza-se e os seus olhos arregalam-se por um instante, embora nada revelem. Por fim, aceita o elástico.

– Vira-te – ordena-me.

Aliviada, sorrio e obedeço de imediato. Parece que ultrapassámos aquele pequeno obstáculo. Ele apanha-me o cabelo e entrança-o rápida e eficientemente, prendendo-o com o elástico. Puxa-me a trança, inclinando-me a cabeça para trás.

– Bem pensado, Mrs. Grey – sussurra-me ao ouvido antes de me mordiscar o lóbulo da orelha. – Agora vira-te e despe a saia. Deixa-a cair. – Solta-me e recua enquanto eu me viro para ele. Sem desviar o olhar do dele, desabotoo a cintura da minha saia e abro o fecho. A saia tufada cai no chão à volta dos meus pés. – Afaste-se da saia – ordena-me.

Enquanto dou um passo na sua direção, ele ajoelha-se agilmente à minha frente e agarra-me o tornozelo direito. Com destreza, desafivela-me as sandálias enquanto me inclino para diante, equilibrando-me com uma mão na parede debaixo dos ganchos que costumavam ter todos os chicotes, chibatas e palmatórias. O *flogger* e a chibata de montar são os únicos artifícios que continuam aqui. Observo-os com curiosidade. *Irá servir-se daqueles?*

Estando eu descalça e apenas de cuecas e sutiã de renda, Christian fica de cócoras e levanta a cabeça para me observar.

– É uma bela visão, Mrs. Grey. – De repente, põe-se de joelhos, agarra-me as ancas e puxa-me para a frente, enterrando o nariz no cimo das minhas coxas. – E cheira a si e a mim e a sexo – diz ele, inspirando profundamente. – É inebriante.

Beija-me por cima das cuecas de renda enquanto as suas palavras me fazem arquejar – tenho as entranhas a derreterem-se. Ele é tão... *travesso*. Apanhando as minhas roupas e sandálias, levanta-se num único movimento ágil e gracioso, como um atleta.

– Vai até à mesa – diz-me calmamente, apontando para lá com o queixo. Ao virar-se, avança até à cómoda de museu das maravilhas. Volta a olhar para mim com um sorriso sardónico. – Vira-te para a parede – ordena. – Assim não saberás o que estou a planear. Gostamos de agradar, Mrs. Grey, e a senhora queria uma surpresa.

Viro-lhe costas, esforçando-me por escutar – subitamente, os meus ouvidos tornam-se sensíveis ao som mais ténue. Ele é bom nisto – a criar-me expectativas, a ampliar-me o desejo... fazendo-me esperar. Ouço-o a pousar as minhas sandálias e, parece-me, as roupas em cima da cómoda, ao que se segue o som revelador dos seus sapatos a caírem no chão, um de cada vez. Hum... adoro Christian descalço. Um momento depois, ouço-o a abrir uma gaveta.

Brinquedos! Oh, adoro, adoro, adoro esta expectativa. A gaveta fecha-se e a minha respiração acelera. Como é possível que o som de uma gaveta me deixe a tremer desta maneira? Não faz qualquer sentido. O silvo subtil da aparelhagem a ligar-se diz-me que vai haver um interlúdio musical. Um piano começa a tocar, abafado e discreto, e a sala enche-se de acordes pesarosos. Não conheço esta música. Ao piano junta-se uma guitarra elétrica. *O que é isto?* A voz de um homem fala e, a custo, percebo as palavras, algo acerca de não se ter medo de morrer.

Christian avança silenciosamente na minha direção, com os pés descalços a tocar no soalho de madeira. Pressinto-o por trás de mim quando uma mulher começa a cantar... chorar... cantar?

– À bruta, foi o que disse, Mrs. Grey? – sussurra junto à minha orelha direita.

– Hum.

– Tens de me dizer para parar se for demasiado. Se me pedires que pare, fá-lo-ei de imediato. Compreendes?

– Sim.

– Preciso da tua promessa.

Inspiro bruscamente. *Merda, que vai ele fazer?*

– Prometo – murmuro, a ofegar, recordando as palavras que me disse: *Não quero magoar-te, mas estou mais do que disposto a brincar.*

– Linda menina.

Debruçando-se, beija-me o ombro nu e depois passa um dedo como um gancho pela alça do meu sutiã e traça uma linha ao longo das minhas costas por baixo da alça. Apetece-me gemer. Como é que ele consegue tornar tão erótico um toque tão leve?

– Tira-o – sussurra-me ao ouvido, ao que me apresso a obedecer e a deixar o sutiã cair no chão.

As mãos dele deslizam-me pelas costas e depois puxa-me as cuecas com os polegares e fá-las descer pelas minhas pernas.

– Tira – ordena.

Mais uma vez, faço o que ele me manda e tiro as cuecas. Ele beija-me as costas e levanta-se.

– Vou vendar-te para que tudo seja mais intenso.

Põe-me uma máscara para os olhos de uma companhia aérea e o meu mundo mergulha na escuridão. A mulher que canta geme incoerentemente... é uma melodia atormentada e sentida.

– Inclina-te e deita-te na mesa. – As suas palavras são proferidas em voz baixa. – Agora.

Sem hesitar, debruço-me sobre a lateral da mesa e pouso o tronco na madeira muito polida, com a cara encostada à superfície dura. Sinto o frio na pele e o cheiro vago a cera de abelhas, com um laivo citrino.

– Estende os braços e agarra-te às extremidades.

Ok... Esticando os braços, agarro-me à outra ponta da mesa. É muito larga, pelo que fico com os braços esticados ao máximo.

– Se te soltares, vou espancar-te. Compreendes?

– Sim.

– Queres que te espanque, Anastasia?

Tudo a sul da minha cintura se contrai deliciosamente. Apercebo-me de que quero isto desde que ele me ameaçou à hora do almoço, e que nem a perseguição nem o encontro íntimo que se seguiu me saciaram a vontade.

– Sim. – A minha voz é um sussurro rouco.

– Porquê?

Oh... preciso de uma razão? Encolho os ombros.

– Diz-me – insta ele.

– Hã...

E, do nada, ele bate-me com força.

– Ah! – grito.

– Silêncio.

Ele massaja-me o rabo no sítio em que me bateu. Depois debruça-se por cima de mim, com as ancas a esmagarem-me o traseiro, beija-me entre as omoplatas e descreve um trilho de beijos pelas minhas costas. Despiu a camisa e os seus pelos do peito fazem-me cócegas nas costas; a ereção pressiona-me através da ganga grossa das suas calças.

– Abre as pernas – ordena-me.

Eu afasto as pernas.

– Mais.

Gemo e abro mais as pernas.

– Linda menina – sussurra.

Percorre-me as costas com um dedo, passa pelo rego entre as minhas nádegas e pelo ânus, que se contrai ao seu toque.

– Vamos divertir-nos com isto – murmura ele.

Merda!

O dedo dele prossegue pelo meu períneo e, lentamente, desliza para dentro de mim.

– Vejo que estás muito molhada, Anastasia. É de agora ou de antes?

Gemo e ele vai metendo e tirando o dedo, uma e outra vez. Empurro o corpo contra a mão dele, adorando a intrusão.

– Oh, Ana, acho que é das duas coisas. Acho que adoras estar aqui, assim. Minha.

Adoro... oh, adoro. Ele tira o dedo e volta a bater-me com força.

– Diz-me – sussurra ele, numa voz rouca e urgente.

– Sim, adoro – choramingo.

Ele bate-me outra vez com força e eu grito e, depois, enfia dois dedos dentro de mim. Retira-os de imediato, espalhando a humidade para cima, à volta do meu ânus.

– O que vais fazer? – pergunto, sem fôlego.

Oh, caraças... será que me vai ao cu?

– Não é o que tu julgas – murmura num tom tranquilizador. – Já te disse, vamos devagar com isto, querida. – Ouço o esguicho silencioso de um líquido qualquer, provavelmente de uma bisnaga e depois os dedos dele voltam a massajar-me *ali*. A lubrificar-me... *ali*! Contorço-me à medida que o meu medo se debate com a excitação do desconhecido. Ele volta a bater-me, mais abaixo, pelo que me atinge o sexo. Gemo. Sabe... tão bem. – Fica quieta – diz ele. – E não te soltes.

– Ah.

– Isto é lubrificante.

Espalha-me mais. Tento não me retorcer debaixo dele, mas tenho o coração a latejar, a pulsação a mil enquanto o desejo e a ansiedade me bombeiam pelo corpo.

– Já há algum tempo que te queria fazer isto, Ana.

Gemo. E sinto algo frio, um frio metálico, a percorrer-me a coluna.

– Tenho um pequeno presente para ti – sussurra Christian.

Uma imagem de quando me mostrou o quarto do prazer vem-me à memória. Um *plug* anal. Christian passa-o pelo rego entre as minhas nádegas.

Oh, céus.

– Vou inserir isto dentro de ti, muito devagar.

Arquejo, com a expectativa e a ansiedade a aumentarem.

– Vai doer?

– Não, querida. É pequeno. Quando estiver dentro de ti, vou foder-te mesmo com força.

Tenho praticamente uma convulsão. Debruçando-se sobre mim, ele volta a beijar-me entre as omoplatas.

– Preparada? – sussurra.

Preparada? Estarei preparada para isto?

– Sim – murmuro baixinho, com a boca seca.

Ele passa-me outro dedo pelo ânus e períneo e mete-o dentro de mim. Bolas, é o polegar dele. Agarra-me o sexo e os seus dedos acariciam-me suavemente o clítoris. Gemo... sabe... bem. E, delicadamente, enquanto os seus dedos e o polegar fazem a sua magia, ele enfia o *plug* frio dentro de mim, devagar.

– Ah! – gemo bem alto devido à sensação estranha, com os músculos a protestar perante a intrusão.

Ele gira o polegar dentro de mim e empurra mais o *plug*, que se insere facilmente, e eu não sei se é por estar tão excitada ou por ele me ter distraído com os seus dedos destros, mas o meu corpo parece aceitá-lo. É pesado... e estranho... *pronto!*

– Oh, querida.

E eu sinto-o... onde o seu polegar gira dentro de mim... e o *plug* faz pressão... oh, ah... Ele vira lentamente o *plug*, provocando-me um gemido arrastado.

– Christian – balbucio o seu nome como um mantra truncado enquanto me adapto à sensação.

– Linda menina – murmura ele. Passa-me a mão livre pela coxa até chegar à anca. Lentamente, retira o polegar e ouço o som revelador da sua braguilha a abrir. Segurando-me na outra anca, puxa-me e afasta-me mais as pernas, empurrando-me um pé com o seu. – Não largues a mesa, Ana – avisa-me.

– Não – arquejo.

– Querias à bruta? Diz-me se for bruto de mais. Compreendes?

– Sim – sussurro e ele atira-se para dentro de mim ao mesmo tempo que me puxa contra si, empurrando o *plug* para a frente, mais fundo...

– Merda! – grito.

Ele imobiliza-se, com a respiração mais acelerada, e eu ofego como ele. Tento assimilar todas as sensações: o preenchimento delicioso, a impressão sedutora de estar a fazer algo proibido, o prazer erótico que espirala do meu interior. Ele empurra levemente o *plug*.

Oh, céus... gemo e ouço a sua inspiração rápida – um arquejo de prazer puro e inalterado. Aquece-me o sangue. Alguma vez me senti tão perdida... tão...

– Outra vez? – sussurra ele.

– Sim.

– Mantém-te debruçada – ordena-me.

Sai e volta a investir.

Oh... eu queria isto.

– Sim – silvo.

E ele aumenta o ritmo, com a respiração mais esforçada, condizendo com a minha, à medida que se vai lançando contra mim.

– Oh, Ana – exclama ele.

Tira uma das mãos da minha anca e torna a girar o *plug*, puxando-o lentamente, tirando-o e voltando a inseri-lo. A sensação é indescritível e parece-me que vou desmaiar em cima da mesa. Ele não para e possui-me, uma e outra vez, com movimentos bruscos e fortes, enquanto as minhas entranhas se contraem e estremecem.

– Oh, merda – gemo. Isto vai dar cabo de mim.

– Sim, querida – silva ele.

– Por favor – imploro, e não sei porquê... se quero que pare, que nunca pare, que volte a girar o *plug*. As minhas entranhas contraem-se à volta do *plug* e dele.

– Assim mesmo – sussurra e dá-me uma palmada forte na nádega esquerda e eu venho-me... uma e outra vez, a cair, a girar, a pulsar, às voltas e às voltas... e Christian tira o *plug* com cuidado.

– *Merda!* – grito e Christian agarra-me as ancas e atinge o clímax ruidosamente, mantendo-me quieta.

A mulher ainda está a cantar. Christian põe sempre as músicas em *repeat* quando estamos aqui. Que estranho. Estou aninhada no colo dele, temos as pernas entrelaçadas e eu encosto a cabeça ao seu peito. Estamos no chão do quarto do prazer, ao lado da mesa.

– Bem-vinda – diz ele, enquanto me tira a venda.

Pestanejo para me habituar à luz ténue. Ele inclina-me a cabeça para trás e dá-me um beijo leve nos lábios, com os olhos alerta e a perscrutar os meus com ansiedade. Levanto a mão para lhe afagar o rosto. Ele sorri.

– Bem, correspondi aos requisitos? – pergunta ele, divertido.

Franzo o sobrolho.

– Requisitos?

– Querias à bruta – diz em voz baixa.

Sorrio, pois não consigo evitá-lo.

– Sim. Acho que sim...

Ele arqueia as sobrancelhas e sorri-me também.

– Fico muito contente. Pareces absolutamente bem fodida e linda neste momento.

Acaricia-me o rosto, com os dedos longos a percorrerem-me a face.

– É o que sinto – ronrono.

Ele baixa a cabeça e beija-me ternamente, com os lábios suaves, quentes a oferecerem-se-me.

– Nunca me desiludes. – Afasta-se para me observar. – Como te sentes? – pergunta numa voz suave e preocupada.

– Bem – murmuro, com um rubor a surgir-me na cara. – Completamente bem fodida.

Esboço um sorriso tímido.

– Ora, Mrs. Grey, tem uma boca muito, muito porca.

Christian finge-se ofendido, mas eu percebo que está divertido.

– É porque me casei com um rapaz muito, muito porco, Mr. Grey.

Ele faz um sorriso ridiculamente estúpido, que é contagioso.

– Ainda bem que se casou com ele.

Pega-me na trança com delicadeza, leva-a aos lábios e beija-lhe a ponta com reverência, com um brilho amoroso nos olhos. Oh, céus... alguma vez tive hipótese de resistir a este homem?

Agarro-lhe na mão esquerda e beijo-lhe a aliança de platina simples que condiz com a minha.

– Meu – sussurro.

– Teu – responde ele. Abraça-me e encosta o nariz ao meu cabelo. – Preparo-te um banho?

– Hum. Só se tomares comigo.

– Ok.

Ajuda-me a levantar e fica ao meu lado. Ainda está com as calças de ganga.

– Vais vestir as... há... outras calças de ganga?

Ele olha para mim de sobrolho franzido.

– As outras?

– Aquelas que costumavas usar aqui.

– Essas calças? – murmura ele, pestanejando de surpresa perplexa.

– Ficas muito *sexy* com elas.

– Fico?

– Pois... quero dizer, mesmo *sexy*.

Ele esboça um sorriso tímido.

– Bem, por si, Mrs. Grey, talvez as vista.

Debruça-se para me beijar e em seguida agarra na pequena taça em cima da mesa que contém o *plug* anal, a bisnaga de lubrificante, a venda e as minhas cuecas.

– Quem é que limpa estes brinquedos? – pergunto enquanto o acompanho até à cómoda.

Ele franze o cenho, como se não percebesse a pergunta.

– Eu. Mrs. Jones.

– O quê?

Ele acena com a cabeça, divertido e embaraçado, segundo me parece. Desliga a música.

– Bem... há...

– As tuas submissas costumavam limpá-los? – termino eu a frase.

Ele encolhe os ombros à laia de desculpa.

– Toma.

Passa-me a sua camisa e eu visto-a, envolvendo-me nela. O seu cheiro perdura no linho e a minha mortificação por causa da limpeza do *plug* anal é esquecida. Ele deixa os itens em cima da cómoda. Dá-me a mão, destranca a porta do quarto do prazer e encaminha-me para o exterior. Desço as escadas docilmente atrás dele.

A ansiedade, o mau humor, a emoção, o medo e a excitação da perseguição, tudo isso desapareceu. Estou relaxada – finalmente saciada e calma. Quando entramos na casa de banho, bocejo bem alto e espreguiço-me... confortável na minha pele, para variar.

– O que é? – pergunta-me Christian enquanto abre a torneira.

Abano a cabeça.

– Diz-me – pede-me numa voz meiga.

Deita óleo de banho de jasmim na água a correr, enchendo a casa de banho com aquele aroma doce e sensual. Coro.

– Sinto-me melhor, só isso.

Ele sorri.

– Sim, tem estado com uma disposição estranha hoje, Mrs. Grey. – Levantando-se, puxa-me para os seus braços. – Sei que estás preocupada com estes acontecimentos recentes. Lamento que estejas envolvida neles. Não sei se é uma *vendetta*, um ex-empregado ou um rival profissional. Se te acontecesse alguma coisa por minha causa... – A sua voz reduz-se a um sussurro doloroso. Aperto os braços à sua volta.

– E se te acontece alguma coisa, Christian? – Dou voz ao meu receio.

Ele olha para mim.

– Havemos de resolver isto. Agora vamos despir-te essa camisa e meter-te na banheira.

– Não devias ir falar com o Sawyer?

– Ele pode esperar.

A sua boca contrai-se e eu sinto uma ponta súbita de pena por Sawyer. O que terá ele feito para o irritar?

Christian ajuda-me a despir-lhe a camisa e depois franze o sobrolho quando me viro para ele. Os meus seios ainda têm nódoas negras ténues graças aos chupões que me fez durante a lua de mel, mas decido não o provocar com isso.

– Será que o Ryan apanhou o *Dodge*?

– Já ficaremos a saber depois do banho. Entra.

Estende-me a mão. Entro na água quente e fragrante e, com cuidado, sento-me.

– Au.

Tenho o rabo sensível e a água quente faz-se estremecer.

– Devagar, querida – avisa-me Christian mas, ao mesmo tempo, a sensação desconfortável desaparece.

Christian despe-se e entra também, puxando-me contra o seu peito. Aninho-me entre as pernas dele e ficamos, ociosos e satisfeitos, na água quente. Percorro as suas pernas com os dedos e ele segura-me a trança com uma mão e gira-a ao de leve entre os dedos.

— Temos de ver o projeto da casa nova. Logo à noite?

— Claro.

Aquela mulher vai voltar. O meu subconsciente, furioso, levanta o olhar do terceiro volume das *Obras Completas de Charles Dickens*. Estou com o meu subconsciente. Suspiro. Infelizmente, os desenhos de Gia Matteo são de cortar a respiração.

— Tenho de preparar as minhas coisas para o trabalho — sussurro.

Ele imobiliza-se.

— Sabes que não tens de voltar ao teu emprego — murmura.

Oh, não... isto outra vez, não.

— Christian, já falámos sobre isto. Por favor, não recomeces essa discussão.

Ele puxa-me a trança para me inclinar a cabeça para si.

— Estou só a dizer...

Dá-me um beijo suave nos lábios.

Visto umas calças de ginástica e um *top* e decido ir buscar as minhas roupas ao quarto do prazer. Enquanto atravesso o corredor, ouço a voz inflamada de Christian no seu escritório. Estaco.

— Onde é que tu estavas, caramba?

Oh, merda. Está a gritar com Sawyer. Rangendo os dentes, corro escada acima até ao quarto do prazer. Não quero mesmo ouvir o que ele lhe tenha a dizer — Christian a gritar ainda me intimida. Pobre Sawyer. Ao menos eu posso gritar também.

Reúno as minhas roupas e os sapatos de Christian; depois reparo na pequena taça de porcelana com o *plug* anal em cima da cómoda. *Bem... suponho que deveria limpá-lo.* Acrescento-o à pilha e regresso ao andar de baixo. Lanço um olhar nervoso pela sala, mas está tudo silencioso. Graças a Deus.

Taylor regressará amanhã à noite e Christian costuma andar mais calmo quando ele se encontra por perto. Taylor está a passar o dia de hoje e o de amanhã com a filha. Pergunto-me ociosamente se alguma vez virei a conhecê-la.

Mrs. Jones sai da lavandaria. Assustamo-nos uma à outra.

— Mrs. Grey... não vi que estava aí.

Oh, agora sou Mrs. Grey!

— Olá, Mrs. Jones.

— Bem-vinda a casa e parabéns.

Sorri.

— Por favor, trate-me por Ana.

— Mrs. Grey, não me sentiria confortável se o fizesse.

Oh! Mas porque terá tudo de mudar só porque tenho uma aliança no dedo?

— Gostaria de ver os menus da semana? — pergunta-me, com um olhar expectante.

Menus?

— Hã... — Não estava à espera de que me fizessem esta pergunta.

Ela sorri.

— Quando comecei a trabalhar para Mr. Grey, todos os domingos à noite revia os menus da semana seguinte com ele e fazia uma lista de tudo o que ele pudesse precisar da mercearia.

— Compreendo.

— Quer que lhe leve isso?

Estende as mãos para as roupas.

— Oh... hã. Na verdade, ainda preciso delas.

E estão a esconder a taça com o plug *anal!* Fico vermelhíssima. Até admira que consiga continuar a fitá-la. Ela sabe o que nós fazemos... ela limpa o quarto. Caramba, é tão estranho não ter privacidade.

— Quando quiser, Mrs. Grey. Terei todo o prazer em ajudá-la.

— Obrigada.

Somos interrompidas por Sawyer, que passa por nós com o rosto exangue; sai bruscamente do gabinete de Christian e atravessa a ampla sala. Cumprimenta-nos com um breve aceno de cabeça, sem olhar para as nossas caras, e esgueira-se para o escritório de Taylor. Sinto-me grata pela sua interferência, já que não quero discutir ementas ou *plugs* anais com Mrs. Jones neste momento. Com um sorriso rápido, apresso-me a voltar para o quarto. Alguma vez me habituarei a ter pessoal doméstico sempre à disposição? Abano a cabeça... um dia, talvez.

Largo os sapatos de Christian no chão e as minhas roupas na cama e levo a taça com o *plug* anal para a casa de banho. Observo-o com desconfiança. Parece bastante inócuo e surpreendentemente limpo. Não quero pensar muito nisso e lavo-o depressa com água e sabonete. Será que chega? Terei de perguntar ao Sr. Sexperiente se será melhor esterilizá--lo ou algo do género. A ideia faz-me estremecer.

Agrada-me que Christian me tenha cedido a biblioteca. Agora tem uma secretária atraente de madeira branca na qual posso trabalhar. Saco do meu portátil e verifico as notas que tomei sobre os cinco manuscritos que li durante a nossa lua de mel.

Sim, tenho tudo aquilo de que preciso. Em parte, sinto-me aterrorizada por ir voltar ao trabalho, mas nunca poderei confessá-lo a Christian. Ele aproveitaria a oportunidade para me obrigar a desistir. Lembro-me da reação apoplética de Roach quando lhe disse que ia casar-me e com quem; e de que, pouco depois, a minha posição ficou assegurada. Apercebo-me agora de que isso aconteceu porque ia casar-me com o patrão. A ideia é desagradável. Já não sou uma assistente editorial – sou Anastasia Steele, editora.

Ainda não reuni coragem para contar a Christian que não vou mudar o meu apelido no trabalho. Penso que os meus motivos são sólidos. Preciso de alguma distância dele, mas sei que haverá uma discussão quando finalmente se aperceber disso. Talvez devesse abordar esta questão com ele hoje à noite.

Recostando-me na minha cadeira, dou início à última tarefa do dia. Olho para o relógio digital do meu portátil, que me diz que são sete da tarde. Christian ainda não saiu do seu gabinete, pelo que tenho tempo. Tiro o cartão de memória da *Nikon* e insiro-o no portátil para transferir as fotografias. Enquanto vão descarregando, penso no dia de hoje. Será que Ryan já voltou? Ou irá ainda a caminho de Portland? Terá alcançado a mulher mistério? Será que Christian já teve notícias dele? Quero respostas. Não me interessa que ele esteja ocupado; quero saber o que se passa e, de súbito, sinto-me um pouco ressentida por ele estar a

manter-me na ignorância. Levanto-me, com a intenção de ir confrontá-
-lo no seu gabinete, mas nesse momento as fotos dos últimos dias da
nossa lua de mel surgem no ecrã.

Com o caraças!

Fotografias e mais fotografias minhas. A dormir, tantas em que estou
a dormir, com o cabelo por cima da cara ou espalhado na almofada, de
lábios entreabertos... merda – a chuchar no dedo. Não chucho no dedo
há anos! Tantas fotografias. Não fazia ideia de que ele tinha tirado estas.
Há alguns retratos cândidos, incluindo uma em que estou debruçada
sobre a amurada do iate, a fitar o horizonte com uma expressão melancólica. Como é que não reparei nele a tirar-ma? Sorrio ao ver as fotos em
que estou contorcida debaixo dele a rir-me – com o cabelo a voar enquanto
me debato, esquivando-me aos seus dedos que me fazem cócegas e me
atormentam. E há uma de nós os dois na cama do nosso camarote, que
ele tirou com o braço esticado. Estou aninhada no seu peito e ele olha
para a câmara, jovem, de olhos bem abertos... apaixonado. Com a outra
mão segura-me a cabeça e eu estou a sorrir como uma tola enlevada, mas
não consigo desviar o olhar de Christian. Oh, meu belo homem, com o
seu cabelo de queca, os olhos cinzentos a brilhar, os lábios entreabertos e a sorrir. Meu belo homem que não suporta que lhe façam cócegas,
que até há pouco tempo não suportava que lhe tocassem, mas que agora
tolera o meu toque. Tenho de lhe perguntar se lhe agrada ou se se limita
a permitir-me que lhe toque para meu próprio prazer e não para o seu.

Franzo o sobrolho, fitando a imagem dele, de repente assoberbada
pelo que sinto por ele. Há alguém que quer fazer-lhe mal – primeiro o
Charlie Tango, depois o incêndio na GEH, agora aquela maldita perseguição. Arquejo e tapo a boca com a mão quando um soluço involuntá-
rio me escapa. Deixo o computador e salto para ir ao encontro dele – já
não quero confrontá-lo, apenas verificar que está a salvo.

Sem me dar ao trabalho de bater à porta, entro no gabinete dele.
Christian está sentado à secretária, a falar ao telefone. Ergue a cabeça,
com uma expressão de surpresa irritada que logo desaparece ao perceber que sou eu.

– Então não dá para aumentar mais? – pergunta, continuando a
conversa telefónica, embora não desvie o olhar de mim. Sem hesitar,

contorno a secretária e ele vira a cadeira para me ver, a franzir o sobrolho. Percebo que está a pensar: *O que é que ela quer?* Quando me sento ao seu colo, as suas sobrancelhas arqueiam-se de surpresa. Rodeio-lhe o pescoço com os braços e aninho-me nele. Atordoado, ele passa um braço à minha volta. – Há... sim, Barney. Esperas um segundo?

Encosta o telefone ao ombro.

– Ana, o que se passa?

Abano a cabeça. Ele levanta-me o queixo e fita-me os olhos. Eu liberto a cabeça, enfio-a debaixo do queixo dele e encolho-me mais no seu colo. Intrigado, ele aperta-me mais com o braço que tem livre e beija-me o cocuruto.

– Ok, Barney, o que estavas a dizer? – continua, segurando o telefone entre a orelha e o ombro para carregar numa tecla do portátil.

No ecrã, surge uma imagem granulada a preto e branco de um circuito interno de televisão. Um homem de cabelo escuro a usar um macacão claro aparece no ecrã. Christian carrega noutra tecla e o homem avança na direção da câmara, mas com a cabeça virada para baixo. Quando o homem se aproxima mais da câmara, Christian para a imagem. Ele está numa divisão branca e luminosa com o que parece ser uma fila comprida de armários pretos e altos à esquerda. Deve ser a sala do servidor da GEH.

– Ok, Barney, mais uma vez.

O ecrã ganha vida. Aparece uma caixa à volta da cabeça do homem apanhado pelas gravações do circuito interno e, de repente, a imagem é aumentada. Endireito-me, fascinada.

– É o Barney que está a fazer isto? – pergunto em voz baixa.

– Sim – responde Christian. – Podes melhorar a imagem de alguma maneira? – pede ele ao informático.

A imagem turva-se e depois fica relativamente mais focada no homem que, propositadamente, olha para baixo e evita a câmara. Enquanto eu o observo, um calafrio de reconhecimento percorre-me a espinha. Tem cabelo curto e crespo, que parece estranho e descuidado... e, na imagem mais focada, vejo um brinco, uma argola pequena.

Com o caraças! Sei quem é.

– Christian – sussurro. – É o Jack Hyde.

CAPÍTULO SETE

– Achas? – pergunta Christian, surpreendido.

– Reconheço-lhe a linha do maxilar. – Aponto para o ecrã. – E os brincos e o formato dos ombros. Deve estar a usar uma peruca... ou então cortou e pintou o cabelo.

– Barney, estás a ouvir? – Christian pousa o telefone na secretária e ativa o modo mãos livres. – Parece que observou o seu ex-patrão com alguma atenção, Mrs. Grey – murmura, num tom nada agradado.

Fito-o com um esgar de desdém, mas sou salva por Barney.

– Sim, senhor. Ouvi o que disse Mrs. Grey. Estou a correr um programa de reconhecimento facial por todas as imagens do circuito interno. Para ver em que outros sítios da organização este cabrão... perdão, minha senhora... este homem esteve.

Lanço um olhar ansioso a Christian, que ignora o palavrão de Barney. Está concentrado a estudar a imagem.

– Porque faria ele isto? – pergunto-lhe.

Ele encolhe os ombros.

– Por vingança, talvez. Não sei. Não é possível compreender o que leva algumas pessoas a tomarem certas atitudes. Estou apenas zangado por teres trabalhado tão perto dele.

A boca de Christian contrai-se numa linha fina e dura e ele envolve-me a cintura com um braço.

– Também temos o conteúdo do disco rígido dele, senhor – acrescenta Barney.

– Sim, lembro-me disso. Tens a morada de Mr. Hyde? – replica Christian num tom ríspido.

– Sim, senhor, tenho.

– Alerta o Welch.

– Assim farei. E vou verificar o circuito interno de vigilância da cidade, a ver se consigo detetar por onde anda.

— Veja que veículo ele tem.

— Sim, senhor.

— O Barney consegue fazer isso tudo? — sussurro.

Christian acena com a cabeça e esboça um sorriso satisfeito.

— O que estava no disco rígido dele? — murmuro.

A expressão de Christian endurece e ele abana a cabeça.

— Pouca coisa — diz ele, de lábios cerrados, já sem o sorriso.

— Conta-me.

— Não.

— Era acerca de ti ou de mim?

— De mim.

Ele suspira.

— Que género de coisas? Sobre o teu estilo de vida?

Christian abana a cabeça e leva o dedo indicador aos meus lábios para me silenciar. Respondo com um esgar, mas ele semicerra os olhos: um aviso explícito para que morda a língua.

— É um *Camaro* de 2006. Vou enviar as informações da matrícula ao Welch — anuncia Barney num tom entusiasmado.

— Bom. Preciso de saber em que outras partes do meu edifício é que esse cabrão andou. E compara a imagem com a do ficheiro pessoal da SIP. — Christian lança-me um olhar cético. — Quero ter a certeza de que é a mesma pessoa.

— Já o fiz, senhor, e Mrs. Grey tem razão. É o Jack Hyde.

Sorrio. *Vês?* Posso ser útil. Christian faz-me uma festa nas costas.

— Muito bem, Mrs. Grey. — Sorri, já esquecido do rancor. Diz a Barney: — Informa-me quando tiveres verificado todos os movimentos dele na sede. E vê também se terá tido acesso a mais alguma propriedade da GEH e informa as equipas de segurança desses locais para que eles façam outra vistoria a todos os edifícios.

— Sim, senhor.

— Obrigado, Barney. — Christian desliga. — Bem, Mrs. Grey, parece que não é apenas um elemento decorativo, mas também útil.

Os olhos de Christian iluminam-se com humor malandro. Sei que está a provocar-me.

— Decorativo? — insurjo-me, provocando-o também.

— Muito — diz em voz baixa, dando-me um beijo suave e doce nos lábios.

— O senhor é muito mais decorativo do que eu, Mr. Grey.

Ele sorri e beija-me com mais força, enrolando a minha trança no pulso e envolvendo-me nos seus braços. Quando me afasto para recuperar o fôlego, tenho o coração a latejar.

— Tens fome? — pergunta-me.

— Não.

— Eu tenho.

— De quê?

— Bem... de comida, na verdade.

— Vou preparar-te qualquer coisa — digo-lhe, a rir.

— Adoro esse som.

— O que faço ao oferecer-te comida?

— O do teu riso.

Dá-me um beijo na cabeça e eu levanto-me.

— Então o que gostaria de comer, Senhor? — pergunto com doçura. Ele estreita os olhos.

— Está a ser engraçada, Mrs. Grey?

— Sempre, Mr. Grey... Senhor.

Ele esboça um sorriso esfíngico.

— Ainda consigo pôr-te em cima do joelho — murmura num tom sedutor.

— Eu sei. — Sorrio. Apoiando as mãos nos braços da cadeira dele, debruço-me e beijo-o. — É uma das coisas de que gosto em ti. Mas contém essa mão irrequieta... tens fome.

Ele esboça o seu sorriso tímido e sinto um aperto no coração.

— Oh, Mrs. Grey, o que hei de fazer consigo?

— Responder à minha pergunta. O que gostarias de comer?

— Algo ligeiro. Surpreende-me — diz ele, repetindo as palavras que lhe disse no quarto do prazer.

— Vou ver o que se pode arranjar.

Saio do gabinete dele a menear as ancas e entro na cozinha. O meu coração afunda-se quando percebo que Mrs. Jones se encontra nesta divisão.

– Olá, Mrs. Jones.

– Mrs. Grey. Apetece-lhe comer qualquer coisa?

– Há...

Ela está a mexer qualquer coisa numa panela ao fogão que tem um cheiro delicioso.

– Ia fazer umas sandes para mim e para Mr. Grey.

Ela pausa por um instante.

– Com certeza – responde. – Mr. Grey gosta de baguetes: há algumas no congelador, cortadas ao meio. Teria todo o gosto em prepará-las, se desejar, minha senhora.

– Eu sei. Mas preferiria ser eu a fazê-lo.

– Compreendo. Dou-lhe espaço, então.

– O que está a cozinhar?

– É um molho à bolonhesa. Pode ser comido quando quiserem. Vou congelá-lo.

Ela sorri-me com uma expressão calorosa e põe o lume no mínimo.

– Então de que gosta o Christian numa... sandes?

Franzo o sobrolho, impressionada pelo que acabo de dizer. Irá Mrs. Jones perceber a inferência?[2]

– Mrs. Grey, pode pôr praticamente qualquer coisa numa sanduíche, que, desde que seja numa baguete, ele vai comer.

Sorrimos uma à outra.

– Ok, obrigada.

Vou até ao congelador e encontro as baguetes cortadas dentro de sacos de congelação. Coloco duas num prato que meto no micro-ondas para descongelar.

Mrs. Jones desapareceu. Franzo o sobrolho enquanto volto ao frigorífico para procurar os ingredientes. Suponho que me caberá definir os parâmetros em que eu e Mrs. Jones trabalharemos. Agrada-me a ideia de cozinhar para Christian aos fins de semana. Mrs. Jones poderá perfeitamente fazê-lo durante a semana – a última coisa que quererei fazer ao regressar a casa depois do trabalho será cozinhar. Hum...

2. Jogo de palavras entre "sub", diminutivo de "submarine sandwich", i. e., sanduíche em baguete, e "sub", abreviatura de "submissa". (N. da T.)

um pouco como a rotina de Christian com as suas submissas. Abano a cabeça. Não devo pensar demasiado nisto. Encontro fiambre no frigorífico e, na gaveta dos vegetais, um abacate bem maduro.

Quando estou a acrescentar uma pitada de sal e limão ao puré de abacate, Christian sai do seu gabinete com as plantas para a casa nova nas mãos. Pousa-as no balcão do pequeno-almoço, avança na minha direção e passa os braços à minha volta enquanto me beija o pescoço.

– Descalça e na cozinha – murmura ele.

– Não deveria ser descalça e grávida na cozinha?

Ele imobiliza-se e eu sinto o corpo dele a ficar tenso.

– Ainda não – declara, com uma clara apreensão na voz.

– Não! Ainda não!

Ele descontrai.

– Quanto a isso estamos de acordo, Mrs. Grey.

– Mas queres ter filhos, não queres?

– Sim, claro. Um dia. Mas ainda não estou preparado para te partilhar.

Volta a beijar-me o pescoço.

Oh... *partilhar?*

– O que estás a fazer? Tem bom aspeto.

Beija-me atrás da orelha e eu percebo que o faz para me distrair. Uma descarga deliciosa percorre-me a espinha.

– Sandes em baguete – respondo com um sorriso sardónico, recuperando o sentido de humor.

Ele sorri com a boca encostada ao meu pescoço e mordisca-me o lóbulo da orelha:

– As minhas preferidas.

Dou-lhe uma cotovelada.

– Mrs. Grey, magoou-me. – Agarra-se à ilharga como se estivesse com dores.

– Fracalhote – resmungo num tom reprovador.

– Fracalhote? – repete ele, incrédulo. Dá-me uma palmada no traseiro que me faz gritar. – Despacha-te com a comida, rapariga. E depois mostro-te como sou fracalhote.

Dá-me outra palmada e vai até ao frigorífico.

– Queres um copo de vinho?

– Por favor.

Christian estende os projetos de Gia sobre o balcão do pequeno-
-almoço. Ela realmente tem algumas ideias espetaculares.

– Adoro a sugestão que ela fez de termos a parede do fundo do
piso térreo em vidro, mas...

– Mas? – insta-me Christian.

Suspiro.

– Não quero tirar toda a personalidade à casa.

– Personalidade?

– Sim. O que a Gia propõe é bastante radical, mas... bem... eu
apaixonei-me pela casa tal como ela é... com bichos-carpinteiros e tudo.

Christian franze o sobrolho como se isto para ele fosse um anátema.

– É só que gosto dela como está – sussurro.

Será que isto o vai deixar zangado?

Ele não desvia o olhar de mim.

– Quero que esta casa seja como tu quiseres. Como quiseres. É tua.

– E eu quero que tu também gostes dela. Que sejas feliz lá.

– Serei feliz onde quer que tu estejas. É tão simples quanto isso, Ana.

O seu olhar sustém o meu. Está a ser absolutamente sincero. Pestanejo
enquanto o meu coração se expande. *Com o caraças, ele ama-me mesmo.*

– Bem. – Engulo em seco, combatendo o nó de emoção que tenho
na garganta. – A parede de vidro agrada-me. Talvez possamos pedir-
-lhe que a incorpore na casa de forma mais fluida.

Christian sorri.

– Claro. Como quiseres. E as ideias para o andar de cima e para
a cave?

– Por mim tudo bem.

– Bom.

Ok... Reúno coragem para lhe fazer a pergunta mais sensível.

– Queres instalar um quarto do prazer?

Sinto o rubor oh-tão-familiar a apoderar-se do meu rosto enquanto lhe
faço a pergunta. As sobrancelhas de Christian arqueiam-se muito depressa.

– Tu queres? – devolve-me a pergunta, surpreendido e divertido.

Encolho os ombros.

– Há... se tu quiseres.

Ele fita-me por um momento antes de responder.

– Deixemos as opções em aberto, por ora. Afinal, vai ser uma casa de família.

Fico surpreendida com a pontada de desilusão que sinto. Presumo que tenha razão... mas quando teremos nós uma família? Poderão passar anos antes disso.

– Para além disso, podemos improvisar.

– Gosto de improvisar – sussurro.

Ele sorri.

– Quero discutir uma coisa contigo – diz Christian, a apontar para o quarto principal.

Começamos então uma conversa pormenorizada acerca de casas de banho e roupeiros separados.

Quando terminamos, são nove e meia da noite.

– Vais voltar ao trabalho? – pergunto-lhe enquanto ele enrola as plantas.

– Se tu não quiseres, não. – Sorri. – O que te apetece fazer?

– Podíamos ver televisão.

Não me apetece ler e não quero ir para a cama... já.

– Ok – concorda Christian de bom grado, e eu sigo-o para a sala da televisão.

Só nos sentámos aqui umas três ou quatro vezes e, regra geral, com Christian a ler um livro. Ele não tem o mínimo interesse na televisão. Aninho-me ao seu lado no sofá, puxo as pernas para debaixo do corpo e encosto a cabeça ao ombro dele. Ele liga o televisor de ecrã plano com o comando e vai mudando de um canal para o seguinte sem prestar atenção.

– Alguma baboseira específica que queiras ver?

– Não gostas lá muito de televisão, pois não? – resmoneio num tom sardónico.

Ele abana a cabeça.

– É uma perda de tempo. Mas assisto a qualquer coisa contigo.

– Pensei que podíamos curtir.

Ele vira a cara para mim.

– Curtir?

Fita-me como se eu tivesse duas cabeças. Para de saltar de canal em canal, deixando a televisão numa telenovela espanhola demasiado iluminada.

– Sim.

Porque está tão horrorizado?

– Podíamos "curtir" na cama.

– Passamos a vida a fazer isso. Quando foi a última vez que curtiste com alguém em frente à televisão? – pergunto, tímida e provocante ao mesmo tempo.

Ele encolhe os ombros e abana a cabeça. Voltando a carregar no comando, percorre mais uns quantos canais antes de se decidir por um episódio antigo dos *Ficheiros Secretos*.

– Christian?

– Nunca fiz isso – responde em voz baixa.

– Nunca?

– Não.

– Nem sequer com Mrs. Robinson?

Ele solta uma risada trocista.

– Querida, fiz muitas coisas com Mrs. Robinson. Curtir não foi uma delas. – Esboça um sorriso de escárnio e depois semicerra os olhos, curioso. – Tu fizeste isso?

Coro.

– É claro.

Bem, mais ou menos...

– O quê? Com quem?

Oh, não. Não quero ter esta discussão.

– Diz-me – insiste ele.

Olho para os meus dedos entrelaçados. Com um gesto delicado, põe uma das suas mãos por cima das minhas. Quando levanto a cabeça e olho para ele, está a sorrir-me.

– Quero saber. Para poder bater em quem quer que tenha sido até o deixar desfeito.

146

Rio-me.

— Bem, a primeira vez...

— A primeira vez! Há mais do que um sacana? — rosna ele.

Volto a rir-me.

— Porque está tão surpreendido, Mr. Grey?

Ele franze o sobrolho por um instante, passa a mão pelo cabelo e depois encara-me como se me visse a uma luz completamente distinta. Encolhe os ombros.

— Estou, só isso. Quero dizer... dada a tua falta de experiência.

Coro.

— Não há dúvida que tenho compensado desde que te conheci.

— Pois tens. — Sorri. — Conta-me. Quero saber.

Fito-lhe os olhos cinzentos pacientes, tentando avaliar a sua disposição. Será que isto o vai deixar furioso, ou quererá genuinamente saber? Não quero que amue... é impossível lidar com ele quando amua.

— Queres mesmo que te conte?

Ele acena lentamente com a cabeça e nos seus lábios baila um sorriso divertido e arrogante.

— Passei uma temporada muito curta no Texas com a minha mãe e o Marido Número Três. Andava no décimo ano. Ele chamava-se Bradley e era meu parceiro de laboratório em Física.

— Que idade tinhas?

— Quinze.

— E o que é que ele faz agora?

— Não sei.

— E até onde é que foram?

— Christian! — censuro-o.

E, de repente, ele agarra-me os joelhos, depois os tornozelos, e faz-me cair de costas no sofá. Desliza suavemente para cima de mim, prendendo-me debaixo do seu corpo, com uma perna entre as minhas. É tudo tão súbito que grito, surpreendida. Ele agarra-me as mãos e põe-mas acima da cabeça.

— Então, este Bradley... beijou-te? — murmura ele, passando o nariz pelo meu. Dá-me beijos delicados no canto da boca.

— Sim — murmuro contra a sua boca.

Solta-me uma mão para me agarrar o queixo e impedir-me de o mover enquanto a sua língua me invade a boca, e eu rendo-me ao beijo ardente.

– Assim? – sussurra quando levanta a cabeça para respirar.

– Não... nada assim – consigo dizer enquanto todo o sangue do meu corpo viaja para sul.

Soltando-me o queixo, desce a mão pelo meu corpo e volta até me tocar num seio.

– Fez-te isto? Tocou-te assim?

O polegar dele roça-me um mamilo, por cima do *top*, ao de leve, várias vezes, com o seu toque experiente a fazê-lo intumescer.

– Não.

Contorço-me debaixo dele.

– Apalpou-te? – murmura-me ao ouvido.

A sua mão desce-me pelas costelas, passa pela cintura e chega à anca. Morde-me o lóbulo da orelha e puxa delicadamente.

– Não – sussurro.

Na televisão, Mulder diz qualquer coisa acerca dos criminosos mais procurados pelo FBI.

Christian detém-se, ergue-se e carrega no botão do "mute".

– E o Zé-ninguém Número Dois? Fez mais do que apalpar-te?

Os seus olhos estão ardentes... zangados? Excitados? É difícil perceber. Passa para o meu lado e enfia a mão dentro das minhas calças de ginástica.

– Não – sussurro, avassalada pelo seu olhar carnal.

Christian esboça um sorriso matreiro.

– Bom. – A mão dele cobre-me o sexo. – Não tem roupa interior, Mrs. Grey. Aprovo.

Beija-me de novo enquanto os seus dedos fazem mais magia, o polegar a roçar-me o clítoris, provocando-me, enquanto ele insere o dedo indicador dentro de mim com uma lentidão deliciosa.

– Devíamos estar a curtir – gemo.

Christian imobiliza-se.

– Pensava que estávamos...

– Não. Nada de sexo.

– O quê?

– Nada de sexo...

– Nada de sexo, hã? – Tira a mão das minhas calças. – Toma.

Percorre-me os lábios com o dedo indicador e eu sinto o líquido espesso e salgado. Insere-me o dedo na boca, replicando o que estava a fazer um instante antes. Depois muda de posição e fica entre as minhas pernas, com a ereção a fazer pressão contra o meu corpo. Investe uma, duas vezes, outra vez. Arquejo, pois o tecido das minhas calças esfrega-se-me no corpo da maneira certa. Ele volta a empurrar, a roçar-se em mim.

– É isto que queres? – murmura ele e vai movendo as ancas ritmicamente, como se se embalasse contra mim.

– Sim – gemo.

A sua mão torna a concentrar-se no meu mamilo e os seus dentes rasam-me o maxilar.

– Tens noção de quão sensual és, Ana?

Está com a voz rouca enquanto se roça com mais força em mim. Abro a boca para proferir uma resposta mas falho redondamente, gemendo bem alto. Ele volta a capturar-me a boca, puxa-me o lábio inferior com os dentes antes de, mais uma vez, enfiar a língua. Solta-me o outro pulso e as minhas mãos lançam-se avidamente aos seus ombros e cabelo enquanto me beija. Quando lhe puxo o cabelo, ele geme e olha-me nos olhos.

– Ah...

– Gostas que te toque? – sussurro.

O seu cenho franze-se por um instante, como se não percebesse a pergunta. Para de se mexer contra o meu corpo.

– Claro que sim. Adoro que me toques, Ana. Sou como um homem faminto num banquete, no que diz respeito ao teu toque. – Há uma sinceridade apaixonada a ressoar-lhe na voz.

Com o caraças...

Ajoelha-se entre as minhas pernas e senta-me para me tirar o *top*. Não tenho nada por baixo. Agarrando na bainha da camisa, puxa-a pela cabeça e atira-a para o chão, após o que me puxa para o seu colo, ainda de joelhos, ficando com os braços à minha volta, mesmo acima do meu traseiro.

– Toca-me – sussurra.

Oh, céus... Hesitante, levanto uma mão e as minhas pontas dos dedos ultrapassam os pelos do peito dele e tocam-lhe no esterno, nas cicatrizes de queimaduras. Ele inspira profundamente e as suas pupilas dilatam-se, mas não de medo. É uma reação sensual ao meu toque. Observa-me atentamente enquanto os meus dedos deslizam com delicadeza pela sua pele, indo primeiro até um mamilo e depois até ao outro. Arrepiam-se sob as minhas carícias. Debruçando-me, dou-lhe beijos suaves no peito e as minhas mãos sobem até aos seus ombros, sentindo as linhas duras e esculturais dos tendões e dos músculos. Uau... ele está em forma.

– Quero-te – murmura ele, e é luz verde para a minha libido. Os meus dedos passam para o cabelo, puxando-lhe a cabeça para trás para poder apoderar-me da sua boca enquanto um fogo quente e alto me arde no baixo-ventre. Ele geme e empurra-me de novo para o sofá. Senta-se e arranca-me as calças, abrindo o fecho das suas ao mesmo tempo. – Até ao fim – sussurra e, agilmente, preenche-me.

– Ah... – gemo e ele imobiliza-se, agarrando-me a cara entre as mãos.

– Amo-a, Mrs. Grey – murmura e, muito devagar, muito delicadamente, faz amor comigo até eu rebentar pelas costuras, gritando o seu nome e abraçando-o, não querendo nunca libertá-lo.

Fico deitada em cima do peito dele. Estamos no chão da sala da televisão.

– Sabes, nem passámos pela fase do sexo oral.

Os meus dedos percorrem-lhe a linha dos peitorais. Ele ri-se.

– Fica para a próxima.

Dá-me um beijo no cocuruto. Olho para o ecrã do televisor, onde estão a passar os créditos finais dos *Ficheiros Secretos*. Christian estica o braço para chegar ao comando e volta a ligar o som.

– Gostavas dessa série? – pergunto-lhe.

– Quando era miúdo.

Oh... Christian em criança... *kickboxing, Ficheiros Secretos* e nada de toques.

– E tu? – pergunta ele.

– Passou antes do meu tempo.

– És tão nova. – Christian esboça um sorriso ternurento. – Gosto de curtir consigo, Mrs. Grey.

– É recíproco, Mr. Grey. – Beijo-lhe o peito e deixamo-nos ficar em silêncio, a ver o fim dos *Ficheiros Secretos* e os anúncios que se seguem.

– Foram três semanas paradisíacas. Independentemente de perseguições, incêndios e ex-patrões psicopatas. Foi como estar numa bolha só nossa.

– Hum – murmura Christian com a garganta. – Não sei se já estou preparado para te partilhar com o resto do mundo.

– Amanhã voltamos à realidade – digo eu, tentando não deixar que a melancolia se revele na minha voz.

Christian suspira e passa a outra mão pelo cabelo.

– Vamos ter muita segurança...

Tapo-lhe a boca com um dedo. Não quero voltar a ouvir este sermão.

– Eu sei. Vou portar-me bem. Prometo. – O que me traz à memória... Mudo de posição, apoiando-me nos cotovelos para o ver melhor.
– Porque estavas a gritar com o Sawyer?

Ele retesa-se de imediato. *Oh, merda.*

– Porque fomos seguidos.

– O Sawyer não teve culpa disso.

Ele olha para mim com uma expressão contida.

– Eles nunca te deveriam ter deixado ganhar tanta distância deles. Eles sabem-no.

A culpa faz-me corar e volto à posição anterior, a descansar sobre o peito dele. A culpa foi minha. Eu queria afastar-me deles.

– Isso não...

– Basta! – Christian mostra-se subitamente brusco. – Isto não está aberto a discussão, Anastasia. É um facto e eles não vão permitir que torne a acontecer.

Anastasia! Sou Anastasia quando estou em apuros, tal como em casa com a minha mãe.

– Ok – balbucio, para o apaziguar. Não quero discutir. – O Ryan apanhou a mulher do *Dodge*?

– Não. E não estou convencido de que fosse uma mulher.

– Oh? – Volto a levantar a cabeça.

– O Sawyer viu alguém com o cabelo apanhado, mas foi um olhar de relance. Partiu do princípio de que fosse uma mulher. Agora, dado que identificaste aquele cabrão, se calhar era ele. Usava o cabelo assim. – O desagrado na sua voz é palpável.

Não sei o que pensar desta notícia. Christian passa a mão pelas minhas costas nuas, o que me distrai.

– Se alguma coisa te acontecesse... – murmura ele, com os olhos enormes e sérios.

– Eu sei – sussurro eu. – Sinto o mesmo em relação a ti.

A ideia faz-me estremecer.

– Anda. Estás a ficar com frio – diz-me, sentando-se. – Vamos para a cama. Podemos resolver a questão do sexo oral lá.

Descreve um sorriso lascivo, tão inconstante como sempre: apaixonado, zangado, ansioso, *sexy*... o meu Cinquenta Sombras. Dou-lhe a mão e ele levanta-me e, completamente nua, sigo-o pelo salão até ao quarto.

Na manhã seguinte, Christian aperta-me a mão quando estacionamos em frente à SIP. Ele parece mesmo um executivo poderoso no seu fato azul-escuro, com a gravata a condizer, e eu sorrio. Não se vestia tão bem desde que fomos assistir ao *ballet* em Monte Carlo.

– Sabes que não tens de fazer isto? – murmura ele.

Sinto-me tentada a revirar os olhos.

– Eu sei – sussurro, pois não quero que Sawyer e Ryan, sentados nos lugares da frente do *Audi*, me ouçam. Ele franze o sobrolho e eu sorrio. – Mas quero – continuo. – Tu sabes. – Estico-me e beijo-o. – O seu sobrolho não deixa de estar franzido. – O que se passa?

Ele lança um olhar inseguro a Ryan enquanto Sawyer sai do carro.

– Vou sentir falta de te ter só para mim.

Acaricio-lhe o rosto.

– Eu também. – Beijo-o. – Foi uma lua de mel maravilhosa. Obrigada.

– Vá lá trabalhar, Mrs. Grey.

– O senhor também, Mr. Grey.

Sawyer abre-me a porta. Aperto a mão de Christian uma última vez antes de sair para o passeio. Ao encaminhar-me para o edifício, despeço-me com um pequeno aceno. Sawyer mantém a porta aberta e segue-me para o interior.

– Olá, Ana – cumprimenta-me Claire, sentada à receção, com um sorriso.

– Olá, Claire – sorrio-lhe também.

– Estás com um ar maravilhoso. Foi uma boa lua de mel?

– De sonho, obrigada. Como têm estado as coisas por aqui?

– O velho Roach está na mesma, mas a segurança foi aumentada e a nossa sala do servidor está a ser remodelada. Mas a Hannah vai contar-te.

Claro que vai. Despeço-me de Claire com um sorriso amistoso e avanço para o meu gabinete.

Hannah é a minha assistente. É alta, magra e tão eficiente que por vezes me parece um pouco intimidante. Mas trata-me bem, apesar de ser dois anos mais velha do que eu. Tem o meu *latte* à minha espera – é o único café que a deixo ir buscar-me.

– Olá, Hannah – cumprimento-a num tom caloroso.

– Ana, como foi a lua de mel?

– Fantástica. Toma... isto é para ti.

Pouso o pequeno frasco de perfume que lhe comprei na secretária dela e Hannah bate palmas, muito contente.

– Oh, obrigada! – agradece com entusiasmo. – Deixei a correspondência mais urgente na tua secretária e o Roach quer ver-te às dez. Por ora é tudo o que tenho a reportar.

– Bom. Obrigada. E obrigada pelo café.

Avanço até ao meu gabinete, pouso a pasta na secretária e olho para as cartas empilhadas. Tenho muito que fazer.

Pouco antes das dez, ouço uma batida tímida na porta.

– Entre.

Elizabeth espreita pela porta entreaberta.

– Olá, Ana. Só queria dar-te as boas-vindas.

– Olá. Devo confessar que, a ler esta correspondência toda, tenho vontade de estar ainda no Sul de França.

Elizabeth ri-se, mas a sua gargalhada é forçada e eu inclino a cabeça de lado e olho para ela como Christian por vezes olha para mim.

– Fico contente por teres chegado bem – diz ela. – Vemo-nos daqui a uns minutos na reunião com o Roach.

– Ok – murmuro, quando ela fecha a porta atrás de si.

Franzo o sobrolho, fitando a porta fechada. *O que foi aquilo?* Encolho os ombros e ignoro-o. Ouço o som da chegada de um *e-mail* – é uma mensagem de Christian.

———

De: Christian Grey
Assunto: Esposas Errantes
Data: 22 agosto 2011 09:56
Para: Anastasia Steele

Mulher,

Enviei o *e-mail* abaixo e voltou para trás.
E é porque não mudaste o teu apelido.
Há alguma coisa que queiras contar-me?

Christian Grey
CEO, Grey Enterprises Holdings, Inc.

Mensagem Reencaminhada:

De: Christian Grey
Assunto: Esposas Errantes
Data: 22 agosto 2011 09:32
Para: Anastasia Grey

Mrs. Grey,

Adoro curtir consigo de todas as maneiras.
Que tenha um excelente dia de regresso ao trabalho.

Já sinto a falta da nossa bolha.

Bj

Christian Grey
CEO de Volta ao Mundo Real, Grey Enterprises Holdings, Inc.

———

Merda. Carrego de imediato no botão de resposta.

———

De: Anastasia Steele
Assunto: Não Rebentes a Bolha
Data: 22 agosto 2011 09:58
Para: Christian Grey

Marido,

O prazer foi todo meu, Mr. Grey.
Quero manter o meu apelido aqui.
Explico-te logo à noite.
Agora vou para uma reunião.
Também sinto a falta da nossa bolha...

PS: Julguei que tinha de usar o meu BlackBerry?

Anastasia Steele
Editora, SIP

———

Isto vai ser uma discussão e tanto. Pressinto-o. A suspirar, junto os meus papéis para a reunião.

A reunião dura duas horas. Todos os editores estão presentes, bem como Roach e Elizabeth. Falamos do pessoal, de estratégia, de *marketing*, de segurança e do fecho do ano. À medida que a reunião progride, eu vou ficando cada vez mais desconfortável. Há uma mudança subtil na forma como os meus colegas me tratam – uma distância e uma deferência que não existia antes de eu partir em lua de mel. E, da parte de Courtney, que dirige a área de não-ficção, há uma hostilidade patente. Talvez esteja apenas a ser paranoica, mas explica a estranha saudação de Elizabeth hoje de manhã.

Os meus pensamentos regressam ao iate, depois ao quarto do prazer e em seguida ao *R8* a acelerar à frente do *Dodge* misterioso, na I-5. Talvez Christian tenha razão... talvez eu não possa continuar a fazer isto. A ideia é deprimente – isto é tudo o que eu sempre quis fazer. Se não puder fazê-lo, o que farei? Enquanto volto para o meu gabinete, tento livrar-me dos pensamentos sombrios.

Quando me sento à secretária, verifico rapidamente os *e-mails*. Nenhum de Christian. Verifico também o BlackBerry... nada. Bom. Ao menos não obtive uma reação adversa ao meu *e-mail*. Talvez discutamos esta questão logo à noite, conforme lhe pedi. Tenho alguma dificuldade em acreditar nisso, mas, ignorando a sensação desagradável, abro o plano de *marketing* que me deram na reunião.

Como é costume às segundas-feiras, Hannah entra no meu gabinete com uma bandeja com o almoço que Mrs. Jones teve a cortesia de preparar e almoçamos juntas, discutindo o que pretendemos alcançar durante a semana. Ela atualiza-me também acerca dos mexericos do escritório, sobre os quais – tendo em conta que passei três semanas fora – estou realmente pouco informada. A meio da conversa, alguém bate à porta.

– Entre.

Roach abre a porta e, a seu lado, encontra-se Christian. Por um instante, fico estupefacta. Christian lança-me um olhar abrasador e entra, antes de dirigir um sorriso educado a Hannah.

– Olá, deve ser a Hannah. Sou Christian Grey – apresenta-se ele.

Hannah apressa-se a levantar-se e estende-lhe a mão.

– Mr. Grey. M-muito prazer em conhecê-lo – gagueja ela enquanto se cumprimentam com um aperto de mão. – Posso trazer-lhe um café?

– Agradeço – diz ele num tom caloroso.

Depois de me lançar um olhar intrigado, ela sai do gabinete passando por Roach, que está tão estupefacto quanto eu à entrada do gabinete.

– Se me der licença, Roach, gostaria de trocar umas palavras com Miss Steele – Christian silva o *S* a sibilar... num tom sarcástico.

É por isso que está aqui... Oh, merda.

– Com certeza, Mr. Grey – balbucia Roach, fechando a porta ao sair.

Recupero a capacidade de falar.

– Mr. Grey, que agradável vê-lo – digo com um sorriso demasiado adocicado.

– *Miss* Steele, posso sentar-me?

– A empresa é sua.

Aponto para a cadeira que Hannah desocupou.

– Sim, é.

Lança-me um sorriso lupino que não lhe abarca os olhos. Fala num tom entrecortado. Está muitíssimo tenso – sinto a tensão dele à minha volta. *Merda.* Fico desalentada.

– O teu gabinete é muito pequeno – diz ele enquanto se senta em frente à minha secretária.

– Chega-me.

Fita-me com um olhar neutro, mas eu sei que está furioso. Inspiro profundamente. Isto não vai ser divertido.

– Então, o que posso fazer por ti, Christian?

– Estou só a zelar pelas minhas mais-valias.

– As tuas mais-valias? Todas elas?

– Todas. Algumas precisam de *rebranding*.

– *Rebranding?* Como assim?

– Acho que tu sabes. – A sua voz está ameaçadoramente baixa.

– Por favor... não me digas que interrompeste o teu dia de trabalho ao fim de três semanas de ausência para vires aqui e discutires comigo por causa do meu apelido.

Eu não sou a porra de uma mais-valia!

Ele muda de posição e cruza as pernas.

– Não vim bem para discutir, não.

– Christian, estou a trabalhar.

– A mim pareceu-me que estavas a coscuvilhar com a tua assistente. Fico com as faces quentes.

– Estávamos a ver a agenda da semana – riposto. – E tu não respondeste à minha pergunta.

Batem à porta.

– Entre! – grito, demasiado alto.

Hannah abre a porta e traz um pequeno tabuleiro. Leiteira, açucareiro, café numa cafeteira de êmbolo – esforçou-se ao máximo. Pousa o tabuleiro na minha secretária.

– Obrigada, Hannah – balbucio, envergonhada por ter gritado tão alto.

– Precisa de mais alguma coisa, Mr. Grey? – pergunta ela, afogueada. Tenho vontade de revirar os olhos.

– Não, obrigado. É tudo.

Fita-a com o seu sorriso estonteante que faz cair cuecas. Ela cora e sai a requebrar-se. Christian volta a concentrar-se em mim.

– Agora, *Miss* Steele, onde íamos?

– Estavas a interromper-me grosseiramente o dia para discutires comigo acerca do meu nome.

Christian pestaneja uma vez – surpreendido, parece-me, pela veemência na minha voz. Com um gesto destro, tira um pedaço invisível de cotão do joelho com os seus dedos longos e ágeis. Distrai-me. Está a fazê-lo de propósito. Fito-o com os olhos semicerrados.

– Gosto de fazer visitas inesperadas. Mantém as administrações alerta, as esposas nos seus lugares. Sabes como é.

Encolhe os ombros, com a boca contraída numa linha arrogante. *Esposas nos seus lugares!*

– Não fazia ideia de que podias despender esse tempo – replico. Os seus olhos gelam.

– Porque não queres mudar o teu apelido aqui? – pergunta-me, num tom calmo como a morte.

– Christian, temos de discutir isto agora?

– Estou aqui. Não vejo porque não.

– Tenho uma tonelada de trabalho para fazer, por ter passado três semanas fora.

O seu olhar está fleumático e avaliador – até distante. Maravilha-me o facto de poder parecer tão frio depois da noite passada, depois das últimas três semanas. *Merda*. Deve estar furioso – mesmo furioso. Quando aprenderá a não ter reações exageradas?

– Tens vergonha de mim? – pergunta-me, num tom ilusoriamente suave.

– Não! Christian, é claro que não. – Faço um esgar. – Faço isto por mim... não é por tua causa.

Caramba, por vezes é exasperante. Um megalómano tolo e assoberbante.

– Como é que pode não ser por minha causa?

Inclina a cabeça para o lado, genuinamente perplexo, e parte do seu distanciamento desaparece enquanto me fita com os olhos bem abertos, altura em que me apercebo de que está magoado. *Grande merda*. Feri-lhe os sentimentos. Oh, não... é a última pessoa que eu quero magoar. Tenho de o fazer perceber os meus motivos. Tenho de lhe explicar o que me levou a esta decisão.

– Christian, quando aceitei este emprego, tinha acabado de te conhecer – digo num tom paciente, debatendo-me por encontrar as palavras certas. – Não sabia que ias comprar a empresa...

O que posso dizer acerca desse episódio da nossa breve história? As razões perturbadas que o levaram a fazê-lo... a sua mania do controlo, as suas tendências de perseguidor descontroladas e com rédea completamente livre por ser tão abastado. Sei que quer manter-me segura, mas é o próprio facto de se ter tornado proprietário da SIP que representa o problema fundamental em jogo. Se nunca tivesse interferido, eu continuaria como antes e não teria de enfrentar as recriminações ressentidas e sussurradas dos meus colegas. Ponho a cabeça entre as mãos só para interromper o contacto visual com ele.

– Porque é que isto é tão importante para ti? – pergunto, tentando desesperadamente conter os nervos em franja.

Volto a levantar a cabeça e fito o seu olhar impassível, os seus olhos luminosos que nada revelam, tendo já ocultado a dor que antes mostravam.

Porém, mesmo ao fazer a pergunta, no meu íntimo sei a resposta ainda antes de ele a dizer:

– Quero que toda a gente saiba que és minha.

– Eu sou tua... olha.

Levanto a mão esquerda para lhe mostrar a aliança e o anel de noivado.

– Isso não chega.

– Ter casado contigo não chega? – A minha voz não é mais do que um sussurro.

Ele pestaneja, apercebendo-se da minha expressão horrorizada. O que posso dizer mais? Que mais posso fazer?

– Não era isso que queria dizer – riposta ele e passa uma mão pelo cabelo mais comprido do que o habitual e que lhe cai para a testa.

– O que queres dizer?

Ele engole em seco.

– Quero que o teu mundo comece e acabe em mim – diz com uma expressão crua.

O comentário dele deixa-me completamente de rastos. É como se me tivesse dado um murro com força no estômago, que me fizesse ficar sem fôlego. E volto a ver o pequeno rapaz assustado, de cabelo cor de cobre e olhos castanhos, a usar roupas sujas, que não combinam e não lhe servem.

– E é isso que acontece – respondo sem falsidade, pois é verdade. – Estou apenas a tentar construir uma carreira e não quero fazer-me valer do teu nome. Tenho de fazer *alguma coisa*, Christian. Não posso ficar aprisionada no Escala ou na casa nova sem nada que fazer. Vou dar em louca. Vou sufocar. Sempre trabalhei e gosto disto. É o meu emprego de sonho; é tudo o que sempre quis. Mas isso não quer dizer que te ame menos. És o meu mundo.

Fico com um aperto na garganta e lágrimas a arderem-me nos olhos. Não posso chorar, não aqui. Repito-o mentalmente vezes sem conta. *Não posso chorar. Não posso chorar.*

Ele fita-me, sem dizer nada. Depois franze o sobrolho como se considerasse aquilo que acabei de dizer.

– Eu sufoco-te? – Fala com uma voz fria, repetindo uma pergunta que já me tinha feito.

– Não... sim... não.

Que conversa tão exasperante... não a queria ter aqui e agora. Fecho os olhos e esfrego a testa, tentando perceber como chegámos a este ponto.

– Olha, estamos a falar do meu nome. Quero manter o meu apelido aqui porque quero que haja alguma distância entre nós... mas só aqui, apenas isso. Sabes que toda a gente acha que eu consegui este emprego por tua causa, quando a verdade é que...

Interrompo-me quando ele arregala os olhos. *Oh, não... terá sido por causa dele?*

– Queres saber porque conseguiste o emprego, Anastasia?

Anastasia? Merda.

– O quê? O que queres dizer?

Ele muda de posição na cadeira como se estivesse a preparar-se. Quererei saber?

– A gestão daqui deu-te a posição do Hyde com a intenção de que fosse temporária. Não queriam incorrer na despesa de contratarem um diretor quando a empresa estava prestes a ser comprada. Não faziam ideia do que o novo proprietário faria quando tomasse conta da empresa e, o que é sensato, não queriam ter uma redundância dispendiosa. Por isso, deram-te o lugar do Hyde para que o ocupasses até o novo proprietário... – Faz uma pausa e surge-lhe um sorriso irónico nos lábios – ...ou seja, eu, decidisse o que fazer.

Grande porra!

– O que estás a dizer?

Então *foi* por causa dele. *Merda!* Estou horrorizada.

Ele sorri e abana a cabeça perante a minha expressão alarmada.

– Relaxa. Mostraste que estás mais do que à altura do desafio. Saíste-te muito bem. – Há um laivo mínimo de orgulho na sua voz, o que quase basta para me vencer.

– Oh – balbucio, absorvendo a novidade.

Endireito-me na cadeira, boquiaberta e a fitá-lo. Ele volta a mudar de posição.

– Não quero sufocar-te, Ana. Não quero prender-te numa gaiola dourada. Bem... – Interrompe-se, ficando com uma expressão mais sombria. – Bem, a parte racional de mim não quer.

Afaga o queixo com um ar pensativo enquanto a sua mente congemina um plano qualquer.

Oh, onde é que ele quer chegar com isto? Christian levanta a cabeça subitamente, como se tivesse tido um momento *eureka*.

— Portanto, um dos motivos que me traz cá... para além de lidar com a minha mulher errante — diz ele, estreitando os olhos —, é discutir o que vou fazer com esta empresa.

Mulher errante! Não sou errante e não sou uma mais-valia! Volto a lançar-lhe um olhar zangado e a ameaça das lágrimas desaparece.

— Então quais são os teus planos?

Inclino a cabeça para o lado e não sou capaz de evitar um tom sarcástico. Os lábios dele contorcem-se com um sorriso ténue. Uau — mais uma mudança de humor! Como é que poderei alguma vez manter-me a par do Sr. Inconstante?

— Vou mudar o nome da empresa... para Grey Publishing.

Grande merda.

— E daqui a um ano será tua.

O queixo torna a cair-me — mais, desta vez.

— É a minha prenda de casamento para ti.

Volto a fechar a boca, depois abro-a, tentando articular qualquer coisa — mas me sai nada. Tenho a mente em branco.

— Então, preciso de mudar o nome para Steele Publishing?

Ele está a falar a sério. Com o caraças.

— Christian — sussurro quando o meu cérebro finalmente restabelece a ligação à boca. — Deste-me um relógio... não posso gerir um negócio.

Ele inclina a cabeça para o outro lado e franze o sobrolho, censurando-me.

— Eu giro o meu próprio negócio desde os vinte e um anos.

— Mas tu és... tu. Um maníaco do controlo, um extraordinário menino prodígio. Caramba, Christian, frequentaste economia em Harvard antes de teres desistido da faculdade. Ao menos tinhas alguma noção de como as coisas funcionavam. Eu vendi tintas e cabos durante três anos, em *part-time*, por amor de Deus. Vi muito pouco do mundo e não sei quase nada! — A minha voz vai aumentando de volume e ficando mais aguda até ter completado a tirada.

– E, de todas as pessoas que conheço, também és a que mais lê – contrapõe ele com sinceridade. – Adoras um bom livro. Não esqueceste o trabalho durante a nossa lua de mel. Quantos manuscritos leste? Quatro?

– Cinco – sussurro.

– E escreveste relatórios aturados sobre todos. És uma mulher muito inteligente, Anastasia. Tenho a certeza de que serás capaz.

– És louco?

– Por ti.

E eu resfolego porque é a única coisa que me sai. Ele semicerra os olhos.

– Vais ser motivo de riso. Comprares uma empresa para a mulherzinha, que só há uns meses tem um emprego a tempo inteiro.

– Achas que quero saber o que pensam os outros? Para além disso, não estarás sozinha.

Fito-o, boquiaberta. Desta vez, perdeu mesmo o juízo.

– Christian, eu...

Ponho a cabeça entre as mãos – as minhas emoções andam às voltas como numa máquina de lavar roupa. *Será que ele é louco?* E, de algum lugar profundo e escuro dentro de mim, surge uma vontade repentina e desapropriada de me rir. Quando volto a olhar para ele, os seus olhos arregalam-se.

– Algo está a diverti-la, Miss Steele?

– Sim. Tu.

Os seus olhos abrem-se mais, chocados mas também divertidos.

– A rir-se do seu marido? Isso não pode ser. E está a morder o lábio.

Fica com os olhos mais escuros... daquela maneira. Oh, não – conheço aquele olhar. Abrasador, sedutor, libertino... Não, não, não! Não aqui.

– Nem penses nisso – aviso-o, com um alarme claro na voz.

– Pensar em quê, Anastasia?

– Conheço esse olhar. Estamos a trabalhar.

Ele inclina-se para a frente, com os olhos grudados nos meus, cinza derretida e faminta. *Grande merda.* Instintivamente, engulo em seco.

– Estamos num gabinete pequeno e relativamente à prova de som, que tem uma porta que pode ser trancada – sussurra ele.

– Que torpeza de moral sórdida. – Pronuncio cada palavra com cuidado.

– Não com o teu marido.

– Com o chefe do chefe do meu chefe – silvo.

– És a minha mulher.

– Christian, não. Estou a falar a sério. Podes foder-me com todas as sombras logo à noite. Mas agora não. Não aqui!

Ele pestaneja e volta a estreitar os olhos. Depois, inesperadamente, ri-se.

– Com todas as sombras? – Ele arqueia uma sobrancelha, intrigado. – Sou capaz de a obrigar a cumprir isso, Miss Steele.

– Oh, para de me chamar Miss Steele! – riposto e bato na mesa, o que nos sobressalta aos dois. – Por amor de Deus, Christian. Se é assim tão importante para ti, eu mudo o meu apelido!

A sua boca abre-se de repente enquanto ele inspira profundamente. E depois sorri, radiante e feliz, a mostrar todos os dentes. *Uau…*

– Bom.

Bate com as mãos uma na outra e, subitamente, levanta-se.

E agora?

– Missão cumprida. Agora, tenho trabalho à minha espera. Com a sua licença, Mrs. Grey.

Ah! Este homem é tão enlouquecedor!

– Mas…

– Mas o quê, Mrs. Grey?

Deixo-me abater na cadeira.

– Vai-te embora.

– É o que tenciono fazer. Vemo-nos logo à noite. Estou ansioso por todas as sombras.

Faço um esgar.

– Oh, e vou ter uma data de eventos sociais relacionados com trabalho e gostava de que me acompanhasses.

Fito-o, boquiaberta. *Não podes simplesmente ir embora?*

– Vou dizer à Andrea que ligue à Hannah para inserir as datas no teu calendário. Há umas quantas pessoas que precisas de conhecer. Deves incumbir a Hannah de tratar da tua agenda doravante.

– Ok – balbucio, completamente absorta, espantada e chocada.

Ele apoia-se na minha secretária e debruça-se. *O que foi agora?* Sou capturada pelo seu olhar hipnótico.

– Adoro negociar consigo, Mrs. Grey. – Inclina-se mais e eu fico paralisada enquanto me dá um beijo suave nos lábios. – Adeusinho, querida – murmura.

Endireita-se abruptamente, pisca-me o olho e sai.

Eu encosto a cabeça à secretária, sentindo que fui atropelada por um comboio de mercadorias – um comboio de mercadorias que é o meu querido marido. Tem de ser o homem mais frustrante, irritante e contrariador deste planeta. Endireito-me e esfrego freneticamente os olhos. *Com que acabei de concordar?* Ok, Ana Grey a gerir a SIP – quero dizer, a Grey Publishing. O homem é louco. Batem à porta: Hannah espreita.

– Estás bem? – pergunta ela.

Limito-me a fitá-la. Ela franze o sobrolho.

– Eu sei que não gostas que eu faça isto... mas posso preparar-te chá?

Aceno com a cabeça.

– *Twinings English Breakfast,* fraco e sem açúcar?

Aceno mais uma vez.

– É para já, Ana.

Fito o ecrã do meu computador com um ar absorto, ainda em estado de choque. Como posso fazê-lo compreender? *E-mail!*

De: Anastasia Steele
Assunto: NÃO SOU UMA MAIS-VALIA!
Data: 22 agosto 2011 14:23
Para: Christian Grey

Mr. Grey,

Da próxima vez que vier visitar-me, marque uma reunião, para que eu possa estar ao menos de sobreaviso em relação à sua megalomania adolescente e assoberbante.

Sua,

Anastasia Grey < ——— por favor, repare no apelido.
Editora, SIP

———

De: Christian Grey
Assunto: Com Todas as Sombras
Data: 22 agosto 2011 14:34
Para: Anastasia Steele

Minha querida Mrs. Grey (ênfase em "Minha"),

O que posso dizer em minha defesa? Estava por perto.
E não, não é uma mais-valia, é a minha adorada mulher.
Como sempre, alegra-me o dia.

Christian Grey
CEO & Megalómano Assoberbante, Grey Enterprises Holdings, Inc.

———

Ele está a tentar ser engraçado, mas eu não estou com vontade nenhuma de rir. Inspiro profundamente e regresso à minha correspondência.

Christian está silencioso quando entro no carro, ao final da tarde.
– Olá – murmuro.
– Olá – responde ele, num tom receoso... como devia.
– Perturbaste o trabalho de mais alguém, hoje? – pergunto, num tom demasiado doce.
Um sorriso ténue baila-lhe no rosto.
– Só o do Flynn.
Oh.

– Da próxima vez que fores vê-lo, vou dar-te uma lista de tópicos que quero que cubram – silvo.

– Parece um pouco em baixo, Mrs. Grey.

Continuo a fitar as nucas de Ryan e Sawyer, sentados nos lugares da frente. Christian, ao meu lado, muda de posição.

– Então – diz ele numa voz suave, ao mesmo tempo que me dá a mão.

Durante toda a tarde, quando deveria concentrar-me no meu trabalho, estive a tentar concluir o que haveria de lhe dizer. Contudo, a cada hora que passava, fui ficando mais e mais zangada. Já estou farta do seu comportamento cavalheiresco, petulante e francamente infantil. Afasto a mão da dele.

– Estás zangada comigo? – sussurra.

– Sim – sibilo.

Cruzando os braços, numa pose defensiva, espreito pela janela. Ele torna a mudar de posição, mas eu não me permito olhar para ele. Não compreendo porque estou tão zangada com ele – mas estou. Mesmo zangada, caramba.

Assim que estacionamos em frente ao Escala, quebro o protocolo e salto do carro com a minha pasta. Entro no edifício a bater com os pés, sem me preocupar em ver quem me segue. Ryan apressa-se a entrar no átrio e a ultrapassar-me para carregar no botão do elevador.

– O que foi? – pergunto-lhe agressivamente quando o alcanço. Ele fica vermelho.

– Peço desculpa, minha senhora – balbucia ele.

Christian chega e posta-se ao meu lado à espera do elevador, ao que Ryan se afasta.

– Então não é só comigo que estás zangada? – murmura Christian com secura.

Eu lanço-lhe um olhar furioso e reparo no seu leve sorriso.

– Estás a rir-te de mim?

Estreito os olhos.

– Não me atreveria – diz ele, erguendo as mãos como se eu o ameaçasse com uma arma.

Ele está no seu fato azul-escuro, com um ar fresco e limpo, com cabelo de queca e uma expressão inocente.

— Tens de cortar o cabelo — resmungo. Virando-lhe costas, entro no elevador.

— Tenho? — diz ele, enquanto afasta o cabelo da testa. Segue-me para o elevador.

— Sim. — Marco o código do nosso apartamento no teclado.

— Então já falas comigo?

— O indispensável.

— Mas por que motivo ao certo estás zangada? Preciso de uma indicação — pergunta num tom cauteloso.

Eu viro-me e olho para ele, boquiaberta.

— Não fazes mesmo ideia? De certeza que uma pessoa tão brilhante quanto tu deve ter alguma noção do que se passa! Não acredito que sejas tão obtuso.

Ele dá um passo alarmado atrás.

— Estás mesmo furiosa. Pensava que tínhamos resolvido tudo isto no teu gabinete — murmura ele, perplexo.

— Christian, eu limitei-me a capitular perante as tuas exigências petulantes. Nada mais.

As portas do elevador abrem-se e eu saio de rompante. Taylor está no corredor. Dá um passo atrás e apressa-se a fechar a boca quando passo por ele a fumegar.

— Olá, Taylor — resmoneio.

— Mrs. Grey — murmura ele.

Largo a pasta à entrada e passo pela ampla sala. Mrs. Jones está ao fogão.

— Boa noite, Mrs. Grey.

— Olá, Mrs. Jones — resmungo.

Vou direta ao frigorífico e tiro uma garrafa de vinho branco. Christian segue-me até à cozinha e observa-me como um falcão enquanto eu tiro um copo do armário. Ele despe o casaco e, sem cerimónia, pousa-o em cima da bancada.

— Queres uma bebida? — pergunto num tom superdoce.

— Não, obrigado — diz ele, sem desviar o olhar de mim, e eu percebo que ele está às aranhas. Não sabe o que fazer comigo. De certa forma, é cómico, mas também é trágico. *Bem, ele que se lixe!* Estou a ter dificuldades em localizar a minha compaixão desde a nossa reunião do início da tarde. Lentamente, ele tira a gravata e desabotoa o colarinho da camisa. Sirvo-me de um grande copo de *sauvignon blanc* e Christian passa uma mão pelo cabelo. Quando me viro, Mrs. Jones desapareceu. *Merda!* Ela é o meu escudo humano. Bebo um grande trago de vinho. *Hum.* Sabe bem. – Para com isso – sussurra Christian. Dá dois passos em diante e fica mesmo à minha frente. Com um gesto suave, passa-me o cabelo para trás da orelha e acaricia-me o lóbulo da orelha com as pontas dos dedos, o que me provoca um calafrio. Foi isto que me fez falta durante todo o dia? O seu toque? Abano a cabeça, ele solta-me a orelha e eu olho para ele.

– Fala comigo – murmura ele.

– Para quê? Tu não me ouves.

– Ouço, sim. És uma das poucas pessoas que eu ouço.

Bebo mais um gole de vinho.

– Isto é por causa do teu apelido?

– Sim e não. É por causa da forma como tu lidaste com o facto de eu ter discordado contigo.

Fito-o, à espera de que ele se enfureça. A sua fronte crispa-se.

– Ana, tu sabes que eu tenho... problemas. É difícil abrir mão no que te diz respeito. Tu sabes isso.

– Mas eu não sou uma criança e não sou uma mais-valia.

– Eu sei.

Ele suspira.

– Então deixa de me tratar como se eu fosse – imploro-lhe num sussurro.

Ele passa as costas da mão pelo meu rosto e a ponta do polegar pelo meu lábio inferior.

– Não fiques zangada. És muito importante para mim. Como uma mais-valia preciosa, como uma criança – sussurra ele, com uma expressão sombria e reverente.

As palavras dele distraem-me. *Como uma criança...* Preciosa como uma criança... uma criança seria preciosa para ele!

– Eu não sou nenhuma dessas coisas, Christian. Sou tua mulher. Se ficaste magoado por eu não ir usar o teu nome, deverias ter-me dito.

– Magoado? – Franze muito a testa e eu percebo que está a explorar essa possibilidade na sua mente. De repente, endireita-se, ainda de sobrolho franzido, e olha de relance para o seu relógio de pulso. – A arquiteta chega daqui a pouco menos de uma hora. Devíamos comer.

Oh, não. No meu íntimo, gemo. Ele não me respondeu e agora vou ter de lidar com Gia Matteo. O meu dia merdoso acabou de ficar mais merdoso. Fito-o com um esgar.

– Esta discussão não está acabada – resmungo.

– Que mais há a discutir?

– Poderias vender a empresa.

Christian solta uma risada incrédula.

– Vendê-la?

– Sim.

– Achas que encontraria um comprador no mercado nos dias de hoje?

– Quanto é que te custou?

– Foi relativamente barata – responde num tom reservado.

– Então e se falir?

Ele esboça um sorriso de troça.

– Sobreviveremos. Mas eu não vou deixá-la ir à falência, Anastasia. Não enquanto lá estiveres.

– E se eu sair?

– Para fazeres o quê?

– Não sei. Outra coisa.

– Tu já disseste que este é o teu emprego de sonho. E perdoa-me se estou errado, mas eu prometi perante Deus, o reverendo Walsh e uma congregação dos nossos entes mais próximos e queridos "prezar-te, apoiar as tuas esperanças e sonhos e manter-te segura ao meu lado".

– Citar os nossos votos nupciais não é jogo limpo.

– Nunca prometi jogo limpo no que te diz respeito. Para além disso – acrescenta –, tu já te serviste dos votos nupciais como arma.

Faço uma careta. É verdade.

– Anastasia, se ainda estás zangada comigo, vinga-te depois na cama. – De súbito, a sua voz está grave e cheia de desejo sensual, os olhos acalorados.

O quê? Na cama? Como?

Ele esboça um sorriso indulgente ao ver a minha expressão. Estará à espera que eu o amarre? *Com o caraças!*

– Todas as sombras – sussurra ele. – Mal posso esperar.

Uau!

– Gail! – grita ele abruptamente e, quatro segundos depois, Mrs. Jones aparece.

Onde estava ela? No gabinete de Taylor? À escuta?

– Mr. Grey?

– Gostaríamos de jantar agora, por favor.

– Com certeza, senhor.

Christian não desvia o olhar de mim. Observa-me com vigilância, como se eu fosse uma criatura exótica prestes a fugir. Beberico o meu vinho.

– Acho que te vou fazer companhia com um copo de vinho – diz ele, suspirando, e torna a passar uma mão pelo cabelo.

– Não vais acabar isso?

– Não.

Olho para o meu prato quase intocado de *fettuccine* para evitar a expressão mais sombria de Christian. Antes que ele possa dizer o que quer que seja, levanto-me e tiro os pratos da mesa de jantar.

– A Gia não tardará a chegar – balbucio.

A boca de Christian retorce-se num esgar desagradado, mas ele não diz nada.

– Eu trato disso, Mrs. Grey – diz Mrs. Jones assim que entro na cozinha.

– Obrigada.

– Não gostou? – pergunta ela, preocupada.

– Estava bom. Eu é que não tenho fome.

Com um sorriso compassivo, ela vira-se para limpar o meu prato e colocar a louça na máquina de lavar.

– Vou fazer umas chamadas – anuncia Christian, lançando-me um olhar avaliador antes de desaparecer para o seu gabinete.

Eu exalo um suspiro de alívio e encaminho-me para o nosso quarto. O jantar foi penoso. Ainda estou zangada com Christian, mas ele parece julgar que não fez nada de mal. *Terá feito?* O meu subconsciente arqueia uma sobrancelha e fita-me com um ar benigno por cima dos seus óculos em forma de meia-lua. Sim, fez. Tornou ainda mais complicada a minha situação no trabalho. Não esperou por que estivéssemos na relativa privacidade da nossa casa para debatermos o assunto. Como se sentiria ele se eu entrasse de rompante no seu escritório, debitando o que era a lei? E, ainda por cima, quer dar-me a SIP! Como raios poderia eu gerir uma empresa? Não sei nada acerca de negócios.

Fito o horizonte de Seattle banhado na luz rosada do crepúsculo. Como de costume, ele quer resolver os nossos diferendos no quarto... hum... no vestíbulo, no quarto do prazer... na sala da televisão... na bancada da cozinha. *Para!* Com ele, tudo se resume a sexo. O sexo é o seu mecanismo de defesa.

Vagueio até à casa de banho e faço um esgar ao espelho. Regressar ao mundo real é difícil. Conseguimos passar por cima de todos os nossos diferendos enquanto estávamos na nossa bolha por nos encontrarmos tão envolvidos um no outro. Mas agora? Por um breve instante, recordo-me do meu casamento, lembrando-me dos receios que senti nesse dia – quem casa apressadamente... Não, não devo pensar assim. Quando casei com ele, sabia que era o Cinquenta Sombras. Tenho simplesmente de me aguentar e de tentar conversar sobre isto com ele.

Semicerro os olhos ao espelho. Estou pálida e agora vou ter de lidar com aquela mulher.

Estou a usar a minha saia-lápis cinzenta e uma blusa sem mangas. *Pois!* A minha deusa interior saca do seu verniz de unhas vermelho-vivo. Abro dois botões, expondo um pouco do decote. Lavo a cara e depois, com cuidado, refaço a maquilhagem, aplicando mais rímel do que é habitual e pondo muito *gloss* nos lábios. Viro a cabeça para baixo e escovo vigorosamente o cabelo da raiz até às pontas. Quando me endireito, o meu cabelo é uma nuvem de cor castanha que me rodeia e cai até ao peito. Ajeito-o atrás das orelhas e vou à procura dos meus sapatos de salto alto, que calço em vez dos rasos.

Quando volto à sala, Christian espalhou os projetos da casa em cima da mesa de jantar. Pôs música a tocar na aparelhagem. Isso faz-me parar.

— Mrs. Grey — cumprimenta-me calorosamente, após o que me observa com um olhar enigmático.

— O que é isto? — pergunto.

A música é impressionante.

— O "Requiem" de Fauré. Estás diferente — diz ele, distraído.

— Oh. Nunca o tinha ouvido.

— É muito relaxante — continua ele e depois arqueia uma sobrancelha. — Fizeste alguma coisa ao cabelo?

— Escovei-o — balbucio.

Sou transportada pelas vozes obsessivas. Deixando os planos em cima da mesa, ele avança na minha direção, caminhando ao ritmo da música.

— Danças comigo? — murmura.

— Com esta música? É um requiem — guincho, chocada.

— Sim.

Puxa-me para os seus braços e abraça-me, encostando o nariz ao meu cabelo e oscilando delicadamente de um lado para o outro. Tem o seu costumeiro cheiro divinal.

Oh... senti a falta dele. Abraço-o também e combato a vontade de chorar. *Porque és tão enfurecedor?*

— Detesto discutir contigo — sussurra.

— Bem, deixa de ser tão casmurro.

Ele ri-se e o som cativante reverbera no seu peito. Aperta-me mais.

— Casmurro?

— Teimoso.

— Prefiro *casmurro*.

— Ainda bem. É o que te assenta melhor.

Ele volta a rir-se e beija-me o cocuruto.

— Um requiem? — murmuro, um pouco escandalizada por estarmos a dançar ao som desta música.

Ele encolhe os ombros.

— É só uma melodia encantadora, Ana.

Taylor tossica discretamente à entrada da sala e Christian solta-me.

— Miss Matteo chegou — diz ele.

Oh, que alegria!

– Traga-a até cá – diz Christian.

Estende a mão e para de apertar a minha no instante em que Miss Gia Matteo entra na sala.

CAPÍTULO OITO

Gia Matteo é uma mulher atraente – uma mulher alta e atraente. Usa o cabelo curto, louro platinado, perfeitamente cortado e arranjado como uma coroa sofisticada. Vestiu um fato cinzento-claro; as calças e o casaco justos envolvem-lhe as curvas generosas. As roupas parecem caras. Na base da garganta, brilha um diamante solitário, que condiz com os brincos de um carate. Apresenta-se bem – é uma daquelas mulheres que cresceu com dinheiro e classe, embora pareça que, nesta noite, lhe falta alguma dessa classe: tem a camisa azul-clara um pouco desabotoada em demasia. Como a minha. Coro.

– Christian. Ana.

Sorri, revelando os dentes de uma brancura perfeita, e estende uma mão cuidada para cumprimentar Christian em primeiro lugar e a mim em seguida. Tenho de soltar a mão de Christian para apertar a dela. Gia é um tudo-nada mais baixa do que Christian, mas está a usar uns saltos altos brutais.

– Gia – diz Christian num tom educado.

Eu sorrio calmamente.

– Estão os dois com tão bom ar depois da lua de mel – elogia num tom suave, fitando Christian por entre as suas longas pestanas pintadas.

Christian passa o braço à minha volta, puxando-me para si.

– Foi maravilhosa, obrigada.

Toca-me ao de leve com os lábios na têmpora, o que me surpreende. *Vês... ele é meu.* Irritante – enfurecedor, até – mas meu. Sorrio de orelha a orelha. *Neste momento, amo-te mesmo, Christian Grey.* Passo-lhe a mão pela cintura, enfio-a no bolso traseiro das calças dele e apalpo-o. Gia esboça um sorriso ténue.

– Tiveram oportunidade de ver as propostas?

– Tivemos – murmuro.

Olho para Christian, que está a sorrir-me, com uma sobrancelha arqueada numa expressão de divertimento irónico. O que o divertirá? A minha reação a Gia ou o facto de lhe ter apalpado o rabo?

– Por favor – diz ele. – As plantas estão aqui.

Aponta para a mesa de jantar e dá-me a mão para me levar até lá, ao que Gia nos segue. Por fim, lembro-me das boas maneiras.

– Posso oferecer-lhe uma bebida? – pergunto. – Um copo de vinho?

– Isso seria ótimo – diz Gia. – Um branco seco, se tiver.

Merda! Sauvignon blanc – é um branco seco, não é? Com relutância, deixo o meu marido e encaminho-me para a cozinha. Ouço o silvo do iPod quando Christian desliga a música.

– Queres mais vinho, Christian? – pergunto.

– Por favor, querida – trauteia ele, com um grande sorriso. Ena, consegue ser tão apaixonante às vezes, mas tão exasperante noutras ocasiões.

Estico-me para chegar ao armário, ciente de que ele me está a observar, e apodera-se de mim a estranha sensação de que eu e Christian estamos a representar papéis, a jogar um com o outro – só que, desta vez, estamos do mesmo lado, unidos contra Miss Matteo. Saberá Christian que ela se sente atraída por ele e que é demasiado óbvia quanto a isso? Sinto uma pequena corrente de prazer quando me ocorre que talvez esteja a tentar tranquilizar-me. Ou talvez esteja apenas a passar a mensagem inequívoca de que está tomado, para que esta mulher o entenda.

Meu. *Sim, cabra: meu.* A minha deusa interior está a usar a sua roupa de gladiadora e não vai fazer prisioneiros. A sorrir para mim mesma, tiro três copos do armário e a garrafa aberta de *sauvignon blanc* do frigorífico e coloco tudo sobre o balcão do pequeno-almoço. Gia está debruçada sobre a mesa enquanto Christian, de pé ao seu lado, aponta para qualquer coisa nas plantas da casa.

– Acho que a Ana tem algumas opiniões em relação à parede de vidro mas, em termos gerais, estamos os dois satisfeitos com as ideias que nos apresentou.

– Oh, fico contente – desabafa Gia, obviamente aliviada, e, ao dizê--lo, toca ao de leve no braço dele, num gesto delicado e sedutor.

Christian retesa-se de imediato mas subtilmente. Ela nem parece reparar. *Senhora, deixe-o em paz, raios. Ele não gosta que lhe toquem.*

Com um passo descontraído para o lado, que o deixa fora do alcance dela, Christian vira-se para mim.

– Estou com sede – diz.

– Vou já.

Ele *está* a jogar. Ela causa-lhe desconforto. Porque não percebi isso antes? É por isso que não gosto dela. Ele está habituado à forma como as mulheres reagem à sua presença. Já o vi bastantes vezes e, regra geral, ele não dá qualquer importância a isso. Tocarem-lhe é uma coisa diferente. Bem, Mrs. Grey irá em seu auxílio.

Apresso-me a servir o vinho, pego nos três copos e regresso muito depressa para junto do meu cavaleiro em apuros. Oferecendo um copo a Gia, posiciono-me deliberadamente entre os dois. Ela sorri cordialmente ao aceitá-lo. Passo o segundo a Christian, que o aceita com avidez e uma expressão de gratidão divertida.

– Saúde – diz-nos Christian, a olhar para mim.

Eu e Gia erguemos os copos e respondemos em uníssono. Bebo um gole de vinho de que estava a precisar.

– Ana, tem algo a apontar à parede de vidro? – pergunta Gia.

– Sim. Adoro-a... não julgue que não. Mas gostaria de poder incorporá-la de forma mais orgânica na casa. Afinal, apaixonei-me pela casa tal como era e não quero fazer alterações radicais.

– Compreendo.

– Quero apenas que o projeto se integre, percebe... que respeite mais a casa original.

Olho de relance para Christian, que está a fitar-me com um ar pensativo.

– Sem renovações radicais? – murmura ele.

– Pois.

Abano a cabeça para dar mais ênfase ao que defendo.

– Gostas dela tal como está?

– No geral, sim. Sempre soube que só precisava de amor e carinho.

Os olhos de Christian emanam um fulgor caloroso.

Gia olha de relance para nós e as suas faces ruborescem.

– Ok – diz ela. – Acho que percebo onde quer chegar, Ana. E se mantivéssemos a parede de vidro mas a fizéssemos dar para uma varanda maior que se coadune com o estilo mediterrânico? Já lá temos o terraço de pedra. Podemos colocar pilares de pedra a condizer, bem espaçados, para que continuem a ter a vista. Acrescentamos um teto de vidro, ou de mosaico, como o do resto da casa. Assim terão também um *alfresco* abrigado como área de jantar e de estar.

Tenho de reconhecer o mérito à mulher... é boa no que faz.

– Ou, em vez da varanda, podíamos incorporar uma cor de madeira que lhe agrade para as portas de vidro... isso talvez ajude a manter o espírito mediterrânico – prossegue ela.

– Como as persianas azul-vivas do Sul de França – murmuro para Christian, que me observa com um olhar intenso.

Ele beberica o seu vinho e encolhe os ombros, sem se comprometer. *Hum.* Não gosta da ideia mas não me desautoriza, não se sobrepõe à minha vontade nem me faz sentir estúpida. Meu Deus, este homem é uma amálgama de contradições. As palavras que me disse ontem voltam-me à mente: *Quero que esta casa seja como tu quiseres. Como quiseres. É tua.* Ele quer que eu seja feliz – feliz em tudo o que faça. No meu íntimo, julgo que sei isto. É só que... travo-me. *Não penses na discussão agora.* O meu subconsciente lança-me um olhar de alerta.

Gia está a olhar para Christian, à espera de que ele tome uma decisão. Vejo as pupilas dela dilatarem-se e os lábios com *gloss* entreabrirem-se. A sua língua passa rapidamente pelo lábio superior antes de ela bebericar o vinho. Quando me viro para Christian, ele continua a olhar para mim – não para ela, de todo. *Sim!* Vou ter uma conversa com Miss Matteo.

– Ana, o que queres fazer? – murmura Christian, sendo claro que delega a decisão em mim.

– Agrada-me a ideia da varanda.

– A mim também.

Viro-me de novo para Gia. *Ei, senhora, olhe para mim, não para ele. A decisão aqui é minha.*

– Acho que gostaria de ver desenhos revistos que mostrem a varanda maior e pilares que se coadunem com a casa.

Com relutância, Gia desvia o olhar ávido do meu marido e sorri-me. Será que julga que eu não vou reparar?

– Claro – aquiesce num tom agradável. – Mais alguma questão? *Para além de estar a comer o meu marido com os olhos?*

– O Christian quer renovar a suíte – murmuro.

Ouve-se uma tossidela discreta à entrada do salão. Viramo-nos os três e deparamo-nos com Taylor.

– Taylor? – pergunta Christian.

– Preciso de o consultar numa questão urgente, Mr. Grey.

Christian, atrás de mim, aperta-me os ombros e dirige-se a Gia:

– Mrs. Grey está encarregada deste projeto. Tem carta branca absoluta. O que ela quiser, terá. Confio completamente nos instintos dela. É muito astuta. – A sua voz altera-se subtilmente. Ouço nela orgulho e um aviso velado... um aviso para Gia?

Confia nos meus instintos? Oh, este homem é exasperante. Os meus instintos deixaram-no espezinhar-me os sentimentos hoje à tarde. Abano a cabeça, frustrada, mas sinto-me grata por ele estar a dizer à Miss Provocante-e-Infelizmente-Competente quem manda. Acaricio-lhe a mão que tem no meu ombro.

– Com a vossa licença.

Christian aperta-me uma última vez os ombros antes de seguir Taylor. Pergunto-me distraidamente o que estará a passar-se.

– Então... a suíte? – pergunta Gia num tom nervoso.

Olho para ela, fazendo uma pequena pausa para me assegurar de que Christian e Taylor não poderão ouvir-me. Depois, invocando toda a minha força interior e o facto de ter passado as últimas cinco horas realmente chateada, digo-lhe das boas.

– Tem razão para estar nervosa, Gia, porque, neste momento, a sua permanência neste projeto está por um fio. Mas tenho a certeza que tudo correrá bem desde que mantenha as mãos longe do meu marido.

Ela arqueja.

– Caso contrário, será despedida. Compreende? – pronuncio cada palavra com clareza.

Ela pestaneja muito depressa, completamente estupefacta. Não acredita no que acabo de dizer. *Eu* não acredito no que acabo de dizer. Mas defendo a minha posição, com um ar indiferente enquanto lhe fito os olhos castanhos cada vez mais arregalados.

Não cedas! Não cedas! Aprendi esta expressão impassível e enlouquecedora com Christian, que a faz como ninguém. Sei que renovar a residência principal de Christian será um projeto prestigiante para a firma de arquitetura de Gia – uma pena resplandecente no seu chapéu. Ela não pode perder esta comissão. E, neste momento, não me importa minimamente que seja amiga de Elliot.

– Ana... Mrs. Grey... Eu... eu peço muita desculpa. Nunca... – Cora, sem saber o que mais dizer.

– Permita-me que seja clara. O meu marido não está interessado em si.

– Claro – murmura ela, a ficar sem pinga de sangue no rosto.

– Como lhe disse, só queria ser clara.

– Mrs. Grey, peço muita desculpa se julga... que eu... – Interrompe-se, ainda em busca do que dizer.

– Bom. Desde que nos entendamos, tudo correrá bem. Agora vou dizer-lhe o que pensámos para a suíte e depois gostaria que me listasse todos os materiais que tenciona usar. Como sabe, eu e o Christian decidimos que esta casa deve ser ecologicamente sustentável e eu gostaria de poder assegurá-lo quanto à proveniência e natureza de todos os materiais.

– C... com certeza – gagueja ela, de olhos esbugalhados e francamente algo intimidada por mim.

É a primeira vez que isto acontece. A minha deusa interior dá a volta à arena, acenando à multidão frenética.

Gia ajeita o cabelo com a mão e eu apercebo-me de que se trata de um gesto nervoso.

– A suíte? – pergunta ansiosamente, com a voz reduzida a um fio ofegante.

Agora que estou em vantagem, sinto-me descontrair pela primeira vez desde a minha reunião com Christian. Sou capaz de fazer isto. A minha deusa interior está a celebrar a sua cabra interior.

Christian vem ter connosco quando estamos a terminar.

– Tudo pronto? – pergunta.

Passa-me um braço à volta da cintura e vira-se para Gia.

– Sim, Mr. Grey. – Gia sorri alegremente, embora o seu sorriso pareça forçado. – Terei as plantas revistas para vos mostrar dentro de alguns dias.

– Excelente. Estás satisfeita? – pergunta-me ele, com um olhar caloroso e indagador.

Aceno com a cabeça e coro por algum motivo que não compreendo.

– É melhor ir andando – diz Gia, novamente num tom demasiado alegre.

Desta vez, estende-me a mão primeiro e só depois a Christian.

– Até à próxima, Gia – murmuro.

– Sim, Mrs. Grey. Mr. Grey.

Taylor aparece à entrada do salão.

– O Taylor acompanha-a à porta – digo, numa voz suficientemente alta para que ele ouça.

Levando de novo a mão ao cabelo, ela gira nos seus saltos altos e sai do salão, seguida de perto por Taylor.

– Ela estava visivelmente mais distante – diz Christian, fitando-me com um olhar intrigado.

– Estava? Não reparei. – Encolho os ombros, tentando permanecer neutra. – O que queria o Taylor? – pergunto, em parte por estar curiosa, mas também por querer mudar de assunto.

A franzir o sobrolho, Christian solta-me e começa a enrolar os projetos na mesa.

– Era acerca do Hyde.

– O que tem ele? – sussurro.

– Não há motivos para te preocupares, Ana. – Largando as plantas, Christian puxa-me para os seus braços. – Descobrimos que há semanas que não vai ao apartamento dele, é só isso.

Dá-me um beijo na cabeça, depois liberta-me e acaba o que estava a fazer.

– Então o que decidiram? – pergunta-me, e eu percebo que é por não querer que eu continue a fazer perguntas acerca de Hyde.

– Só o que nós tínhamos discutido. Acho que ela gosta de ti – digo em voz baixa.

Ele resfolega.

– Disseste-lhe alguma coisa? – pergunta, ao que coro. Como é que ele sabe? Sem saber o que dizer, fito os meus dedos. – Éramos o Christian e a Ana quando ela chegou, e Mr. e Mrs. Grey quando se foi embora – comenta num tom seco.

– Sou capaz de ter dito qualquer coisa – balbucio.

Quando levanto o olhar, vejo que está a observar-me com ternura e, por um momento desprevenido, parece... agradado. Desvia o olhar, abanando a cabeça, e a sua expressão altera-se.

– Ela está só a reagir a esta cara. – Parece vagamente amargurado, até enojado.

Oh, Cinquenta, não!

– O que foi? – Fica intrigado pela minha expressão perplexa. Os seus olhos arregalam-se, alarmados. – Não estás com ciúmes, pois não? – pergunta, horrorizado.

Coro e engulo em seco, após o que fito os meus dedos entrelaçados. *Estarei?*

– Ana, ela é uma predadora sexual. Não faz de todo o meu género. Como podes ter ciúmes dela? Ou de quem quer que seja? Nada nela me interessa. – Quando levanto a cabeça, ele está a fitar-me boquiaberto, como se me tivesse nascido um membro adicional. Passa uma mão pelo cabelo. – És só tu, Ana – diz em voz baixa. – Serás sempre só tu.

Oh, céus. Voltando a largar as plantas, Christian avança para mim e agarra-me o queixo entre o polegar e o indicador.

– Como podes achar outra coisa? Alguma vez te dei algum indício de poder estar remotamente interessado noutra pessoa?

O seu olhar é abrasador, concentrado nos meus olhos.

– Não – sussurro. – Estou a ser tola. É só que hoje... tu...

Todas as minhas emoções conflituosas do dia voltam à tona. Como posso dizer-lhe quão confusa me sinto? Fiquei confundida e frustrada pelo comportamento que teve no meu gabinete hoje à tarde. Num minuto quer que eu fique em casa, no seguinte está a oferecer-me uma empresa. Como espera que o acompanhe?

– Eu o quê?

– Oh, Christian... – Treme-me o lábio inferior. – Estou a tentar adaptar-me a esta nova vida que nunca tinha imaginado vir a ter.

Tudo está a ser-me dado de bandeja... o emprego, tu, o meu lindo marido, que eu nunca... nunca pensei que fosse amar assim, tanto, tão depressa, tão... indelevelmente. – Inspiro profundamente para me acalmar enquanto a boca dele se abre. – Mas tu és como um comboio de mercadorias e eu não quero ser colhida porque a rapariga por quem te apaixonaste será esmagada. E o que sobrará? Tudo o que sobraria seria um raio-X fútil, a passar de um evento de caridade para o seguinte. – Faço mais uma pausa, esforçando-me por encontrar as palavras que traduzam aquilo que sinto. – E agora queres que eu seja a CEO de uma empresa, coisa que nunca esteve nas minhas perspetivas. Estou a saltar por entre todas estas ideias, e custa-me. Queres que eu fique em casa. Queres que gira uma empresa. É tão confuso. – Paro, quase a chorar, e contenho um soluço. – Tens de me deixar tomar as minhas próprias decisões, correr os meus próprios riscos, cometer os meus próprios erros e deixar-me aprender a partir de tudo isso. Tenho de andar antes de poder correr, Christian, não percebes? Quero alguma independência. É isso que o meu apelido significa para mim.

Pronto, era o que queria ter-lhe dito à tarde.

– Sentes-te colhida por um comboio?

Aceno com a cabeça.

Ele fecha os olhos, agitado.

– Eu só quero dar-te o mundo, Ana, dar-te toda e qualquer coisa que tu queiras. E salvar-te dele, também. Manter-te segura. Mas também quero que toda a gente saiba que és minha. Entrei em pânico, hoje, quando recebi o teu *e-mail*. Porque não me disseste que não ias mudar o apelido?

Coro. Ele tem razão.

– Só me ocorreu quando estávamos em lua de mel e, bem, não quis rebentar a nossa bolha e depois esqueci-me. Só me lembrei ontem à noite. E depois o Jack... tu sabes, tudo aquilo me distraiu. Desculpa, deveria ter-te dito ou discutido isto contigo, mas acho que não consegui encontrar a altura certa.

O olhar intenso de Christian é enervante. É como se estivesse a tentar fazer-me ceder mentalmente, sem abrir a boca.

– Porque entraste em pânico? – pergunto-lhe.

– Só não quero que me escapes por entre os dedos.

– Por amor de Deus, eu não vou a lado nenhum. Quando é que vais enfiar isso na tua cabeça incrivelmente casmurra? Eu. Amo-te. – Aceno com a mão no ar, como ele por vezes faz para enfatizar um argumento. – Mais do que... "a visão, o espaço ou a liberdade".

Os olhos dele arregalam-se.

– Um amor filial? – pergunta com um sorriso irónico.

– Não. – Rio-me, a contragosto. – Foi a única citação que me ocorreu.

– Do louco *Rei Lear?*

– Meu querido e louco rei Lear. – Acaricio-lhe o rosto e ele inclina-se para receber a carícia, fechando os olhos. – Mudarias o teu nome para Christian Steele para toda a gente saber que me pertences?

Os olhos dele abrem-se de imediato e ele fita-me como se eu tivesse acabado de dizer que a Terra é plana. Franze o sobrolho.

– Que te pertenço? – murmura, a experimentar as palavras.

– Meu.

– Teu – diz ele, repetindo as palavras que dissemos ainda ontem no quarto do prazer. – Sim, mudaria. Se fosse muito importante para ti.

Oh, céus.

– É assim tão importante para ti?

– Sim – responde, inequívoco.

– Ok.

Farei isto por ele. Dar-lhe-ei a segurança de que ele ainda precisa.

– Pensava que já tinhas concordado.

– Sim, concordei, mas, agora que discutimos melhor o assunto, sinto-me mais contente com a minha decisão.

– Oh – exclama ele, surpreendido.

Depois esboça o seu sorriso lindo e arrapazado de sim-sou-mesmo-bastante-jovem e deixa-me sem fôlego. Agarrando-me pela cintura, faz-me rodopiar. Guincho e começo a rir-me, sem saber se ele está apenas feliz, aliviado ou... o quê?

– Mrs. Grey, sabe o que isto significa para mim?

– Agora sei.

Ele debruça-se e beija-me, a mexer-me no cabelo com os dedos e a manter-me quieta.

– Significa todas as sombras – murmura com os lábios encostados aos meus e passa o nariz pelo meu.

– Achas?

Inclino-me para trás, para o ver.

– Certas promessas foram feitas. Uma oferta foi concedida, um acordo forjado – sussurra ele, com um brilho matreiro e encantado nos olhos.

– Há... – Ainda estou a recompor-me, a tentar seguir a disposição dele.

– Estás a renegar-me? – pergunta-me num tom inseguro, ao mesmo tempo que um ar especulativo lhe perpassa o rosto. – Tenho uma ideia – acrescenta.

Oh, mas que queca depravada terá em mente?

– Uma questão realmente importante a tratar – continua, de súbito muito sério outra vez. – Sim, Mrs. Grey. Uma questão da maior importância.

Esperem lá... ele está a rir-se de mim.

– O quê? – ofego.

– Tem de me cortar o cabelo. Parece que está demasiado comprido e que isso não agrada à minha esposa.

– Eu não posso cortar-te o cabelo!

– Podes, sim.

Christian sorri e sacode a cabeça, ao que o cabelo lhe cai à frente dos olhos.

– Bem, se Mrs. Jones tiver uma tigela... – sugiro com um risinho. Ele ri-se.

– Ok, convenceste-me. Vou marcar com o Franco.

Não! Franco trabalha para a cabra maléfica! Talvez possa acertar-lhe as pontas. Afinal, corto o cabelo de Ray há anos e ele nunca se queixou.

– Anda.

Agarro-lhe a mão. Os olhos dele ficam esbugalhados. Levo-o até à nossa casa de banho, onde o solto e pego na cadeira de madeira branca que está a um canto. Coloco-a em frente ao espelho. Quando olho para Christian, ele está a fitar-me com um ar divertido mal disfarçado, com os polegares enfiados nas presilhas da frente das calças, mas com um olhar abrasador.

– Senta-te.

Aponto para a cadeira vazia, tentando manter o controlo da situação.

– Vais lavar-me o cabelo?

Assinto com a cabeça. Ele arqueia uma sobrancelha, surpreendido e, por um instante, parece-me que vai desistir.

– Ok.

Lentamente, começa a desabotoar a camisa branca, começando com o botão abaixo da garganta. Dedos ágeis e destros vão percorrendo cada botão até ficar com a camisa aberta.

Oh, céus... A minha deusa interior interrompe a sua volta vitoriosa à arena.

Christian estende um punho com um gesto de "abre isto agora" e a sua boca retorce-se daquela forma desafiadora e *sexy* que o caracteriza.

Oh, botões de punho. Agarro no pulso que ele me oferece e tiro o primeiro, um disco de platina com as suas iniciais gravadas em itálico – e depois tiro o outro, a condizer. Quando termino, olho para ele de relance e vejo que a sua expressão divertida desapareceu, sendo substituída por algo mais ardente... muito mais ardente. Estendo a mão e tiro-lhe a camisa dos ombros, deixando-a cair no chão.

– Preparado? – sussurro.

– Para o que quiseres, Ana.

O meu olhar vagueia dos seus olhos para os seus lábios, entreabertos para respirar mais profundamente. Esculpida, cinzelada, seja lá o que for, é uma boca linda e ele sabe exatamente o que fazer com ela. Dou por mim a inclinar-me para o beijar.

– Não – diz ele e trava-me com as mãos nos ombros. – Não faças isso. Se fizeres, nunca cortarei o cabelo.

Oh!

– Eu quero isto – continua ele. E os seus olhos estão arregalados e vulneráveis por algum motivo inexplicável. É desarmante.

– Porquê? – sussurro.

Ele fita-me por um instante e abre ainda mais os olhos.

– Porque me fará sentir acarinhado.

O meu coração praticamente para. *Oh, Christian... meu Cinquenta.* E, antes que me dê conta, abracei-o e beijo-lhe o peito antes de encostar a face ao seu peito peludo, que me faz cócegas.

– Ana. Minha Ana – sussurra.

Põe os braços à minha volta e ficamos imóveis, a abraçar-nos na casa de banho. Oh, como adoro estar nos seus braços. Mesmo que seja um casmurro assoberbante e megalómano, é o *meu* casmurro assoberbante e megalómano, a precisar de uma vida de amor e carinho. Reclino-me sem o libertar.

– Queres mesmo que faça isto?

Ele acena com a cabeça e esboça o seu sorriso tímido. Sorrio-lhe também e afasto-me do abraço.

– Então senta-te.

Ele obedece, sentando-se de costas para o lavatório. Descalço-me e pontapeio os sapatos para perto da sua camisa amarrotada. Do duche, tiro o seu champô da *Chanel.* Comprámo-lo em França.

– O senhor quererá usar este? – Seguro-o com as duas mãos como se estivesse a anunciá-lo nas televendas. – Vem de França, entregue em mão. Gosto do cheiro... cheira a ti – acrescento num sussurro, saindo do papel de apresentadora de televisão.

– Por favor.

Ele sorri. Tiro uma toalha do aquecedor de toalhas. Sem dúvida que Mrs. Jones sabe manter as toalhas supermacias.

– Inclina-te para a frente – ordeno, e Christian obedece. Passo-lhe a toalha à volta dos ombros, abro as torneiras e encho o lavatório de água morna. – Recosta-te.

Oh, agrada-me ser eu a mandar. Christian recosta-se, mas é demasiado alto. Chega a cadeira para a frente e inclina-a até o espaldar ficar encostado ao lavatório. A distância é perfeita. Inclina a cabeça para trás. Uns olhos corajosos fitam-me e eu sorrio. Tirando um dos copos que guardamos no armário, mergulho-o na água e despejo-o na cabeça dele, ensopando-lhe o cabelo. Repito o processo, debruçando-me por cima dele.

– Cheira tão bem, Mrs. Grey – murmura ele e fecha os olhos.

Enquanto lhe vou molhando metodicamente o cabelo, observo-o à vontade. *Com o caraças.* Alguma vez me fartarei disto? Pestanas compridas e escuras espalham-se sobre os malares dele; os seus lábios entreabrem-se, em forma de um pequeno diamante escuro e ele inspira suavemente. Hum... que vontade tenho de enfiar a língua...

Deito-lhe água para os olhos. *Merda!*

– Desculpa!

Ele agarra no canto da toalha e ri-se enquanto limpa a água dos olhos.

– Ei, já sei que sou casmurro, mas não é preciso afogares-me.

Baixo-me e beijo-lhe a testa, a rir.

– Não me tentes.

Ele passa-me a mão pela nuca e move-se para me beijar os lábios. Dá-me um beijo breve e a sua garganta emite um som grave e satisfeito, que estabelece ligação com os músculos profundos do meu baixo-ventre. É um som muito sedutor. Liberta-me e reclina-se, muito obediente, fitando-me com um ar expectante. Por um instante, parece vulnerável, como uma criança. Sinto um aperto no peito.

Esguicho um pouco de champô para a palma da mão e massajo-lhe o couro cabeludo, começando pelas têmporas, subindo até ao cocuruto e descendo até às patilhas, com os dedos a descreverem círculos rítmicos. Ele fecha os olhos e torna a fazer aquele som murmurado.

– Isso sabe bem – diz ele passado um momento, e vai relaxando sob o toque firme dos meus dedos.

– Pois sabe.

Volto a beijar-lhe a testa.

– Gosto quando me coças o couro cabeludo com as unhas.

Ainda tem os olhos fechados, mas a sua expressão é de satisfação absoluta – já não revela qualquer indício de vulnerabilidade. Caramba, como mudou de disposição... reconforta-me saber que fui eu quem provocou isso.

– Levanta a cabeça – ordeno eu, e ele obedece.

Hum... uma rapariga podia habituar-se a isto. Faço espuma com o champô na nuca dele, raspando as unhas no couro cabeludo.

– Para trás.

Ele recosta-se e eu enxaguo a espuma servindo-me do copo. Desta vez, consigo não lhe molhar a cara.

– Outra vez? – pergunto.

– Por favor.

Ele pestaneja, abre os olhos e é um olhar sereno que fita o meu. Sorrio-lhe.

– É para já, Mr. Grey.

Viro-me para o lavatório que Christian costuma usar e encho-o de água morna.

– Para enxaguar – explico perante o seu olhar intrigado.

Volto a pôr-lhe champô na cabeça, ouvindo a sua respiração profunda e regular. Quando tem a cabeça cheia de espuma, paro de novo para apreciar o belo rosto do meu marido. Não consigo resistir-lhe. Com ternura, acaricio-lhe a face e ele abre os olhos, observando-me com um ar quase sonolento por entre as longas pestanas. Baixando-me, dou-lhe um beijo suave e casto nos lábios. Ele sorri, fecha os olhos e exala um suspiro de contentamento absoluto.

Quem teria pensado que, depois da discussão que tivemos esta tarde, ele poderia ficar tão descontraído? Sem sexo? Debruço-me sobre ele.

– Hum – murmura num tom apreciador quando os meus seios lhe roçam na cara.

Resistindo ao impulso de me abanar, puxo o tampão para a água com espuma se escoar. As mãos dele contornam-me as ancas e chegam--me ao traseiro.

– Nada de apalpar as funcionárias – murmuro, fingindo reprovar.

– Não te esqueças de que sou surdo – diz ele, ainda de olhos fecha-dos, enquanto desce as mãos e começa a levantar-me a saia.

Dou-lhe uma palmada no braço. Está a agradar-me brincar às cabe-leireiras. Ele faz um grande sorriso infantil, como se eu o tivesse apa-nhado a fazer algo ilícito de que se orgulhasse secretamente.

Volto a pegar no copo mas, desta vez, uso a água do outro lavató-rio para lhe enxaguar o cabelo com cuidado. Continuo debruçada sobre ele e ele mantém as mãos no meu rabo, dedilhando para trás e para a frente, para cima e para baixo, para trás e para a frente... hum. Agito--me. Ele emite um som gutural.

– Pronto. Todo enxaguado.

– Bom – declara ele.

Os seus dedos apertam-me o traseiro e, de repente, ele endireita-se, e o cabelo ensopado pinga-lhe por todo o corpo. Puxa-me para o colo, com as mãos dele a passarem-me do traseiro para a nuca e em seguida para o queixo, imobilizando-me. Arquejo de surpresa e os seus lábios vão ao encontro dos meus, a sua língua quente e forte entra na minha boca. Agarro-lhe o cabelo molhado e gotas de água escorrem-me pelos braços; e, enquanto ele aprofunda o beijo, o cabelo dele molha-me a cara. A mão dele desce do meu queixo para o primeiro botão da minha camisa.

– Já chega de mimos. Quero foder-te com todas as sombras e podemos fazê-lo aqui ou no quarto. Decide tu.

Os olhos de Christian estão abrasadores, quentes e cheios de promessas, e o seu cabelo molha-nos aos dois. Fico com a boca seca.

– Como vai ser? – pergunta-me, mantendo-me no colo.

– Estás molhado – respondo.

Ele inclina a cabeça de repente, passando o cabelo molhado pela frente da minha blusa. Guincho e tento libertar-me dele. Ele aperta-me mais.

– Oh, não vais a lado nenhum, querida.

Quando levanta a cabeça, tem um sorriso libertino e eu sou a Miss T-shirt Molhada 2011. Tenho a parte de cima encharcada e completamente transparente. Estou molhada... por todo o lado.

– Adoro a vista – murmura ele e inclina-se para passar o nariz à volta de um dos meus mamilos. Contorço-me. – Responde-me, Ana. Aqui ou no quarto?

– Aqui – sussurro num frenesim.

Que se dane o corte de cabelo – depois trato disso. Ele sorri lentamente, com os lábios a revirarem-se num sorriso sensual cheio de promessas licenciosas.

– Bela escolha, Mrs. Grey – murmura contra os meus lábios. Solta-me o queixo e leva a mão até ao meu joelho. Desliza-me suavemente pela perna, levantando-me a saia e percorrendo-me a pele, o que me provoca um formigueiro. Os seus lábios descrevem um rasto ténue de beijos desde a base da minha orelha até ao meu maxilar. – Oh, o que hei de fazer-te? – sussurra.

Os dedos dele param no cimo das minhas meias de ligas.

– Gosto destas – diz ele.

Passa um dedo por baixo do elástico e avança até ao interior da minha coxa. Volto a arquejar e a contorcer-me no seu colo.

Ele solta um gemido gutural.

– Se vou foder-te com todas as sombras, quero que fiques quieta.

– Obriga-me – desafio-o, numa voz baixa e ofegante.

Christian inspira profundamente. Estreita os olhos e fita-me com uma expressão ardente e toldada.

– Oh, Mrs. Grey. Só tem de pedir. – A mão dele passa das minhas meias para as cuecas. – Vamos livrá-la destas. – Puxa delicadamente e eu mexo-me para o ajudar. A respiração silva-lhe por entre os dentes enquanto o faço. – Fica quieta – resmunga.

– Estou a ajudar – queixo-me, a fazer beicinho, e ele morde-me o lábio inferior.

– Quieta – rosna.

Tira-me as cuecas. Puxa-me a saia para cima até às ancas, leva as duas mãos até à minha cintura e levanta-me. Ainda tem as minhas cuecas na mão.

– Senta-te. Uma perna de cada lado – ordena-me, com um olhar intenso.

Eu mudo de posição, monto-o e lanço-lhe um olhar provocante. *Vamos lá, Cinquenta!*

– Mrs. Grey – avisa-me ele. – Está a provocar-me?

Fita-me, divertido mas excitado. É uma combinação sedutora.

– Sim. O que vai fazer em relação a isso?

Os olhos dele iluminam-se com um encanto libertino perante o meu desafio e eu sinto a ereção dele por baixo de mim.

– Junte as mãos atrás das costas.

Oh! Obedeço de imediato e ele ata-me destramente as mãos com as minhas cuecas.

– As minhas cuecas? Mr. Grey, não tem vergonha nenhuma – admoesto.

– Não no que lhe diz respeito, Mrs. Grey, mas já sabe disso.

O olhar dele é intenso e ardente. Com as mãos rodeando-me a cintura, afasta-me um pouco. Continua a escorrer-lhe água pelo pescoço e pelo peito. Quero debruçar-me e lamber aquelas gotas, mas é mais difícil, agora que estou presa.

Christian acaricia-me as coxas e desce as mãos até aos meus joelhos. Com delicadeza, afasta-os mais e abre também mais as pernas, mantendo-me nessa posição. Os seus dedos vão até aos botões da minha blusa.

– Acho que não vamos precisar disto – diz ele.

Começa metodicamente a desabotoar-me a blusa molhada que ficou colada ao corpo, sem nunca desviar o olhar do meu. Os seus olhos vão ficando cada vez mais escuros enquanto ele completa a tarefa, demorando o tempo que lhe apetece. A minha pulsação acelera e fico com a respiração ofegante. Nem acredito – ele mal me tocou e eu sinto-me assim – excitada, perturbada... pronta. Apetece-me contorcer-me. Ele deixa-me com a blusa aberta e, servindo-se das duas mãos, afaga-me o rosto com os dedos, passando o polegar pelo meu lábio inferior. De repente, enfia o polegar na minha boca.

– Suga – ordena num sussurro, prolongando o S.

Fecho a boca à volta do polegar dele e faço isso mesmo. Oh... gosto deste jogo. Ele sabe bem. Que mais gostaria eu de sugar? Os músculos da minha barriga contraem-se com esse pensamento. Os lábios dele entreabrem-se quando passo os dentes pela almofada suave do seu polegar e mordo.

Ele geme e, lentamente, extrai o polegar molhado da minha boca e fá-lo percorrer o meu queixo, o meu pescoço, o meu esterno. Põe-no em gancho sobre a copa do meu sutiã e puxa-a para baixo, libertando-me o seio.

O olhar de Christian nunca se desvia do meu. Está a observar cada reação que o seu toque me provoca e eu estou a observá-lo a ele. É sensual. Ardente. Possessivo. Adoro-o. Espelha as ações com a outra mão pelo que fico com os dois seios livres e, segurando-os com delicadeza, roça os polegares por cima dos mamilos, descrevendo círculos lentos, provocando e atormentando cada um, ao que eles se retesam e distendem sob o seu toque habilidoso. Tento, tento mesmo não me mexer, mas tenho os mamilos ligados ao baixo-ventre, pelo que gemo e atiro a cabeça para trás, fecho os olhos e rendo-me à tortura tão, tão doce.

– Shh. – A voz tranquilizadora de Christian não corresponde à provocação, ao ritmo regular dos seus dedos matreiros. – Quieta, querida, quieta.

Solta-me um seio e abarca-me a nuca com uma mão. Inclinando-se para a frente, leva o mamilo que libertou à sua boca e chupa com força, enquanto o seu cabelo molhado me faz cócegas. Ao mesmo tempo, o outro polegar para de roçar sobre o outro mamilo intumescido. Em vez disso, aperta-o entre o polegar e o indicador, para o puxar e girar ao de leve.

– Ah! Christian! – gemo e salto para a frente no seu colo. Mas ele não para. Continua a provocação lenta, ociosa e agonizante. E o meu corpo está a arder enquanto o prazer vai ficando mais sombrio. – Christian, por favor – imploro.

– Hum – murmura ele, um som gutural no seu peito. – Quero que te venhas assim.

O meu mamilo tem um alívio temporário enquanto as palavras dele me acariciam a pele e é como se estivesse a apelar a uma parte profunda e sombria da minha psique que só ele conhece. Quando recomeça, desta vez com os dentes, o prazer é quase intolerável. A gemer bem alto, contorço-me no seu colo, tentando obter alguma fricção preciosa contra as calças dele. Tento em vão libertar-me das cuecas que me prendem as mãos, ávida por tocar-lhe, mas estou perdida – perdida nesta sensação traiçoeira.

– Por favor – sussurro, num rogo, e o prazer percorre-me o corpo, do pescoço às pernas, aos dedos dos pés, retesando tudo à sua passagem.

– Tens uns seios tão bonitos, Ana – geme ele. – Um dia hei de fodê-los.

Mas que raio quer isso dizer? Ao abrir os olhos, baixo a cabeça e vejo-o a chupar-me. A minha pele canta sob o seu toque. Já não sinto a blusa ensopada, o cabelo molhado dele... não sinto nada, para além do ardor. E é um ardor deliciosamente quente e baixo, no meu íntimo, e todos os pensamentos se evaporam enquanto o meu corpo se contrai e retesa... pronta, a chegar... a ansiar por libertação. E ele não para – de me provocar, de me puxar, de me enlouquecer. Quero... quero...

– Deixa-te levar – sussurra ele... e eu assim faço, muito alto, num orgasmo que me provoca convulsões.

Ele interrompe a sua tortura doce e abraça-me, apertando-me contra si enquanto o meu corpo desce em espiral daquele clímax. Quando abro os olhos, ele está a fitar-me, encostada ao seu peito.

– Meu Deus, adoro observar-te quando te vens, Ana. – A sua voz está plena de maravilhamento.

– Isso foi... – Faltam-me as palavras.

– Eu sei.

Ele inclina-se para a frente e beija-me, ainda com a mão na minha nuca, segurando-me sem muita força, apenas para me inclinar a cabeça a fim de poder dar-me um beijo apaixonado – com amor, com reverência.

Perco-me no seu beijo.

Ele afasta-se para recuperar o fôlego, com os olhos da cor de uma tempestade tropical.

– Agora vou foder-te com força – murmura ele.

Com o caraças. Agarrando-me pela cintura, ele levanta-me das suas coxas, senta-me nos joelhos e leva a mão direita ao botão da cintura das suas calças azul-escuras. Com os dedos da mão esquerda, percorre-me a coxa para cima e para baixo, parando de cada vez no elástico das minhas meias. Está a observar-me intensamente. Estamos frente a frente e eu não posso fazer nada, presa pelo sutiã e pelas cuecas, e este tem de ser um dos momentos mais íntimos que já tivemos – comigo sentada ao seu colo, a fitar-lhe os olhos cinzentos e belos. Faz-me sentir leviana mas também muito ligada a ele – não estou embaraçada nem envergonhada. Este é Christian, o meu marido, o meu amante, o meu megalómano assoberbante, o meu Cinquenta – o amor da minha vida. Ele abre o fecho éclair e a minha boca fica seca quando a sua ereção se liberta.

Ele faz um sorriso malandro.

– Gostas? – sussurra.

– Hum – murmuro em apreciação. Ele agarra o membro com a mão, sobe e desce-a... *Oh, céus.* Fito-o por entre as pestanas. Bolas, é tão *sexy.*

– Está a morder o lábio, Mrs. Grey.

– É porque estou com fome.

– Com fome? – A sua boca abre-se de surpresa e os seus olhos arregalam-se.

– Hum – confirmo e lambo os lábios.

Ele esboça o seu sorriso enigmático e morde o lábio inferior enquanto continua a acariciar-se. Porque será tão excitante ver o meu marido a masturbar-se?

– Compreendo. Deveria ter jantado – comenta num tom simultaneamente trocista e censurador. – Mas talvez possa fazer-lhe a vontade. – Leva as mãos à minha cintura. – Levanta-te – diz em voz baixa e já sei o que vai fazer. Ponho-me de pé, já sem as pernas a tremer. – Ajoelha-te.

Faço o que ele me diz e ajoelho-me no chão frio de mosaico da casa de banho. Ele desliza para a frente na cadeira.

– Beija-me – profere, a segurar na ereção.

Olho para ele enquanto passa a língua pelos dentes superiores. É excitante, muito excitante, ver o desejo dele, o seu desejo nu por mim e pela minha boca. Inclino-me para diante, sustendo-lhe o olhar, e beijo-lhe a ponta da ereção. Vejo-o a inspirar profundamente e a cerrar os dentes. Christian segura-me a cabeça de lado e eu percorro-lhe a ponta com a língua, provando a pequena gota de humidade. Hum... ele sabe bem. Abre mais a boca ao arquejar e eu lanço-me em frente, puxando-o para a minha boca e chupando com força.

– Ah... – O ar silva-lhe por entre os dentes e ele avança as ancas, lançando-se para a minha boca. Mas eu não paro. Protegendo os dentes com os lábios, desço e depois subo. Ele mexe as duas mãos para me agarrar na cabeça, enterra os dedos no meu cabelo e vai entrando e saindo da minha boca, com a respiração a acelerar, a ficar mais descompassada. Giro a língua na ponta e volto a descer numa sintonia perfeita com o movimento dele. – Meu Deus, Ana. – Ele suspira e cerra os olhos. Está perdido e estonteado, reagindo a mim. *A mim*. E, muito lentamente, retraio os lábios e toco-lhe só com os dentes. – Ah!

Christian para de se mexer. Debruça-se, agarra-me e puxa-me para o seu colo.

– Basta!

Leva as mãos atrás das minhas costas e, com um puxão, liberta-me das cuecas. Rodo os pulsos e, por entre as pestanas, fito-lhe os olhos ardentes que me miram com amor, ânsia e luxúria. E apercebo-me de que sou eu que o quero foder com todas as sombras. Quero-o desesperadamente. Quero vê-lo a desfazer-se debaixo de mim. Agarro-lhe a ereção e ponho-me em cima dele. Com a outra mão no seu ombro, muito devagar e lentamente, ajudo-o a entrar em mim. Ele solta um ruído gutural e feral que lhe emana da garganta e, estendendo as mãos, despe-me a blusa e deixa-a cair no chão. Depois leva as mãos às minhas ancas.

– Quieta – rouqueja, a enterrar as mãos na minha pele. – Por favor, deixa-me saborear isto. Saborear-te.

Paro. *Oh, céus...* é tão bom tê-lo dentro de mim. Acaricia-me o rosto, com os olhos selvagens e esbugalhados, os lábios entreabertos enquanto respira. Avança para mim e eu gemo e fecho os olhos.

– Este é o meu sítio preferido – sussurra. – Dentro de ti. Dentro da minha mulher.

Oh, merda. Christian. Não consigo conter-me. Os meus dedos deslizam pelo cabelo molhado dele, os meus lábios procuram os dele e começo a mexer-me. Subo e desço, apoiada nos dedos dos pés, a saboreá-lo, a saborear-me. Ele geme bem alto e as suas mãos agarram-me o cabelo, abraçam-me, a língua dele invade-me avidamente a boca, reclama tudo o que lhe dou de bom grado. Depois de termos discutido tanto, da frustração que sentimos um com o outro – ainda temos isto. Teremos sempre isto. Amo-o tanto que é quase avassalador. As mãos dele descem até ao meu traseiro e ele controla-me, sobe-me e desce-me, uma e outra vez, ao seu ritmo – ao seu tempo ardente e suave.

– Ah – gemo, perdida na sua boca enquanto me deixo levar.

– Sim. Sim, Ana – silva ele e eu encho-lhe a cara de beijos, o queixo, o maxilar, o pescoço. – Querida – sussurra ele, voltando a capturar-me a boca.

– Oh, Christian, amo-te. Vou amar-te sempre.

Estou sem fôlego, quero que ele saiba, quero que ele tenha a certeza do que sinto depois da nossa batalha de hoje.

Ele geme bem alto e abraça-me com força enquanto atinge o clímax com um soluço pesaroso, e isso basta – basta para me fazer passar do limite outra vez. Envolvo-lhe a cabeça com os braços e entrego-me, venho-me à volta dele, com lágrimas nos olhos por o amar tanto.

– Então – sussurra ele, levantando-me o queixo e fitando-me com um ar preocupado. – Porque choras? Magoei-te?

– Não – balbucio para o tranquilizar.

Ele afasta-me o cabelo da cara, limpa uma lágrima com o polegar e dá-me um beijo terno. Ainda está dentro de mim. Mexe-se e eu estremeço quando ele sai de mim.

– O que se passa, Ana? Conta-me.

Fungo.

– É só que... é só que às vezes fico avassalada por te amar tanto – sussurro.

Um instante depois, ele esboça o seu sorriso especial e tímido – reservado para mim, parece-me.

– Tens o mesmo efeito em mim – sussurra ele e volta a beijar-me.

Sorrio e, cá dentro, a alegria desenrola-se e espraia-se, ociosa.

– Tenho?

Ele faz um sorriso malandro.

– Sabes que tens.

– Às vezes sei. Nem sempre.

– É recíproco, Mrs. Grey.

Sorrio e dou-lhe beijos delicados e leves como penas no peito. Passo o rosto pelos seus pelos do peito. Christian acaricia-me o cabelo e passa-me a mão pelas costas. Desaperta-me o sutiã e puxa a alça por um dos meus braços. Mexo-me e ele puxa a alça pelo outro braço e deixa cair o sutiã no chão.

– Hum. Pele sobre pele – murmura num tom apreciativo enquanto volta a envolver-me nos seus braços. Beija-me o ombro e percorre-me o pescoço com o nariz. – Tem um cheiro divinal, Mrs. Grey.

– Também o senhor, Mr. Grey.

Volto a encostar a cara ao corpo dele e inalo o seu cheiro de Christian, que agora se mescla com o odor estonteante a sexo. Seria capaz de ficar assim, nos braços dele, satisfeita e feliz, para sempre. Era mesmo aquilo de que precisava depois de um dia de regresso ao trabalho, cheio de discussões e marcação de território. É aqui que quero estar e, apesar da sua obsessão do controlo, da sua megalomania, é este o meu lugar. Christian enterra o nariz no meu cabelo e inspira profundamente. Exalo um suspiro satisfeito e sinto-o a sorrir. E ficamos sentados e abraçados, sem dizermos nada.

Por fim, a realidade intromete-se.

– É tarde – diz Christian, com os dedos a afagarem-me metodicamente as costas.

– O teu cabelo continua a precisar de ser cortado.

Ele ri-se.

– Lá isso é verdade, Mrs. Grey. Tem a energia necessária para terminar aquilo que começou?

– Por si, Mr. Grey, faço qualquer coisa.

Dou-lhe um último beijo no peito e, com relutância, levanto-me.

– Não vás. – Agarra-me pelas ancas e vira-me. Endireita-me a saia e depois abre-a, ao que esta cai ao chão. Estende-me uma mão. Eu aceito-a e passo por cima da saia. Agora estou apenas de meias e cinto de ligas. – É uma visão bem agradável, Mrs. Grey.

Ele recosta-se na cadeira e cruza os braços, observando-me com um olhar franca e completamente aprovador. Ergo as mãos e dou uma volta sobre mim mesma.

– Meu Deus. Sou um filho da mãe cheio de sorte – comenta com admiração.

– Sim, és.

Ele sorri.

– Veste a minha camisa para me cortares o cabelo. Assim como estás, vais distrair-me e nunca mais vamos para a cama.

Não consigo evitar corresponder-lhe ao sorriso. Sabendo que me observa todos os movimentos, saracoteio-me até onde deixei os sapatos e a camisa dele. Dobrando-me lentamente, baixo-me, apanho a camisa dele, cheiro-a – *hum* – e depois visto-a.

Os olhos de Christian estão redondos. Fechou a braguilha e está a observar-me intensamente.

– Que belo espetáculo, Mrs. Grey.

– Temos uma tesoura? – pergunto num tom inocente, a pestanejar.

– Na minha secretária – rouqueja ele.

– Vou à procura.

Deixo-o, entro no quarto e agarro no pente que está em cima da cómoda antes de me dirigir ao escritório dele. Quando passo para o corredor principal, reparo que a porta do gabinete de Taylor está aberta. Mrs. Jones encontra-se mesmo à entrada. Paro, como se ganhasse raízes.

Taylor está a percorrer-lhe o rosto com a ponta dos dedos. Depois inclina-se e beija-a.

Caramba! O Taylor e Mrs. Jones? Estupefacta, fico de queixo caído – quero dizer, pensava... bem, até suspeitava. Mas é óbvio que estão juntos! Coro, sentindo-me uma mirone, e lá consigo obrigar os meus pés a avançar. Apresso-me a atravessar o salão e entro no escritório de Christian. Acendo a luz e caminho até à secretária dele. Taylor e Mrs. Jones... Uau! Nem posso acreditar. Sempre pensei que Mrs. Jones fosse mais velha do que Taylor. Oh, tenho de me habituar à ideia. Abro a gaveta de cima e distraio-me de imediato ao encontrar uma arma. *O Christian tem uma arma!*

Um revólver. *Merda!* Não fazia ideia de que Christian tinha uma arma. Tiro-a da gaveta, desengatilho-a e verifico o cilindro. Está completamente carregada, mas é leve... demasiado leve. Deve ser de fibra de carbono. Para que quererá Christian uma arma? Bolas, espero que saiba usá-la. Os eternos avisos de Ray acerca de armas de fogo acorrem-me à mente. Nunca se esqueceu do seu treino militar. *Estas coisas são capazes de te matar, Ana. Precisas de saber o que estás a fazer quando manuseias uma arma de fogo.* Volto a guardar o revólver e encontro a tesoura. Agarro nela depressa e corro para junto de Christian, com o cérebro a mil. Taylor e Mrs. Jones... o revólver...

À entrada do salão, deparo-me com Taylor.

– Mrs. Grey, queira desculpar-me.

Ele fica vermelho ao dar-se conta do que tenho vestido.

– Hã, Taylor, olá... hã. Vou cortar o cabelo ao Christian! – exclamo, embaraçada.

Taylor está tão mortificado quanto eu. Abre a boca para dizer qualquer coisa, depois apressa-se a fechá-la e dá um passo ao lado.

– Faça favor, minha senhora – diz, muito formal.

Acho que estou da cor do meu antigo *Audi*, o especial para as submissas. Poderia isto ser mais embaraçoso?

– Obrigada – balbucio e desapareço pelo corredor.

Raios! Alguma vez me habituarei ao facto de não estarmos sozinhos? Entro de rompante na casa de banho, sem fôlego.

– O que se passa?

Christian está em frente ao espelho, com os meus sapatos na mão. Todas as minhas roupas espalhadas estão agora numa pilha arrumada ao lado do lavatório.

– Acabei de encontrar o Taylor.

– Oh. – Christian franze o sobrolho. – Assim vestida.

Oh, merda!

– A culpa não foi dele.

Christian franze ainda mais o cenho.

– Não. Ainda assim.

– Estou vestida.

– Por pouco.

– Não sei quem ficou mais envergonhado, se eu se ele. – Tento empregar a minha técnica de distração. – Sabias que ele e a Gail... bem, andam?

Christian ri-se.

– Sim, claro que sabia.

– E nunca me disseste?

– Julgava que também sabias.

– Não.

– Ana, são adultos. Vivem debaixo do mesmo teto. Ambos são descomprometidos e atraentes.

Coro, sentindo-me tola por não ter reparado.

– Bem, agora que o dizes assim... é só que achava que a Gail era mais velha do que o Taylor.

– É, mas não muito. – Fita-me, perplexo. – Há homens que gostam de mulheres mais velhas... – Interrompe-se abruptamente e os seus olhos arregalam-se.

Faço um esgar.

– Eu sei – riposto.

Christian parece contrito. Sorri-me com ternura. Boa! A minha técnica de distração foi eficaz! O meu subconsciente revira-me os olhos – mas a que custo? Agora o tabu de Mrs. Robinson paira sobre nós.

– Isso fez-me lembrar uma coisa – diz ele, num tom animado.

– O quê? – resmoneio com petulância. Agarro na cadeira e viro-a de frente para os lavatórios. – Senta-te.

Christian mira-me com um ar divertido e indulgente, mas faz o que lhe digo e senta-se na cadeira. Começo a pentear-lhe o cabelo que já está apenas húmido.

– Estava a pensar que podíamos transformar as divisões por cima das garagens da casa nova, criar um espaço para eles – prossegue Christian. – Fazer daquilo uma casa. Assim talvez a filha do Taylor pudesse passar mais tempo com ele.

Ele observa-me cautelosamente pelo espelho.

– Porque é que ela não passa aqui a noite às vezes?

– O Taylor nunca me pediu.

– Talvez devesses sugerir-lho. Mas teríamos de nos comportar.

A testa de Christian franze-se.

– Não tinha pensado nisso.

– Se calhar foi por isso que o Taylor nunca te pediu. Já a conheceste?

– Sim. É uma miúda querida. Tímida. Muito bonita. Pago-lhe a escola.

Oh! Paro de o pentear e fito o seu reflexo.

– Não fazia ideia.

Ele encolhe os ombros.

– Pareceu-me o mínimo que podia fazer. Para além disso, assim asseguro que ele não se demite.

– Tenho a certeza de que ele gosta de trabalhar para ti.

Christian lança-me um olhar vazio e depois torna a encolher os ombros.

– Não sei.

– Eu acho que ele tem muito apreço por ti, Christian.

Volto a penteá-lo e olho de relance para ele. Não desvia o olhar do meu.

– Achas?

– Sim. Acho.

Ele emite um som desdenhoso mas satisfeito, como se, secretamente, lhe agradasse a possibilidade de o seu pessoal gostar dele.

– Bom. Falas com a Gia acerca das divisões por cima da garagem?

– Sim, claro.

Não sinto a irritação que costumava provocar-me a menção do nome dela. O meu subconsciente assente com a cabeça, com uma expressão sábia. *Sim... estivemos bem, hoje.* A minha deusa interior regozija-se. Agora Gia deixará o meu marido em paz e não lhe causará desconforto.

Estou pronta para lhe cortar o cabelo.

– Tens a certeza de que queres isto? É a última hipótese de te esquivares!

– Dê o seu pior, Mrs. Grey. Não sou eu quem tem de olhar para mim, é a senhora.

Sorrio.

– Christian, eu era capaz de passar o dia inteiro a olhar para ti.

Ele abana a cabeça, exasperado.

– É só uma cara bonita, querida.

– E, por trás, existe um homem muito bonito. – Beijo-lhe uma têmpora. – O meu homem.

Ele sorri, envergonhado.

Levantando a primeira madeixa, penteio-a para cima e prendo-a entre o indicador e o dedo do meio. Seguro o pente com a boca, agarro na tesoura e dou a primeira tesourada, cortando dois centímetros e meio. Christian fecha os olhos e fica sentado como uma estátua, suspirando de satisfação à medida que eu continuo. De vez em quando abre os olhos e eu apanho-o a fitar-me intensamente. Não me toca enquanto trabalho e eu sinto-me grata por isso. O toque dele... distrai-me.

Quinze minutos depois, acabei.

– Pronto.

Estou satisfeita com o resultado. Está tão sensual como sempre, com o cabelo ainda suave e *sexy*... apenas um pouco mais curto.

Christian mira-se ao espelho, com uma expressão agradavelmente surpreendida. Sorri.

– Muito bem, Mrs. Grey. – Vira a cabeça de um lado para o outro e, como uma serpente, o seu braço envolve-me. Puxa-me para si, encosta a cara à minha barriga e beija-a. – Obrigado.

– O prazer é todo meu.

Debruço-me e dou-lhe um beijo rápido.

– É tarde. Vamos para a cama – declara, dando-me uma palmadinha no traseiro.

– Ah! Devia limpar isto.

Há cabelo espalhado por todo o chão. Christian franze o sobrolho, como se aquela ideia nunca lhe tivesse ocorrido.

– Ok, vou buscar a vassoura – diz num tom irónico. – Não quero que vás embaraçar o pessoal com a tua ausência de roupa decente.

– Sabes onde está a vassoura? – pergunto-lhe inocentemente.

Isso fá-lo estacar.

– Hã... não.

Rio-me.

– Eu vou lá.

Enquanto entro na cama e espero por Christian, reflito no final diferente que este dia poderia ter tido. Estava tão zangada com ele e ele comigo... Como hei de lidar com este disparate de gerir uma editora? Não tenho qualquer vontade de dirigir a minha própria empresa. Eu não sou ele. Preciso de o intercetar. Talvez devesse ter uma palavra de segurança para quando ele começa a mostrar-se casmurro. Solto uma risada. Talvez a palavra de segurança deva ser *casmurro*. Parece-me muito interessante.

– O que foi? – pergunta-me quando se deita na cama, apenas com as calças do pijama.

– Nada. Foi só uma ideia.

– Que ideia?

Espreguiça-se ao meu lado. Bem, vale o que vale:

– Christian, acho que não quero gerir uma empresa.

Ele apoia-se no cotovelo e olha para mim.

– Porque dizes isso?

– Porque não é uma coisa que alguma vez me tenha atraído.

– És mais do que capaz de o fazer, Anastasia.

– Eu gosto de ler livros, Christian. Gerir uma empresa vai afastar-me disso.

– Poderias ser a diretora criativa.

Franzo o sobrolho.

– Percebes – continua ele –, gerir uma empresa bem-sucedida é uma questão de aproveitar o talento dos indivíduos que tens à tua disposição. Se é aí que os teus talentos e interesses se encontram, então estruturas a empresa de forma a servires-te deles. Não recuses à partida, Anastasia. És uma mulher muito capaz. Acho que conseguirias fazer qualquer coisa que quisesses, desde que te mentalizasses.

Ena! Como é possível que ele saiba que eu teria algum jeito para isto?

– Também me preocupa que seja algo que me ocupe demasiado tempo. – Christian franze o sobrolho. – Tempo que poderia dedicar-te – acrescento, utilizando a minha arma secreta.

O seu olhar escurece.

– Sei o que estás a fazer – murmura ele, divertido.

Raios!

– O quê?

– Estás a tentar distrair-me do assunto em questão. Fazes sempre isso. Mas não ponhas a ideia de parte, Ana. Pensa nisso. É tudo o que te peço.

Inclina-se e dá-me um beijo casto, após o que me afaga a cara com o polegar. Esta discussão vai dar muitas voltas. Sorrio-lhe... e algo que ele disse à tarde vem-me à memória.

– Posso perguntar-te uma coisa? – A minha voz é suave, hesitante.

– Claro.

– Hoje à tarde disseste que, se eu estava zangada contigo, deveria vingar-me na cama. O que querias dizer?

Ele imobiliza-se.

– O que achas que eu queria dizer?

Caraças! O melhor será dizê-lo.

– Que querias que te amarrasse.

A surpresa fá-lo arquear as sobrancelhas.

– Há... não. Não era nada disso.

– Oh. – É a minha vez de ficar surpreendida, com um laivo de desapontamento na voz.

– Tu queres amarrar-me? – pergunta ele, obviamente interpretando de forma correta a minha expressão.

Parece chocado. Eu coro.

– Bem...

– Ana, eu... – Ele interrompe-se e algo sombrio perpassa-lhe o rosto.

– Christian – sussurro, alarmada.

Viro-me de lado e apoio-me num cotovelo, como ele. Faço-lhe uma festa na cara. Os seus olhos estão muito abertos e receosos. Ele abana a cabeça com tristeza. *Merda!*

– Christian, para. Não importa. Achei que era isso que querias dizer.

Ele agarra-me na mão e encosta-a ao coração acelerado. *Bolas!* O que se passa?

– Ana, não sei como me sentiria contigo a tocar-me se eu estivesse preso.

Fico com o couro cabeludo arrepiado. É como se ele estivesse a confessar algo profundo e escuro.

– Isto ainda é muito recente – diz numa voz grave e sincera.

Merda. Era só uma pergunta e faz-me aperceber de que ele evoluiu muito, mas ainda tem um longo caminho a percorrer. *Oh, Cinquenta, Cinquenta, Cinquenta.* A ansiedade toma conta do meu coração. Debruço-me sobre ele e retesa-se, mas dou-lhe um beijo suave no canto da boca.

– Christian, percebeste mal. Por favor, não te preocupes. Por favor, não penses nisso.

Beijo-o. Ele fecha os olhos, geme e corresponde ao beijo, empurrando-me para o colchão, com as mãos a agarrarem-me o queixo. E depressa nos perdemos... perdemo-nos um no outro de novo.

CAPÍTULO NOVE

Quando acordo na manhã seguinte antes de o despertador tocar, Christian está enrolado em mim como hera, com a cabeça no meu peito, o braço à volta da minha cintura e com uma perna entre as minhas. E está do meu lado da cama. É sempre o mesmo, se discutimos na noite anterior, é assim que ele acaba, enroscado em mim, deixando-me quente e perturbada.

Oh, Cinquenta. De certa forma, é tão carente. Quem teria adivinhado? A visão familiar de Christian como um rapazinho sujo e andrajoso atormenta-me. Com delicadeza, acaricio-lhe o cabelo já mais curto e a minha melancolia recua. Ele agita-se e os seus olhos sonolentos encontram os meus. Pestaneja algumas vezes enquanto vai despertando.

– Olá – murmura, a sorrir.

– Olá.

Adoro acordar com aquele sorriso. Ele acaricia-me os seios com a cara e emite um rumor apreciativo oriundo da garganta. As suas mãos viajam para baixo da minha cintura, deslizando sobre o cetim fresco da minha camisa de dormir.

– Que pedaço de tentação que tu és – resmoneia ele. – Mas, por mais tentadora que sejas, tenho de me levantar.

Olha para o despertador, espreguiça-se, desenreda-se de mim e levanta-se.

Eu recosto-me, levo as mãos atrás da cabeça e aprecio o espetáculo: Christian a despir-se para ir tomar duche. É perfeito. Não lhe mudaria nem um cabelo da cabeça.

– A admirar a vista, Mrs. Grey?

Christian arqueia uma sobrancelha sardónica.

– É uma bela vista, Mr. Grey.

Ele sorri e atira-me as calças do pijama, que quase aterram na minha cara, mas eu consigo apanhá-las a tempo, rindo-me como uma colegial. Com um sorriso matreiro, ele puxa a colcha, apoia um joelho na cama, agarra-me pelos tornozelos e arrasta-me para si, ao que a minha camisa de dormir sobe. Guincho e ele sobe pelo meu corpo, criando um rasto de pequenos beijos pelo meu joelho, a minha coxa, a minha... oh... *Christian!*

— Bom dia, Mrs. Grey — cumprimenta-me Mrs. Jones.

Coro, envergonhada, ao lembrar-me do encontro amoroso dela com Taylor ontem à noite.

— Bom dia — respondo enquanto ela me passa uma caneca de chá.

Sento-me ao balcão, ao lado do meu marido, que está com um ar radiante: acabado de tomar banho, com o cabelo molhado, a usar uma camisa branca muito bem engomada e aquela gravata cinza-prateada. É a minha preferida. Tenho memórias ternas daquela gravata.

— Como está, Mrs. Grey? — pergunta-me com um olhar caloroso.

— Acho que sabe, Mr. Grey.

Fito-o por entre as pestanas. Ele esboça um sorriso matreiro.

— Come — ordena-me. — Ontem não jantaste.

Oh, Cinquenta mandão!

— Isso foi porque estavas a ser casmurro.

Mrs. Jones deixa cair qualquer coisa que estardalha no lava-loiça e me sobressalta. Christian parece não dar pelo barulho. Ignorando-a, fita-me com um ar impassível.

— Casmurro ou não... come. — Fala num tom sério. Não vale a pena discutir.

— Ok! Estou a pegar na colher e a comer o *muesli* — resmungo como uma adolescente petulante.

Agarro o iogurte grego e ponho algumas colheradas nos meus cereais, a que junto uns mirtilos. Olho de soslaio para Mrs. Jones, que olha também para mim. Sorrio e ela corresponde com um sorriso caloroso. Preparou-me o meu pequeno-almoço preferido, que fiquei a conhecer durante a lua de mel.

— Sou capaz de ter de ir a Nova Iorque no final da semana.

O anúncio de Christian interrompe-me o devaneio.

— Oh.

– Se for, terei de passar lá a noite. Quero que venhas comigo.

– Christian, não posso despender esse tempo.

Ele fita-me com o seu olhar de ai-não-mas-eu-sou-o-patrão. Suspiro.

– Eu sei que a empresa é tua, mas passei três semanas fora. Por favor. Como podes esperar que eu gira o negócio se nunca lá estiver? Ficarei bem aqui. Parto do princípio de que levarás o Taylor, mas o Sawyer e o Ryan continuarão por cá... – Interrompo-me, pois Christian está a sorrir-me. – O que foi? – pergunto.

– Nada. Só tu – diz ele.

Franzo o sobrolho. Estará a rir-se de mim? Depois ocorre-me uma ideia desagradável.

– Como vais a Nova Iorque?

– No jato da companhia, porquê?

– Só para saber se ias levar o *Charlie Tango*.

Falo em voz baixa, e um calafrio percorre-me a espinha. Lembro-me da última vez que voou no seu helicóptero. Uma vaga de náuseas apodera-se de mim ao recordar as horas ansiosas que passei à espera de notícias. É possível que tenha sido o pior momento da minha vida. Reparo que Mrs. Jones também estacou. Tento ignorar a ideia.

– Não voaria até Nova Iorque no *Charlie Tango*. Não pode fazer uma viagem tão longa. Além disso, só volta dos engenheiros daqui a umas duas semanas.

Graças a Deus. O meu sorriso em parte deve-se a alívio, mas também é provocado por saber que a perda do *Charlie Tango* tem ocupado boa parte dos pensamentos e do tempo de Christian nas últimas semanas.

– Bem, fico contente por estar quase pronto, mas... – Interrompo-me. Poderei dizer-lhe quão nervosa ficarei da próxima vez que ele o pilotar?

– O que foi? – pergunta-me ao terminar a omelete.

Encolho os ombros.

– Ana? – insiste num tom mais severo.

– Eu só... tu sabes. Da última vez que voaste no helicóptero... eu achei, nós achámos, que tu... – Não sou capaz de terminar a frase e a expressão de Christian suaviza-se.

– Então. – Acaricia-me a face com os nós dos dedos. – Isso foi sabotagem.

Uma expressão sombria atravessa-lhe o rosto e, por um instante, fico a pensar se ele saberá quem foi responsável por isso.

– Não suportaria perder-te – murmuro.

– Cinco pessoas foram despedidas por causa disso, Ana. Não voltará a acontecer.

– Cinco?

Ele assente com a cabeça, muito sério.

Com o caraças!

– Fizeste-me lembrar de uma coisa. Tens uma arma na tua secretária.

Ele franze o sobrolho perante o meu comentário inesperado e, provavelmente, o meu tom acusador, ainda que eu não tencionasse que assim fosse.

– É da Leila – acaba por dizer.

– Está carregada.

– Como é que sabes?

A sua testa fica mais franzida.

– Verifiquei-a ontem.

Ele fita-me com uma expressão de censura.

– Não te quero a mexer em armas. Espero que tenhas voltado a pôr-lhe a espoleta.

Pestanejo, estupefacta por um instante.

– Christian, aquele revólver não tem espoleta. Não sabes nada acerca de armas?

Os seus olhos arregalam-se.

– Há... não.

Taylor tossica discretamente à entrada. Christian acena-lhe com a cabeça.

– Temos de ir – diz Christian.

Levanta-se, distraído, e veste o casaco cinzento. Eu sigo-o para o corredor.

Ele tem a arma da Leila. Fico aturdida com a notícia e, por um breve momento, pergunto-me o que será feito dela. Estará ainda em... onde era? No leste de algum sítio. De New Hampshire? Não consigo lembrar-me.

– Bom dia, Taylor – cumprimenta-o Christian.

– Bom dia, Mr. Grey, Mrs. Grey.

Saúda-nos com um aceno de cabeça, mas tem o cuidado de não me olhar nos olhos. Fico grata, tendo presente ainda a pouca roupa que vestia ontem à noite quando fomos um contra o outro.

– Vou só lavar os dentes – balbucio.

Christian lava sempre os dentes antes do pequeno-almoço. Não percebo porquê.

– Devias pedir ao Taylor que te ensine a disparar – digo enquanto descemos no elevador.

Christian baixa a cabeça e olha para mim, divertido.

– Ai devia? – replica secamente.

– Sim.

– Anastasia, eu desprezo as armas. A minha mãe tratou de ressarcir demasiadas vítimas de crimes com armas e o meu pai opõe-se com veemência às armas. Fui educado de acordo com a ética deles. Apoio pelo menos dois movimentos de controlo de armas aqui em Washington.

– Oh. O Taylor anda armado?

A boca de Christian contrai-se.

– Às vezes.

– Tu não aprovas? – pergunto, enquanto Christian me dá passagem para sairmos do elevador no rés do chão.

– Não – diz ele, comedido. – Digamos apenas que eu e o Taylor temos perspetivas bastante díspares em relação ao controlo de armas.

Estou do lado de Taylor nesta questão.

Christian abre a porta do átrio e eu saio para o carro. Não me deixa conduzir até à SIP desde que descobriu que o *Charlie Tango* foi sabotado. Sawyer espera-nos com um sorriso agradável, mantendo a porta aberta enquanto entramos.

– Por favor.

Estendo a mão e aperto a de Christian.

– Por favor o quê?

– Aprende a disparar.

Ele revira os olhos.

– Não. Fim de discussão, Anastasia.

E, mais uma vez, sou uma criança a quem é preciso ralhar. Abro a boca para retorquir com algo ácido, mas decido que não quero começar o dia de trabalho de mau humor. Em vez disso, cruzo os braços e dou por Taylor a fitar-me pelo espelho retrovisor. Ele desvia o olhar concentrando-se na estrada à sua frente, mas abana ligeiramente a cabeça, num sinal óbvio de frustração.

Hum... O Christian também o enfurece, às vezes. A ideia provoca-me um sorriso e o meu bom humor é resgatado.

– Onde está a Leila? – pergunto enquanto Christian olha pela janela.

– Já te disse. Está no Connecticut com os pais – responde-me com um olhar de soslaio.

– Confirmaste isso? Afinal, ela tem cabelo comprido. Podia ser ela ao volante do *Dodge*.

– Sim, confirmei. Inscreveu-se numa escola de artes de Hamden. Começou as aulas esta semana.

– Falaste com ela? – sussurro, a ficar sem pinga de sangue no rosto.

Christian vira a cabeça de imediato em reação ao meu tom de voz.

– Não. O Flynn é que falou.

Perscruta-me a cara, em busca de uma pista que lhe revele o que penso.

– Estou a ver – murmuro, aliviada.

– O quê?

– Nada.

Christian suspira.

– Ana. O que se passa?

Encolho os ombros, pois não quero admitir os ciúmes irracionais que sinto.

Christian prossegue:

– Estou a manter-me a par dela, a verificar que continua do outro lado do continente. Ela está melhor, Ana. O Flynn recomendou-lhe um psiquiatra de New Haven e todos os relatórios são muito positivos. Ela sempre se interessou por artes, então... – Ele interrompe-se, ainda a perscrutar-me o rosto. Nesse momento, fico com a suspeita de que é ele quem está a pagar-lhe as aulas de artes. *Quererei saber? Deveria* perguntar-lhe? Quero dizer, não se dá o caso de ele não poder suportar essa despesa, mas porque se sentirá obrigado a fazê-lo? Suspiro. O passado de Christian dificilmente se compara a Bradley Kent, da minha turma de Biologia, e às suas tentativas de me beijar. Christian estende a mão para a minha. – Não te preocupes com isto, Ana – murmura e eu correspondo-lhe ao aperto tranquilizador.

Sei que está a fazer o que pensa ser o correto.

A meio da manhã, tenho um intervalo entre reuniões. Quando agarro no telefone para ligar a Kate, reparo num *e-mail* de Christian.

De: Christian Grey
Assunto: Lisonja
Data: 23 agosto 2011 09:54
Para: Anastasia Grey

Mrs. Grey,

Recebi três elogios pelo novo corte de cabelo.
Louvores do meu pessoal são uma novidade. Deve ser o sorriso ridículo que tenho na cara sempre que penso em ontem à noite. És realmente uma mulher maravilhosa, talentosa e linda.

Christian Grey
CEO, Grey Enterprises Holdings, Inc.

Derreto-me ao lê-lo.

De: Anastasia Grey
Assunto: Estou a Tentar Concentrar-me Aqui
Data: 23 agosto 2011 10:48
Para: Christian Grey

Mr. Grey,

Estou a tentar trabalhar e não quero ser distraída por memórias deliciosas.
Será agora a altura de confessar que costumava cortar o cabelo ao Ray?
Não fazia ideia de que seria um treino tão útil.
E sim, sou tua e tu, meu querido marido assoberbante que se recusa
a usufruir do direito constitucional garantido pela Segunda Emenda de
usar armas, és meu. Mas não te preocupes, porque eu vou proteger-
-te. Sempre.

Anastasia Grey
Editora, SIP

———

De: Christian Grey
Assunto: Annie Oakley
Data: 23 agosto 2011 10:53
Para: Anastasia Grey

Mrs. Grey,

Fico encantado por ver que falaste com o departamento de informática
e mudaste o nome. :D
Dormirei descansado na minha cama sabendo que a minha mulher de
armas dorme ao meu lado.

Christian Grey
CEO & Hoplofóbico, Grey Enterprises Holdings, Inc.

Hoplofóbico? Mas que raio é isso?

De: Anastasia Grey
Assunto: Palavras Compridas
Data: 23 agosto 2011 10:58
Para: Christian Grey

Mr. Grey,

Mais uma vez, maravilha-me com as suas proezas linguísticas.
Na verdade, com as suas proezas em geral, e acho que sabe a que me refiro.

Anastasia Grey
Editora, SIP

De: Christian Grey
Assunto: Ultraje!
Data: 23 agosto 2011 11:01
Para: Anastasia Grey

Mrs. Grey,

Está a flirtar comigo?

Christian Grey
CEO Escandalizado, Grey Enterprises Holdings, Inc.

De: Anastasia Grey
Assunto: Preferiria...
Data: 23 agosto 2011 11:04
Para: Christian Grey

...que eu flirtasse com outra pessoa?

Anastasia Grey
Editora Corajosa, SIP

_____

De: Christian Grey
Assunto: Grrrr
Data: 23 agosto 2011 11:09
Para: Anastasia Grey

NÃO!

Christian Grey
CEO Possessivo, Grey Enterprises Holdings, Inc.

_____

De: Anastasia Grey
Assunto: Uau...
Data: 23 agosto 2011 11:14
Para: Christian Grey

Estás a rosnar-me? É que até é sedutor.

Anastasia Grey
Editora a Contorcer-se (no bom sentido), SIP

De: Christian Grey
Assunto: Cuidado
Data: 23 agosto 2011 11:16
Para: Anastasia Grey

A flirtar e a brincar comigo, Mrs. Grey?
Sou capaz de lhe fazer uma visita hoje à tarde.

Christian Grey
CEO Priápico, Grey Enterprises Holdings, Inc.

_____

De: Anastasia Grey
Assunto: Oh, Não!
Data: 23 agosto 2011 11:20
Para: Christian Grey

Vou comportar-me. Não quereria que o chefe do chefe do meu chefe se pusesse em cima de mim no emprego.
Agora deixa-me trabalhar. O chefe do chefe do meu chefe é capaz de me despedir com um pontapé no rabo.

Anastasia Grey
Editora, SIP

_____

De: Christian Grey
Assunto: &*%$&*&*
Data: 23 agosto 2011 11:23
Para: Anastasia Grey

Acredita em mim quando te digo que há muitas coisas fantásticas que ele gostaria de fazer com o teu rabo neste momento. Despedir-te com um pontapé não é uma delas.

Christian Grey
CEO & Homem que gosta de rabos, Grey Enterprises Holdings, Inc.

_____

A resposta dele faz-me rir.

_____

De: Anastasia Grey
Assunto: Desaparece!
Data: 23 agosto 2011 11:26
Para: Christian Grey

Não tens um império para gerir?
Para de me incomodar.
A próxima pessoa com quem tenho de me reunir já chegou.
Pensava que gostavas mais de seios...
Pensa no meu rabo que eu penso no teu...

Amo-te. Bj

Anastasia Grey
Editora Agora Húmida, SIP

_____

Não consigo evitar a disposição cabisbaixa enquanto Sawyer me leva até ao trabalho na quinta-feira. A ameaça da viagem de negócios a Nova Iorque concretizou-se e, apesar de Christian só ter partido há umas horas, já lhe sinto a falta. Ligo o computador e tenho um *e-mail* à minha espera. O meu humor melhora de imediato.

————

De: Christian Grey
Assunto: Já Te Sinto a Falta
Data: 25 agosto 2011 04:32
Para: Anastasia Grey

Mrs. Grey,

Estava adorável hoje de manhã.
Comporte-se durante a minha ausência.
Amo-te.

Christian Grey
CEO, Grey Enterprises Holdings, Inc.

————

Será a primeira noite em que dormimos separados desde que nos casámos. Planeio beber uns quantos *cocktails* com Kate – isso deve ajudar-me a adormecer. Por impulso, respondo-lhe, apesar de saber que ainda está a voar.

————

De: Anastasia Grey
Assunto: Comporta-te Tu!
Data: 23 agosto 2011 09:03
Para: Christian Grey

Diz-me quando aterrares – vou preocupar-me até estares em terra.

E sim, vou comportar-me. Quero dizer, em que apuros posso meter-
-me com a Kate?

Anastasia Grey
Editora, SIP

———

Carrego no botão de envio e beberico o meu *latte*, cortesia de Hannah. Quem diria que eu viria a adorar café? Apesar de ir sair logo à noite com Kate, sinto que me falta um pedaço de mim. Neste momento, encontra-se a trinta e cinco mil pés de altitude, algures a sobrevoar o Midwest, na rota que o leva a Nova Iorque. Não sabia que me sentiria tão irrequieta e ansiosa apenas por Christian estar longe. Decerto que, com a passagem do tempo, não serei acometida por este sentimento de perda e incerteza, pois não? Exalo um suspiro carregado e continuo a trabalhar.

Por volta da hora do almoço, desato a consultar o *e-mail* e o Black-Berry, em busca de uma mensagem. Onde estará ele? Será que aterrou em segurança? Hannah pergunta-me se quero que me traga almoço, mas estou demasiado apreensiva e mando-a embora. Sei que é irracional, mas preciso de saber que ele chegou bem.

O telefone do meu escritório toca e sobressalta-me.

— Ana St... Grey.

— Olá. — A voz de Grey está calorosa, com um laivo de diversão. O alívio percorre-me.

— Olá. — Sorrio de orelha a orelha. — Como foi o teu voo?

— Comprido. O que vais fazer com a Kate?

Oh, não.

— Vamos só tomar um copo a algum sítio sossegado.

Christian fica calado.

— O Sawyer e a nova mulher... a Prescott... vão vigiar-nos — acrescento, tentando apaziguá-lo.

— Pensava que a Kate ia ao apartamento.

— Ela quer uma bebida rápida.

Por favor, deixa-me sair! Christian solta um grande suspiro.

– Porque não me disseste? – pergunta em voz baixa. Muito baixa.

Pontapeio-me mentalmente.

– Christian, vamos ficar bem. Tenho o Ryan, o Sawyer e a Prescott aqui. É só uma bebida rápida.

Christian mantém-se resolutamente calado e eu percebo que não está satisfeito.

– Só a vi umas quantas vezes desde que nós nos conhecemos. Por favor. É a minha melhor amiga.

– Ana, eu não quero impedir-te de veres as tuas amigas. Mas achei que ela ia ter contigo ao apartamento.

– Ok – aquiesço. – Ficamos em casa.

– Só enquanto este lunático andar à solta. Por favor.

– Já disse Ok – resmoneio, exasperada e a revirar os olhos.

Christian resfolega ao telefone.

– Sei sempre quando me reviras os olhos.

Faço um esgar ao recetor.

– Olha, desculpa. Não queria preocupar-te. Vou dizer à Kate.

– Bom – sussurra ele, com um alívio evidente.

Sinto-me culpada por o ter deixado preocupado.

– Onde estás?

– Na pista de aterragem do JFK.

– Oh, então acabaste de aterrar.

– Sim. Pediste-me que te ligasse assim que aterrasse.

Sorrio. O meu subconsciente lança-me um olhar. *Vês? Ele faz o que diz que vai fazer.*

– Bem, Mr. Grey, fico contente por um de nós ser escrupuloso.

Ele ri-se.

– Mrs. Grey, o seu dom para a hipérbole não tem limites. O que hei de fazer consigo?

– Tenho a certeza de que lhe ocorrerá algo imaginativo. É o costume.

– Está a flirtar comigo?

– Sim.

Pressinto o sorriso dele.

– Tenho de ir. Ana, faz o que te peço, por favor. A equipa de segurança sabe o que está a fazer.

– Sim, Christian, assim farei. – Volto a parecer exasperada. *Caramba, já percebi.*

– Vemo-nos amanhã à noite. Ligo-te mais logo.

– Para me controlares?

– Sim.

– Oh, Christian! – censuro-o.

– *Au revoir*, Mrs. Grey.

– *Au revoir*, Christian. Amo-te.

Ele inspira profundamente.

– E eu a ti, Ana.

Nenhum de nós desliga.

– Desliga, Christian – sussurro.

– És uma coisinha mandona, não és?

– A tua coisinha mandona.

– Minha – sussurra ele. – Faz o que te digo. Desliga.

– Sim, senhor. – Desligo e fico com um sorriso estúpido, a olhar para o telefone.

Pouco depois, chega um *e-mail* à minha caixa de correio.

De: Christian Grey
Assunto: Palmas das Mãos Irrequietas
Data: 25 agosto 2011 13:42
Para: Anastasia Grey

Mrs. Grey,

É tão encantadora como sempre ao telefone.
Estava a falar a sério. Faz o que te digo.
Preciso de saber que estás em segurança.
Amo-te.

Christian Grey
CEO, Grey Enterprises Holdings, Inc.

Sinceramente, ele é que é mandão. Mas bastou uma chamada para que toda a minha ansiedade desaparecesse. Ele chegou são e salvo e, como de costume, está preocupado comigo. Por um instante, abraço o meu próprio corpo. Meu Deus, amo aquele homem. Hannah bate à porta do meu gabinete, distraindo-me e trazendo-me de novo para o presente.

Kate está linda. Com as suas calças de ganga brancas e um *top* vermelho, está pronta para arrasar pela cidade. Quando chego à receção, encontro-a a conversar animadamente com Claire.

– Ana! – exclama ela, envolvendo-me num abraço à Kate. Depois mantém-me à distância de um braço. – Não pareces mesmo a mulher de um magnata? Quem diria, a pequena Ana Steele? Estás tão... sofisticada!

Ela faz um grande sorriso e eu reviro os olhos. Estou a usar um vestido *evasé* creme, com um cinto azul-escuro e sapatos de salto alto a condizer.

– É bom ver-te, Kate – digo, correspondendo ao abraço.

– Então, onde vamos?

– O Christian quer que vamos para o apartamento.

– Ah, a sério? Não podemos só beber um *cocktail* no Zig Zag Café? Reservei uma mesa.

Abro a boca para protestar.

– Por favor? – implora ela, a fazer beicinho.

Deve ser influência de Mia. Regra geral, nunca faz beicinho. Apetecia-me mesmo um *cocktail* no Zig Zag. Da última vez que lá fomos divertimo-nos tanto... e fica perto do apartamento dela.

Estico um dedo indicador.

– Um.

Ela sorri.

– Um.

Dá-me o braço e caminhamos até ao carro, que está estacionado junto ao passeio, com Sawyer ao volante. Somos seguidas por Miss Belinda Prescott, que se juntou recentemente à equipa de segurança – uma afro-americana alta com uma atitude de quem não admite disparates.

Ainda não me afeiçoei a ela, talvez por ser demasiado reservada e profissional. O júri ainda terá de deliberar, mas, à semelhança do resto da equipa, foi escolhida pessoalmente por Taylor. Veste-se como Sawyer, com um fato de calças e casaco escuro e sóbrio.

– Pode levar-nos ao Zig Zag, por favor, Sawyer?

Sawyer vira-se para mim e eu percebo que quer dizer alguma coisa. É óbvio que recebeu ordens. Hesita.

– Ao Zig Zag Café. Vamos só tomar uma bebida.

Olho para Kate de relance e vejo que está a fitar Sawyer com um ar decidido. Pobre homem.

– Sim, senhora.

– Mr. Grey pediu que voltasse ao apartamento – intervém Prescott.

– Mr. Grey não está aqui – riposto. – Para o Zig Zag, por favor.

– Sim, minha senhora – responde Sawyer com um olhar de lado para Prescott, a qual, sensatamente, morde a língua.

Kate está boquiaberta a olhar para mim como se não acreditasse no que vê e ouve. Contraio os lábios e encolho os ombros. Está bem, então tornei-me um pouco mais assertiva do que costumava ser. Kate assente com a cabeça enquanto Sawyer avança para o tráfego do início da noite.

– Sabes que a segurança adicional anda a deixar a Grace e a Mia loucas – comenta Kate num tom descontraído.

Arregalo os olhos, perplexa.

– Não sabias? – Parece incrédula.

– O quê?

– A segurança de todos os Grey foi triplicada. Elevada à quinta casa, na verdade.

– A sério?

– Ele não te contou?

Coro.

– Não. – *Raios partam, Christian!* – Sabes porquê?

– Jack Hyde.

– O que tem o Jack que ver com isso? Pensava que ele andava só atrás do Christian! – exclamo.

Caramba. Porque é que ele não me contou?

– Desde segunda-feira – diz Kate.

Segunda passada? *Hum... identificámos o Jack no domingo. Mas por que motivo se estende a segurança extra a todos os Grey?*

— Como sabes de tudo isto?

— Pelo Elliot.

Claro.

— O Christian não te disse nada acerca disto, pois não?

Volto a corar.

— Não.

— Oh, Ana, que irritante.

Suspiro. Como sempre, Kate acertou na mosca com o seu habitual estilo preciso.

— Sabes porquê? — Se Christian não me conta, talvez Kate o faça.

— O Elliot diz que tem que ver com informação guardada no computador do Jack Hyde quando ele trabalhava na SIP.

Grande porra.

— Estás a gozar.

Uma corrente de raiva atravessa-me. Como é possível que Kate saiba de tudo isto que eu não sei?

Levanto a cabeça e apanho Sawyer a observar-me pelo espelho retrovisor. O semáforo fica verde e ele avança, concentrando-se na rua em frente. Levo um dedo aos lábios e Kate acena com a cabeça. Aposto que Sawyer também sabe, ao contrário de mim.

— Como está o Elliot? — pergunto para mudar o assunto.

Kate sorri estupidamente, dizendo-me tudo o que preciso de saber.

Sawyer para o carro no final do passadiço que segue até ao Zig Zag Café e Prescott abre-me a porta. Saio e Kate desliza atrás de mim. De braço dado, avançamos pelo passadiço, seguidas por Prescott, com uma expressão tempestiva no rosto. Oh, por amor de Deus, é só uma bebida. Sawyer afasta-se para ir estacionar o carro.

— Então, como é que o Elliot conheceu a Gia? — pergunto, a bebericar o meu segundo *mojito* de morango.

O bar é pequeno e acolhedor e não me apetece ir embora. Eu e Kate ainda não parámos de falar. Tinha-me esquecido de quanto gosto de estar com ela. É libertador estar na rua, a descontrair, a apreciar a companhia de Kate. Ocorre-me enviar uma mensagem a Christian, mas coloco a ideia de parte. Ele limitar-se-ia a ficar furioso e a obrigar-me a ir para casa, como uma criança malcomportada.

— Nem me fales dessa cabra! — exclama Kate.

A reação dela faz-me rir.

— Qual é a piada, Steele? — pergunta ela com uma agressividade que não é sincera.

— Sinto o mesmo.

— Sentes?

— Sim. Não parava de se fazer ao Christian.

— Ela teve um caso com o Elliot — diz Kate, a fazer beicinho.

— Não!

Ela assente com a cabeça, contraindo os lábios para esboçar o esgar típico de Katherine Kavanagh.

— Foi breve. No ano passado, acho. É uma trepadora social. Não admira que esteja de olho no Christian.

— O Christian está comprometido. Disse-lhe que o deixasse em paz, caso contrário, eu despedia-a.

Kate volta a fitar-me, boquiaberta e pasmada. Eu aceno orgulhosamente com a cabeça e ela ergue o copo para me saudar, impressionada e a sorrir.

— Mrs. Anastasia Grey! É assim mesmo!

Brindamos.

— O Elliot tem uma arma?

— Não. Opõe-se muito às armas.

Kate mexe a sua terceira bebida.

— O Christian também. Acho que por influência da Grace e do Carrick — balbucio. Começo a sentir-me um pouco tocada.

— O Carrick é um bom homem — diz ela, a assentir com a cabeça.

— Queria um acordo pré-nupcial — resmungo num tom triste.

— Oh, Ana. — Ela estende a mão por cima da mesa e agarra-me no braço. — Ele estava só a cuidar do seu rapaz. Como ambas sabemos, tens *interesseira* tatuada na testa.

Ela sorri-me e eu deito a língua de fora, após o que me rio.

– Cresça, Mrs. Grey – diz ela, ainda a sorrir. Parece Christian. – Farás o mesmo pelo vosso filho um dia.

– O nosso filho?

Nem me tinha ocorrido que os meus filhos serão ricos. Com o caraças. Nada lhes faltará. Quero dizer... nada. Preciso de pensar mais nisto... mas não agora. Olho de relance para Prescott e Sawyer, sentados por perto a uma mesa lateral, a observar-nos e à multidão do final do dia, cada um com o seu copo de água mineral.

– Achas que devíamos comer? – pergunto.

– Não. Devíamos beber – diz Kate.

– Porque estás com tanta vontade de beber?

– Porque já não te vejo o suficiente. Não sabia que ias fugir e casar com o primeiro tipo que te desse a volta à cabeça. – Volta a fazer beicinho. – Sinceramente, casaste tão depressa que achei que estavas grávida.

Eu rio-me.

– Toda a gente achou que eu estava grávida. Não vamos retomar essa conversa. Por favor! E tenho de ir à casa de banho.

Prescott acompanha-me. Não abre a boca. Não precisa. A reprovação emana dela como um isótopo letal.

– Não saio sozinha desde que me casei – murmuro baixinho diante da porta fechada do cubículo.

Faço uma careta, sabendo que ela está do outro lado da porta, à espera enquanto eu faço chichi. Afinal, o que poderá Hyde fazer ao certo num bar? Como de costume, Christian está só a ter uma reação exagerada.

– Kate, é tarde. Devíamos ir.

São dez e um quarto e eu mandei abaixo o meu quarto *mojito* de morango. Estou definitivamente a sentir os efeitos do álcool, que me aquece e deixa estonteada. Christian acabará por entender.

– Claro, Ana. Foi tão bom ver-te. Pareces tão mais, não sei... confiante. É óbvio que o casamento te faz bem.

Fico com as faces quentes. Vindo de Katherine Kavanagh, é de facto um elogio.

– Pois faz – sussurro e, provavelmente por ter bebido demasiado, vêm-me lágrimas aos olhos.

Poderia eu estar mais feliz? Apesar de todo o seu passado, da sua natureza, do seu caráter volúvel de cinquenta sombras, conheci o homem dos meus sonhos e casei com ele. Apresso-me a mudar de assunto para estancar os meus pensamentos sentimentais, pois sei que, se não o fizer, vou chorar.

– Gostei mesmo desta noite. – Agarro na mão de Kate. – Obrigada por me arrastares até aqui!

Abraçamo-nos. Quando ela me liberta, aceno com a cabeça a Sawyer e este passa a Prescott as chaves do carro.

– Tenho a certeza de que a Miss Sim-Senhor Prescott disse ao Christian que não estou em casa. Ele vai ficar furioso – balbucio.

E talvez ele se lembre de alguma forma deliciosa de me castigar... espero eu.

– Porque estás com esse sorriso tolo, Ana? Gostas de enfurecer o Christian?

– Não. Nem por isso. Mas é fácil consegui-lo. Ele às vezes é muito controlador. – *Quase sempre.*

– Já reparei – comenta Kate com secura.

Paramos em frente ao apartamento de Kate. Ela dá-me um abraço apertado.

– Não fiques tanto tempo sem aparecer – sussurra ela, antes de me beijar o rosto.

Depois sai do carro. Despeço-me com um aceno, sentindo-me estranhamente com saudades de casa. Tem-me feito falta a conversa entre raparigas. É divertida e descontraída e faz-me lembrar que ainda sou jovem. Tenho de me esforçar mais por ver Kate, mas a verdade é que adoro estar na minha bolha com Christian. Ontem à noite, fomos a um jantar de beneficência. Estavam lá muitos homens de fato e mulheres elegantes e bem arranjadas, a falar dos preços das propriedades, da crise económica e das bolsas em queda. Quero dizer, foi enfadonho, mesmo enfadonho. Por isso, é rejuvenescedor descontrair com alguém da minha idade.

O meu estômago reclama. Ainda não comi. *Merda... Christian!* Levo a mão à bolsa e saco do BlackBerry. *Grande porra – cinco chamadas não atendidas!* Uma mensagem escrita...

ONDE RAIO ESTÁS?

E um *e-mail*.

De: Christian Grey
Assunto: Zangado. Ainda Não Me Viste Zangado
Data: 26 agosto 2011 00:42
Para: Anastasia Grey

Anastasia,

O Sawyer diz-me que estás a beber *cocktails* num bar depois de me
teres dito que não o farias.
Fazes ideia de quão zangado estou neste momento?
Vemo-nos amanhã.

Christian Grey
CEO, Grey Enterprises Holdings, Inc

Sinto um aperto no coração. Oh, merda! Estou mesmo em apuros.
O meu subconsciente lança-me um olhar irado e em seguida encolhe os
ombros, com uma expressão de fizeste-a-tua-cama-agora-deita-te-nela.
O que esperava eu? Penso telefonar-lhe, mas já é tarde e ele deve estar a
dormir... ou a andar de um lado para o outro. Concluo que uma mensagem rápida é capaz de ser suficiente.

AINDA ESTOU INTEIRA. DIVERTI-ME. FAZES-ME FALTA...
POR FAVOR, NÃO FIQUES FURIOSO

Fito o BlackBerry, implorando-lhe mentalmente que responda, mas o aparelho mantém-se agoirentamente silencioso. Suspiro.

Prescott para o carro diante do Escala e Sawyer sai para me abrir a porta. Enquanto esperamos pelo elevador, aproveito para o interrogar.

– A que horas lhe telefonou o Christian?

Sawyer enrubesce.

– Por volta das nove e meia, minha senhora.

– Porque não interrompeu a minha conversa com a Kate para que eu pudesse falar com ele?

– Mr. Grey disse-me para não o fazer.

Contraio os lábios. O elevador chega e subimos em silêncio. De repente, sinto-me grata por Christian ter uma noite inteira para recuperar do seu ataque de nervos e por estar do outro lado do país. Isso dá-me algum tempo. Por outro lado... faz-me falta.

As portas do elevador abrem-se e, por um instante, fito a mesa do vestíbulo.

O que está errado aqui?

O vaso de flores está despedaçado por todo o chão do átrio, água, flores e cacos espalhados por todo o lado, e a mesa está virada do avesso. Fico com o couro cabeludo arrepiado e Sawyer agarra-me por um braço e puxa-me para dentro do elevador.

– Fique aí – sibila, desaparecendo do meu campo de visão.

Recuo até ao fundo do elevador.

– Luke! – ouço Ryan a chamar do interior do salão. – Código azul!

Código azul?

– Tens o suspeito? – pergunta-lhe Sawyer num grito. – Meu Deus!

Encosto-me à parede do elevador. *Mas que raio se passa?* A adrenalina corre-me pelo corpo e o coração salta-me para a garganta. Ouço vozes baixas e, pouco depois, Sawyer regressa ao átrio, ficando no meio da poça de água. Guarda a arma no coldre.

– Pode entrar, Mrs. Grey – diz-me num tom suave.

– O que aconteceu, Luke? – A minha voz pouco mais é do que um sussurro.

– Tivemos uma visita.

Agarra-me pelo cotovelo e eu agradeço o apoio – as minhas

pernas transformaram-se em gelatina. Ao seu lado, atravesso as portas duplas abertas.

Ryan encontra-se à entrada do salão. Tem um corte no sobrolho que está a sangrar e outro na boca. Parece ter sido agredido, tem as roupas em desalinho. Mas o mais chocante é que Jack Hyde está espojado a seus pés.

CAPÍTULO DEZ

Tenho o coração acelerado e o sangue lateja-me nos tímpanos; o álcool que flui pelo meu sistema amplifica o som.

— Ele está...? — arquejo, incapaz de completar a pergunta e a fitar Ryan com um olhar esbugalhado e aterrorizado. Nem sequer consigo olhar para a figura deitada de bruços no chão.

— Não, minha senhora. Está só inconsciente.

Sou invadida por alívio. *Oh, graças a Deus.*

— E você? — pergunto-lhe, sem desviar o olhar dele.

Apercebo-me de que não sei o nome próprio dele. Está a ofegar como se tivesse corrido a maratona. Limpa o canto da boca, eliminando o vestígio de sangue, e vejo que começa a formar-se um hematoma ligeiro na sua face.

— Ele deu uma luta dos demónios, mas estou bem, Mrs. Grey.

Esboça um sorriso para me tranquilizar. Se o conhecesse melhor, diria que está com um ar um pouco convencido.

— E a Gail? Mrs. Jones?

Oh, não... será que ela está bem? Tê-la-ão magoado?

— Estou aqui, Ana.

Quando olho para trás, vejo que está de camisa de dormir e robe, com o cabelo solto, o rosto pálido e os olhos bem abertos — como os meus, imagino.

— O Ryan acordou-me. Insistiu para que eu viesse para aqui. — Aponta para trás de si, para o gabinete de Taylor. — Estou bem. A senhora está bem?

Aceno rapidamente com a cabeça e apercebo-me de que ela provavelmente acabou de sair do abrigo adjacente ao gabinete de Taylor. Quem diria que precisaríamos daquele espaço tão cedo? Christian insistiu para que fosse instalado pouco depois do nosso noivado — e eu revirei os olhos. Agora, ao ver Gail junto à ombreira da porta, fico grata por ele ter sido precavido.

Um rangido da porta que dá para o vestíbulo distrai-me. Está solta das dobradiças. Mas que raio aconteceu àquilo?

— Veio sozinho? — pergunto a Ryan.

— Sim, senhora. Não estaria aqui se ele não tivesse vindo sozinho, garanto-lhe — responde ele num tom vagamente afrontado.

— Como é que ele entrou? — pergunto, sem fazer caso do seu tom.

— Pelo elevador de serviço. Coragem não lhe falta, minha senhora.

Olho para a figura espojada de Jack. Está a usar uma espécie de uniforme... um macacão, parece-me.

— Quando?

— Há uns dez minutos. Detetei-o no monitor de segurança. Estava a usar luvas... um bocado estranho, em agosto. Reconheci-o e decidi permitir-lhe o acesso. Sabia que assim o apanhávamos. A senhora não estava aqui e a Gail estava a salvo, pelo que calculei que seria agora ou nunca.

Mais uma vez, Ryan parece muito satisfeito consigo mesmo e Sawyer fita-o com um esgar de reprovação.

Luvas? A ideia distrai-me e eu volto a olhar para Jack. Pois, tem umas luvas de cabedal castanho. Que sinistro.

— E agora? — pergunto, a tentar esquecer as possíveis ramificações.

— Temos de o amarrar — responde Ryan.

— Amarrá-lo?

— Para o caso de acordar. — Ryan olha de relance para Sawyer.

— De que precisam? — pergunta Mrs. Jones, dando um passo em frente. Já recuperou a compostura.

— Algo para o prender... uma corda ou um cabo — diz Ryan.

Braçadeiras para cabos. Coro ao lembrar-me da noite passada. Por reflexo, esfrego os pulsos e verifico se têm alguma marca. Não. Bom.

— Tenho uma coisa assim. Braçadeiras para cabos. Servem?

Todos os olhos se fixam em mim.

— Sim, senhora. Perfeitamente — diz Sawyer, sério e com uma expressão compenetrada.

Quero que o chão me engula, mas viro-me e encaminho-me para

o nosso quarto. Por vezes é necessário enfrentar as coisas. Talvez seja a combinação do álcool e do medo que me deixa audaz.

Quando volto, Mrs. Jones está a avaliar a confusão no vestíbulo e Miss Prescott juntou-se à equipa de segurança. Passo as braçadeiras a Sawyer que, lentamente e com um cuidado desnecessário, ata as mãos de Hyde atrás das costas deste. Mrs. Jones desaparece para a cozinha e regressa com um estojo de primeiros-socorros. Agarra em Ryan por um braço, encaminha-o para a entrada do salão e começa a cuidar-lhe do corte que tem no sobrolho. Ryan faz um esgar enquanto ela o desinfeta com um toalhete antisséptico. Depois reparo na *Glock* que está no chão, com um silenciador. *Grande merda! O Jack estava armado?* Sinto bílis a subir-me à garganta e obrigo-a a descer.

— Não toque nisso, Mrs. Grey — diz Prescott quando me baixo para a apanhar.

Sawyer emerge do gabinete de Taylor, com luvas de látex calçadas.

— Eu trato disso, Mrs. Grey — diz ele.

— É dele? — pergunto.

— Sim, senhora — responde Ryan, com mais um esgar provocado pelos cuidados de Mrs. Jones.

Com o caraças. Ryan lutou com um homem armado em minha casa. A ideia faz-me estremecer. Sawyer dobra-se e apanha cuidadosamente a *Glock*.

— Será que deve fazer isso? — pergunto.

— Seria o que Mr. Grey esperaria, minha senhora.

Sawyer guarda a arma num saco transparente e depois agacha-se para revistar Jack. Detém-se e puxa um rolo de fita adesiva preta que o homem tinha no bolso. Ficando com o rosto exangue, volta a guardá--la no bolso de Hyde.

Fita adesiva? A minha mente regista o facto sem grande empenho enquanto vou observando tudo com fascínio e um distanciamento estranhos. Depois a bílis volta-me à garganta, quando me apercebo das implicações. Muito depressa, afasto-as dos meus pensamentos. *Não vás por aí, Ana!*

— Não devíamos telefonar à polícia? — balbucio, tentando disfarçar o meu medo. Quero que Hyde saia da minha casa, quanto mais cedo melhor.

Ryan e Sawyer entreolham-se.

– Eu acho que deveríamos chamar a polícia – digo, num tom mais autoritário, sem saber o que significará aquele olhar entre eles.

– Acabei de tentar falar com o Taylor, que não está a atender. Talvez esteja a dormir. – Sawyer verifica as horas. – Falta um quarto para as duas da manhã na costa leste.

Oh, não.

– Telefonou a Christian? – sussurro.

– Não, minha senhora.

– Queria falar com o Taylor para receber instruções?

Por um instante, Sawyer parece envergonhado.

– Sim, minha senhora.

Parte de mim agita-se. Este homem – volto a olhar para Hyde – invadiu-me a casa e tem de ser levado pela polícia. Porém, olhando para eles os quatro, para os seus olhos ansiosos, concluo que deve estar a escapar-me qualquer coisa, pelo que decido telefonar a Christian. Fico com o couro cabeludo arrepiado. Sei que ele está zangado comigo – mesmo, mesmo zangado comigo – e hesito, pensando no que ele irá dizer. E sei que se stressará por não estar aqui e não poder chegar até amanhã à noite. Sei também que já o preocupei que chegue por hoje. Talvez seja melhor não lhe telefonar. Mas depois ocorre-me: Merda. *E se eu tivesse estado cá?* A ideia faz-me empalidecer. Graças a Deus que fiquei fora de casa. Afinal, talvez não me encontre em apuros.

– Ele está bem? – pergunto, a apontar para Jack.

– Vai acordar com dores de cabeça – diz Ryan, mirando-o com desprezo. – Mas só os paramédicos poderão assegurar-se de que está bem.

Levo a mão à carteira e saco do BlackBerry e, antes de poder pensar muito na dimensão da zanga de Christian, marco o número dele. Sou logo atendida pelo gravador de chamadas. Deve tê-lo desligado por estar tão furioso. Não me ocorre o que dizer. Viro-me e avanço pelo corredor para me afastar de todos.

– Olá. Sou eu. Por favor, não fiques zangado. Tivemos um acidente no apartamento. Mas está controlado, por isso não te preocupes. Ninguém se magoou. Telefona-me.

Desligo.

– Telefone à polícia – ordeno a Sawyer.

Ele acena com a cabeça, agarra no seu telemóvel e faz a chamada.

O agente Skinner está embrenhado numa conversa com Ryan à mesa da sala de jantar. O agente Walker está com Sawyer, no gabinete de Taylor. Não sei onde está Prescott, talvez também no gabinete de Taylor. O detetive Clark vai-me bombardeando com perguntas, sentado comigo no sofá do salão. É alto, moreno e seria bem-parecido se não tivesse um esgar permanente. Suspeito de que tenha sido acordado e obrigado a levantar-se de uma cama quente pelo facto de a casa de um dos homens de negócios mais influentes e abastados de Seattle ter sido invadida.

– Ele foi seu chefe? – pergunta Clark num tom brusco.

– Sim.

Estou cansada – para lá de cansada – e quero ir deitar-me. Ainda não tive notícias de Christian. A boa notícia é que os paramédicos já levaram Hyde. Mrs. Jones serve-nos uma chávena de chá.

– Obrigado. – Clark vira-se para mim. – E onde está Mr. Grey?

– Em Nova Iorque. Em negócios. Volta amanhã à noite... quero dizer, hoje à noite. – Já passa da meia-noite.

– Nós conhecemos o Hyde – murmura o detetive Clark. – Preciso que venha até à esquadra para prestar depoimento. Mas isso pode esperar. É tarde e há uns quantos repórteres acampados no passeio. Importa-se que eu dê uma vista de olhos pela casa?

– Claro que não – apresso-me a dizer, aliviada por o seu interrogatório ter chegado ao fim.

A ideia de haver jornalistas lá fora faz-me estremecer. Bem, isso não constituirá problema até amanhã de manhã. Tomo nota mental para telefonar à minha mãe e a Ray, para o caso de eles ouvirem qualquer coisa e ficarem preocupados.

– Mrs. Grey, posso sugerir-lhe que vá para a cama? – diz Mrs. Jones, numa voz calorosa e plena de preocupação.

Ao encarar os seus olhos afetuosos e amáveis, sinto repentinamente uma vontade avassaladora de chorar. Ela estende a mão e afaga-me o ombro.

– Agora estamos seguros – murmura ela. – Tudo parecerá melhor de manhã, depois de ter dormido um pouco. E Mr. Grey estará de volta amanhã à noite.

Olho nervosamente para ela, contendo as lágrimas. Christian vai ficar tão zangado.

– Posso trazer-lhe alguma coisa antes de ir deitar-se? – pergunta-me. Apercebo-me da fome que tenho.

– Adoraria comer qualquer coisa.

Ela esboça um grande sorriso.

– Uma sanduíche e um copo de leite?

Aceno com a cabeça, sentindo-me grata, e ela afasta-se para a cozinha. Ryan continua com o agente Skinner. No vestíbulo, o detetive Clark examina a confusão diante do elevador. Tem um ar pensativo, apesar do esgar desdenhoso. E, de repente, sinto-me cheia de saudades – cheia de saudades de Christian. Levo as mãos à cabeça e desejo com todas as forças que ele estivesse aqui. Ele saberia o que fazer. *Mas que noite.* Quero aninhar-me no colo dele, ser abraçada por ele e ouvi-lo dizer que me ama, apesar de eu não fazer o que me mandam – mas isso não será possível até à noite. Reviro mentalmente os olhos... Porque não me terá contado da segurança acrescida para toda a gente? O que estará ao certo no computador de Jack? É tão frustrante não saber, mas, neste momento, isso não me importa. Quero o meu marido. Sinto a falta dele.

– Aqui está, querida Ana.

Mrs. Jones interrompe-me o tumulto interior. Quando olho para ela, passa-me uma sanduíche de manteiga de amendoim e compota, com um brilho nos olhos. Há anos que não como uma destas. Esboço um sorriso tímido e devoro-a.

Quando finalmente entro na cama, encolho-me no lado de Christian, vestida com uma *t-shirt* dele. Tanto a sua almofada como a *t-shirt* cheiram a ele e, enquanto vou adormecendo, desejo silenciosamente que viaje em segurança... e que regresse de bom humor.

Acordo sobressaltada. O dia já nasceu e tenho a cabeça a doer e as têmporas a latejar. Oh, não. Espero não estar de ressaca. Com cuidado, abro os olhos e reparo que o cadeirão do quarto se mexeu e que

Christian está sentado nele. Enverga o seu *smoking* e a ponta do laço está a espreitar pelo bolso da lapela. Pergunto-me se estarei a sonhar. Tem o braço esquerdo por cima do espaldar da cadeira e, na mão, segura um copo de cristal com um líquido ambarino. Será *brandy? Whisky?* Não faço ideia. Cruzou uma das pernas compridas sobre o outro joelho. Está com umas meias escuras e sapatos formais. Tem o cotovelo direito apoiado no descanso de braço do cadeirão e está a percorrer ritmicamente o lábio inferior com o dedo indicador. À luz da aurora, os seus olhos refulgem com uma intensidade grave, mas não consigo decifrar-lhe a expressão.

O meu coração quase cessa de bater. Ele está aqui. Como pode ter chegado? Só pode ter deixado Nova Iorque ontem à noite. Há quanto tempo estará a ver-me dormir?

— Olá — sussurro.

Ele observa-me com um ar distante e o meu coração volta a vacilar. *Oh, não.* Afasta os dedos compridos da boca, acaba com o que resta da sua bebida e pousa o copo na mesa de cabeceira. Tenho alguma esperança de que me beije, mas ele não o faz. Recosta-se e continua a fitar-me com uma expressão impassível.

— Olá — diz, por fim, em voz baixa.

E eu percebo que ele continua furioso. Mesmo furioso.

— Voltaste.

— Parece que sim.

Lentamente, sento-me na cama, sem desviar o olhar dele. Tenho a boca seca.

— Quanto tempo estiveste aí a ver-me dormir?

— Bastante.

— Ainda estás zangado. — Mal consigo pronunciar as palavras.

Ele fita-me, como se ponderasse a resposta.

— Zangado — diz ele, como se provasse a palavra, lhe pesasse as nuances, o significado. — Não, Ana. Estou muito, muito para *lá* de zangado.

Com o caraças. Tento engolir, mas é difícil com a boca seca.

— Muito para lá de zangado... isso não soa bem.

Ele continua a olhar para mim, completamente impassível e sem responder. Um silêncio carregado instala-se entre nós. Levo a mão ao meu copo de água e dou um gole muito necessário, enquanto tento controlar o meu ritmo cardíaco errático.

– O Ryan apanhou o Jack – digo, experimentando uma tática diferente, e pouso o copo ao lado do dele na mesa de cabeceira.

– Eu sei – respondeu num tom gelado.

Claro que sabe.

– Vais continuar a falar por monossílabos?

As suas sobrancelhas arqueiam-se ligeiramente, indicando a surpresa que sente por não ter antevisto esta pergunta.

– Sim – acaba por dizer.

Oh... Ok. O que fazer? Defesa – é o melhor ataque.

– Lamento ter ficado na rua.

– Lamentas?

– Não – admito depois de uma pausa; essa é a verdade.

– Porque o dizes, então?

– Porque não quero que fiques zangado comigo.

Ele exala um grande suspiro, como se contivesse aquela tensão há mil horas, e passa a mão pelo cabelo. Furioso, mas lindo. Fico enlevada por ele – Christian está de volta – zangado, mas são e salvo.

– Acho que o detetive Clark quer falar contigo.

– Tenho a certeza de que quer.

– Christian, por favor...

– Por favor o quê?

– Não te mostres tão frio.

As suas sobrancelhas voltam a arquear-se numa expressão de surpresa.

– Anastasia, frieza não é o que estou a sentir neste momento. Estou a arder. A ferver de raiva. Não sei como lidar com estes... – Acena com a mão, em busca da palavra. – ...sentimentos.

Oh, merda. A sua honestidade desarma-me. Tudo o que quero fazer é aninhar-me no seu colo. É tudo o que quis fazer desde que cheguei a casa ontem à noite. *Que se dane tudo isto.* Avanço, surpreendendo-o, e subo desajeitadamente para o colo dele, onde me encolho. Ele não me afasta, que era o que eu receava. Um instante depois, envolve-me nos seus braços e encosta o nariz ao meu cabelo. Cheira a *whisky*. Quanto é que terá bebido? Também cheira a gel de banho. E a Christian. Passo os braços à volta do pescoço dele e acaricio-lhe o pescoço com o nariz, ao que ele volta a suspirar, desta vez profundamente.

– Oh, Mrs. Grey. Que hei de fazer consigo?

Beija-me o alto da cabeça. Fecho os olhos, arrebatada por estar em contacto com ele.

– Quanto é que bebeste?

Ele retesa-se.

– Porquê?

– Não costumas tomar bebidas espirituosas.

– Este é o segundo copo que bebo. Tive uma noite cansativa, Anastasia. Dá-me o desconto.

Eu sorrio.

– Se insiste, Mr. Grey – murmuro junto ao seu pescoço. – Cheiras maravilhosamente. Dormi do teu lado porque a tua almofada cheira a ti.

Ele passa o nariz pelo meu cabelo.

– Ai foi? Já me tinha perguntado porque estarias deste lado. Continuo zangado contigo.

– Eu sei.

A sua mão vai-me acariciando ritmicamente as costas.

– E eu estou zangada contigo.

Ele demora um pouco a falar.

– E o que fiz eu, conta-me, para merecer a tua ira?

– Conto-te depois, quando já não estiveres a ferver de raiva.

Beijo-lhe o pescoço. Ele fecha os olhos e inclina-se ao encontro do meu beijo, mas não tenta beijar-me. Os seus braços estreitam-se e apertam-me.

– Quando penso no que poderia ter acontecido... – A sua voz é praticamente um sussurro. Débil, magoada.

– Eu estou bem.

– Oh, Ana. – É quase um soluço.

– Estou bem. Estamos todos bem. Um pouco abalados. Mas a Gail está bem. O Ryan está bem. E o Jack desapareceu.

Ele abana a cabeça.

– Não graças a ti – resmoneia.

O quê? Reclino-me e fito-o.

– O que queres dizer com isso?

– Não quero discutir sobre isso agora, Ana.

Pestanejo. Bem, talvez *eu* queira, mas decido não o fazer. Ao menos está a falar comigo. Volto a aninhar-me contra ele. Os seus dedos tocam-me no cabelo e começam a mexer-lhe.

– Quero castigar-te – sussurra ele. – Quero mesmo espancar-te – acrescenta.

O coração salta-me para a boca. *Caramba.*

– Eu sei – sussurro, com o couro cabeludo a arrepiar-se.

– Talvez o faça.

– Espero que não.

Ele aperta o abraço.

– Ana, Ana, Ana. Esgotarias a paciência a um santo.

– Poderia acusá-lo de ser muitas coisas, Mr. Grey, mas não de ser um santo.

Por fim, sou abençoada por uma risada relutante.

– Apresentou um bom argumento, como sempre, Mrs. Grey. – Beija-me a testa e muda de posição. – Volta para a cama. Também te deitaste tarde.

Move-se depressa, levanta-me e torna a deitar-me na cama.

– Deitas-te comigo?

– Não. Tenho coisas para fazer. – Debruça-se e pega no copo. – Dorme. Acordo-te daqui a umas horas.

– Ainda estás zangado comigo?

– Sim.

– Vou voltar a dormir, então.

– Bom. – Tapa-me com a colcha e dá-me outro beijo na testa. – Dorme.

E, porque estou grogue por causa da noite passada, aliviada por ele ter regressado e emocionalmente fatigada devido ao nosso encontro matutino, faço exatamente o que ele me manda. Enquanto adormeço, sinto-me curiosa, apesar de grata, dado o sabor desagradável da minha boca, por saber por que motivo não terá ele posto em ação o seu habitual mecanismo de defesa, saltando para cima de mim para conseguir o que quer.

240

– Tens aqui sumo de laranja – diz Christian, e os meus olhos tornam a abrir-se.

Acabei de passar pelas duas horas de sono mais repousantes de que tenho memória, e acordo restaurada, já sem a cabeça a latejar. O sumo de laranja é uma visão que me reconforta – tal como a do meu marido. Está de fato de treino. Por um momento, regresso ao Heathman Hotel e à primeira vez que acordei ao seu lado. Tem a camisola de alças cinzenta molhada de suor. Ou esteve no ginásio da cave ou foi correr, mas não deveria ter tão bom aspeto depois de fazer exercício.

– Vou tomar um duche – murmura ele, ao que desaparece para a casa de banho.

Franzo o sobrolho. Continua distante. Ou está distraído por tudo o que tem acontecido, ou ainda está zangado ou... o quê? Sento-me e pego no copo de sumo de laranja, que bebo demasiado depressa. Está delicioso, gelado, e melhora muito o sabor que tenho na boca. Saio da cama, ansiosa por anular a distância – real e metafísica – que me separa do meu marido. Olho de relance para o despertador. São oito da manhã. Dispo a *t-shirt* dele e sigo-o até à casa de banho. Ele está no duche, a lavar o cabelo, e eu não hesito. Esgueiro-me para trás dele e Christian retesa-se no momento em que passo os braços à sua volta – colando a parte da frente do meu corpo às suas costas molhadas e musculadas. Ignoro a reação dele, abraço-o com força e encosto a minha face ao corpo dele, fechando os olhos. Passado um instante, ele move-se para que fiquemos os dois sob a cascata de água quente e continua a lavar o cabelo. Deixo a água escorrer-me pelo corpo enquanto abraço o homem que amo. Penso em todas as vezes que ele me fodeu e em todas as vezes que fez amor comigo aqui. Franzo o sobrolho. Nunca ficou tão calado. Viro a cabeça e começo a percorrer-lhe as costas com beijos. O seu corpo volta a retesar-se.

– Ana – avisa-me.

– Hum.

As minhas mãos descem lentamente, do seu estômago liso para a barriga. Ele pousa as duas mãos sobre as minhas e obriga-as a pararem abruptamente. Abana a cabeça.

– Não – torna a avisar.

Solto-o de imediato. *Ele está a recusar?* A minha mente entra em queda livre – isto alguma vez aconteceu? O meu subconsciente abana a cabeça, com os lábios contraídos. Fita-me por cima dos óculos em forma de meia-lua, com a sua expressão que diz desta-vez-deste-mesmo-cabo--de-tudo. Sinto-me como se tivesse sido esbofeteada com força. Rejeitada. E toda uma vida de insegurança produz o pensamento de que *ele já não me quer.* Arquejo quando a dor me perpassa. Christian vira-se e eu fico aliviada ao ver que ele não está completamente indiferente aos meus encantos. Ele agarra-me o queixo, inclina-me a cabeça para cima e dou por mim a fitar-lhe os olhos cinzentos e cautelosos.

– Ainda estou furioso contigo – diz ele, numa voz baixa e séria.

Merda. Debruçando-se, encosta a testa à minha e fecha os olhos. Eu ergo uma mão e acaricio-lhe o rosto.

– Não fiques zangado comigo, por favor. Acho que estás a exagerar – sussurro.

Ele endireita-se e empalidece. Deixo a mão cair.

– A exagerar? – rosna. – Um lunático da porra entra-me no apartamento para me raptar a mulher e tu achas que eu estou a exagerar?!

A ameaça contida na sua voz é assustadora e os seus olhos chispam enquanto ele me fita como se *eu* fosse o lunático da porra.

– Não... há, não era a isso que me referia. Pensava que estavas assim por eu ter estado na rua.

Ele volta a fechar os olhos como se estivesse com dores e abana a cabeça.

– Christian, eu não estava aqui – digo-lhe, numa tentativa de o apaziguar e tranquilizar.

– Eu sei – sussurra ele, abrindo os olhos. – E tudo porque não és capaz de corresponder a um simples pedido, porra. – O seu tom é amargurado e é a minha vez de empalidecer. – Não quero discutir isto agora no duche. Continuo furioso contigo, Anastasia. Estás a obrigar--me a pôr em causa o meu discernimento.

Ele vira-se e apressa-se a sair do duche, agarrando numa toalha enquanto abandona a casa de banho, deixando-me só e gelada debaixo da água quente.

Porra. Porra. Porra.

Depois o significado daquilo que ele acabou de dizer atinge-me. *Raptar?* Merda. Jack queria raptar-me? Lembro-me da fita adesiva e não quero pensar muito a fundo nos motivos de Jack. Será que Christian tem mais informação? Lavo o corpo à pressa, depois o cabelo. Quero saber. Preciso de saber. Não vou permitir que me deixe na ignorância acerca disto.

Christian não está no quarto quando eu saio da casa de banho. Bolas, veste-se depressa. Faço o mesmo, enfiando o meu vestido preferido, cor de ameixa, e calçando umas sandálias pretas, consciente de que escolhi este conjunto porque agrada a Christian. Seco vigorosamente o cabelo com uma toalha, depois entranço-o e prendo-o no alto da cabeça. A colocar uns brincos de diamante nas orelhas, corro até à casa de banho para aplicar um pouco de rímel e olho de relance para o meu reflexo. *Estou pálida. Estou sempre pálida.* Respiro profundamente para me acalmar. Preciso de enfrentar as consequências da decisão precipitada que tomei para me divertir de facto com a minha amiga. Suspiro, sabendo que Christian não verá as coisas dessa forma.

Não há sinal de Christian no salão. Mrs. Jones está atarefada na cozinha.

– Bom dia, Ana – cumprimenta-me com doçura.

– Bom dia. – Esboço um grande sorriso. Voltei a ser Ana!

– Chá?

– Por favor.

– Alguma coisa para comer?

– Por favor. Esta manhã apetece-me uma omelete.

– Com cogumelos e espinafres?

– E queijo.

– É para já.

– Onde está o Christian?

– Mr. Grey está no seu gabinete.

– Ele tomou o pequeno-almoço? – pergunto, com um olhar de relance para os dois pratos no balcão do pequeno-almoço.

– Não, minha senhora.

– Obrigada.

Christian está ao telefone, vestido com uma camisa branca sem gravata, parecendo realmente um CEO descontraído. Como podem enganar as aparências... Talvez hoje não vá ao escritório, afinal. Olha para mim quando apareço à entrada mas abana a cabeça, indicando que não sou bem-vinda. *Merda...* Viro-me e caminho desanimadamente de volta ao balcão do pequeno-almoço. Taylor aparece, vestido formalmente com um fato escuro, parecendo ter gozado de oito horas de sono ininterrupto.

– Bom dia, Taylor – murmuro, tentando avaliar a disposição com que se encontra e ver se me oferecerá algumas pistas visuais sobre o que tem vindo a acontecer.

– Bom dia, Mrs. Grey. – A sua brevidade é muito reveladora. – Posso perguntar-lhe como está? – acrescenta, num tom mais suave.

– Estou bem.

Ele acena com a cabeça.

– Com a sua licença.

Encaminha-se para o gabinete de Christian. Hum. Taylor pode entrar, mas eu não.

– Aqui tem.

Mrs. Jones coloca o pequeno-almoço à minha frente. O meu apetite desapareceu, mas não deixo de comer, pois não desejo ofendê-la.

Quando acabo de comer o que sou capaz, Christian continua no seu gabinete. Estará a evitar-me?

– Obrigada, Mrs. Jones – murmuro, deslizando do banco e seguindo para a casa de banho para lavar os dentes.

Enquanto o faço, lembro-me do amuo de Christian a propósito dos votos nupciais. Será disso que se trata? Estará ele a amuar? Estremeço ao recordar o pesadelo que teve em seguida. Irá isso tornar a acontecer? Precisamos mesmo de falar. Eu tenho de saber mais acerca de Jack e das medidas de segurança reforçadas para todos os Grey – todos os detalhes me têm sido ocultados, embora não de Kate. É óbvio que Elliot fala com ela.

Olho de relance para o relógio. São dez para as nove – estou atrasada para o trabalho. Acabo de escovar os dentes, coloco um pouco de *gloss* nos lábios, agarro no meu casaco preto muito leve e regresso ao salão. Fico aliviada ao ver Christian ali, a tomar o pequeno-almoço.

– Já vais? – pergunta quando me vê.

– Para o trabalho? Sim, claro. – Corajosamente, aproximo-me dele e apoio as mãos na beira da bancada dos pequenos-almoços. – Christian, regressámos há menos de uma semana. Tenho de ir trabalhar.

– Mas...

Ele interrompe-se e passa a mão pelo cabelo. Mrs. Jones sai silenciosamente da cozinha. *Discreta, Gail, discreta.*

– Eu sei que temos muito de que falar. Se te tiveres acalmado, talvez possamos falar logo à noite.

A boca dele abre-se de espanto.

– Acalmado? – A sua voz é sinistramente suave.

Coro.

– Tu sabes o que quero dizer.

– Não, Anastasia, não sei o que queres dizer.

– Não quero discutir. Vinha perguntar-te se posso levar o meu carro.

– Não. Não podes – riposta ele.

– Ok – aquiesço de imediato.

Ele pestaneja. É óbvio que estava à espera de uma discussão.

– A Prescott acompanha-te – diz, num tom ligeiramente menos beligerante.

Raios, Prescott não. Apetece-me fazer beicinho e protestar, mas decido não o fazer. Decerto que, agora que Jack foi apanhado, poderemos diminuir a segurança.

Recordo-me das "palavras de sabedoria" da minha mãe no dia anterior ao meu casamento. *Ana, querida, vais ter mesmo de escolher as batalhas que travas. Será o mesmo com os teus filhos quando os tiveres.* Bem, ao menos ele deixou-me ir trabalhar.

– Ok – balbucio.

E, como não quero deixá-lo assim, com tantas coisas por resolver e tanta tensão entre nós, dou um passo hesitante na direção dele. Christian retesa-se, com os olhos a arregalarem-se e, por um momento, fica com um aspeto tão vulnerável que me provoca um aperto no peito. *Oh, Christian, lamento tanto.* Dou-lhe um beijo casto no canto da boca. Ele fecha os olhos como se se deleitasse com o meu toque.

– Não me odeies – sussurro.

Ele agarra-me a mão.

– Eu não te odeio.

– Ainda não me beijaste – sussurro.

Ele fita-me com um ar desconfiado:

– Eu sei – murmura.

Sinto-me desesperada por lhe perguntar porquê, mas não tenho a certeza de querer saber a resposta. Abruptamente, ele levanta-se e segura-me o rosto entre as mãos e, num abrir e fechar de olhos, os seus lábios estão colados aos meus. Arquejo de surpresa, o que, inadvertidamente, faculta o acesso à sua língua. Ele aproveita-se por completo, invadindo-me a boca, reclamando-me e, no momento em que começo a corresponder, solta-me, com a respiração acelerada.

– O Taylor leva-te e à Prescott até à SIP – diz ele, com os olhos a refulgir de carência. – Taylor! – chama.

Coro enquanto tento recuperar alguma da compostura.

– Sim, senhor.

Taylor está à entrada.

– Diz à Prescott que Mrs. Grey vai trabalhar. Podes levá-las, por favor?

– Com certeza.

Virando costas, Taylor desaparece.

– Se puderes tentar não arranjar problemas hoje, ficaria agradecido – resmoneia Christian.

– Vou ver o que posso fazer – respondo com um sorriso doce.

Um sorriso ténue e relutante tenta os lábios de Christian, mas ele não lhe cede.

– Vemo-nos mais logo, então – diz num tom descontraído.

– Adeusinho – sussurro.

Entro no elevador com Prescott e descemos até à cave, para evitarmos os jornalistas no exterior do prédio. A detenção de Jack e o facto de ter sido apanhado no nosso apartamento já são do conhecimento público. Enquanto me instalo no *Audi*, pergunto-me se haverá mais *paparazzi* à espera diante da SIP, como no dia em que o nosso noivado foi anunciado.

Avançamos durante algum tempo em silêncio, até que me lembro de telefonar primeiro a Ray, depois à minha mãe, para lhes garantir que tanto eu como Christian estamos bem. Felizmente, ambas as chamadas são curtas e eu desligo a última no momento em que chegamos à SIP. Como receava, há um pequeno grupo de repórteres e fotógrafos à minha espera. Viram-se como um só, fitando o *Audi* com expectativa.

— Tem a certeza de que quer fazer isto, Mrs. Grey? — pergunta-me Taylor.

Parte de mim quer simplesmente voltar para casa, mas isso significaria passar o dia com o Sr. Raiva a Ferver. Espero que, passado algum tempo, ele consiga ver as coisas de outro modo. Jack está sob custódia policial, pelo que o Cinquenta deveria estar contente, só que não está. Parte de mim compreende porquê; demasiado disto escapa ao seu controlo, incluindo eu, mas não tenho tempo para pensar nisso agora.

— Dê a volta e deixe-me na entrada do pessoal, por favor, Taylor.

— Sim, senhora.

É uma da tarde e eu consegui submergir-me em trabalho durante toda a manhã. Alguém bate à porta: é Elizabeth, que em seguida espreita.

— Dás-me um minuto? — pergunta num tom animado.

— Claro — balbucio, surpreendida pela sua visita inesperada.

Ela entra e senta-se, atirando o longo cabelo preto para trás do ombro.

— Queria apenas ver se estás bem. O Roach pediu-me que viesse saber de ti — apressa-se a acrescentar, com o rosto a ficar vermelho. — Quero dizer, com tudo o que aconteceu ontem à noite.

A detenção de Jack Hyde está em todos os jornais, mas parece que ainda ninguém estabeleceu uma ligação entre isso e o incêndio na GEH.

— Estou bem — respondo, tentando não pensar a fundo no que sinto.

Jack queria magoar-me. Bem, isso não é novidade. Já o tentou antes. É com Christian que estou mais preocupada.

Olho de raspão para o meu *e-mail*. Ainda não recebi nada dele. Não sei se deveria enviar-lhe um *e-mail* ou se isso serviria apenas para provocar mais o Sr. Raiva a Ferver.

— Bom — responde Elizabeth, com um sorriso que, para variar, lhe abarca também os olhos. — Se houver algo que eu possa fazer... qualquer coisa de que precises... diz-me.

— Com certeza.

Elizabeth levanta-se.

– Sei que estás muito ocupada, Ana. Deixo-te voltar ao trabalho.

– Hã... obrigada.

Esta terá sido sem dúvida a reunião mais breve e desnecessária do dia de hoje no Ocidente. Porque terá Roach enviado Elizabeth aqui? Talvez esteja preocupado, dado eu ser a mulher do seu chefe. Abano a cabeça para me livrar dos pensamentos sombrios e levo a mão ao meu BlackBerry, na esperança de ter recebido uma mensagem de Christian. Ao fazê-lo, ouço o sinal de aviso de uma mensagem nova na caixa de correio eletrónico.

De: Christian Grey
Assunto: Depoimento
Data: 26 agosto 2011 13:04
Para: Anastasia Grey

Anastasia,

O detetive Clark irá ao teu escritório hoje às três da tarde, para recolher o teu depoimento.

Insisti para que fosse ele a ir ver-te, já que não quero que vás à esquadra.

Christian Grey
CEO, Grey Enterprises Holdings, Inc.

Fito o seu *e-mail* durante uns bons cinco minutos, tentando pensar numa resposta ligeira e engraçada que lhe melhore a disposição. Não me ocorre nada, pelo que opto por ser concisa.

De: Anastasia Grey
Assunto: Depoimento
Data: 26 agosto 2011 13:12
Para: Christian Grey

Ok.

Bj, A

Anastasia Grey
Editora, SIP

_____

Fico outros cinco minutos de olhos postos no ecrã, ansiosa por uma resposta dele, mas não recebo nada. Hoje Christian não está com vontade de brincar.

Recosto-me. Poderei culpá-lo? O meu pobre Cinquenta deve ter andado num frenesim durante a madrugada de hoje. Depois vem-me uma ideia à cabeça. Estava de *smoking* quando acordei de manhã. A que horas terá decidido regressar de Nova Iorque? Ele costuma deixar os eventos sociais entre as dez e as onze da noite. Ontem, a essa hora, eu ainda estava "a monte" com Kate.

Terá Christian regressado por eu ter saído ou por causa do incidente com Jack? Se partiu de Nova Iorque por eu estar na rua a divertir-me, não terá sabido o que quer que seja sobre Jack, a polícia, seja o que for – até aterrar em Seattle. De repente, sinto uma grande urgência em ficar a saber. Se Christian regressou simplesmente por eu não estar em casa, então teve uma reação exagerada. O meu subconsciente arreganha os dentes, com uma cara de harpia. Ok, estou contente por ele ter voltado, pelo que talvez seja uma questão irrelevante. Mas, ainda assim... Christian deve ter apanhado um choque e tanto quando aterrou. Não admira que esteja tão confuso hoje. As palavras que me disse de manhã ressoam-me na cabeça: *Continuo furioso contigo, Anastasia. Estás a obrigar-me a pôr em causa o meu discernimento.*

Tenho de saber – terá regressado por causa do *Cocktailgate,* ou por causa do lunático da porra?

De: Anastasia Grey
Assunto: O Teu Voo
Data: 26 agosto 2011 13:24
Para: Christian Grey

A que horas decidiste voltar para Seattle, ontem?

Anastasia Grey
Editora, SIP

De: Christian Grey
Assunto: O Teu Voo
Data: 26 agosto 2011 13:26
Para: Anastasia Grey

Porquê?

Christian Grey
CEO, Grey Enterprises Holdings, Inc.

De: Anastasia Grey
Assunto: O Teu Voo
Data: 26 agosto 2011 13:29
Para: Christian Grey

Chamemos-lhe curiosidade.

Anastasia Grey
Editora, SIP

_____

De: Christian Grey
Assunto: O Teu Voo
Data: 26 agosto 2011 13:32
Para: Anastasia Grey

A curiosidade matou o gato.

Christian Grey
CEO, Grey Enterprises Holdings, Inc.

_____

De: Anastasia Grey
Assunto: Hã?
Data: 26 agosto 2011 13:35
Para: Christian Grey

Para que é essa referência de esguelha? Mais uma ameaça?

Sabes onde quero chegar com isto, não sabes?

Decidiste voltar porque eu fui beber um copo com a minha amiga depois de tu me teres pedido que não o fizesse, ou voltaste porque havia um louco no teu apartamento?

Anastasia Grey
Editora, SIP

Fito o meu ecrã. Não obtenho resposta. Olho de relance para o relógio do computador. Uma e quarenta e cinco e ainda não há resposta.

_____

De: Anastasia Grey
Assunto: O que se Passa é o Seguinte...
Data: 26 agosto 2011 13:56
Para: Christian Grey

Vou interpretar o teu silêncio como uma admissão de que regressaste mesmo a Seattle porque EU MUDEI DE IDEIAS. Sou uma mulher adulta e fui beber um copo com a minha amiga. Não tinha noção de que MUDAR DE IDEIAS teria implicações ao nível da segurança porque TU NUNCA ME CONTAS NADA. Fiquei a saber pela Kate que as medidas de segurança foram, de facto, adotadas para todos os Grey, não apenas para nós. Acho que costumas ter reações exageradas no que diz respeito à minha segurança, e compreendo porquê, mas fazes-me lembrar a história de Pedro e o Lobo.

Nunca faço ideia do que é uma preocupação concreta ou apenas algo que tu vês como uma preocupação. Tinha dois seguranças comigo. Achei que tanto eu como a Kate estaríamos a salvo. Na verdade, estávamos mais a salvo naquele bar do que no apartamento. Se eu tivesse sido COMPLETAMENTE INFORMADA acerca da situação, a minha conduta teria sido diferente.

Entendo que os teus receios se prendem com o material que estava no computador que o Jack tinha aqui – pelo menos, é essa a opinião da Kate. Tens noção de quão irritante é descobrir que a minha melhor amiga sabe mais acerca do que se passa do que eu? E eu sou tua MULHER. Por isso, vais contar-me? Ou vais continuar a tratar-me como uma criança, garantindo que eu continue a comportar-me dessa forma?

Não és só tu quem está fodido da vida. Ok?

Ana

Anastasia Grey
Editora, SIP

_____

Carrego no botão de envio. *Pronto — toma e embrulha, Grey.* Inspiro profundamente. Fiquei bastante enfurecida. Ali estava eu, a sentir-me arrependida e culpada por me ter portado mal. Bem, já não é isso que sinto.

_____

De: Christian Grey
Assunto: O que se Passa é o Seguinte...
Data: 26 agosto 2011 13:59
Para: Anastasia Grey

Como sempre, Mrs. Grey, mostra-se direta e desafiadora por escrito.
Talvez seja melhor discutirmos isto quando chegar ao NOSSO apartamento.

Deveria ter tento na língua. Eu também continuo fodido da vida.

Christian Grey
CEO, Grey Enterprises Holdings, Inc.

_____

Tento na língua! Faço uma careta ao computador, apercebendo-me de isto não me leva a lugar algum. Não respondo; em vez disso, pego num manuscrito que chegou há pouco tempo de um novo autor promissor e começo a ler.

A minha reunião com o detetive Clark não tem nada de especial. Está menos rezingão do que ontem à noite, talvez por ter conseguido dormir um pouco. Ou, se calhar, prefere simplesmente trabalhar de dia.

— Obrigado pelo seu depoimento, Mrs. Grey.

— Não tem de quê, detetive. O Hyde já está em prisão preventiva?

— Sim, minha senhora. Teve alta do hospital ao início da manhã. Com as acusações que enfrenta, deve passar bastante tempo connosco.

Sorri, com os olhos escuros a franzirem-se.

— Bom. Foi uma altura de grande tensão para mim e para o meu marido.

— Tive a oportunidade de conversar longamente com Mr. Grey hoje de manhã. Ele está muito aliviado. É um homem interessante, o seu esposo.

Nem faz ideia.

— Sim, é o que penso.

Esboço um sorriso cordial que lhe dá a entender que está a ser dispensado.

— Se lhe ocorrer mais alguma coisa, pode telefonar-me. Aqui está o meu cartão.

Tira um cartão de visita da carteira e passa-mo.

— Obrigada, detetive. Assim farei.

— Tenha um bom dia, Mrs. Grey.

— Bom dia.

Depois de ele se ir embora, fico a pensar em quais serão as acusações que Hyde enfrentará. Não há dúvida que Christian não irá contar-me. Contraio os lábios.

Seguimos em silêncio até ao Escala. Desta vez é Sawyer quem conduz, com Prescott sentada ao seu lado, e o meu coração vai ficando cada vez mais carregado à medida que nos aproximamos de casa. Sei que vou ter uma discussão tremenda com Christian e não sei se tenho energia para tanto.

Enquanto subo no elevador desde a garagem, acompanhada por Prescott, tento dar ordem aos meus pensamentos. O que quero dizer? Acho que já disse tudo no *e-mail*. Talvez ele me ofereça algumas respostas. Espero que sim. Não consigo evitar os nervos. Tenho o coração a latejar, a boca seca e as palmas das mãos suadas. Não quero discutir. Mas às vezes ele é tão complicado e eu tenho de me impor.

As portas do elevador abrem-se, revelando o vestíbulo, que voltou a estar limpo e arrumado. A mesa foi endireitada e há uma jarra nova com um arranjo lindíssimo de peónias rosa-pálido e brancas. Vou verificando os quadros à medida que avançamos — todas as Madonas parecem estar intactas. A porta partida do vestíbulo foi arranjada e já está outra vez a funcionar; Prescott tem a amabilidade de a abrir para eu entrar. Tem estado muito calada hoje. Acho que gosto mais dela assim.

Largo a pasta na entrada e encaminho-me para o salão. Detenho-me. *Porra.*

— Boa noite, Mrs. Grey — cumprimenta-me Christian em voz baixa. Está ao lado do piano, com uma *t-shirt* preta justa e calças de ganga — *aquelas* calças de ganga — as que usou no quarto do prazer. *Oh, céus.* São de ganga azul-clara, submetida a muitas lavagens, ficam-lhe justas, têm um rasgão no joelho e são mesmo sensuais. Ele vem ao meu encontro, descalço, com a primeira casa das calças por abotoar e com os olhos abrasadores fixos nos meus. — É bom tê-la em casa. Tenho estado à sua espera.

CAPÍTULO ONZE

– Ai tens? – sussurro.

Fico com a boca ainda mais seca, o coração prestes a saltar-me do peito. Porque se terá vestido assim? O que quererá isto dizer? Ainda está amuado?

– Tenho – diz numa voz suave como nuvens, mas tem um sorriso matreiro enquanto se aproxima mais de mim.

Está sensual – com as calças a penderem-lhe assim das ancas. Oh, não, não vou ser distraída pelo Sr. Sexo-com-Pernas. Tento avaliar a disposição dele enquanto avança na minha direção. Zangado? Brincalhão? Lascivo? *Ah!* É impossível decifrá-lo.

– Gosto das tuas calças de ganga – murmuro.

Ele esboça um sorriso desarmante e lupino que não lhe alcança os olhos. *Merda – ainda está zangado.* Vestiu estas calças para me distrair. Detém-se à minha frente e eu fico abrasada pela sua intensidade. Ele baixa a cabeça, com os seus olhos muito abertos e indecifráveis a queimar os meus. Engulo em seco.

– Compreendo que tem algumas objeções a fazer, Mrs. Grey – diz num tom sedoso, ao mesmo tempo que tira algo do bolso traseiro das calças.

Sou incapaz de desviar o olhar do dele, mas ouço-o a desdobrar uma folha de papel. Ele ergue-a e, com um breve olhar de relance, reconheço o meu *e-mail*. Volto a fitar-lhe os olhos ardentes de raiva.

– Sim, tenho objeções – sussurro, sentindo-me sem fôlego.

Preciso de distância se vamos discutir isto. Porém, antes que eu possa recuar, ele inclina-se e percorre-me o nariz com o seu. Os meus olhos pestanejam e fecham-se enquanto acolho o seu toque inesperado e delicado.

– Também eu – sussurra contra a minha pele, e as palavras fazem-me abrir os olhos.

Ele endireita-se e volta a fitar-me intensamente.

— Acho que estou a par das tuas objeções, Christian — comento numa voz seca, que o leva a estreitar os olhos e a suprimir o divertimento que por instantes ali brilhava. Vamos discutir? Por cautela, dou um passo atrás. Tenho de me distanciar fisicamente dele: do seu cheiro, do seu ar, do seu corpo que me distrai naquelas calças de ganga sensuais. Ele franze o sobrolho quando eu me afasto. — Porque regressaste mais cedo de Nova Iorque? — suspiro.

Vamos acabar com isto de uma vez por todas.

— Tu sabes porquê. — O seu tom contém um laivo de aviso.

— Porque fui sair com a Kate?

— Porque voltaste atrás com a tua palavra e me desafiaste, correndo um risco desnecessário.

— Voltei atrás com a minha palavra? É assim que tu vês as coisas? — exclamo, ignorando o resto da sua frase.

— Sim.

Com o caraças. Isto é que é reagir de forma exagerada! Começo a revirar os olhos, mas paro quando ele me faz um esgar.

— Christian, mudei de ideias — explico lenta e pacientemente, como se ele fosse uma criança. — Sou uma mulher. Somos conhecidas por isso. É o que fazemos.

Ele pestaneja como se não compreendesse o que eu digo.

— Se me tivesse sequer passado pela cabeça que cancelarias a tua viagem de negócios...

Faltam-me as palavras. Apercebo-me de que não sei o que lhe dizer. Sou momentaneamente catapultada para a discussão sobre os nossos votos nupciais. *Nunca prometi obedecer-te, Christian.* Mas mordo a língua porque, no fundo, estou feliz por ele ter regressado. Apesar da sua fúria, estou contente por ele estar intacto, zangado e a ferver à minha frente.

— Mudaste de ideias? — Ele é incapaz de disfarçar a descrença desdenhosa.

— Sim.

— E não te ocorreu telefonares-me? — Fita-me com um ar zangado e incrédulo antes de prosseguir. — E, para mais, reduziste a equipa de segurança presente aqui em casa e deixaste o Ryan em perigo.

Oh. Não tinha pensado nisso.

– Eu poderia ter-te ligado, mas não queria que te preocupasses. Se te tivesse telefonado, de certeza que me terias proibido de ir e eu tenho sentido a falta da Kate. Queria vê-la. Para além disso, estar fora deixou--me fora do alcance do Jack quando ele veio cá. O Ryan não deveria ter--lhe permitido que entrasse.

Isto é tão confuso. Se Ryan não o tivesse feito, Jack continuaria a monte.

Os olhos de Christian refulgem de fúria e depois fecham-se enquanto ele contrai todo o rosto como se tivesse dores. *Oh, não.* Ele abana a cabeça e, antes que eu me aperceba do que está a acontecer, já me envolveu nos seus braços e está a puxar-me com força contra si.

– Oh, Ana – sussurra ele, apertando-me tanto que me custa respirar. – Se te acontecesse alguma coisa... – A sua voz mal chega a ser um sussurro.

– Não aconteceu – consigo dizer.

– Mas poderia ter acontecido. Morri mil vezes hoje, a pensar no que poderia ter acontecido. Estava tão furioso, Ana. Furioso contigo. Furioso comigo. Furioso com toda a gente. Não me lembro de ter estado tão zangado, exceto...

Ele volta a interromper-se.

– Exceto uma vez no teu antigo apartamento. Quando a Leila estava lá.

Oh. Não quero pensar nisso.

– Estavas tão distante hoje de manhã – murmuro.

A voz treme-me na última palavra, ao recordar-me da terrível sensação de rejeição no duche. As mãos dele sobem-me até à nuca, aliviando a força com que me aperta, e eu respiro profundamente. Ele puxa-me a cabeça para trás.

– Não sei como lidar com esta raiva. Acho que não quero magoar--te – diz ele, com os olhos muito abertos e cautelosos. – Hoje de manhã tive muita vontade de te castigar e... – Interrompe-se, parece-me que por não encontrar as palavras certas, ou por ter medo de as dizer.

– Tiveste medo de me magoar? – completo a frase por ele, sem acreditar sequer por um minuto que ele me magoasse, mas também aliviada.

Uma pequena parte cruel de mim receava que isso tivesse acontecido por ele já não me desejar.

— Não confiei em mim mesmo — diz ele em voz baixa.

— Christian, eu sei que tu nunca me magoarias. Pelo menos, não fisicamente.

Agarro-lhe a cabeça com as duas mãos.

— Sabes? — pergunta ele com uma voz cética.

— Sim. Sabia que o que disseste não passou de uma ameaça vã. Sei que não vais espancar-me a sério.

— Tive vontade.

— Não, não tiveste. Só achaste que tinhas.

— Não sei se isso é verdade — murmura ele.

— Pensa nisso — insto-o, voltando a abraçá-lo e a encostar o nariz ao seu peito, coberto pela *t-shirt* preta. — Pensa em como te sentiste quando eu me fui embora. Já me disseste várias vezes o que isso te fez. Como alterou a forma como vês o mundo. Eu sei do que abriste mão por mim. Pensa no que sentiste quando viste as marcas das algemas durante a nossa lua de mel.

Ele imobiliza-se e eu percebo que ele está a processar esta informação. Aperto mais os braços à volta dele, com as mãos nas suas costas, sentindo os seus músculos retesados e tonificados por baixo da *t-shirt*. A pouco e pouco, ele vai descontraindo e a tensão dissipa-se.

Era isto que o preocupava? Poder magoar-me? Porque terei eu mais fé nele do que ele próprio? Não compreendo; tenho a certeza de que evoluímos. Ele costuma ser tão forte, tão controlador mas, sem isso, fica perdido. *Oh, Cinquenta, Cinquenta, Cinquenta — desculpa.* Ele beija-me a cabeça, eu viro a cara para a dele e os seus lábios encontram os meus, dando, oferecendo, implorando — o quê, não sei. Só quero sentir a boca dele na minha e correspondo apaixonadamente ao seu beijo.

— Tens tanta fé em mim — sussurra ele depois de se afastar.

— Tenho. — Ele acaricia-me o rosto com os nós dos dedos e a ponta do polegar, fitando-me intensamente os olhos. A sua raiva desapareceu. O meu Cinquenta regressou de onde quer que tenha estado. É bom vê-lo. Levanto a cabeça e esboço um sorriso tímido. — Para além disso — sussurro —, não tens o contrato.

A sua boca abre-se numa expressão de choque fingido e ele volta a apertar-me contra o seu peito.

– Tens razão. Não tenho.

Ele ri-se. Ficamos no meio do salão, abraçados, apenas agarrados um ao outro.

– Vem para a cama – sussurra ele, sabe-se lá passado quanto tempo.

Oh, céus...

– Christian, precisamos de falar.

– Depois – pede ele em voz baixa.

– Christian, por favor. Fala comigo.

Ele suspira.

– Acerca do quê?

– Tu sabes. Manténs-me na ignorância.

– Quero proteger-te.

– Eu não sou uma criança.

– Tenho perfeita noção disso, Mrs. Grey.

Percorre-me as costas com a mão e agarra-me o traseiro. Inclinando as ancas para a frente, encosta a ereção crescente ao meu corpo.

– Christian! – ralho. – Fala comigo.

Ele volta a suspirar, exasperado.

– O que queres saber? – Pergunta num tom exasperado enquanto me solta.

Hesito – *não estava a dizer que tinhas de me largar.* Ele dá-me a mão e baixa-se para apanhar o *e-mail* que caiu ao chão.

– Muitas coisas – balbucio enquanto o deixo levar-me até ao sofá.

– Senta-te – ordena-me.

Há coisas que nunca mudam, penso eu, ao fazer o que me manda. Christian senta-se ao meu lado e, debruçando-se, põe a cabeça entre as mãos.

Oh, não. Será que isto é demasiado difícil para ele? Depois endireita--se, passa as duas mãos pelo cabelo e vira-se mim, tão expectante como reconciliado com o seu destino.

– Pergunta – diz simplesmente.

Oh. Bem, foi mais fácil do que julguei.

– Porque estendeste as medidas de segurança à tua família?

– O Hyde era uma ameaça para eles.

– Como é que sabes?

– Pelo que estava no computador dele. Tinha pormenores pessoais acerca de mim e do resto da minha família. Sobretudo do Carrick.

– Do Carrick? Porquê ele em particular?

– Ainda não sei. Vamos para a cama.

– Christian, diz-me!

– Digo-te o quê?

– És tão... exasperante.

– Também tu.

Ele faz um ar zangado.

– Não aumentaste a segurança assim que descobriste que havia informação sobre a tua família no computador dele. Por isso, o que aconteceu? Porquê agora?

Christian estreita os olhos.

– Eu não sabia que ele ia tentar incendiar o meu edifício, nem... – Interrompe-se. – Julgámos que era uma obsessão pouco saudável, mas sabes... – Encolhe os ombros. – Quando se é uma figura pública, as pessoas interessam-se. Eram coisas aleatórias: artigos sobre mim dos tempos de Harvard: os meus feitos no remo, a minha carreira. Artigos sobre o Carrick, que seguiam a carreira dele e também a da minha mãe; e havia ainda algumas coisas sobre o Elliot e a Mia.

Que estranho.

– Tu disseste *nem* – quero saber.

– Nem o quê?

– Disseste: "tentar incendiar o meu edifício, nem..." Como se fosses dizer mais alguma coisa.

– Tens fome?

O quê? Olho para ele de sobrolho franzido e o meu estômago reclama.

– Comeste, hoje? – O seu tom está mais severo e os olhos esfriam. Sou traída pelo rubor do meu rosto. – Tal como julgava – diz numa voz entrecortada. – Sabes o que penso acerca de não comeres. Anda – diz ele. Levanta-se e estende-me a mão. – Deixa-me alimentar-te.

E ele muda outra vez... desta vez, a sua voz está carregada de promessas sensuais.

– Alimentar-me? – sussurro, enquanto tudo a sul do meu umbigo se derrete.

É um desvio tão tipicamente inconstante daquilo que estávamos a debater. *É só isto? É tudo o que vou conseguir arrancar-lhe por ora?* Levando-me até à cozinha, Christian agarra num banco e passa-o para o outro lado da ilha.

– Senta-te – diz ele.

– Onde está Mrs. Jones? – pergunto, reparando na sua ausência ao empoleirar-me no banco.

– Dei-lhe a noite de folga e ao Taylor também.

Oh.

– Porquê?

Ele fita-me por um instante e o seu divertimento arrogante está de volta.

– Porque posso.

– Então vais cozinhar? – A voz trai-me a incredulidade.

– Oh, mulher de pouca fé, Mrs. Grey. Fecha os olhos.

Uau. Achei que íamos ter uma discussão inflamada, mas aqui estamos nós, a brincar na cozinha.

– Fecha-os – insiste ele.

Reviro-os primeiro e em seguida obedeço.

– Hum. Não chega – resmunga ele.

Abro um olho e vejo-o a tirar um lenço de seda cor de ameixa do bolso traseiro das calças de ganga. Condiz com o meu vestido. *Com o caraças.* Fito-o com um olhar intrigado. *Onde é que ele arranjou aquilo?*

– Fecha os olhos – ordena de novo. – Não vale espreitar.

– Vais vendar-me? – balbucio, chocada. De súbito, fiquei ofegante.

– Sim.

– Christian...

Ele pousa um dedo nos meus lábios para me silenciar.

Quero conversar.

– Depois falamos. Agora quero que comas. Disseste que tinhas fome.

Dá-me um beijo suave nos lábios. A seda do lenço é macia e encosta-se às minhas pálpebras enquanto ele o aperta com firmeza na parte de trás da minha cabeça.

– Consegues ver? – pergunta ele.

– Não – resmoneio, revirando os olhos de forma figurativa.

Ele solta uma pequena risada.

– Eu sei quando reviras os olhos... e tu sabes o que isso me provoca.

Contraio os lábios.

– Não podemos só despachar isto de uma vez por todas? – riposto.

– Que impaciência, Mrs. Grey. Tanta vontade de falar – diz num tom alegre.

– Sim!

– Primeiro tenho de a alimentar – diz ele, após o que passa os lábios pela minha têmpora, acalmando-me de imediato.

Ok... Como queiras. Resigno-me ao meu destino e ouço os seus movimentos pela cozinha. A porta do frigorífico abre-se e Christian pousa vários pratos na bancada atrás de mim. Avança até ao micro-ondas, mete qualquer coisa lá dentro e liga-o. A minha curiosidade está a ser espicaçada. Ouço a alavanca da torradeira a ser descida, o botão a ser rodado e o tiquetaque discreto do temporizador. Hum... torrada?

– Sim, estou ansiosa por falar – murmuro, distraída.

Um conjunto de aromas exóticos e picantes espalha-se pela cozinha e eu mexo-me no meu banco.

– Fica quieta, Anastasia. – Ele está outra vez perto de mim. – Quero que te comportes – sussurra. *Oh, céus.* – E não mordas o lábio.

Com delicadeza, solta-me o lábio inferior dos dentes e eu não consigo conter um sorriso.

Em seguida, ouço o estalido de uma rolha a ser tirada de uma garrafa e o vinho a ser vertido lentamente para um copo. Depois há um momento de silêncio, seguido pelo silvo delicado de ruído branco das colunas da aparelhagem a serem ligadas. O som de uma corda retesada dá início a uma música que não conheço. Christian baixa o volume, para que a música fique apenas como pano de fundo. Um homem começa a cantar com uma voz profunda, grave e *sexy*.

– Primeiro uma bebida, penso eu – sussurra Christian, distraindo-me da canção. – Cabeça para trás. – Inclino a cabeça. – Mais – insta ele.

Assim faço e os lábios dele tocam nos meus. Vinho fresco flui-me para a boca. Engulo por reflexo. *Oh, céus.* Sou invadida por memórias não muito distantes – eu amarrada na minha cama em Vancouver, antes de ter concluído a licenciatura, com um Christian sensual e zangado, a não gostar de um *e-mail* meu. *Hum... terão as coisas mudado?* Não muito. Só que agora reconheço o vinho, o favorito de Christian – um *Sancerre*.

– Hum – murmuro, apreciando-o.

– Gostas do vinho? – sussurra ele, com o hálito quente na minha face.

Sinto a sua proximidade, a sua vitalidade, o calor que irradia do seu corpo, apesar de ele não me tocar.

– Sim – respondo.

– Queres mais?

– Quero sempre mais, contigo.

Quase ouço o seu sorriso e isso faz-me sorrir também.

– Mrs. Grey, está a tentar seduzir-me?

– Sim.

A aliança dele tilinta no copo quando ele volta a bebericar o vinho. Aquilo é que é um som *sexy*. Desta vez, puxa-me a cabeça mesmo para trás, segurando-me a nuca. Torna a beijar-me e eu engulo avidamente o vinho que me dá. Sorri quando me beija de novo.

– Tens fome?

– Acho que isso já foi estabelecido, Mr. Grey.

O *crooner* no iPod está a cantar acerca de jogos perversos. *Hum... que adequado.*

O micro-ondas apita e Christian solta-me. Endireito-me. A comida cheira a especiarias: alho, hortelã, orégãos, rosmaninho e parece-me que é capaz de ser cabrito. A porta do micro-ondas abre-se e o aroma intensifica-se.

– Merda! Raios! – pragueja Christian enquanto um prato bate na bancada.

Oh, Cinquenta!

– Estás bem?

– Sim! – exclama ele, numa voz tensa. Pouco depois, está outra vez ao meu lado. – Acabei de me queimar. Aqui. – Enfia o dedo indicador na minha boca. – Talvez possas chupá-lo para ficar melhor.

– Oh. – Aperto-lhe a mão e tiro lentamente o dedo dele da boca.

– Pronto, pronto – apaziguo e, inclinando-me para a frente, sopro para lhe arrefecer o dedo, antes de o beijar delicadamente duas vezes.

Ele sustém a respiração. Volto a metê-lo na boca e sugo-o ao de leve. Ele inspira profundamente e o som viaja até ao meu baixo-ventre. Tem um sabor tão delicioso como sempre e eu apercebo-me de que este é o jogo dele – a lenta sedução da sua mulher. Achava que ele estava furioso, mas agora...? Este homem, o meu marido, é tão confuso. Mas é assim que eu gosto dele. Brincalhão. Divertido. *Sexy* como tudo. Deu-me algumas respostas, mas eu sou ambiciosa. Quero mais, mas também quero brincar. Depois da ansiedade e da tensão deste dia e do pesadelo da noite passada com Jack, esta é uma diversão bem-vinda.

– Em que pensas? – murmura Christian, interrompendo-me os pensamentos ao tirar o dedo da minha boca.

– Que és muito inconstante.

Ele imobiliza-se a meu lado.

– Cinquenta sombras, querida – acaba por dizer, antes de me dar um beijo terno nos lábios.

– O meu Cinquenta Sombras – sussurro.

Agarro-o pela *t-shirt* e puxo-o de novo contra mim.

– Oh, não, nem pensar, Mrs. Grey. Nada de tocar... ainda não.

Segura-me na mão, solta a *t-shirt* e beija-me um dedo de cada vez.

– Senta-te – ordena ele.

Faço beicinho.

– Vou espancar-te se fizeres beicinho. Agora abre bem a boca.

Oh, merda. Abro a boca e ele dá-me uma garfada de cabrito picante e quente envolvido num molho de iogurte fresco com sabor a hortelã. Hum. Mastigo.

– Gostas?

– Sim.

Ele emite um som de apreciação e percebo que também está a comer e a gostar.

– Mais?

Aceno com a cabeça. Ele dá-me outra garfada, que eu mastigo com entusiasmo. Pousa o garfo e parte... pão, parece-me.

– Abre – ordena.

Desta vez é pão pita com *hummus*. Apercebo-me de que Mrs. Jones – ou talvez até Christian – foi às compras na *delicatessen* que descobri há umas cinco semanas, apenas a dois quarteirões do Escala. É com gratidão que mastigo. Com esta boa disposição, Christian aumenta-me o apetite.

– Mais? – pergunta.

Aceno com a cabeça.

– Mais de tudo. Por favor. Estou faminta.

Ouço o seu sorriso encantado. Lenta e pacientemente, ele alimenta-me, beijando-me de vez em quando ou passando os lábios pelos meus para os limpar. Também me vai oferecendo goles de vinho à sua maneira única.

– Abre bem e depois morde – murmura ele.

Sigo a sua ordem. Hum... uma das minhas preferidas, folhas de videira recheadas. Mesmo frias são deliciosas, embora eu goste mais aquecidas, mas não quero que Christian arrisque queimar-se outra vez. Ele dá-me a folha, que como devagar, e, quando termino, lambo-lhe os dedos.

– Mais? – pergunta-me, com a voz baixa e rouca.

Abano a cabeça. Estou cheia.

– Bom – sussurra-me ao ouvido –, porque está na hora do meu prato favorito. Tu.

Pega-me ao colo, surpreendendo-me tanto que solto um guincho.

– Posso tirar a venda?

– Não.

Quase faço beicinho, depois lembro-me da sua ameaça e reconsidero.

– Quarto do prazer – murmura ele.

Oh – não sei se isso é boa ideia.

– Estás preparada para o desafio? – pergunta.

E, porque usou a palavra *desafio*, sou incapaz de dizer que não.

– Vamos a isso – murmuro, com desejo e algo que não quero nomear a percorrer-me o corpo.

Ele leva-me pela porta e sobe as escadas comigo ao colo até ao andar de cima.

– Acho que perdeste peso – resmoneia num tom reprovador.

266

Perdi? Ainda bem. Lembro-me do comentário que fez quando regressámos da lua de mel e como me magoou. Caramba – terá sido apenas há uma semana?

À porta do quarto do prazer, ele faz-me deslizar pelo seu corpo e ficar de pé, mas mantém o braço à volta da minha cintura. Destranca a porta com desenvoltura.

Cheira sempre ao mesmo: madeira polida e citrinos. Começa, na verdade, a tornar-se um aroma reconfortante. Libertando-me, Christian vira-me até eu ficar de costas para ele. Desaperta-me a venda e eu pestanejo perante a luz ténue. Com delicadeza, ele tira-me os ganchos que me suportam o cabelo preso no alto da cabeça e a trança cai. Ele agarra-a e puxa-a um pouco para eu recuar na direção dele.

– Tenho um plano – sussurra-me ao ouvido, o que me provoca um arrepio delicioso pela coluna.

– Pensei que eras capaz de ter – respondo.

Ele beija-me abaixo da orelha.

– Oh, Mrs. Grey, tenho. – O seu tom é suave, hipnotizante. Desvia-me a trança para o lado e percorre-me o pescoço com beijos delicados. – Primeiro temos de te despir. – A sua voz ressoa-lhe na garganta e reverbera pelo meu corpo.

Quero isto – o que quer que seja que ele tenha planeado. Quero ligar-me a ele como nós sabemos. Ele vira-me para que eu o encare. Olho de relance para as suas calças de ganga que ainda têm a primeira casa desabotoada e não consigo controlar-me. Passo um dedo indicador pela cintura, evitando a *t-shirt*, sentindo os pelos abdominais dele a roçarem no nó do meu dedo. Ele inspira profundamente e eu levanto a cabeça para lhe fitar os olhos. Paro o dedo junto ao botão desapertado. Os seus olhos ganham uma tonalidade cinza mais escura... *oh, céus.*

– Devias ficar com as calças vestidas – sussurro.

– É essa a minha intenção, Anastasia.

E move-se, agarrando-me com uma mão pela nuca e a outra pelo traseiro. Puxa-me contra si e em seguida a sua boca está na minha e ele beija-me como se a sua vida dependesse disso.

Ena!

Faz-me andar às arrecuas, com as nossas línguas entrelaçadas, até que sinto a trave de madeira atrás de mim. Ele encosta-se a mim e os contornos do seu corpo pressionam o meu.

– Vamos livrar-nos deste vestido – diz ele, puxando-me o vestido até às coxas, às ancas, à barriga... numa lentidão deliciosa, o material desliza pela minha pele, desliza pelos meus seios. – Inclina-te para a frente.

Eu obedeço e ele despe-me o vestido pela cabeça e atira-o para o chão, deixando-me de sandálias, cuecas e sutiã. Os seus olhos refulgem enquanto me segura as duas mãos, colocando-mas acima da cabeça. Pestaneja uma vez e inclina a cabeça para o lado; percebo que está a pedir-me permissão. *O que irá fazer-me?* Engulo em seco e depois aceno com a cabeça, ao que deteto um laivo de um sorriso admirador, quase orgulhoso, nos seus lábios. Prende-me os pulsos aos laços de cabedal pendurados na trave acima de mim e volta a agarrar no lenço.

– Acho que já viste que chegue.

Passa-me o lenço pela cabeça e torna a vendar-me, o que me provoca um arrepio enquanto todos os outros sentidos se acentuam; o som da sua respiração rápida, a minha própria reação excitada, o sangue que me lateja nos ouvidos, o cheiro de Christian mesclado com o de citrinos e verniz da sala – tudo se destaca mais por não poder ver. O nariz dele toca no meu.

– Vou levar-te à loucura – sussurra ele. As suas mãos agarram-me as ancas e ele desce, puxando-me as cuecas à medida que vai descendo as mãos. *Levar-me à loucura... uau.* – Levanta os pés, um de cada vez.

Eu assim faço e ele tira-me primeiro as cuecas, depois as sandálias. Segurando-me com delicadeza no tornozelo, afasta-me a perna ligeiramente para a direita.

– Dá um passo – diz ele.

Prende-me o tornozelo direito à trave e depois faz o mesmo com a perna esquerda. Ao levantar-se, aproxima-se de mim e o meu corpo é inundado pelo seu calor outra vez, apesar de ele não me tocar. Passado um instante, segura-me pelo queixo, inclina-me a cabeça para cima e dá-me um beijo casto.

– Um pouco de música e uns brinquedos, parece-me. Está linda

assim, Mrs. Grey. Sou capaz de demorar algum tempo a admirar a vista
– comenta numa voz suave. Dentro de mim, tudo se contrai.

Pouco depois, ouço-o a avançar silenciosamente até à cómoda de
museu e a abrir uma das gavetas. A dos *plugs* anais? Não faço ideia. Tira
qualquer coisa de lá, que pousa no tampo, ao que se segue outra coisa.
As colunas ganham vida e, passado um momento, um único piano toca
uma melodia suave e embaladora que se espraia pela sala. É-me familiar – Bach, penso – mas não sei que música é. Há algo nela que me
deixa apreensiva. Talvez por ser demasiado fria, demasiado distante.
Franzo o sobrolho, tentando perceber por que razão me perturba, mas
Christian agarra-me o queixo, o que me sobressalta, e puxa-o ao de leve
para que eu solte o lábio inferior. Sorrio, a tentar relaxar. Porque me
sentirei pouco à vontade? Será da música?

A sua mão desce do meu queixo, percorre-me a garganta e continua até um dos meus seios. Com o polegar, afasta a copa, libertando-
-me o seio da restrição do sutiã. Emite um som murmurado, gutural e
apreciador e beija-me o pescoço. Os lábios dele seguem o caminho dos
seus dedos até ao meu seio, beijando e chupando até lá. Os seus dedos
passam para o meu seio esquerdo, que soltam também do sutiã. Gemo
enquanto ele roça o polegar no meu mamilo esquerdo e os seus lábios
se fecham em redor do direito, puxando e provocando delicadamente
até os dois mamilos ficarem grandes e duros.

– Ah.

Ele não para. Com um cuidado primoroso, vai aumentando a intensidade nos dois. Em vão, começo a debater-me com as tiras de cabedal
ao sentir o prazer intenso que me passa dos mamilos para o baixo-
-ventre. Tento contorcer-me, mas mal consigo mexer-me, o que inten-
sifica ainda mais a tortura.

– Christian – imploro.

– Eu sei – murmura ele, com a voz rouca. – É isto que tu me fazes
sentir.

O quê? Gemo e ele recomeça, submetendo os meus mamilos ao seu
toque doce e agonizante, uma e outra vez – levando-me cada vez mais
perto do orgasmo.

– Por favor – choro.

A sua garganta emite um som grave e primitivo, após o que ele se endireita e me abandona, a ofegar e a debater-me com as tiras. Passa--me as mãos pelas ilhargas, parando uma na minha anca enquanto a outra viaja para baixo, colada à minha barriga.

— Vamos ver como estás — rouqueja suavemente.

Com delicadeza, leva a mão ao meu sexo, roçando o polegar pelo meu clítoris e fazendo-me gritar. Lentamente, insere um e depois dois dedos dentro de mim. Gemo e lanço as ancas para a frente, ávida por ir ao encontro dos dedos e da palma da mão dele.

— Oh, Anastasia, estás tão pronta — diz ele.

Descreve círculos com os dedos dentro de mim, dá voltas e mais voltas, enquanto o polegar continua a acariciar-me o clítoris, para trás e para a frente. É o único ponto do meu corpo em que está a tocar e toda a tensão, toda a ansiedade do dia se concentra nesta parte da minha anatomia.

Com o caraças... é intenso... e estranho... a música... começo a chegar lá... Christian muda de posição, com a mão ainda a mover-se contra e dentro de mim; ouço um ruído grave e vibrante.

— O que é isso? — arquejo.

— Pronto — acalma-me ele e encosta os lábios aos meus, o que me cala. Agradeço o contacto mais quente e íntimo e beijo-o com voracidade. Ele interrompe o contacto e o som vibratório aproxima-se. — Isto é um dildo, querida. Vibra.

Encosta-o ao meu peito e a sensação que tenho é a de um objeto grande e cilíndrico a vibrar contra mim. Estremeço à medida que avança pela minha pele, que desce por entre os meus seios, que passa por cima de um mamilo e depois do outro, e sou avassalada pela sensação, sinto formigueiro por todo o corpo, sinapses que disparam enquanto uma necessidade sombria se forma na base do meu baixo-ventre.

— Ah — gemo enquanto os dedos de Christian continuam a mexer--se dentro de mim. *Estou quase... toda esta estimulação...* Lanço a cabeça para trás, gemo bem alto e Christian para os dedos. Toda a sensação para. — Não! Christian — rogo, tentando lançar as ancas para a frente para obter alguma fricção.

— Quieta, querida — diz ele ao mesmo tempo que o meu orgasmo

iminente se desfaz. Inclina-se mais uma vez para a frente e beija-me. —
É frustrante, não é? — murmura.

Oh, não! De repente, compreendo o seu jogo.

— Christian, por favor.

— Silêncio — diz ele e beija-me.

E começa outra vez a mexer-se — dildo, dedos, polegar — uma combinação letal de tortura sensual. Muda de posição e o seu corpo roça no meu. Ele continua vestido e a ganga suave das suas calças toca-me na perna, a sua ereção na minha anca. Tão tentadoramente perto. Leva-me outra vez à beira do orgasmo, deixa-me o corpo a cantar de carência... e para.

— Não! — reclamo bem alto.

Ele dá-me beijos apaixonados no ombro enquanto afasta os dedos de mim e faz o dildo descer. Oscila sobre o meu estômago, a minha barriga, contra o meu sexo, por cima do meu clítoris. Merda, é intenso.

— Ah! — grito, puxando as algemas com força.

O meu corpo está tão sensível que me parece que vou explodir e, mesmo antes que isso aconteça, Christian volta a parar.

— Christian! — grito.

— Frustrante, não é? — murmura com os lábios encostados à minha garganta. — Tal como tu. Prometes uma coisa e depois... — Não termina a frase.

— Christian, por favor — imploro.

Ele encosta o dildo ao meu corpo uma e outra vez, parando sempre quando o momento crucial está prestes a acontecer. *Ah!*

— De cada vez que paro, a sensação é mais intensa quando recomeço. Certo?

— Por favor — choramingo.

As minhas terminações nervosas estão a gritar por uma descarga. A vibração para e Christian beija-me. Percorre-me o nariz com o seu.

— És a mulher mais frustrante que alguma vez conheci.

Não, não, não.

— Christian, nunca te jurei obediência. Por favor, por favor.

Ele põe-se à minha frente, agarra-me o traseiro e empurra as ancas contra mim, fazendo-me arquejar — o seu baixo-ventre esfrega-se no meu,

os botões das calças de ganga pressionam-me, mal contendo a sua ereção. Com uma mão, arranca-me a venda e segura-me o queixo; eu pestanejo e fito-lhe os olhos abrasadores.

– Deixas-me louco – sussurra ele, lançando as ancas contra mim
uma, duas, três vezes, provocando-me faíscas pelo corpo... que está
pronto para arder.

E, mais uma vez, volta a negar-me o prazer. Quero-o tanto. Preciso tanto dele. Fecho os olhos e murmuro uma prece. Não consigo
evitar a sensação de estar a ser castigada. Estou indefesa e ele é inflexível. Tenho lágrimas nos olhos. Não sei durante quanto tempo mais ele
continuará a fazer isto.

– Por favor – torno a sussurrar.

Mas ele apenas me fita, implacável. Vai simplesmente prosseguir.
Durante quanto tempo? Serei capaz de aguentar este jogo? *Não. Não.
Não – não sou capaz de fazer isto*. Sei que ele não vai parar. Vai continuar a torturar-me. A sua mão viaja mais uma vez para baixo. *Não...* E
o dique rebenta – toda a apreensão, a ansiedade e o medo dos últimos
dias me assoberbam de novo enquanto as lágrimas me saltam para os
olhos. Viro a cara. Isto não é amor. É vingança.

– Gelado – choramingo. – Gelado. Gelado.

As lágrimas correm-me pelo rosto. Ele estaca.

– Não! – exclama ele, estupefacto. – Jesus Cristo, não.

Mexe-se depressa, solta-me as mãos, segura-me pela cintura e
debruça-se para me libertar os tornozelos, enquanto eu levo as mãos à
cabeça e choro.

– Não, não, não. Ana, por favor, não.

Pegando-me ao colo, leva-me para a cama, senta-se e embala-me
enquanto eu soluço descontroladamente. Estou assoberbada... o meu
corpo levado ao ponto da loucura, a mente em branco e as emoções num
rodopio. Ele estende a mão atrás de si, puxa o lençol de cetim da cama
de dossel e envolve-me nele. O lençol fresco provoca-me uma sensação
esquisita mas bem-vinda na pele sensibilizada. Ele abraça-me, puxa-me
para si e vai-me embalando para trás e para a frente.

– Desculpa. Desculpa – murmura Christian, com a voz áspera.
Beija-me a cabeça vezes sem conta. – Ana, perdoa-me, por favor.

Eu viro a cara para o seu pescoço, continuo a chorar e é uma descarga catártica. Aconteceu tanta coisa nos últimos dias – incêndios em salas de servidores, perseguições de carros, carreiras planeadas para mim, arquitetas oferecidas, lunáticos armados no apartamento, discussões, a raiva dele – e Christian esteve longe. Detesto que Christian se ausente... Sirvo-me duma ponta do lençol para limpar o nariz e vou-me apercebendo de que os tons clínicos de Bach continuam a ecoar na sala.

– Por favor, desliga a música – peço, a fungar.

– Sim, claro. – Christian mexe-se, sem me largar, e tira o comando do bolso traseiro das calças. Carrega num botão e a música de piano cessa, sendo substituída pela minha respiração estremecida. – Melhor assim? – pergunta-me.

Aceno com a cabeça e os soluços vão abrandando. Christian limpa-me as lágrimas com um gesto delicado do seu polegar.

– Não és admiradora das "Variações Goldberg", de Bach? – inquire.

– Desta não.

Ele fita-me, tentando sem efeito esconder a vergonha no seu olhar.

– Desculpa – repete ele.

– Porque fizeste isto? – A minha voz é quase inaudível enquanto tento dar ordem aos meus pensamentos e sentimentos em desalinho.

Ele abana a cabeça com tristeza e fecha os olhos.

– Deixei-me levar pelo momento – responde num tom pouco convincente.

Franzo o sobrolho e ele suspira.

– Ana, a negação do orgasmo é uma técnica habitual em... Tu nunca...

Ele interrompe-se. Eu mudo de posição no seu colo e ele faz uma careta.

Oh. Coro.

– Desculpa – balbucio.

Ele revira os olhos e depois reclina-se subitamente, levando-me consigo, pelo que ficamos deitados na cama, estando eu ainda nos seus braços. O sutiã incomoda-me e eu ajeito-o.

– Precisas de ajuda? – pergunta em voz baixa.

Abano a cabeça. Não quero que me toque nos seios. Ele vira-se e fica a olhar para mim. Ergue cautelosamente a mão e afaga-me a cara com os dedos. Voltam a formar-se lágrimas nos meus olhos. Como pode ser tão insensível num minuto e tão terno no seguinte?

— Por favor, não chores — sussurra.

Estou estonteada e confundida com este homem. A raiva desertou-me quando mais precisava dela... sinto-me dormente. Quero enroscar-me sobre mim mesma e apagar. Pestanejo, tentando conter as lágrimas enquanto lhe fito os olhos atormentados. Inspiro, a estremecer, sem desviar o olhar do dele. O que hei de fazer com este homem controlador? Aprender a ser controlada? Não me parece...

— Eu nunca o quê? — pergunto.

— Nunca fazes o que te mandam. Mudaste de ideias; não me disseste onde estavas. Ana, eu estava em Nova Iorque, impotente e lívido. Se estivesse em Seattle, tinha-te trazido para casa.

— Por isso estás a castigar-me?

Ele engole em seco e depois fecha os olhos. Não tem de responder; eu percebo que castigar-me era exatamente a sua intenção.

— Tens de parar de fazer isto — murmuro. O seu cenho franze-se. — Para começar, acabas a sentir-te ainda mais na merda.

Ele resfolega.

— Lá isso é verdade — balbucia. — Não gosto de te ver assim.

— E eu não gosto de me sentir assim. Declaraste no *Fair Lady* que não tinhas casado com uma submissa.

— Eu sei. Eu sei. — A sua voz está suave e desamparada.

— Bem, para de me tratar como se eu fosse uma delas. Lamento não te ter telefonado. Não voltarei a ser tão egoísta. Sei que te preocupas comigo.

Ele fita-me, perscruta-me com atenção, com um olhar sombrio e ansioso.

— Ok. Bom — acaba por dizer. Debruça-se, mas faz uma pausa antes de os seus lábios tocarem nos meus, pedindo permissão em silêncio. Eu levanto a cabeça ao encontro da dele e ele beija-me com ternura. — Os teus lábios ficam sempre tão macios depois de chorares — murmura.

— Nunca te jurei obediência, Christian — sussurro.

— Eu sei.

– Aceita isso, por favor. Para bem de nós os dois. E eu tentarei ter as tuas... tendências controladoras... em maior consideração.

Ele parece perdido e vulnerável, completamente à toa.

– Tentarei – murmura, com uma sinceridade ardente na voz.

Suspiro; é um suspiro longo e tremido.

– Por favor, tenta. Para além disso, se eu *tivesse* estado aqui...

– Eu sei – diz ele, a empalidecer.

Recostando-se, tapa a cara com o braço livre. Enrosco-me à volta dele e deito a cabeça no seu peito. Ficamos em silêncio durante alguns instantes. A sua mão vai até à ponta da minha trança. Tira-me o elástico e solta-me o cabelo, após o que começa a passar os dedos como se o penteasse. É disto que tudo se trata, na verdade – do seu medo... do seu medo irracional pela minha segurança. Uma imagem de Jack Hyde esparramado no chão do apartamento com uma *Glock* vem-me à cabeça... bem, talvez não seja tão irracional, o que me traz à memória...

– O que querias dizer há pouco, quando disseste *nem*? – pergunto.

– Nem?

– Qualquer coisa acerca do Jack.

Ele espreita por debaixo do braço.

– Não desistes, pois não?

Apoio o queixo ao esterno dele, apreciando a carícia apaziguadora dos seus dedos no meu cabelo.

– Desistir? Nunca. Diz-me. Não gosto de ser mantida na ignorância. Parece que tens uma ideia exagerada de que eu preciso de ser protegida. Nem sequer sabes disparar uma arma... Eu sei. Achas que não sou capaz de lidar com o que quer que seja que não me contas, Christian? Tive a tua ex-submissa perseguidora a apontar-me uma arma, a tua ex-amante pedófila a acossar-me... e não olhes para mim assim – censuro quando ele me faz uma careta. – A tua mãe tem a mesma opinião acerca dela.

– Falaste com a minha mãe sobre a Elena? – A voz de Christian sobe algumas oitavas.

– Sim, eu e a Grace falámos dela. – Ele fita-me, boquiaberto. – Essa questão perturba-a muito. Culpa-se a si mesma.

– Nem acredito que falaste disso com a minha mãe. Merda! – Ele deita-se e volta a tapar a cara com o braço.

– Não entrei em pormenores.

– Espero bem que não. A Grace não precisa de todos os detalhes grotescos. Meu Deus, Ana. E com o meu pai, também?

– Não! – Abano a cabeça com veemência. Não tenho uma relação desse género com Carrick. Os seus comentários acerca do acordo pré-nupcial ainda me magoam. – Seja como for, estás a tentar distrair-me... outra vez. Jack. O que ias dizer sobre ele?

Christian levanta o braço por um instante e olha para mim com uma expressão indecifrável. Suspirando, volta a pô-lo em cima da cara.

– O Hyde esteve envolvido na sabotagem do *Charlie Tango*. Os investigadores encontraram uma impressão digital parcial... só parcial, pelo que não conseguiram estabelecer uma correspondência. Mas depois tu reconheceste o Hyde na sala dos servidores. Ele foi condenado em Detroit, quando era menor, e a impressão digital correspondia à dele.

A minha mente acelera enquanto tento absorver esta informação. Jack abateu o *Charlie Tango*? Mas Christian está lançado:

– Hoje de manhã, uma carrinha de mercadorias foi encontrada na nossa garagem. O Hyde era o condutor. Entregou ontem uma merda qualquer àquele tipo que acabou de se mudar. Aquele que conhecemos no elevador.

– Não me lembro do nome dele.

– Nem eu – diz Christian. – Mas foi assim que o Hyde conseguiu entrar de forma legítima no prédio. Estava a trabalhar para uma companhia de entregas...

– E? Que importância tem a carrinha?

Ele fica calado.

– Christian, conta-me.

– Os polícias encontraram... coisas na carrinha. – Volta a interromper-se e abraça-me com mais força.

– Que coisas?

Ele fica calado durante bastante tempo e eu abro a boca para o instar a falar, mas ele continua:

– Um colchão, suficiente tranquilizante para abater uma dúzia de cavalos e uma nota. – A sua voz suavizou-se, pouco mais é do que um sussurro, enquanto o horror e a repulsa se apoderam dele.

276

Grande merda.

– Uma nota? – A minha voz reflete a dele.

– Dirigida a mim.

– O que dizia?

Christian abana a cabeça, dando a entender que não sabe ou que não divulgará o conteúdo.

Oh.

– O Hyde veio cá ontem à noite com a intenção de te raptar.

Christian imobiliza-se, com o rosto retesado. Enquanto diz estas palavras, lembro-me da fita adesiva e sou percorrida por um calafrio, embora, no fundo, isto não seja uma novidade para mim.

– Merda – resmungo.

– Realmente – diz ele num tom tenso.

Tento lembrar-me de Jack no escritório. Terá sido sempre louco? Como pode ter julgado que poderia levar isto em diante? Quero dizer, ele era bastante sinistro, mas tão desequilibrado?

– Não compreendo o motivo – murmuro. – Não me parece fazer sentido algum.

– Eu sei. A polícia está a investigar mais, tal como o Welch. Mas achamos que é em Detroit que se encontra a ligação.

– Em Detroit?

Fito-o, confusa.

– Pois. Há qualquer coisa lá.

– Continuo a não perceber.

Christian levanta a cabeça e olha para mim com uma expressão indecifrável.

– Ana, eu nasci em Detroit.

CAPÍTULO DOZE

– Pensava que tinhas nascido aqui, em Seattle – murmuro.

Tenho a mente a mil. O que terá isto que ver com Jack? Christian levanta o braço que lhe tapa a cara, leva a mão atrás e agarra numa das almofadas. Colocando-a debaixo da cabeça, volta a recostar-se e fita-me com uma expressão cautelosa. Passado um instante, abana a cabeça.

– Não. Tanto eu como o Elliot fomos adotados em Detroit. Mudámo-nos para aqui pouco depois da minha adoção. A Grace queria estar na Costa Oeste, longe do crescimento urbano, e arranjou um emprego no Northwest Hospital. Tenho muito poucas memórias desses tempos. A Mia já foi adotada aqui.

– Então o Jack é de Detroit?

– Sim.

Oh...

– Como sabes?

– Mandei investigá-lo quando foste trabalhar para ele.

Claro que mandou.

– Também tens uma pasta creme cheia de informações sobre ele? – pergunto com um sorriso matreiro.

A boca de Christian contorce-se enquanto disfarça o seu divertimento.

– Acho que é azul-clara.

Os seus dedos continuam a percorrer-me o cabelo. É uma sensação relaxante.

– O que é que diz o ficheiro dele?

Christian pestaneja. Baixando a mão, acaricia-me o rosto.

– Queres mesmo saber?

– É assim tão mau?

Ele encolhe os ombros.

278

— Já vi pior — sussurra.

Não! Estará a referir-se a si mesmo? E a imagem que tenho de Christian como um rapazinho pequeno, sujo, receoso e perdido volta-me à ideia. Aninho-me nele, aperto-o mais, tapo-o com o lençol e encosto a cara ao seu peito.

— O que foi? — pergunta ele, intrigado com a minha reação.

— Nada — murmuro.

— Não, não. Isto funciona para os dois lados, Ana. O que se passa?

Olho para ele e avalio a sua expressão apreensiva. Volto a pousar a cara no peito dele e decido contar-lhe.

— Às vezes imagino-te em criança... antes de teres vindo viver com os Grey.

Christian retesa-se.

— Não estava a falar de mim. Não quero que tenhas pena de mim, Anastasia. Essa parte da minha vida acabou. Desapareceu.

— Não é pena — sussurro, horrorizada. — É compaixão e lástima... lástima por alguém poder fazer isso a uma criança. — Inspiro profundamente para me acalmar, pois tenho o estômago às voltas e lágrimas a arderem-me nos olhos. — Essa parte da tua vida não acabou, Christian... como podes dizer isso? Vives todos os dias com o teu passado. Tu próprio mo disseste: cinquenta sombras, lembras-te? — A minha voz é quase inaudível.

Christian solta uma risada incrédula e passa a mão livre pelo cabelo, embora continue silencioso e tenso debaixo de mim.

— Eu sei que é por isso que sentes a necessidade de me controlar. De me manter a salvo.

— E, no entanto, optas por me desafiar — murmura ele, perplexo, ainda com a mão no meu cabelo.

Franzo o sobrolho. *Com o caraças! Será que o faço deliberadamente?* O meu subconsciente tira os óculos em forma de meia-lua e mordisca a haste, contraindo os lábios e assentindo com a cabeça. Ignoro-o. Isto é confuso — eu sou mulher dele, não sua submissa, não uma companhia pela qual ele pague. Não sou a prostituta viciada que era a mãe dele... *Merda.* A ideia é doentia. As palavras do Dr. Flynn regressam-me à memória:

Continue a fazer o que está a fazer. O Christian está perdidamente apaixonado. Dá gosto de ver.

É isso. Estou só a fazer o que sempre fiz. Não foi isso que Christian achou atraente em primeiro lugar?

Oh, este homem é tão confuso.

– O Dr. Flynn disse que eu deveria dar-te o benefício da dúvida. Eu acho que dou... Não tenho a certeza. Talvez seja a minha forma de te puxar para o presente... de te afastar do passado – sussurro. – Não sei. Acontece apenas que não consigo prever quão exagerada será a tua reação.

Ele fica calado por um momento.

– Sacana do Flynn – resmoneia para com os seus botões.

– Ele disse que eu deveria continuar a comportar-me da forma como sempre me comportei contigo.

– Ai disse? – replica Christian com secura.

Ok. Cá vai uma tentativa.

– Christian, eu sei que amavas a tua mãe e não conseguiste salvá--la. Não te competia fazê-lo. Mas eu não sou ela.

Ele volta a retesar-se.

– Não... – sussurra.

– Não, ouve-me, por favor. – Levanto a cabeça para lhe fitar os olhos arregalados que estão paralisados de medo. Está a conter a respiração. *Oh, Christian...* fico com o coração apertado. – Eu não sou ela. Sou muito mais forte do que ela era. Tenho-te a ti e tu agora és tão mais forte, e sei que me amas. Também te amo – sussurro.

O seu sobrolho franze-se, como se não fossem estas as palavras que esperava.

– Ainda me amas? – pergunta.

– Claro que amo. Christian, vou amar-te sempre. Independente-mente do que tu me faças.

Será esta a garantia que ele quer? Ele expira e fecha os olhos, voltando a tapar a cara com um braço, mas também a apertar-me com mais força.

– Não te escondas de mim. – Estico-me, agarro-lhe a mão e desvio--lhe o braço da cara. – Passaste a vida a esconder-te. Por favor, não o faças, não de mim.

Ele fita-me com uma expressão incrédula e franze o cenho.

— A esconder-me?

— Sim.

Ele muda de posição repentinamente, vira-se de lado e faz-me deitar ao seu lado na cama. Com uma mão, afasta-me o cabelo da cara e passa-mo para trás da orelha.

— Hoje perguntaste-me se eu te odiava. Não compreendi porquê e agora... — Ele interrompe-se, a fitar-me como se eu fosse um enigma total.

— Ainda achas que te odeio? — É a minha vez de falar num tom incrédulo.

— Não. — Abana a cabeça. — Agora não. — Parece aliviado. — Mas preciso de saber... porque usaste a palavra de segurança, Ana?

Empalideço. O que posso dizer-lhe? Que ele me assustou. Que não sabia se ele pararia. Que lhe implorei — e ele não parou. Que não queria que as coisas escalassem... como... daquela vez aqui. Estremeço ao lembrar-me dele a chicotear-me com o cinto. Engulo em seco.

— Porque... porque tu estavas tão zangado, distante e... frio. Não sabia até onde irias.

A sua expressão é indecifrável.

— Ias deixar-me vir? — A minha voz pouco mais é do que um sussurro e sinto-me a ficar com as faces vermelhas, mas não deixo de o fitar.

— Não — acaba por dizer.

Grande porra.

— Isso é... cruel.

Com o nó do dedo, acaricia-me a cara.

— Mas eficaz — murmura. Fita-me como se tentasse ver-me a alma, com os olhos a escurecer. Ao fim de uma eternidade, acrescenta: — Ainda bem que o fizeste.

— A sério?

Não compreendo. Os lábios dele contorcem-se num sorriso triste.

— Sim. Não quero magoar-te. Deixei-me levar. — Debruça-se e beija-me. — Entusiasmei-me. — Volta a beijar-me. — Isso acontece muito contigo.

Oh? E, por algum motivo bizarro, a ideia agrada-me... Sorrio. Porque será que ele me faz feliz? Christian também sorri.

— Não sei porque está a sorrir, Mrs. Grey.

— Eu também não.

Ele aninha-se em mim e pousa a cabeça no meu peito. Somos um emaranhado de membros nus, envolvidos em ganga e lençóis vermelhos de cetim. Acaricio-lhe as costas com uma mão e percorro-lhe o cabelo com a outra. Ele suspira e descontrai nos meus braços.

— Isso quer dizer que posso confiar em ti... para me travares. Não quero magoar-te nunca — murmura. — Preciso... — Cala-se.

— Precisas de quê?

— Preciso de controlo, Ana. Tal como preciso de ti. Só sei funcionar assim. Não posso livrar-me disso. Não sou capaz. Já tentei... E, no entanto, contigo...

Ele abana a cabeça, exasperado. Eu engulo em seco. Este é o cerne do nosso dilema — a sua necessidade de controlo e de mim. Recuso-me a acreditar que se excluam mutuamente.

— Eu também preciso de ti — sussurro, abraçando-o com mais força. — Vou tentar, Christian. Vou tentar ser mais atenciosa.

— Eu quero que precises de mim — murmura ele.

Com o caraças!

— E preciso! — reitero numa voz apaixonada.

Preciso tanto dele. Amo-o tanto.

— Quero cuidar de ti.

— E cuidas. Sempre. Senti tanto a tua falta enquanto estiveste longe.

— Sentiste? — Ele parece surpreendido.

— Sim, claro. Detesto que te ausentes.

Pressinto o seu sorriso.

— Podias ter ido comigo.

— Christian, por favor. Não recomecemos essa discussão. Quero trabalhar.

Ele suspira enquanto lhe passo delicadamente os dedos pelo cabelo.

— Amo-te, Ana.

— E eu a ti, Christian. Vou amar-te sempre.

Ficamos deitados em silêncio, depois da tempestade. A ouvir o ritmo constante do seu coração, adormeço, exausta.

Acordo em sobressalto e desorientada. Onde estou? No quarto do prazer. As luzes continuam acesas, iluminando suavemente as paredes vermelhas como sangue. Christian volta a gemer e eu percebo que foi isso que me acordou.

– Não – implora ele.

Está deitado ao meu lado, com a cabeça para trás, os olhos cerrados, o rosto contorcido de angústia.

Grande merda. Está a ter um pesadelo.

– Não! – volta a gritar.

– Christian, acorda. – Debato-me para me sentar, pontapeando o lençol. Ajoelho-me ao seu lado, agarro-o pelos ombros e abano-o, com lágrimas nos olhos. – Christian, por favor. Acorda!

Os seus olhos abrem-se de rompante, cinzentos e perdidos, com as pupilas dilatadas pelo medo. Fita-me sem me reconhecer.

– Christian, é só um pesadelo. Estás em casa. Está tudo bem.

Ele pestaneja, olha freneticamente em redor e franze o sobrolho enquanto observa o espaço que nos rodeia. Depois volta a concentrar-se em mim.

– Ana – sussurra e, sem qualquer preâmbulo, agarra-me na cara com as duas mãos, puxa-me contra o peito e beija-me. Com força. A sua língua invade-me a boca e ele sabe a desespero e a carência. Sem sequer me dar hipótese de respirar, rola para cima de mim, com os lábios colados aos meus, e pressiona-me contra o colchão duro da cama de dossel. Uma das suas mãos segura-me o maxilar, a outra está aberta no cimo da minha cabeça, imobilizando-me enquanto um dos joelhos me afasta as pernas e ele se aninha, ainda de calças de ganga, entre as minhas coxas. – Ana – arqueja, como se não conseguisse acreditar que estou aqui com ele.

Fita-me por um segundo, dando-me um momento para respirar. Depois os seus lábios voltam aos meus, exploram-me a boca, recebem tudo o que tenho para lhe dar. Geme bem alto, empurrando as ancas contra mim. A sua ereção sob a ganga faz pressão contra a minha pele sensível. *Oh...* gemo e toda a tensão sexual de antes emerge, regressa com mais intensidade, inundando-me o corpo de desejo e carência. Instado pelos seus demónios, ele beija-me o rosto, os olhos, as faces, o maxilar com urgência.

– Estou aqui – sussurro, tentando acalmá-lo enquanto as nossas respirações excitadas e ofegantes se misturam.

Passo os braços à volta dos seus ombros enquanto roço a bacia na dele em movimentos acolhedores.

– Oh, Ana – ofega ele, numa voz rouca e baixa. – Preciso de ti.

– E eu de ti – sussurro num tom urgente, com o corpo desesperado pelo seu toque.

Quero-o. Quero-o já. Quero curá-lo. Quero curar-me... Preciso disto. A sua mão desce e puxa o botão da braguilha, debatendo-se por um instante mas logo libertando a ereção.

Com o caraças. Há menos de um minuto, eu estava a dormir.

Ele move-se, fita-me por um segundo, suspenso por cima de mim.

– Sim. Por favor – sussurro, numa voz rouca e carente.

E, num único movimento ágil, ele enterra-se dentro de mim.

– Ah! – grito, não por sentir dor, mas por me surpreender com tanta efusividade.

Ele geme e os seus lábios tornam aos meus enquanto investe dentro de mim, uma e outra vez, possuindo-me também com a língua. Mexe-se a um ritmo frenético, compelido pelo medo, pela luxúria, pelo desejo, pelo... amor? Não sei, mas vou ao seu encontro investida após investida, acolhendo-o.

– Ana – rosna ele quase sem articular a palavra e vem-se poderosamente, derramando-se em mim, com o rosto contraído, o corpo rígido, antes de se deixar cair como um peso morto sobre mim, a ofegar, deixando-me à míngua... mais uma vez.

Ora que merda. Definitivamente, não é a minha noite. Abraço-o, inspirando fundo e praticamente a contorcer-me de necessidade debaixo dele. Ele sai e abraça-me durante minutos... muitos minutos. Finalmente, abana a cabeça e apoia-se nos cotovelos, poupando-me a algum do seu peso. Fita-me como se me visse pela primeira vez.

– Oh, Ana. Santo Deus. – Baixa a cabeça e beija-me com ternura.

– Estás bem? – sussurro, a acariciar-lhe o rosto encantador.

Ele acena com a cabeça, mas parece abalado e, sem dúvida, agitado. O meu menino perdido. Franze o sobrolho e olha fixamente para os meus olhos, como se finalmente se apercebesse de onde está.

– E tu? – pergunta numa voz preocupada.

– Há...

Mexo-me debaixo dele e, pouco depois, ele esboça um sorriso lento e carnal.

– Mrs. Grey, tem carências – murmura.

Dá-me um beijo rápido e depois sai da cama.

Ajoelha-se no chão aos pés da cama, estende as mãos, agarra-me mesmo acima dos joelhos e puxa-me para si, de forma a ficar com o traseiro à beira da cama.

– Senta-te – murmura ele.

Faço-o, a custo, com o cabelo a cair como um véu à minha volta até aos seios. O seu olhar cinza fixa o meu à medida que me afasta delicadamente as pernas ao máximo. Reclino-me, apoiada nas mãos – sabendo perfeitamente o que ele vai fazer. Mas... ele acabou... há...

– És tão linda, Ana – sussurra ele e eu vejo a sua cabeça cor de cobre a descer e a descrever um rasto de beijos pela minha coxa direita acima, encaminhando-se para norte. Todo o meu corpo se retesa de expectativa. Ele olha para mim, com os olhos a escurecer sob as longas pestanas. – Observa – rouqueja ele e, em seguida, a sua boca está em mim.

Oh, céus. Grito, pois o mundo concentra-se no meio das minhas coxas e é tão erótico – *merda* – observá-lo. Observar a sua língua contra o que parece ser a parte mais sensível do meu corpo. E ele não demonstra clemência alguma, provoca e atormenta, venera-me. O meu corpo retesa-se e os braços começam a tremer devido ao esforço de me manterem direita.

– Não... ah – murmuro.

Com delicadeza, ele insere um dedo longo em mim e eu não aguento mais, deixo-me cair sobre a cama, delirando com os seus dedos e língua dentro e em cima de mim. Devagar e suavemente, massaja aquele ponto tão, tão sensível cá dentro. E pronto – fui. Expludo à volta dele, gritando uma versão impercetível do seu nome enquanto o orgasmo intenso me faz arquear a cabeça e levantá-la da cama. Parece-me que vejo estrelas, é uma sensação tão visceral e primitiva... Tenho a vaga noção de que ele tem o nariz encostado à minha barriga, a dar-me beijos suaves e doces. Levo a mão ao cabelo dele e afago-o.

– Ainda não acabei – murmura ele.

E, antes que eu tenha regressado por completo a Seattle, ao planeta Terra, ele está a puxar-me, a agarrar-me pelas ancas e a levantar-me da cama para o seu colo e a sua ereção expectante. Arquejo quando me preenche. *Caramba...*

– Oh, querida – sussurra ele enquanto me abraça e se imobiliza, segurando-me a cabeça e beijando-me a cara.

Inclina as ancas para a frente e o prazer emana, quente e forte, do meu íntimo. Ele leva as mãos ao meu traseiro e levanta-me, ao mesmo tempo que avança o baixo-ventre.

– Ah – gemo e os seus lábios retornam aos meus enquanto ele lentamente, oh, tão lentamente, avança e recua... avança e recua.

Lanço os braços à volta do pescoço dele, rendo-me ao seu ritmo delicado e a onde quer que ele me leve. Mexo as ancas, a montá-lo... É tão bom. Reclinando-me, inclino a cabeça para trás, com a boca aberta numa expressão silenciosa do meu prazer, a deleitar-me com a sua arte doce de fazer amor.

– Ana – ofega ele e debruça-se para me beijar a garganta. Abraça-me com força, vai entrando e saindo lentamente de mim e leva-me... cada vez mais... num ritmo tão maravilhoso... uma força fluida e carnal. Um prazer abençoado irradia de um lugar muito profundo dentro de mim enquanto ele me segura de uma forma tão íntima. – Amo-te, Ana – sussurra perto do meu ouvido, com a voz grave e rouca, e volta a levantar-me: para cima, para baixo, para cima, para baixo. As minhas mãos sobem-lhe pela nuca até ao cabelo.

– Também te amo, Christian.

Abro os olhos e descubro que ele está a fitar-me – tudo o que vejo é o seu amor, que brilha alegre e forte sob a luz ténue do quarto do prazer, parecendo ter esquecido o pesadelo. E sinto o corpo a preparar-se para outra descarga, apercebendo-me de que era isto que eu queria – esta ligação, esta demonstração do nosso amor.

– Vem-te para mim, querida – murmura ele, numa voz grave.

Cerro os olhos enquanto o meu corpo se retesa com o som baixo da sua voz, e venho-me aos gritos, a entrar numa espiral de prazer intenso. Ele detém-se, com a testa encostada à minha, sussurra o meu nome, envolve-me nos braços e atinge também o seu clímax.

Levanta-me com ternura e deita-me na cama. Fico nos seus braços, exausta e finalmente saciada. Ele acaricia-me o pescoço.

– Estás melhor? – sussurra.

– Hum.

– Vamos para a cama, ou queres dormir aqui?

– Hum.

– Mrs. Grey, fale comigo. – Está com um tom divertido.

– Hum.

– Isso é o melhor que consegues?

– Hum.

– Anda. Deixa-me levar-te para a cama. Não gosto de dormir aqui.

Relutante, mexo-me e viro-me para ele.

– Espera – sussurro. Ele olha para mim a pestanejar, de olhos muito abertos e ar inocente, ainda que saciado e satisfeito consigo mesmo. – Estás bem? – pergunto-lhe.

Ele acena com a cabeça, a esboçar um sorriso arrogante como um adolescente.

– Agora estou.

– Oh, Christian – censuro-o enquanto lhe acaricio o rosto encantador. – Estava a falar do teu pesadelo.

A sua expressão retesa-se por um instante, após o que ele fecha os olhos e me abraça com mais força, encostando a cara ao meu pescoço.

– Não fales disso – sussurra, numa voz rouca e sofrida.

O meu coração aperta-se e revolve-se mais uma vez no meu peito e aperto-o muito, percorrendo-lhe as costas e o cabelo com as mãos.

– Desculpa – digo baixinho, alarmada com a sua reação. Com o caraças... como poderei acompanhar-lhe as oscilações de humor? Sobre que raio terá sido o seu pesadelo? Não quero provocar-lhe mais sofrimento fazendo-o reviver os pormenores. – Está tudo bem – murmuro num tom suave, tentando desesperadamente que regresse à disposição juvenil e divertida de há pouco. – Está tudo bem – vou repetindo para o tranquilizar.

– Vamos para a cama – diz em voz baixa passado um momento e afasta-se de mim, deixando-me vazia e dorida enquanto se levanta.

Eu sigo-o, enrolada no lençol de cetim, e baixo-me para apanhar as minhas roupas.

– Deixa isso – diz ele e, antes que me dê conta, já me pegou ao colo. – Não quero que tropeces no lençol e partas o pescoço.

Passo os braços à volta dele, maravilhada por já estar recomposto, e encosto a cara ao seu corpo enquanto me leva pelas escadas até ao nosso quarto.

Abro os olhos de repente. Algo está mal. Christian não está na cama, apesar de ainda ser de noite. Espreito para o rádio-despertador e vejo que são três e vinte da manhã. Onde se meteu Christian? Depois ouço o piano.

Esgueiro-me depressa da cama, agarro no robe e percorro o corredor até ao salão. A música que ele está a tocar é tão triste – um lamento pesaroso, que já o ouvi tocar. Paro à entrada e vejo-o banhado por luz enquanto a música pungente se espraia pela divisão. Ele termina e recomeça. Por que razão tocará uma melodia tão queixosa? Envolvo-me com os braços e fico a ouvi-lo, fascinada. Mas dói-me o coração. *Christian, porque estás tão triste? É por minha causa? Fui eu que fiz isto?* Quando ele acaba, somente para a tocar uma terceira vez, não aguento mais. Ele não levanta a cabeça enquanto me aproximo do piano, mas desliza para o lado para eu poder sentar-me ao seu lado no banco. Continua a tocar e eu encosto a cabeça ao ombro dele. Beija-me a cabeça mas não deixa de tocar até terminar a peça. Olho para cima e vejo que me fita com um ar receoso.

– Acordei-te? – pergunta-me.

– Só porque não estavas na cama. Como se chama esta música?

– É de Chopin. Um dos seus prelúdios em Sol menor. – Christian interrompe-se. – Chama-se "Sufocação"...

Estendo a mão e agarro na sua.

– Estás mesmo abalado com tudo isto, não estás?

Ele resfolega.

– Um cabrão desequilibrado entra-me no apartamento para me raptar a mulher. Ela não faz o que lhe mandam. Dá comigo em doido. Trava-me com a palavra de segurança. – Fecha os olhos por um instante e, quando torna a abri-los, estão escuros e sofridos. – Sim, estou bastante abalado.

Aperto-lhe a mão.

– Desculpa.

Ele encosta a testa à minha.

– Sonhei que estavas morta – sussurra.

O quê?

– Deitada no chão... tão fria... e não acordavas.

Oh, Cinquenta.

– Ei... foi só um pesadelo. – Levanto-me e seguro-lhe a cabeça entre as mãos. Os seus olhos queimam os meus e a angústia que contêm é poderosa. – Estou aqui e tenho frio sem ti na cama. Volta comigo, por favor.

Dou-lhe a mão e espero que me siga. Ele acaba por se levantar. Está de calças de pijama, que lhe pendem da cintura como de costume, e apetece-me passar os dedos pelo interior do cós, mas resisto e levo-o de volta para o quarto.

Quando acordo, ele está aninhado em mim, a dormir calmamente. Descontraio e aprecio o calor dele que me envolve, a sua pele na minha. Fico muito quieta, pois não quero perturbá-lo.

Caramba, que noite. Sinto-me como se tivesse sido atropelada por um comboio – o comboio de mercadorias que é o meu marido. Custa a acreditar que o homem deitado ao meu lado, que dorme com um ar tão sereno e jovem, estivesse torturado ontem à noite... e que, por isso, me tenha torturado ontem à noite. Fito o teto e ocorre-me que penso sempre em Christian como forte e dominador – quando, na realidade, ele é muito frágil, o meu menino perdido. E a ironia é que ele me vê como sendo frágil – e eu não julgo que seja. Comparada com ele, sou *forte*.

Contudo, terei a força suficiente para nós os dois? A força suficiente para lhe obedecer e lhe proporcionar alguma paz de espírito? Suspiro. Ele não me pede assim tanto. Vou revendo a nossa conversa da noite passada. Teremos acordado mais alguma coisa, para além de nos esforçarmos mais? O que realmente importa é que amo este homem e preciso de mapear um percurso para nós. Um percurso que me permita manter a integridade e a independência, continuando a ser mais para ele. Eu sou o seu *mais*, e ele o meu. Resolvo-me a fazer um esforço especial durante este fim de semana, a não lhe dar motivos de preocupação.

Christian mexe-se e levanta a cabeça do meu peito, mirando-me com um olhar sonolento.

– Bom dia, Mr. Grey. – Sorrio.

– Bom dia, Mrs. Grey. Dormiu bem?

Ele espreguiça-se ao meu lado.

– Depois de o meu marido parar de fazer aquela barulheira horrível ao piano, dormi, sim.

Ele esboça o seu sorriso tímido e eu derreto-me.

– Barulheira horrível? Não me posso esquecer de enviar um *e-mail* a Miss Kathie e informá-la.

– Miss Kathie?

– A minha professora de piano.

Solto uma risada.

– Esse é um som encantador – diz ele. – E se hoje tivéssemos um dia melhor?

– Ok – concordo. – O que queres fazer hoje?

– Depois de fazer amor com a minha mulher e de ela me preparar o pequeno-almoço, gostaria de a levar a Aspen.

Eu fito-o, boquiaberta.

– Aspen?

– Sim.

– Aspen, no Colorado?

– Aí mesmo. A menos que o tenham mudado de sítio. Afinal, pagaste vinte e quatro mil dólares pela experiência.

Sorrio-lhe.

– Esse dinheiro era teu.

– Nosso.

– Era teu quando eu fiz a proposta.

Reviro os olhos.

– Oh, Mrs. Grey, a senhora e a mania de revirar os olhos – sussurra ele, enquanto a sua mão me sobe pela coxa.

– Não vamos demorar horas a chegar ao Colorado? – pergunto, para o distrair.

– Não, se formos de jato – responde num tom sedoso e a sua mão chega ao meu traseiro.

Claro, o meu marido tem um jato. Como posso ter-me esquecido? A sua mão continua a deslizar pelo meu corpo acima, levantando-me a camisa de dormir, e depressa me esqueço de tudo.

Taylor leva-nos até à pista de descolagem do Sea-Tac e deixa-nos onde o jato da GEH nos espera. Em Seattle o dia está cinzento, mas recuso-me a deixar que o tempo me abata a disposição animada. Christian também está muito mais bem-humorado. Está entusiasmado com qualquer coisa – empolgado como se fosse Natal e a retorcer-se como um rapazinho com um grande segredo. Gostava de saber que esquema terá engendrado. Parece sonhador, com o cabelo esguedelhado, uma *t-shirt* branca e umas calças de ganga pretas. Hoje não se parece de todo com um CEO. Dá-me a mão quando Taylor se detém diante dos degraus para o jato.

– Tenho uma surpresa para ti – murmura e beija-me os nós dos dedos.

Sorrio-lhe.

– Uma surpresa boa?

– Espero que sim – responde com um sorriso afetuoso.

Hum... o que poderá ser?

Sawyer salta do lugar da frente e abre-me a porta. Taylor abre a de Christian e depois tira as nossas malas do porta-bagagens. Stephan aguarda no cimo das escadas enquanto subimos. Olho para o *cockpit* e vejo a Copiloto Beighley aos comandos do imponente painel de instrumentos.

Christian e Stephan dão um aperto de mão.

– Bom dia, senhor – cumprimenta Stephan a sorrir.

– Obrigado por terem feito isto com tão pouco tempo de aviso – diz Christian, também a sorrir. – Os nossos convidados estão aqui?

– Sim, senhor.

Convidados? Viro-me e contenho um grito. Kate, Elliot, Mia e Ethan estão todos a sorrir, sentados nos assentos de cabedal creme. Uau! Viro-me de novo para Christian.

– Surpresa! – diz ele.

– Como? Quando? Quem? – balbucio de forma pouco articulada, tentando controlar o deleite e a felicidade.

– Disseste-me que não passavas tempo suficiente com os teus amigos.

Ele encolhe os ombros e faz um sorriso de esguelha, como quem pede desculpa.

– Oh, Christian, obrigada!

Lanço-lhe os braços à volta do pescoço e beijo-o apaixonadamente à frente de toda a gente. Ele pousa-me as mãos nas ancas, prendendo os polegares nas presilhas das minhas calças de ganga, e aprofunda o beijo.

Oh, céus.

– Continua assim e arrasto-te para o quarto – murmura ele.

– Não te atreverias – sussurro contra os seus lábios.

– Oh, Anastasia.

Ele sorri e abana a cabeça. Solta-me e, sem aviso, baixa-se, agarra-me pelas coxas e põe-me ao ombro.

– Christian, põe-me no chão!

Dou-lhe uma palmada no rabo.

Diviso o sorriso de Stephan antes de este se virar para se dirigir ao *cockpit*. Taylor está à entrada, tentando abafar o riso. Ignorando os meus rogos e contorções inúteis, Christian avança pela cabina estreita, passa por Mia e Ethan, que estão frente a frente nos assentos individuais, e por Kate e Elliot; este sorri como um gibão enlouquecido.

– Com licença – diz aos nossos quatro convidados. – Tenho de conversar com a minha mulher em privado.

– Christian! – grito. – Põe-me no chão!

– Tudo a seu tempo, querida.

Tenho um breve vislumbre de Mia, Kate e Elliot a rirem-se. *Raios partam!* Isto não é divertido, é embaraçoso. Ethan fita-nos, boquiaberto e absolutamente chocado, enquanto desaparecemos no camarote.

Christian fecha a porta atrás de si e solta-me, deixando-me deslizar lentamente pelo seu corpo, pelo que lhe sinto todos os tendões e músculos rijos. Oferece-me o seu sorriso juvenil, completamente satisfeito consigo mesmo.

– Grande espetáculo, Mr. Grey.

Cruzo os braços e fito-o com um ar de indignação fingida.

– Foi divertido, Mrs. Grey.

E o seu sorriso rasga-se mais. *Oh, caramba.* Parece tão novo.

– Vais dar seguimento a isto?

Arqueio uma sobrancelha, sem saber ao certo o que sinto a esse respeito. Quero dizer, os outros vão ouvir-nos, por amor de Deus. De repente, fico envergonhada. Olhando de relance para a cama, sinto um rubor a instalar-se-me nas faces, pois recordo-me da nossa noite de núpcias. Falámos tanto ontem, fizemos tanto ontem. Sinto como se tivéssemos ultrapassado algum problema desconhecido – mas é esse o problema. É desconhecido. Os meus olhos atentam no olhar intenso mas divertido de Christian e sou incapaz de manter uma expressão séria. O seu sorriso é demasiado contagioso.

– Acho que é capaz de ser grosseiro deixarmos os convidados à espera – diz num tom suave como seda ao dar um passo na minha direção. *Quando começou ele a preocupar-se com o que os outros pensam?* Recuo até à parede do camarote e ele prende-me, com o calor do seu corpo a impedir-me de me mexer. Baixa a cabeça e passa o nariz pelo meu. – Foi uma boa surpresa? – sussurra e eu deteto um laivo de ansiedade na sua voz.

– Oh, Christian, foi uma surpresa fantástica. – Levo as mãos ao peito dele, seguro-lhe o pescoço e beijo-o. – Quando é que organizaste isto? – pergunto quando me afasto, ainda a acariciar-lhe o cabelo.

– Ontem à noite, quando não consegui dormir. Mandei um *e-mail* ao Elliot e à Mia, e aqui estão eles.

– Foi muito atencioso. Obrigada. Tenho a certeza de que vamos divertir-nos muito.

– Espero que sim. Pareceu-me que seria mais fácil evitarmos a comunicação social em Aspen do que em casa.

Os *paparazzi*! Ele tem razão. Se tivéssemos ficado no Escala, teríamos ficado sob cerco. Um calafrio percorre-me a espinha enquanto me lembro das câmaras e dos *flashes* a disparar dos fotógrafos por quem Taylor passou a acelerar hoje de manhã.

– Anda. É melhor sentarmo-nos... o Stephan não demorará a descolar.

Dá-me a mão e, juntos, voltamos para a cabina. Eliot aplaude quando regressamos.

– Isso é que foi um serviço aéreo rapidíssimo! – comenta em tom jocoso.

Christian ignora-o.

– Por favor, permaneçam nos vossos lugares, senhoras e senhores, pois dentro de instantes começaremos a avançar pela pista para a descolagem – ressoa pela cabina a voz calma e autoritária de Stephan.

A morena – *hã... Natalie?* – que nos acompanhou durante o voo na noite do nosso casamento aparece e recolhe as chávenas de café vazias. *Natalia... chama-se Natalia.*

– Bom dia, Mr. Grey, Mrs. Grey – diz ela, como se ronronasse.

Porque me deixará ela pouco à vontade? Talvez seja o facto de ser morena. O próprio Christian admitiu que não costuma contratar morenas porque as considera atraentes. Ele sorri-lhe educadamente enquanto passa entre o assento e a mesa e se senta diante de Elliot e Kate. Eu dou um abraço apressado a Kate e a Mia, e cumprimento Ethan e Elliot com um aceno antes de me sentar e pôr o cinto ao lado de Christian. Ele pousa-me uma mão no joelho e aperta-o ao de leve num gesto afetuoso. Parece descontraído e contente, apesar de estarmos acompanhados. Sem grande concentração, pergunto-me porque não poderá ser sempre assim – nada controlador.

– Espero que tenhas trazido as tuas botas de caminhada – diz ele, num tom caloroso.

– Não vamos esquiar?

– Isso seria difícil, em agosto – responde, divertido.

Oh, claro.

– Esquias, Ana? – interrompe-nos Elliot.

– Não.

Christian passa a mão do meu joelho para me apertar a mão.

– Tenho a certeza de que o meu mano pode ensinar-te. – Elliot pisca-me o olho. – Também é muito rápido nas encostas.

E não consigo evitar ficar corada. Quando olho para Christian, vejo que está a fitar Elliot com uma expressão impassível, mas parece-me que tenta suprimir a diversão. O avião lança-se para a frente e começa a avançar pela pista.

Natalia informa-nos dos procedimentos de segurança aérea numa voz nítida e bem audível. Está vestida com uma aprumada camisa azul--escura de manga curta e uma saia-lápis a condizer. A sua maquilhagem está imaculada – é mesmo muito bonita. O meu subconsciente mira-me com uma sobrancelha depiladíssima e arqueada.

– Estás bem? – pergunta-me Kate num tom determinado. – Quero dizer, depois da cena com o Hyde?

Aceno com a cabeça. Não quero pensar nem falar em Hyde, mas parece que Kate tem outros planos.

– Então o que é que o fez perder o juízo? – pergunta, indo diretamente ao cerne da questão, no seu estilo inimitável.

Atira o cabelo para trás, a preparar-se para investigar mais a fundo. Fitando-a com uma expressão descontraída, Christian encolhe os ombros.

– Despedi-o – diz simplesmente.

– Ai sim? Porquê?

Kate inclina a cabeça para o lado e eu percebo que entrou em modo "Nancy Drew".

– Ele fez-se a mim – balbucio.

Tento pontapear o tornozelo de Kate por baixo da mesa, mas falho. Merda!

– Quando? – Kate fita-me com os olhos arregalados.

– Há séculos.

– Nunca me contaste que ele se fez a ti! – exclama. Encolho os ombros, em jeito de desculpa. – Mas decerto não será apenas rancor por causa disso. Quero dizer, é uma reação demasiado extremada. – Kate continua, mas agora dirige o interrogatório a Christian. – Ele sofre de instabilidade mental? E toda a informação que tem sobre a família Grey?

O facto de ela estar a interrogar Christian desta maneira enerva-me, mas ela já concluiu que eu não sei nada, pelo que não pode fazer-me perguntas. A ideia incomoda-me.

– Julgamos que há uma ligação a Detroit – diz Christian num tom moderado. Demasiado moderado. *Oh não, Kate, por favor, desiste por ora.*

– O Hyde também é de Detroit?

Christian acena com a cabeça.

O avião acelera e eu seguro a mão de Christian com mais força. Ele fita-me com um olhar tranquilizador. Sabe que detesto descolagens e aterragens. Aperta-me a mão e o seu polegar acaricia-me os nós dos dedos para me acalmar.

– O que é que *sabes* sobre ele? – pergunta Elliot, obviamente indiferente ao facto de estarmos a lançar-nos pela pista num pequeno jato prestes a atirar-se para o céu e igualmente indiferente à exasperação crescente de Christian em relação a Kate. Esta inclina-se para a frente, à escuta.

– O que vou dizer é oficioso – diz Christian, de olhos postos em Kate. A boca dela contrai-se numa linha subtil mas fina. Eu engulo em seco. *Oh, merda.* – Sabemos algumas coisas acerca dele – prossegue Christian. – O pai morreu numa rixa num bar. A mãe bebia até mais não. Passou a infância a entrar e a sair de casas de acolhimento... e a meter-se em sarilhos. Sobretudo a roubar carros. Passou algum tempo num estabelecimento correcional para jovens. A mãe acabou por se endireitar com a ajuda de um serviço de voluntariado e o Hyde também conseguiu dar a volta à vida. Ganhou uma bolsa para Princeton.

– Princeton? – A curiosidade de Kate foi espicaçada.

– Sim. É um rapaz inteligente.

Christian encolhe os ombros.

– Não muito. Foi apanhado – resmoneia Elliot.

– Mas certamente não pode ter feito isto sozinho? – pergunta Kate.

Christian retesa-se ao meu lado.

– Ainda não sabemos – responde em voz baixa.

Com o caraças. É possível que houvesse alguém a colaborar com ele? Viro-me e olho boquiaberta e horrorizada para Christian. Ele volta a apertar-me a mão, mas não me devolve o olhar. O avião ergue-se suavemente no ar e eu fico com aquela terrível sensação de ter o estômago a afundar-se.

– Que idade tem ele? – pergunto a Christian, aproximando-me de forma a que só ele ouça. Por mais que queira saber o que se passa, não quero encorajar as perguntas de Kate. Sei que estão a irritar Christian e tenho a certeza de que ela está na sua lista negra desde o *Cocktailgate*.

– Trinta e dois. Porquê?

– Curiosidade, tão-somente.

O maxilar de Christian retesa-se.

– Não tenhas curiosidade a respeito do Hyde. Eu estou simplesmente contente por o cabrão ter sido preso. – É quase uma reprimenda, mas decido ignorar o tom.

– *Tu* achas que ele pode ter um cúmplice?

A ideia de mais alguém poder estar envolvido deixa-me maldisposta. Isso significaria que isto ainda não acabou.

– Não sei – replica Christian, com o maxilar novamente contraído.

– Talvez alguém que te tenha rancor? – sugiro. Mas que merda. Espero que não seja aquela cabra. – Como a Elena? – sussurro.

Apercebo-me de que pronunciei o nome dela em voz alta, mas só ele me ouviu. Ansiosa, olho de relance para Kate, mas esta está embrenhada numa conversa com Elliot, que parece chateado com ela. Hum.

– Gostas de a demonizar, não gostas? – Christian revira os olhos e abana a cabeça, desgostado. – Ela pode ser rancorosa, mas não faria uma coisa deste género. – Fita-me com um olhar cinzento e firme. – Não falemos dela. Sei que não é o teu tema preferido de conversa.

– Já a confrontaste? – sussurro, sem ter a certeza de querer saber.

– Ana, não falo com ela desde a minha festa de anos. Por favor, esquece. Também não quero falar sobre ela.

Levanta-me a mão e roça os lábios pelos meus nós dos dedos. O seu olhar abrasa-me e percebo que não devo continuar este interrogatório por agora.

– Arranjem um quarto – provoca Elliot. – Oh, é verdade... vocês já o têm, mas não precisaram dele durante muito tempo.

Christian levanta a cabeça e lança um olhar descontraído ao irmão.

– Vai-te lixar, Elliot – replica sem malícia.

– Meu, só falo do que vejo.

Os olhos de Elliot iluminam-se, mordazes.

– Como se tu soubesses – murmura Christian num tom sardónico, arqueando uma sobrancelha.

Elliot sorri, a gostar a provocação.

– Tu casaste com a tua primeira namorada – diz, a apontar para mim.

Oh, merda. Onde irá isto parar? Coro.

– Podes culpar-me por isso?

Christian volta a beijar-me a mão.

– Não.

Elliot ri-se e abana a cabeça. Eu fico mais vermelha e Kate dá uma palmada na coxa de Elliot.

— Para de ser imbecil — ralha-lhe.

— Presta atenção à tua namorada — diz Christian a Elliot, com um sorriso, parecendo que a preocupação anterior se desvaneceu.

Os meus ouvidos estalam à medida que ganhamos altitude e a tensão na cabina se dissipa enquanto o avião se endireita. Kate faz uma careta a Elliot. Hum... passar-se-á alguma coisa entre eles? Não tenho a certeza.

Elliot tem razão. A ironia faz-me soltar uma risada. Eu sou — fui — a primeira namorada de Christian e agora sou mulher dele. As quinze e a malévola Mrs. Robinson — essas não contam. Mas a verdade é que Elliot não sabe nada sobre elas e é óbvio que Kate não lhe contou. Sorrio-lhe e ela pisca-me o olho com uma expressão conspiratória. Os meus segredos estão a salvo com Kate.

— Muito bem, senhoras e senhores, avançaremos a uma altitude de aproximadamente trinta e dois mil pés e o tempo estimado para a nossa viagem é de uma hora e cinquenta e seis minutos — anuncia Stephan. — Já podem mover-se livremente pela cabina.

Natalia aparece subitamente, vinda das traseiras do avião.

— Alguém aceita café? — pergunta.

CAPÍTULO TREZE

Fazemos uma aterragem suave em Sardy Field às 12:25. Stephan para o avião um pouco longe do terminal principal e, pelas janelas, avisto uma grande carrinha *Volkswagen* à nossa espera.

— Bela aterragem — elogia Christian, a sorrir e a dar um aperto de mão a Stephan enquanto nos preparamos para sair do jato.

— Tem tudo que ver com a densidade da altitude, senhor. — Stephan também sorri. — Aqui a Beighley tem jeito para a matemática.

Christian acena com a cabeça, virado para a copiloto.

— Muito bem, Beighly. Uma aterragem suave.

— Obrigada, senhor — agradece ela com um sorriso satisfeito.

— Tenham um bom fim de semana, Mr. Grey, Mrs. Grey. Vemo--nos amanhã.

Stephan dá um passo ao lado para nos permitir desembarcar e, dando-me a mão, Christian ajuda-me a descer as escadas do avião até onde Taylor nos aguarda junto ao veículo.

— Uma carrinha? — pergunta Christian, surpreendido, enquanto Taylor faz a porta deslizar.

Taylor fita-o com um sorriso tenso e contrito e encolhe ligeiramente os ombros.

— Foi à última da hora, eu sei — diz Christian, apaziguado de imediato.

Taylor volta ao avião para ir buscar a nossa bagagem.

— Queres curtir no banco de trás da carrinha? — murmura-me Christian, com um brilho matreiro nos olhos.

Solto um risinho. Quem é este homem e que terá feito ao Sr. Incrivelmente Zangado dos últimos dois dias?

— Venham lá, vocês os dois. Entrem — diz Mia atrás de nós, vertendo impaciência ao lado de Ethan.

Subimos para a carrinha, avançamos aos tropeções para o assento duplo das traseiras e sentamo-nos. Aninho-me em Christian e ele põe um braço por cima do meu lugar.

– Estás confortável? – pergunta-me enquanto Mia e Ethan se sentam à nossa frente.

– Sim.

Sorrio e ele beija-me a testa. E, por uma razão incompreensível, hoje sinto-me tímida com ele. *Porquê? Por causa de ontem à noite? Por estarmos acompanhados?* Não consigo precisar o motivo.

Elliot e Kate são os últimos a entrar, enquanto Taylor abre a bagageira para guardar as nossas malas. Cinco minutos depois, estamos a caminho.

Olho pela janela enquanto avançamos para Aspen. As árvores estão verdes, mas já há laivos do outono iminente nas pontas amareladas de algumas folhas. O céu está de um azul cristalino, apesar de haver nuvens escuras a oeste. Ao longe e à nossa volta impõem-se as Montanhas Rochosas, com o cume mais alto mesmo à nossa frente. Estão verdejantes e as mais elevadas têm neve no cume, pelo que parecem montanhas desenhadas por uma criança.

Estamos no parque de diversões invernal dos ricos e famosos. *E eu tenho uma casa aqui.* Mal consigo acreditar nisso. E, do fundo da minha psique, o desconforto familiar que está sempre presente quando tento habituar-me à riqueza de Christian surge e atormenta-me, fazendo-me sentir culpada. Que fiz eu para merecer este estilo de vida? Nada, exceto apaixonar-me.

– Já tinhas estado em Aspen, Ana? – pergunta-me Ethan, virando-se para trás e arrancando-me ao devaneio.

– Não, é a primeira vez. E tu?

– Eu e a Kate costumávamos vir cá muito quando éramos adolescentes. O nosso pai é um esquiador exímio. Já a nossa mãe, não tanto.

– Tenho esperanças de que o meu marido me ensine a esquiar – comento, olhando de relance para o meu homem.

– Não contes com isso – resmunga ele.

– Não serei assim tão má!

– Podias partir o pescoço.

O seu sorriso desapareceu. *Oh*. Não quero discutir e azedar-lhe o bom humor, pelo que mudo de assunto.

– Há quanto tempo tens esta casa?

– Há quase dois anos. Agora também é sua, Mrs. Grey – diz num tom suave.

– Eu sei – sussurro.

Porém, por algum motivo, não me sinto convencida. Recostando-me, beijo-lhe o maxilar e volto a aninhar-me junto dele, a ouvi-lo rir e gracejar com Ethan e Elliot. De vez em quando Mia intervém, mas Kate mantém-se calada e eu pergunto-me se estará a pensar em Jack Hyde ou noutra coisa. Depois lembro-me. Aspen... A casa daqui foi remodelada por Gia Matteo e reconstruída por Elliot. Será isso que preocupa Kate? Não posso perguntar-lhe à frente de Elliot, dado o seu passado com Gia. Será que Kate sabe sequer da ligação de Gia à casa? Franzo o sobrolho, curiosa quanto ao que poderá estar a incomodá-la, mas decido perguntar-lhe quando estivermos a sós.

Passamos pelo centro de Aspen e a minha disposição melhora enquanto observo a cidade. Há edifícios baixos, sobretudo de tijolo vermelho, chalés ao estilo suíço e várias casas do final do século XIX, pintadas com cores garridas. Bastantes bancos e lojas de marcas, também, dando a entender a opulência da população local. Claro que Christian se enquadra aqui.

– Porque escolheste Aspen? – pergunto-lhe.

– O quê?

Ele fita-me com um ar intrigado.

– Para comprares uma casa.

– Os meus pais costumavam trazer-nos cá quando éramos miúdos. Foi aqui que aprendi a esquiar e gosto da zona. Espero que tu também... caso contrário, vendemos a casa e escolhemos uma noutro sítio.

Nada mais simples!

Ele passa-me uma madeixa de cabelo para trás da orelha.

– Estás encantadora, hoje – murmura.

As minhas faces aquecem. Estou apenas a usar a minha roupa de viagem: calças de ganga e uma *t-shirt* com um casaco leve azul-marinho. *Raios*. Porque me fará ele sentir tímida?

Beija-me: um beijo terno, doce e carinhoso.

Taylor leva-nos para os arredores da cidade e começamos a subir o outro lado do vale, ziguezagueando por uma estrada montanhosa. Quanto mais subimos, mais entusiasmada vou ficando e Christian retesa-se ao meu lado.

– O que se passa? – pergunto-lhe enquanto fazemos uma curva.

– Espero que te agrade – diz em voz baixa. – Chegámos.

Taylor abranda e entra num acesso feito de pedras cinzentas, beges e vermelhas. Avança pelo acesso e para diante da casa impressionante. Com uma porta no meio, telhados altos e feita de madeira escura, com pedras idênticas às da entrada. É fascinante – moderna e robusta, muito ao estilo de Christian.

– A nossa casa – boqueja ele para mim quando os nossos convidados começam a sair da carrinha.

– Tem bom aspeto.

– Anda. Vê – diz ele, com um brilho entusiasmado, ainda que nervoso, nos olhos, como se estivesse prestes a mostrar-me o seu projeto científico ou qualquer coisa assim.

Mia sobe os degraus a correr, ao encontro de uma mulher que se encontra à porta. É pequena e o seu cabelo asa-de-corvo está salpicado de grisalho. Mia abre os braços e abraça-a com força.

– Quem é? – pergunto a Christian, que está a ajudar-me a sair da carrinha.

– Mrs. Bentley. Vive aqui com o marido. Tomam conta da casa.

Com o caraças... mais pessoal?

Mia está a tratar das apresentações – Ethan e depois Kate. Elliot também dá um abraço a Mrs. Bentley. Enquanto Taylor descarrega a carrinha, Christian dá-me a mão e leva-me até à porta.

– Bem-vindo de volta, Mr. Grey – diz Mrs. Bentley com um sorriso.

– Carmella, esta é a minha mulher, Anastasia – diz Christian num tom orgulhoso.

A sua língua acaricia o meu nome, fazendo-me o coração vacilar.

– Mrs. Grey – cumprimenta-me Mrs. Bentley, com um aceno respeitoso da cabeça. Estendo-lhe a mão. Não me surpreende que ela seja muito mais formal com Christian do que com o resto da família.

– Espero que tenham tido um voo agradável. Dizem que o tempo vai ficar bom durante todo o fim de semana, mas não estou lá muito certa disso. – Olha para as nuvens cinzentas e cada vez mais escuras atrás de nós. – O almoço está pronto a ser servido quando quiserem.

Volta a sorrir, com um brilho nos olhos escuros, e eu gosto dela de imediato.

– Espera. – Christian agarra em mim e pega-me ao colo.

– O que estás a fazer? – guincho.

– A fazê-la passar outro patamar, Mrs. Grey.

Sorrio enquanto ele me conduz para o átrio largo e, depois de um beijo breve, volta a deixar-me pôr os pés no soalho de madeira. A decoração interior é sóbria e faz-me lembrar o salão do Escala – paredes brancas, madeiras escuras e arte abstrata contemporânea. O átrio dá passagem para uma grande sala de estar onde três sofás branco-sujos rodeiam uma lareira que é a peça central da sala. A única cor provém das almofadas macias espalhadas pelos sofás. Mia dá a mão a Ethan e leva-o para o interior da casa. Christian estreita os olhos ao vê-los afastarem-se, com a boca a contrair-se. Abana a cabeça e depois vira-se para mim. Kate assobia bem alto.

– Bela casa.

Olho em redor e vejo que Elliot está a ajudar Taylor a trazer a nossa bagagem. Volto a perguntar-me se ela saberá que Gia esteve envolvida na remodelação deste espaço.

– Uma visita guiada? – pergunta-me Christian, e tudo o que lhe passava pela cabeça acerca de Mia e Ethan desapareceu. Irradia entusiasmo... ou será ansiedade? É difícil perceber.

– Claro.

Mais uma vez, estou assoberbada pela opulência. Quanto terá custado esta casa? E eu não contribuí em nada para a sua aquisição. Por um instante, sou transportada para a primeira vez em que Christian me levou ao Escala. Nessa altura também fiquei avassalada. *Habituaste-te*, silva-me o meu subconsciente.

Christian franze o sobrolho mas dá-me a mão, encaminhando-me pelas várias divisões. A cozinha moderna tem bancadas de mármore claro e armários pretos. Há uma adega impressionante e uma sala imensa na cave, a que não falta um grande ecrã plano, sofás confortáveis... e uma mesa de bilhar. Fito-a, boquiaberta, e coro quando Christian repara nisso.

— Apetece-te jogar? — pergunta-me, com um brilho perverso no olhar.

Abano a cabeça e o seu cenho volta a cerrar-se. Dando-me a mão outra vez, leva-me até ao primeiro andar, onde há quatro quartos, cada um com uma casa de banho.

O quarto principal é uma coisa espantosa. A cama é enorme, maior do que a que temos em casa, e está de frente para uma enorme janela com vista para Aspen e as montanhas verdejantes.

— Aquela é a Montanha Ajax... ou Montanha Aspen, como preferires — diz Christian, a observar-me com cautela.

Encontra-se encostado à ombreira, com os polegares enfiados nas presilhas das calças de ganga. Aceno com a cabeça.

— Estás muito calada — murmura ele.

— É encantadora.

Mas, de repente, estou cheia de vontade de regressar ao Escala. Com cinco passos longos, ele fica diante de mim, a puxar-me o queixo para me libertar o lábio inferior dos dentes.

— O que se passa? — pergunta, com os olhos a perscrutarem os meus.

— És muito rico.

— Sim.

— Às vezes sou surpreendida por seres tão rico.

— Sermos.

— Sermos — balbucio automaticamente.

— Não stresses por causa disto, Ana, por favor. É só uma casa.

— E o que foi que a Gia fez aqui ao certo?

— A Gia? — Ele arqueia as sobrancelhas, surpreendido.

— Sim. Ela não remodelou a casa?

— Sim. Desenhou a sala da cave. O Elliot tratou da construção.

— Sabias que ela teve um caso com o Elliot?

Christian fita-me por um instante, com uma expressão ilegível.

— O Elliot fodeu com a maior parte de Seattle, Ana.

Arquejo.

— Sobretudo mulheres, segundo me consta — brinca ele. Parece-me que está a achar graça à minha expressão.

– Não!

Christian assente com a cabeça.

– Não é da minha conta.

Ele ergue as palmas das mãos.

– Acho que a Kate não sabe disso.

– Não me parece que ele alardeie essa informação. A Kate parece estar a aguentar-se bem.

Estou chocada. Elliot, querido, discreto, louro de olhos azuis? Fito-o, incrédula.

Christian inclina a cabeça para o lado, perscrutando-me.

– Isto não pode ser só por causa da promiscuidade da Gia ou do Elliot.

– Eu sei. Desculpa. Depois de tudo o que aconteceu esta semana, é só que...

Encolho os ombros, sentindo-me chorosa, de repente. Christian parece abater-se de alívio. Puxando-me para os seus braços, abraça-me com força, encostando o nariz ao meu cabelo.

– Eu sei. Também peço desculpa. Vamos descontrair e divertir-nos, Ok? Podes ficar aqui a ler, ver a porcaria da televisão, ir às compras, fazer caminhadas... até pescar. O que quiseres fazer. E esquece o que disse a respeito do Elliot. Foi indiscreto da minha parte.

– Isso explica em parte porque ele está sempre a provocar-te – murmuro, com o rosto encostado ao seu peito.

– Ele não tem ideia nenhuma acerca do meu passado. Já te disse, a minha família julgava que eu era *gay*. Celibatário, mas *gay*.

Solto uma risada e começo a descontrair-me nos seus braços.

– Eu achava que tu eras celibatário. Como estava enganada.

Passo os braços à volta dele, maravilhada com o ridículo de se pensar que Christian seja *gay*.

– Mrs. Grey, isso é um sorriso de troça?

– Talvez um pouco – aquiesço. – Sabes, o que não compreendo é porque tens esta casa.

– O que queres dizer?

Ele beija-me a cabeça.

– Tens o barco, que eu percebo; tens a casa de Nova Iorque, para quando vais lá em negócios... mas porquê esta? Não é como se já a tivesses partilhado com alguém.

Christian imobiliza-se e fica em silêncio durante alguns instantes.

– Estava à tua espera – diz em voz baixa, com os olhos cinzento-escuros e luminosos.

– Isso... isso é uma coisa bonita.

– É verdade. Não sabia na altura – afirma e exibe o seu sorriso tímido.

– Estou contente por teres esperado.

– Vale a pena esperar por si, Mrs. Grey.

Ele inclina-me o queixo para cima, baixa a cabeça e beija-me com ternura.

– E por si também. – Sorrio. – Embora me pareça que fiz batota. Não tive de esperar muito por ti.

Ele sorri.

– Sou um prémio assim tão bom?

– Christian, tu és a lotaria, a cura para o cancro e os três desejos da lâmpada de Aladino, tudo num só.

Ele arqueia uma sobrancelha.

– Quando é que vais ter noção disto? – censuro-o. – Eras um partido muito bom. E não me refiro a tudo isto. – Faço um gesto desprendido que abarca toda a opulência que nos rodeia. – Quero dizer aqui dentro. – Pouso a mão no peito dele, por cima do coração, e os seus olhos arregalam-se. O meu marido confiante e *sexy* desapareceu e eu estou diante do meu menino perdido. – Acredita em mim, Christian, por favor – sussurro e agarro-lhe a cara, puxando os seus lábios para os meus.

Ele geme e eu não sei se é por ter ouvido o que acabo de dizer ou se se trata da sua reação primitiva. Reclamo-o, com os lábios a mexerem-se contra os dele e a minha língua a invadir-lhe a boca.

Quando ambos ficamos sem fôlego, ele afasta-se, fitando-me com um ar duvidoso.

– Quando é que a tua cabeça excecionalmente dura vai perceber que te amo? – pergunto, exasperada.

Ele engole em seco.

– Um dia – diz ele.

Estamos a progredir. Sorrio e sou recompensada pelo seu sorriso tímido.

— Anda. Vamos comer qualquer coisa... os outros já estarão a perguntar-se onde andamos. Podemos ver o que todos queremos fazer.

— Oh, não! — exclama Kate de repente.

Todos os olhos se fixam nela.

— Vejam — diz ela, a apontar para a janela panorâmica.

Lá fora, começou a chover. Estamos sentados à volta da mesa de madeira escura da cozinha, tendo consumido um festim italiano de vários *antipasti*, preparados por Mrs. Bentley, e uma ou duas garrafas de *Frascati*. Estou saciada e um pouco tocada pelo álcool.

— Lá se vai a nossa caminhada — resmunga Elliot, ainda que pareça algo aliviado.

Kate fita-o com um esgar. Sem dúvida que há algum problema entre eles. Têm-se mostrado descontraídos com todos nós, mas não um com o outro.

— Podíamos ir à cidade — intervém Mia.

Ethan olha para ela com um sorriso trocista.

— O tempo está perfeito para a pesca — sugere Christian.

— Eu alinho numa pescaria — diz Ethan.

— Vamos dividir-nos. — Mia bate palmas. — Meninas, às compras... rapazes, atividades chatas ao ar livre.

Eu olho de relance para Kate, que está a fitar Mia com um ar indulgente. Pescar ou fazer compras? Caramba, que escolha.

— Ana, o que queres fazer? — pergunta-me Christian.

— Tanto me faz — minto.

Kate atrai-me a atenção e boqueja "compras". Talvez queira falar.

— Mas terei todo o gosto em ir às compras.

Dirijo um sorriso amarelo a Kate e Mia. Christian esboça um sorriso cúmplice. Sabe que detesto fazer compras.

— Eu posso ficar aqui contigo, se preferires — murmura ele, ao que algo sombrio se desdobra na minha barriga.

— Não, vai pescar — respondo.

Christian precisa de tempo com os rapazes.

— Parece que temos um plano — diz Kate, já a levantar-se da mesa.

– O Taylor acompanha-vos – declara Christian, e é um dado adqui-rido que não está aberto a discussão.

– Não precisamos que tomem conta de nós – replica Kate num tom brusco e direto, como sempre.

Eu pouso a mão no braço dela.

– Kate, é melhor que o Taylor venha connosco.

Ela franze o sobrolho, mas depois encolhe os ombros e, por uma vez na vida, coíbe-se de protestar.

Eu sorrio timidamente a Christian. A sua expressão mantém-se impassível. Oh, espero que não esteja zangado com a Kate. Elliot franze o sobrolho.

– Preciso de ir à cidade comprar uma pilha para o meu relógio.

Olha de relance para Kate e eu reparo que cora um pouco. Kate não dá por isso, pois está a ignorá-lo propositadamente.

– Leva o *Audi*, Elliot. Podemos ir pescar quando voltares – sugere Christian.

– Pois – balbucia ele, que parece distraído. – Boa ideia.

– Aqui.

Mia puxa-me pela mão para uma *boutique* de marca toda decorada com seda cor-de-rosa e mobília a imitar um estilo francês rústico. Kate segue-nos e Taylor espera na rua, protegido da chuva pelo toldo. Aretha Franklin está a cantar "Say a Little Prayer" na aparelhagem da loja. Adoro esta música. Deveria metê-la no iPod de Christian.

– Ias ficar maravilhosa com este vestido, Ana. – Mia mostra-me uma faixa de material prateado. – Toma, experimenta.

– Hã... é um bocado curto.

– Vais ficar fantástica. O Christian vai adorar.

– Achas?

Mia sorri-me.

– Ana, tens uma pernas lindas de morrer e, se hoje à noite formos a uma discoteca... – Ela sorri, pressentindo uma vitória fácil. – Vais estar sensual para o teu marido.

Pestanejo, ligeiramente escandalizada. Vamos a uma *discoteca*? Eu não vou a discotecas.

Kate ri-se da minha expressão. Parece mais descontraída, agora que está afastada de Elliot.

— Devíamos procurar um sítio com música eletrónica — diz ela.

— Vai lá experimentá-lo — ordena-me Mia e, apesar de relutante, encaminho-me para os provadores.

Enquanto espero que Kate e Mia saiam dos seus provadores, caminho até à montra da loja e espreito a rua principal, embora não preste muita atenção. A compilação de música *soul* continua: Dionne Warwick está a cantar "Walk on By". Outra grande canção — uma das preferidas da minha mãe. Olho para O Vestido na minha mão. *Vestido* talvez seja um exagero. Não tem costas e é muito curto, mas Mia declarou que é fantástico, perfeito para dançar toda a noite. Ao que parece, também preciso de sapatos e de um grande colar volumoso, que procuraremos a seguir. Revirando os olhos, torno a pensar na sorte que tenho por usufruir de uma *personal shopper*, Caroline Acton.

Distraio-me quando vejo Elliot pela montra. Apareceu do outro lado da rua ornamentada por árvores, saindo de um grande *Audi*. Lança-se para uma loja, como se quisesse furtar-se à chuva. Parece ser uma joalharia... talvez esteja em busca da tal pilha para o relógio. Sai poucos minutos depois e não sozinho — com uma mulher.

Merda! Está a falar com Gia! *Que raio está ela a fazer aqui?*

Enquanto os observo, abraçam-se por um instante e ela lança a cabeça para trás, rindo-se de algo que ele diz. Ele dá-lhe um beijo no rosto e depois corre para o carro. Ela vira-se e desce a rua, ao que fico, boquiaberta, a vê-la afastar-se. *O que terá sido aquilo?* Viro-me ansiosamente para os provadores, mas ainda não há sinal de Kate nem de Mia.

Olho de relance para Taylor, que se mantém à espera no exterior da loja. Repara que estou a olhar para ele e encolhe os ombros. Também assistiu ao pequeno encontro de Elliot. Coro, envergonhada por ter sido apanhada a bisbilhotar. Ao virar-me, Mia e Kate saem, ambas a rirem-se. Kate fita-me com um ar intrigado.

— O que se passa, Ana? — pergunta-me. — Mudaste de ideias quanto ao vestido? Ficas mesmo sensacional com ele.

— Há, não.

– Estás bem? – Os seus olhos arregalam-se.

– Estou ótima. Vamos pagar?

Encaminho-me para a caixa, juntando-me a Mia, que escolheu duas saias.

– Boa tarde, minha senhora. – A jovem vendedora (que tem mais *gloss* a cobrir-lhe os lábios do que alguma vez vi num só sítio) sorri-me. – São oitocentos e cinquenta dólares.

O quê? Por este farrapo?! Pestanejo e, docilmente, passo-lhe o meu *American Express* preto.

– Mrs. Grey – ronrona a Miss Lip Gloss.

Vou atrás de Kate e Mia numa espécie de névoa durante as duas horas seguintes, debatendo-me comigo mesmo. Devo contar à Kate? O meu subconsciente abana a cabeça com firmeza. Sim, devo contar-lhe. Não, não devo. Pode ter sido apenas um encontro inocente. *Merda.* Que hei de fazer?

– Bem, gostas dos sapatos, Ana?

Mia está de punhos nas ancas.

– Hã... sim, claro.

Acabo com um par de *Manolo Blahniks* impossivelmente altos, com tiras que parecem feitas de espelhos. Condizem na perfeição com o vestido e só custam um pouco mais de mil dólares a Christian. Tenho mais sorte com o fio comprido de prata que Kate insiste que eu compre; é uma pechincha de oitenta e quatro dólares.

– Estás a habituar-te a ter dinheiro? – pergunta-me ela, não sem delicadeza, enquanto regressamos ao carro. Mia vai à frente.

– Sabes que eu não sou assim, Kate. Sinto-me pouco à vontade com tudo isto. Mas sei de fonte segura que faz parte do pacote.

Faço beicinho e ela passa um braço à minha volta.

– Hás de habituar-te, Ana – diz num tom compassivo. – Estás com ótimo aspeto.

– Kate, como é que tu e Elliot andam? – pergunto-lhe.

Os seus grandes olhos azuis dardejam ao encontro dos meus.

Oh, não.

Ela abana a cabeça.

– Não quero falar disso agora. – Inclina a cabeça na direção de Mia. – Mas as coisas estão... – Não termina a frase.

Isto não é típico da minha Kate tenaz. *Merda*. Sabia que algo se passava. Digo-lhe o que vi? O que vi eu, afinal? Elliot e a Miss Predadora-Sexual-Bem-Arranjada a conversar, a abraçarem-se e a despedirem-se com um beijo no rosto. Decerto serão apenas velhos amigos? Não, não vou contar-lhe. Não agora. Aceno com a cabeça, dando-lhe a entender que compreendo e respeitarei a sua privacidade. Ela dá-me a mão e aperta-a com gratidão... e ali está: um vislumbre veloz de dor e mágoa nos seus olhos, que ela se apressa a abafar pestanejando. Sinto um impulso repentino de proteger a minha querida amiga. Que raio andará Elliot Engatatão Grey a tramar?

Quando voltamos a casa, Kate decide que merecemos *cocktails* depois das compras extravagantes e prepara-nos uns quantos *daiquiris* de morango. Enroscamo-nos nos sofás da sala, diante da lareira a crepitar.

– O Elliot tem andado um pouco distante ultimamente – murmura Kate, a observar as chamas.

Finalmente temos um momento só para nós, pois Mia está a guardar as suas compras.

– Ai sim?

– E acho que estou em apuros por te ter metido em apuros.

– Soubeste disso?

– Sim. O Christian ligou ao Elliot; o Elliot ligou-me.

Reviro os olhos. *Oh, Cinquenta, Cinquenta, Cinquenta.*

– Desculpa. O Christian é tão... protetor. Não vias o Elliot desde o *Cocktailgate?*

– Não.

– Oh.

– Eu gosto mesmo dele, Ana – suspira ela. E, por um momento terrível, penso que vai chorar. Isto não é do género dela. Implicará o regresso do pijama cor-de-rosa? Ela vira-se para mim. – Apaixonei-me por ele. Primeiro achei que era só por o sexo ser tão bom. Mas ele é encantador, amável e divertido. Imaginava-nos a envelhecer juntos... sabes? Filhos, netos... isso tudo.

– O teu "felizes para sempre" – sussurro. Ela acena tristemente com a cabeça. – Talvez devesses falar com ele. Tenta arranjar algum tempo a sós com ele. Descobre o que está a consumi-lo.

Quem é que está a consumi-lo, rosna o meu subconsciente. Dou-lhe uma chapada para que se cale, chocada com a insolência dos meus próprios pensamentos.

– Talvez vocês pudessem ir dar um passeio amanhã de manhã?

– Vamos ver.

– Kate, detesto ver-te assim.

Ela esboça um sorriso ténue e eu inclino-me para a abraçar. Decido não mencionar Gia, embora seja capaz de falar dela diretamente com o engatatão. Que direito tem de brincar com os afetos da minha amiga?

Mia regressa e passamos para assuntos mais seguros.

O fogo vai silvando e lançando fagulhas na lareira enquanto insiro o último toro. Estamos quase sem madeira. Apesar de ser verão, a lareira acesa é muito reconfortante neste dia húmido.

– Mia, sabes onde estão guardados os toros para a lareira? – pergunto-lhe enquanto ela beberica o seu *daiquiri*.

– Julgo que estão na garagem.

– Vou buscar alguns. Sempre me dá a oportunidade de explorar.

Quando saio e me encaminho para a garagem de três lugares ao lado da casa, a chuva já abrandou. A porta lateral está destrancada e eu entro, carregando no interruptor para que não esteja tão escuro. As lâmpadas fluorescentes acordam ruidosamente.

Está um carro na garagem e eu apercebo-me de que é o *Audi* em que vi Elliot à tarde. Também lá estão duas motos de neve. Mas o que me chama de facto a atenção são as duas motos de montanha, ambas com uma cilindrada de 125. Sou invadida por memórias de Ethan a tentar corajosamente ensinar-me a andar de bicicleta no verão passado. Num ato reflexo, esfrego o braço no sítio que magoei numa queda.

– Sabes andar? – pergunta-me Elliot, atrás de mim.

Viro-me.

– Voltaste.

– É o que parece. – Ele sorri e eu apercebo-me de que Christian seria capaz de me dizer o mesmo... embora sem aquele sorriso rasgado, feito para derreter corações. – Então? – insiste.

Engatatão!

– Mais ou menos.

– Queres ir dar uma volta?

Solto uma risada embaraçada.

– Há, não... acho que o Christian não ia ficar muito satisfeito se eu fosse.

– O Christian não está aqui.

Elliot faz um sorriso trocista – *oh, é uma característica de família* – e abre os braços para indicar que estamos sozinhos. Caminha até à moto mais próxima dele e passa uma longa perna de calças de ganga por cima do assento, sentando-se e agarrando no guiador.

– O Christian tem, hum... preocupações com a minha segurança. Não devo.

– Fazes sempre o que ele diz?

Elliot está com um brilho matreiro nos olhos azul-bebé e vejo um vislumbre do rapaz problemático... o rapaz problemático por quem Kate se apaixonou. O rapaz problemático de Detroit.

– Não. – Arqueio uma sobrancelha admoestadora. – Mas estou a tentar corrigir isso. Ele já tem o suficiente com que se preocupar sem que eu lhe dê mais motivos. Ele já voltou?

– Não sei.

– Não foste pescar?

Elliot abana a cabeça.

– Tive uns negócios a tratar na cidade.

Negócios! Que treta – negócios com uma loura arranjada! Inspiro profundamente e fico boquiaberta a olhar para ele.

– Se não queres andar de moto, o que vieste fazer à garagem?

– Estava à procura de toros para a lareira.

– Aqui estás. Oh, Elliot... já voltaste – interrompe-nos Kate.

– Olá, querida – cumprimenta-a ele com um grande sorriso.

– Pescaste alguma coisa?

Fico atenta à reação de Elliot.

– Não, tinha umas coisas a resolver na cidade.

E, por um breve instante, deteto um laivo de incerteza no seu rosto. *Oh, merda.*

– Vim ver o que estaria a demorar a Ana – diz Kate, a olhar para nós, confusa.

– Estávamos só a pôr a conversa em dia – responde Elliot, ao que a tensão entre eles praticamente crepita.

Todos nos interrompemos ao ouvirmos um carro a entrar no acesso. *Oh! O Christian está de volta. Graças a Deus.* A roldana da porta da garagem gira ruidosamente, sobressaltando-nos, e a porta começa a levantar--se e revela Christian e Ethan a descarregarem uma carrinha de caixa aberta. Christian para quando nos vê na garagem.

– Uma banda de garagem? – pergunta num tom sardónico enquanto entra e avança direito a mim.

Sorrio. Fico aliviada ao vê-lo. Por baixo do casaco impermeável, está a usar o macacão que lhe vendi quando trabalhava no Clayton's.

– Olá – diz ele, a fitar-me com um olhar intrigado e ignorando tanto Kate como Elliot.

– Olá. Belo macacão.

– Tem uma data de bolsos. Dão muito jeito para a pesca. – Fala numa voz baixa e sedutora, apenas para que eu o ouça e, quando me fita, tem uma expressão sensual.

Coro e ele esboça um sorriso enorme, sem restrições, todo para mim.

– Estás molhado – murmuro.

– Esteve a chover. O que é que vocês estão a fazer na garagem? – Por fim, reconhece que não estamos a sós.

– A Ana queria lenha para se aquecer. – Elliot arqueia uma sobrancelha. De certa forma, consegue que a frase pareça ordinária. – Tentei convencê-la a ir dar uma volta. – Ele é um mestre dos duplos sentidos.

O rosto de Christian abate-se e o meu coração para.

– Ela recusou. Disse que não ias gostar – acrescenta Elliot com bondade... e já sem quaisquer insinuações.

O olhar cinza de Christian volta a concentrar-se em mim.

– Ai disse? – murmura ele.

– Ouçam, eu não tenho quaisquer objeções a ficarmos a discutir o que a Ana fez a seguir, mas e se fôssemos para dentro? – intervém Kate.

Baixa-se, apanha dois toros e vira costas, avançando para a porta a bater com os pés. Oh, merda. Kate está zangada – mas eu sei que não é comigo. Elliot suspira e, sem dizer o que quer que seja, segue-a. Eu fico a olhar para eles, mas Christian distrai-me.

– Sabes andar de moto? – pergunta-me, com descrença na voz.

– Não muito bem. O Ethan ensinou-me.

Os seus olhos gelam de imediato.

– Tomaste a decisão certa – diz ele, com a voz muito mais descontraída. – O solo está muito duro agora e a chuva deixou-o traiçoeiro e escorregadio.

– Onde queres que ponha o material de pesca? – grita Ethan lá de fora.

– Deixa-o estar, Ethan... o Taylor trata disso.

– E o peixe? – continua Ethan, com uma voz vagamente provocadora.

– Apanhaste um peixe? – pergunto, surpreendida.

– Eu não. O Kavanagh é que apanhou.

E Christian faz beicinho... de uma forma encantadora. Desato a rir.

– Mrs. Bentley trata disso – grita ele em resposta.

Ethan sorri e encaminha-se para casa.

– Estou a diverti-la, Mrs. Grey?

– Bastante. Está molhado... deixe-me preparar-lhe um banho.

– Desde que se junte a mim...

Ele inclina-se e beija-me.

Encho a grande banheira oval da casa de banho da nossa suíte e despejo algum óleo aromático caro, que começa de imediato a fazer espuma. O aroma é divinal... jasmim, acho eu. De volta ao quarto, penduro O Vestido enquanto a banheira enche.

– Divertiste-te? – pergunta-me Christian ao entrar no quarto.

Está apenas com uma *t-shirt* e umas calças de fato de treino, descalço. Fecha a porta depois de entrar.

– Sim – murmuro, absorvendo a sua presença.

Tive saudades dele. Ridículo – só se passaram o quê, algumas horas? Ele inclina a cabeça para o lado e fita-me.

– O que se passa?

– Estava a pensar na falta que me fizeste.

– Parece que está apaixonada, Mrs. Grey.

– Estou, Mr. Grey.

Ele caminha até estar à minha frente.

– O que compraste? – sussurra e eu percebo que é para mudar o tema da conversa.

– Um vestido, sapatos, um colar. Gastei bastante do teu dinheiro.

A ideia diverte-o.

– Bom – murmura ele, enquanto me ajeita uma madeixa de cabelo atrás da orelha. – E, pela bilionésima vez, do nosso dinheiro.

Puxa-me o queixo, soltando-me o lábio inferior dos dentes, e passa o dedo indicador pela frente da minha *t-shirt*, descendo-me pelo esterno, por entre os seios, pelo estômago e pela barriga até à bainha.

– Não vais precisar disto – sussurra e agarra na bainha da *t-shirt* com as duas mãos para ma tirar lentamente. – Levanta os braços.

Eu obedeço, sem desviar o olhar do seu, e ele deixa cair a *t-shirt* no chão.

– Pensava que íamos só tomar um banho.

A minha pulsação acelera.

– Quero deixar-te bem e suja primeiro. Também tive saudades tuas.

Inclina-se e beija-me.

– Merda, a água!

Debato-me para me sentar, toda pós-orgástica e estonteada. Christian não me solta.

– Christian, a banheira!

Olho para ele da minha posição de bruços sobre o seu peito. Ele ri-se.

– Descontrai... a casa de banho é inclinada. – Vira-se e dá-me um beijo rápido. – Vou fechar a torneira.

Sai graciosamente da cama e vai até à casa de banho. Os meus olhos ávidos seguem-no até lá. Hum... o meu marido, nu e prestes a ficar molhado. Salto da cama.

Sentamo-nos nas extremidades da banheira, que está muito cheia – tão cheia que, sempre que nos mexemos, a água transborda e cai no chão.

É muito decadente. Ainda mais decadente é o facto de Christian estar a lavar-me os pés, a massajar-me as plantas dos pés e a puxar-me delicadamente os dedos. Beija cada um e mordisca-me o dedo mais pequeno.

– Aaah! – Sinto-o... *ali*, no meu baixo-ventre.

– Gostas? – sussurra ele.

– Hum – murmuro impercetivelmente.

Ele continua a massajar-me. Oh, isto sabe bem. Fecho os olhos.

– Vi a Gia na cidade – murmuro.

– A sério? Acho que ela tem uma casa aqui – comenta, sem dar grande importância à questão. Não está minimamente interessado.

– Estava com o Elliot.

Christian interrompe a massagem. Isto chamou-lhe a atenção. Quando abro os olhos, vejo que tem a cabeça inclinada para o lado, como se não tivesse compreendido.

– Como assim, com o Elliot? – pergunta ele, mais perplexo do que preocupado.

Explico o que vi.

– Ana, eles são só amigos. Acho que o Elliot está bastante caidinho pela Kate. – Interrompe-se e depois acrescenta num tom mais baixo: – Na verdade, *sei* que ele está caidinho por ela.

E fita-me com um ar de não-faço-ideia-porquê.

– A Kate é linda – replico, em defesa da minha amiga.

Ele resfolega.

– Continuo agradecido por teres sido tu quem caiu no meu gabinete.

Ele beija-me o dedo grande, liberta-me o pé esquerdo e pega no direito para recomeçar a massagem. Os seus dedos são tão fortes e flexíveis que logo torno a relaxar. Não quero discutir por causa de Kate. Fecho os olhos e deixo que os seus dedos façam magia nos meus pés.

Fito-me ao espelho de corpo inteiro, sem reconhecer a sedutora que me devolve o olhar. Kate empenhou-se mesmo e fez de mim a sua *Barbie* por esta noite, penteando-me e maquilhando-me. O meu cabelo está volumoso e esticado, tenho risco nos olhos e os lábios escarlates. Estou... *sexy*. Toda eu sou pernas, sobretudo por causa dos *Manolos* de salto alto e do vestido indecentemente curto. Preciso da aprovação de Christian, apesar de ter a terrível sensação de que ele não gostará de me ver com tanta pele exposta. Tendo em conta a nossa *entente cordiale*, concluo que o melhor será perguntar-lhe. Agarro no meu BlackBerry.

———

De: Anastasia Grey
Assunto: Este Vestido Faz-me o Rabo Grande?
Data: 27 agosto 2011 18:53
Para: Christian Grey

Mr. Grey,

Preciso do seu conselho de alfaiate.
Sua,

Mrs. G. x

———

De: Christian Grey
Assunto: Linda
Data: 27 agosto 2011 18:55
Para: Anastasia Grey

Mrs. Grey,
Duvido seriamente.
Mas procederei a uma análise aturada ao seu traseiro apenas para me assegurar.
Expectante e seu,

Mr. G. x

Christian Grey,
CEO Grey Enterprises Holdings & Inspetor de Traseiros, Inc.

Enquanto leio o *e-mail* dele, a porta do quarto abre-se e Christian estaca à entrada. Fica de queixo caído e olhos esbugalhados.

Com o caraças... isto tanto pode ir para um lado como para o outro.

– Então? – sussurro.

– Ana, tu estás... uau.

– Gostas?

– Sim, acho que sim. – Está um pouco rouco. Lentamente, entra no quarto e fecha a porta. Tem umas calças de ganga pretas e uma camisa branca, a que juntou um casaco preto. Está divinal. Avança na minha direção mas, assim que me alcança, pousa-me as mãos nos ombros e vira-me para o espelho de corpo inteiro, após o que baixa o olhar, fascinado com as minhas costas nuas. O seu dedo desce pela minha coluna até ao vestido no fundo das costas, onde a pele pálida se junta ao tecido prateado. – Isto é muito revelador – murmura ele.

A sua mão desliza mais para baixo, passa pelo meu traseiro e chega-me à coxa. Ele faz uma pausa, com os olhos cinzentos a refulgir tanto que parecem azuis. Depois, devagar, os seus dedos regressam à bainha do vestido.

Vendo-lhe os dedos compridos a moverem-se com agilidade, a provocarem-me a pele, sentindo o formigueiro que deixam ao passarem, a minha boca abre-se num O perfeito.

– A distância não é grande daqui... – Ele toca na bainha e depois sobe os dedos – ...aqui – sussurra.

Arquejo quando os dedos dele me acariciam o sexo, movendo-se de forma provocadora por cima das cuecas, sentindo-me, estimulando-me.

– E o que queres dizer? – sussurro.

– O que quero dizer é que... a distância não é grande daqui... – Os seus dedos deslizam pelas minhas cuecas e depois um entra e encosta-se à minha pele suave e humedecida. – ...até aqui. E depois... até aqui.

Insere um dedo em mim. Arquejo e gemo um pouco.

– Isto é meu – murmura ele junto à minha orelha. Fechando os olhos, vai metendo e tirando o dedo. – Não quero que mais ninguém veja isto.

A minha respiração fica ofegante, correspondendo ao ritmo do seu dedo. Vê-lo ao espelho, a fazer isto... é para lá de erótico.

– Por isso, porta-te bem, não te dobres e tudo correrá bem.

– Aprovas? – sussurro.

– Não, mas não vou proibir-te de o usares. Estás impressionante, Anastasia.

Abruptamente, retira o dedo, deixando-me a querer mais, e dá a volta para ficar à minha frente. Pousa a ponta do dedo invasor no meu lábio inferior. Instintivamente, eu contraio os lábios e beijo-o, sendo recompensada por um sorriso perverso. Ele leva o dedo à boca e a expressão que faz informa-me que o meu sabor é... mesmo bom. Coro. Irá chocar-me sempre que fizer isto?

Ele agarra-me na mão.

– Vem – ordena-me em voz baixa.

Apetece-me retorquir que estava prestes a fazê-lo mas, tendo em conta o que aconteceu ontem no quarto do prazer, decido calar-me.

Estamos à espera da sobremesa num restaurante luxuoso e exclusivo da cidade. Foi uma noite animada até agora e Mia está determinada a que assim continue, dizendo que temos de ir dançar. Neste momento, está em silêncio para variar, atenta a cada palavra de Ethan enquanto ele conversa com Christian. É óbvio que Mia está apaixonada por ele, e Ethan está... bem, é difícil perceber. Não sei se são apenas amigos ou se há algo mais entre eles.

Christian parece à vontade. Tem estado a falar animadamente com Ethan. É evidente que se entenderam bem durante a pescaria. Estão a falar sobretudo sobre psicologia. Ironicamente, parece ser Christian quem mais sabe sobre o assunto. Resfolego discretamente enquanto ouço a conversa sem prestar grande atenção, com a triste noção de que os seus conhecimentos se devem à experiência com muitos psiquiatras.

És a melhor terapia. As palavras que sussurrou uma vez enquanto fazíamos amor ecoam-me na cabeça. Serei? *Oh, Christian, espero que sim.*

Olho de relance para Kate. Está linda, mas isso é sempre assim. Ela e Elliot são os menos animados do grupo. Ele parece nervoso, a dizer piadas em voz muito alta e com o riso um pouco forçado. Terão discutido? Qual será o problema dele? Será aquela mulher? Sinto um aperto no peito ao pensar que poderá magoar a minha melhor amiga. Lanço um olhar para a entrada, quase à espera de ver Gia a saracotear calmamente o seu rabo bem vestido pelo restaurante até à nossa mesa. O meu cérebro está a pregar-me partidas; suspeito que seja por causa da quantidade de álcool que já bebi. Começa a doer-me a cabeça.

De repente, Elliot sobressalta-nos a todos levantando-se e empurrando a cadeira para trás, o que a faz chiar no chão de tijoleira. Todos os olhos se fixam nele. Ele observa Kate por um instante e depois baixa-se e apoia-se num joelho ao lado dela.

Oh. Meu. Deus.

Ele agarra-lhe na mão e o silêncio instala-se em todo o restaurante, pois todos param de comer, de falar, de andar, ficando a fitá-los.

– Minha linda Kate, amo-te. A tua elegância, a tua beleza e o teu espírito indomável são únicos e cativaste o meu coração. Passa a vida comigo. Casa comigo.

Com o caraças!

CAPÍTULO CATORZE

A atenção de todo o restaurante está concentrada em Kate e Elliot, a respiração sustida em uníssono. A expectativa é insuportável. O silêncio estica-se como um elástico retesado. A atmosfera está opressiva, apreensiva, mas esperançosa.

Kate fita Elliot com um olhar inexpressivo enquanto este a observa com os olhos espantados de anseio... e até receio. *Bolas, Kate! Acaba lá com o sofrimento do homem. Por favor.* Caramba – ele também podia ter-lhe perguntado em privado.

Uma única lágrima corre-lhe pelo rosto, embora ela se mantenha inexpressiva. *Merda! Kate, a chorar?* Depois sorri, um sorriso lento e incrédulo de encontrei-o-Nirvana.

– Sim – sussurra ela, numa aceitação ofegante e doce... nada ao estilo de Kate.

Por um nanossegundo há uma pausa enquanto toda a gente no restaurante exala um suspiro coletivo de alívio; em seguida, o barulho torna-se ensurdecedor. Aplausos, vivas, assobios, hurras espontâneos e, de súbito, tenho lágrimas a caírem-me pela cara, esborratando-me a maquilhagem que é uma mescla de *Barbie* com a cantora Joan Jett.

Indiferentes à agitação que os rodeia, os dois estão isolados no seu pequeno mundo. Do bolso, Elliot retira uma caixinha, abre-a e oferece-a a Kate. Um anel. E, pelo que vejo, um anel primoroso, mas preciso de o examinar de perto. Seria isso que ele estava a fazer com Gia? A escolher um anel de noivado? *Merda!* Oh, estou tão contente por não ter dito nada a Kate.

Esta olha para o anel e para Elliot; depois lança os braços à volta do pescoço dele. Beijam-se, de uma forma espantosamente casta para eles, e todos aplaudem. Elliot levanta-se, agradece a ovação com uma vénia surpreendentemente graciosa e depois, com um sorriso imenso, satisfeito consigo mesmo, torna a sentar-se. Eu não consigo desviar o olhar deles. Elliot tira o anel da caixa e coloca-o no dedo de Kate, e então voltam a beijar-se.

Christian aperta-me a mão. Não me tinha apercebido de que estava a prender a dele com tanta força. Solto-o, um pouco envergonhada, e ele abana a cabeça, boquejando "Au".

— Desculpa. Sabias disto? – sussurro.

Ele sorri e eu percebo que sim. Chama o empregado de mesa.

— Duas garrafas de *Cristal*, por favor. O de 2002, se tiverem.

Fito-o com um sorriso malandro.

— O que foi?

— Porque o de 2002 é muito melhor do que o de 2003 — provoco.

Ele ri-se.

— Para o palato treinado, Anastasia.

— O senhor tem um palato muito treinado, Mr. Grey, e um gosto peculiar.

Sorrio.

— Isso é verdade, Mrs. Grey. — Ele aproxima-se mais de mim. — O teu sabor é melhor — sussurra e beija-me um ponto determinado atrás da orelha que me provoca calafrios.

Fico vermelhíssima e lembro-me com gosto da sua demonstração de horas antes acerca de quão curto é o meu vestido.

Mia é a primeira a abraçar Kate e Elliot e, à vez, todos desejamos felicidades ao casal. Aperto Kate num grande abraço.

— Vês, ele estava só preocupado com o pedido de casamento — sussurro.

— Oh, Ana — diz ela, entre um risinho e um sussurro.

— Kate, estou tão feliz por ti. Parabéns.

Christian está atrás de mim. Dá um aperto de mão a Elliot e depois — surpreendendo tanto o irmão como a mim — puxa-o para um abraço. Só apanho um pouco do que ele lhe diz:

— Muito bem, Lelliot — murmura ele.

Elliot não abre a boca pois, por uma vez, o espanto deixou-o sem palavras, mas retribui o abraço do irmão. *Lelliot?*

— Obrigado, Christian — lá consegue ele balbuciar.

Christian dá um abraço breve e confrangido a Kate, mantendo-a quase à distância de um braço. Sei que a atitude de Christian em relação a Kate é de tolerância, no melhor dos casos, e ambivalente a maioria do tempo, pelo que isto significa um progresso. Ao soltá-la, diz-lhe numa voz tão baixa que só nós as duas ouvimos:

— Espero que tenhas um casamento tão feliz como o meu.

— Obrigada, Christian. Também o espero — agradece ela com elegância.

O empregado voltou com o champanhe, que começa a abrir com um floreado discreto.

Christian ergue a sua *flute* de champanhe.

— À Kate e ao meu querido irmão Elliot... felicidades.

Todos bebericamos; bem, eu engulo-o. Hum, *Cristal* sabe tão bem... lembro-me da primeira vez que o bebi no clube de Christian e, depois, na nossa viagem atribulada de elevador até ao primeiro andar. Christian franze o sobrolho, virado para mim.

— Em que pensas? — sussurra.

— Na primeira vez que bebi deste champanhe.

Fica com um ar ainda mais intrigado.

— Estávamos no teu clube — ofereço.

Ele sorri.

— Oh, sim. Já me lembro.

E pisca-me o olho.

— Elliot, já pensaram numa data? — pergunta Mia.

Elliot lança um olhar exasperado à irmã.

— Acabei de fazer o pedido de casamento, por isso depois falamos sobre isso, Ok?

— Oh, tenham um casamento de Natal. Seria tão romântico e assim nunca se esqueceriam do aniversário — diz Mia, a bater palmas.

— Vou ter isso em consideração.

Elliot mira-a com um sorriso trocista.

— Depois do champanhe, será que podemos ir dançar, por favor?

Mia vira-se e fita Christian com os olhos castanhos muito abertos.

— Acho que devíamos perguntar ao Elliot e à Kate o que querem fazer.

Como um só, viramo-nos para o casal. Elliot encolhe os ombros e Kate fica vermelhíssima. As suas intenções carnais em relação ao noivo são tão óbvias que quase cuspo champanhe de quatrocentos dólares na mesa.

A Zax é a discoteca mais exclusiva de Aspen – pelo menos, é o que Mia diz. Christian avança até à frente da curta fila com o braço à volta da minha cintura e deixam-no logo passar. Por um instante, pergunto--me se este lugar será dele. Olho para o meu relógio – são onze e meia e estou a sentir-me tonta. Os dois copos de champanhe e os vários copos de *Pouilly-Fumé* ao longo da refeição começam a surtir efeito, pelo que me sinto grata por Christian ter o braço à minha volta.

– Mr. Grey, seja bem-vindo – diz uma loura muito atraente, de pernas compridas nuns calções de cetim preto, *top* de alças a condizer e um pequeno laço vermelho ao pescoço. Exibe um sorriso rasgado que lhe revela os dentes perfeitos entre os lábios escarlates, da cor do laço. – O Max fica com o seu casaco.

Um jovem completamente vestido de preto, embora, felizmente, não de cetim, sorri enquanto se oferece para me despir o casaco. Os seus olhos escuros são calorosos e convidativos. Sou a única de casaco – Christian insistiu para que eu trouxesse a gabardina de Mia, para me tapar o traseiro – pelo que Max só tem de me atender.

– Bela gabardina – diz ele, a fitar-me com um olhar intenso.

Ao meu lado, Christian agita-se e fixa o olhar em Max, em jeito de aviso para que se afaste. Ele ruboresce e depressa entrega a Christian a senha com o número do meu casaco.

– Permitam-me que vos acompanhe até à vossa mesa – diz a Miss Calções de Cetim, a pestanejar para o meu marido e a atirar o longo cabelo louro para trás antes de se saracotear pelo átrio.

Eu aperto Christian com mais força e ele lança-me um olhar intrigado, após o que esboça um sorriso malandro enquanto seguimos a Miss Calções de Cetim pelo bar.

A iluminação é escassa, as paredes são pretas e as mobílias de um vermelho-vivo. Há mesas a ladear duas das paredes e um bar em forma de U ao centro. Está azafamado, tendo em conta que viemos na época baixa, mas não demasiado à pinha com os ricalhaços de Aspen a saírem para se divertirem numa noite de sábado. As pessoas estão vestidas de forma descontraída e, pela primeira vez, sinto-me demasiado bem... demasiado pouco vestida. Não tenho a certeza de qual das duas hipóteses será. O chão e as paredes vibram com a música que pulsa da pista de dança atrás do bar e as luzes rodopiam e piscam. No estado atordoado em que me encontro, ocorre-me que aquilo deverá ser um pesadelo para um epilético.

A Calções de Cetim leva-nos até uma mesa ao canto, à qual tira a corda em redor. Fica perto do bar, com acesso à pista de dança. Sem dúvida que são os melhores lugares da casa.

— Virá alguém tomar nota do vosso pedido em breve.

Ela brinda-nos com o seu sorriso luminoso e, com um último bater de pestanas para o meu marido, regressa para a entrada. Mia já está a saltaricar de um pé para o outro, cheia de vontade de ir para a pista, e Ethan apieda-se dela.

— Champanhe? — pergunta-lhes Christian enquanto se afastam de mãos dadas em direção à pista de dança. Ethan responde com um polegar voltado para cima e Mia acena de forma entusiasta com a cabeça.

Kate e Elliot recostam-se nos assentos suaves de veludo, de mãos dadas. Parecem tão felizes, com as feições calmas e radiantes à luz das pequenas velas dispostas sobre a mesa baixa em candelabros de cristal. Christian faz-me sinal para que me sente e eu ocupo o lugar ao lado de Kate. Ele senta-se ao meu lado e perscruta o espaço com um ar ansioso.

— Mostra-me o anel — peço bem alto para me fazer ouvir. Vou estar rouca quando sairmos daqui. Kate sorri e levanta a mão. O anel é belíssimo, com uma única pedra num engaste elaborado com diamantes minúsculos dos dois lados. Tem um ar vitoriano. — É lindo.

Ela acena com a cabeça, encantada e, esticando a mão, aperta a coxa a Elliot. Ele debruça-se e beija-a.

— Arranjem um quarto! — exclamo.

Elliot sorri.

Uma jovem de cabelo escuro e curto, com um sorriso travesso, a usar os obrigatórios calções pretos de cetim, vem tomar nota do nosso pedido.

— O que querem beber? — pergunta Christian.

– Não vais pagar isto também – resmunga Elliot.

– Não comeces com essa merda – retorque Christian num tom ameno.

Apesar das objeções de Kate, Elliot e Ethan, Christian pagou a refeição que acabámos de consumir. Limitou-se a ignorá-los e a não permitir que mais ninguém pagasse. Lanço-lhe um olhar adorador. O meu Cinquenta Sombras... sempre ao comando.

Elliot abre a boca para dizer qualquer coisa mas, talvez sensatamente, torna a fechá-la.

– Quero uma cerveja – diz.

– Kate? – pergunta Christian.

– Mais champanhe, por favor. O *Cristal* é delicioso. Mas tenho a certeza de que o Ethan prefere uma cerveja.

Sorri com doçura – *sim, com doçura* – a Christian. A felicidade deixa-a incandescente. Sinto-a a irradiar dela e é um prazer participar na sua alegria.

– Uma garrafa de *Cristal*, três *Peronis* e uma garrafa de água mineral gelada; seis copos – diz com os seus costumeiros modos autoritários, que não admitem retorta.

Até é sensual.

– Obrigada, senhor. É para já.

A Miss Calções Pretos Número Dois dirige-lhe um sorriso gracioso, mas ele é poupado a ver pestanas a bater, embora as suas faces corem um pouco.

Abano a cabeça num gesto de resignação. *Ele é meu, amiga.*

– O que foi? – pergunta-me ele.

– Ela não olhou para ti a pestanejar – comento num tom trocista.

– Oh. Deveria tê-lo feito? – inquire, sem conseguir ocultar o sorriso.

– É o que as mulheres costumam fazer – mantenho o tom irónico. Ele sorri de orelha a orelha.

– Mrs. Grey, está com ciúmes?

– Nem um pouco – respondo, a fazer beicinho.

E, nesse momento, apercebo-me de que começo a tolerar mulheres a comerem o meu marido com os olhos. Quase. Christian aperta-me a mão e beija-me os nós dos dedos.

– Não há motivos para ter ciúmes, Mrs. Grey – murmura-me ele ao ouvido, com a respiração a provocar-me um formigueiro.

– Eu sei.

– Bom.

A empregada regressa e, pouco depois, estou a bebericar mais um copo de champanhe.

– Toma. – Christian passa-me um copo com água. – Bebe isto.

Franzo o sobrolho e, mais do que ouvir, vejo-o a suspirar.

– Três copos de vinho branco ao jantar e dois de champanhe, depois de um *daiquiri* de morango e dois copos de *Frascati* ao almoço. Bebe. Agora, Ana.

Como é que ele sabe dos *cocktails* desta tarde? Faço-lhe uma careta. Mas, na verdade, ele tem razão. Aceito o copo com água e sorvo-o da maneira menos senhoril possível, para que o meu protesto por ele estar a dar-me ordens – outra vez – fique registado.

– Linda menina – comenta ele com um sorriso trocista. – Já me vomitaste em cima uma vez. Não tenho pressa alguma de passar por isso de novo.

– Não sei de que estás a queixar-te. Pudeste dormir comigo.

Ele sorri e o seu olhar suaviza-se.

– Pois foi.

Ethan e Mia voltam.

– O Ethan já dançou que chegue por agora. Venham lá, meninas. Vamos fazer-nos à pista. Dar uns passos, mexer-nos um bocado, queimar as calorias daquela musse de chocolate.

Kate levanta-se de imediato.

– Vens? – pergunta a Elliot.

– Deixa-me ficar a ver-te – diz ele.

E tenho de desviar discretamente o olhar, corando com a forma como ele a observa. Ela sorri de orelha a orelha enquanto eu me levanto.

– Vou queimar algumas calorias – digo e, inclinando-me, sussurro junto à orelha de Christian: – Podes observar-me.

– Não te dobres – rosna ele.

– Ok.

Endireito-me abruptamente. Ena! O sangue sobe-me à cabeça e

agarro-me ao ombro de Christian enquanto a sala gira e se inclina um pouco.

– Talvez devesses beber mais água – murmura Christian, com um aviso nítido na voz.

– Estou bem. Estes bancos são baixos e estou com uns saltos muito altos.

Kate dá-me a mão e, inspirando profundamente, sigo-a e a Mia, com uma postura perfeita, para a pista de dança.

A música está a pulsar, uma batida *tecno* com um ritmo marcado de graves. A pista não está apinhada, o que quer dizer que temos algum espaço. Os dançarinos são uma mistura eclética – jovens e velhos a dançarem noite fora. Nunca fui boa dançarina. Na verdade, só desde que estou com Christian é que danço. Kate abraça-me.

– Estou tão feliz – grita para se fazer ouvir acima da música antes de começar a dançar.

Mia está a fazer o costume, sorrindo-nos e atirando-se de um lado para o outro. Caramba, ocupa uma data de espaço na pista. Olho de relance para a mesa. Os nossos homens estão a observar-nos. Começo a mexer-me. É um ritmo pulsante. Fecho os olhos e rendo-me à música.

Quando abro os olhos, apercebo-me de que a pista de dança está a encher. Eu, Kate e Mia temos de nos juntar mais. E, para minha grande surpresa, descubro que até estou a divertir-me. Começo a mexer-me um pouco mais... arrojadamente. Kate premeia-me com dois polegares virados para cima e eu sorrio-lhe.

Fecho os olhos. Porque terei passado os primeiros vinte anos da minha vida sem fazer isto? Preferia ler a dançar. *Jane Austen não tinha grande música ao ritmo da qual pudesse mexer-se e Thomas Hardy... bolas, ter-se-ia sentido culpado até mais não por não estar a dançar com a primeira mulher.* A ideia faz-me rir.

É Christian. Foi ele que me deu esta confiança no meu corpo e na forma de o mexer.

De repente, tenho duas mãos nas ancas. Sorrio. Christian juntou-se a mim. Abano-me e as suas mãos passam para o meu traseiro e apalpam-me, após o que regressam às minhas ancas.

Abro os olhos. E Mia está a fitar-me, horrorizada. *Merda...*

dançarei assim tão mal? Baixo os braços para segurar nas mãos de Christian. São peludas. *Merda!* Não são dele. Viro-me e a fazer-me sombra está um gigante louro com mais dentes do que seria natural e um sorriso lascivo a mostrá-los.

— Tire as mãos de cima de mim! — grito mais alto do que a música, apoplética de raiva.

— Então, docinho, estamos só a divertir-nos.

Ele sorri, erguendo as mãos de macaco, com os olhos azuis a brilhar sob as luzes ultravioleta a piscar.

Sem pensar no que faço, dou-lhe uma grande bofetada.

Au! Merda... a minha mão. Está a arder.

— Afaste-se de mim! — grito. Ele mira-me, agarrado à bochecha vermelha. Lanço a mão magoada para a frente da cara dele e abro bem os dedos para lhe mostrar o anel de noivado e a aliança. — Sou casada, seu cretino!

Ele encolhe os ombros com bastante arrogância e esboça um sorriso apologético pouco convincente.

Olho freneticamente em redor. Mia está a meu lado, a fitar o Gigante Louro com um ar furioso. Kate está absorta no momento, a dançar. Christian não se encontra na mesa. *Oh, espero que tenha ido à casa de banho.* Dou um passo atrás e embato num peito que conheço bem. *Oh, merda.* Christian passa um braço à volta da minha cintura e desvia-me para o lado.

— Deixa a merda das patas longe da minha mulher — diz ele. Não grita mas, de alguma maneira, consegue fazer-se ouvir apesar da música.

Com o caraças.

— Ela sabe tomar conta de si mesma — grita o Gigante Louro.

A sua mão afasta-se da bochecha que eu esbofeteei e Christian bate-lhe. Parece-me que estou a ver tudo em câmara lenta. Um murro perfeitamente calculado no queixo, num movimento rapidíssimo mas que desperdiça tão pouca energia que o Gigante Louro não o prevê. Cai ao chão como um saco de batatas.

Merda.

— Christian, não! — arquejo em pânico, à frente dele para o conter. Merda, ainda o mata. — Eu já lhe bati — grito para que me ouça.

Christian não olha para mim. Está a fitar o meu acossador com uma malevolência que nunca lhe tinha visto nos olhos. Bem, talvez uma vez, depois de Jack Hyde se ter feito a mim.

Os outros dançarinos afastam-se como uma ondulação num lago, dando espaço, mantendo uma distância segura. O Gigante Louro consegue pôr-se de pé e Elliot junta-se a nós.

Oh, não! Kate está ao meu lado, boquiaberta. Elliot agarra no braço de Christian e Ethan também aparece.

– Tem lá calma, Ok? Não foi por mal – diz o Gigante Louro, levantando as mãos num gesto de derrota antes de bater em retirada.

O olhar de Christian segue-o até ele sair da pista de dança. Não olha para mim.

A música muda da letra explícita de "Sexy Bitch"[3] para uma batida *tecno* com uma mulher a cantar numa voz apaixonada. Elliot olha para mim, depois para Christian e, soltando-o, puxa Kate para dançar. Eu passo os braços à volta do pescoço de Christian até ele finalmente olhar para mim, com os olhos ainda a chispar – primitivos e ferais. Um vislumbre de um adolescente brigão. *Com o caraças.* Ele observa-me o rosto.

– Estás bem? – pergunta, por fim.

– Sim. – Esfrego a palma da mão, a tentar fazer passar o ardor, e encosto ambas as mãos ao seu peito. Tenho a mão a latejar. Nunca tinha esbofeteado alguém. O que se apoderou de mim? Tocar-me não foi um crime grave. Ou foi?

Porém, no meu íntimo, sei porque lhe bati. Por saber instintivamente como Christian reagiria ao ver algum desconhecido a apalpar-me. Sabia que ele perderia o seu precioso autodomínio. E a ideia de um zé-ninguém estúpido poder fazer descarrilar o meu marido, o meu amor, bem, isso enfurece-me. Por completo.

– Queres ir sentar-te? – pergunta-me Christian, a fazer-se ouvir sobre a batida pulsante.

Oh, volta para mim, por favor.

– Não. Dança comigo.

Ele fita-me com um ar impassível, sem dizer nada.

---

3. Numa tradução literal, "Cabra Sensual". (N. da T.)

Toca-me... canta a mulher.

– Dança comigo. – Ele continua furioso. – Dança. Christian, por favor.

Seguro-lhe nas mãos. Christian lança um olhar furioso na direção para onde o tipo foi, mas eu começo a mexer-me contra o seu corpo, a balançar-me à volta dele.

A multidão de dançarinos tornou a rodear-nos, embora agora haja uma zona de exclusão de sessenta centímetros à nossa volta.

– Bateste-lhe? – pergunta ele, ainda imóvel.

Eu aperto-lhe as mãos cerradas em punhos.

– Claro que sim. Julguei que eras tu, mas ele tinha as mãos peludas. Por favor, dança comigo.

Enquanto Christian me fita, o fulgor nos seus olhos vai-se alterando lentamente, evoluindo para outra coisa, algo mais sombrio, algo mais sensual. De súbito, agarra-me pelos pulsos e puxa-me contra si, prendendo-me as mãos atrás das costas.

– Queres dançar? Vamos dançar – resmoneia junto à minha orelha e, quando começa a mover as ancas à minha volta, não posso fazer nada para além de o seguir, já que as suas mãos continuam a prender as minhas contra o meu traseiro.

Oh... Christian sabe mesmo, mesmo mexer-se. Mantém-me perto, sem me soltar, mas as suas mãos vão-se relaxando e libertam as minhas, que o contornam, sobem-lhe pelos braços, sentem os seus músculos fortes sob o casaco, até aos ombros. Ele encosta-me a si e eu sigo-lhe os movimentos enquanto ele vai dançando comigo de um modo lento e sensual ao ritmo da batida pulsante da música da discoteca.

Assim que me segura por uma mão e me faz girar primeiro para um lado, depois para o outro, percebo que está de novo comigo. Sorrio e ele também.

Dançamos juntos e isso é libertador – divertido. Com a raiva esquecida, ou suprimida, ele faz-me rodopiar com perícia no espaço exíguo que temos na pista de dança, sem nunca me largar. Torna-me graciosa, é a sua habilidade. Torna-me *sexy* porque é o que ele é. Faz-me sentir amada porque, apesar das suas cinquenta sombras, tem imenso amor para dar. Ao vê-lo agora, a divertir-se... poderia perdoar-se alguém por julgar que ele nada tem que o preocupe. Sei que o seu amor é turvado por questões de superproteção e controlo, mas isso não me leva a amá--lo nem um pouco menos.

Estou sem fôlego quando a música dá lugar a outra.

– Podemos sentar-nos? – arquejo.

– Claro.

Ele acompanha-me pela pista de dança.

– Deixaste-me bastante quente e suada – sussurro quando voltamos para a mesa.

Ele puxa-me para os seus braços.

– Gosto de ti quente e suada. Embora prefira deixar-te quente e suada em privado – ronrona ele, com um sorriso lascivo a bailar-lhe nos lábios.

Quando nos sentamos, é como se o incidente na pista de dança nunca tivesse acontecido. Estou algo surpreendida por não termos sido expulsos. Olho de relance para o bar. Ninguém está a olhar para nós e não vejo o Gigante Louro. Talvez tenha saído ou talvez o tenham posto na rua. Kate e Elliot estão a comportar-se de forma indecente na pista de dança, Ethan e Mia não tanto. Beberico mais um pouco de champanhe.

– Toma.

Christian pousa outro copo com água diante de mim e fita-me intensamente. A sua expressão é expectante – *bebe isso. Bebe já.*

Obedeço. Seja como for, tenho sede.

Ele tira uma garrafa de *Peroni* do balde de gelo em cima da mesa e dá um grande gole.

– E se houvesse jornalistas aqui? – pergunto.

Christian percebe de imediato que me refiro a ter atirado o Gigante Louro ao chão.

– Tenho advogados dispendiosos – responde descontraidamente, como se fosse a personificação da arrogância.

Eu franzo o sobrolho.

– Mas não estás acima da lei, Christian. Eu, de facto, tinha a situação controlada.

Os seus olhos gelam.

– Ninguém toca no que é meu – diz num tom de finalidade ameaçadora, como se eu não entendesse o óbvio.

Oh... Bebo mais um gole de champanhe. De repente, sinto-me assoberbada. A música está muito ruidosa, insuportável, dói-me a cabeça e os pés e estou tonta. Ele dá-me a mão.

– Anda, vamos. Quero levar-te para casa – diz ele.

Kate e Elliot vêm ter connosco.

– Já vão? – pergunta Kate, numa voz esperançada.

– Sim – responde Christian.

– Boa, vamos convosco.

Enquanto esperamos junto ao bengaleiro que Christian recupere a minha gabardina, Kate interroga-me.

– O que aconteceu com aquele tipo na pista de dança?

– Estava a apalpar-me.

– Abri os olhos e tu bateste-lhe.

Encolho os ombros.

– Bem, eu sabia que o Christian ia ficar possesso e que isso poderia dar cabo da vossa noite.

Ainda estou a processar o que sinto em relação ao comportamento de Christian. Na altura, preocupava-me que pudesse ter sido pior.

– Da nossa noite – corrige ela. – Ele é muito irascível, não é? – acrescenta com secura, fitando Christian, que já está a receber o meu casaco.

Eu resfolego e sorrio.

– Pode dizer-se que sim.

– Eu acho que tu lidas bem com ele.

– Lido?

Franzo o sobrolho. Será que *lido* com Christian?

– Toma – diz ele, a segurar na gabardina para que eu a vista.

– Acorda, Ana. – Christian está a abanar-me com delicadeza. Chegámos a casa. É com relutância que abro os olhos e saio aos tropeções da carrinha. Kate e Elliot desapareceram e Taylor aguarda pacientemente ao lado do veículo. – Preciso de te levar ao colo?

Eu abano a cabeça.

– Vou buscar Miss Grey e Mr. Kavanagh – declara Taylor.

Christian assente com a cabeça e depois acompanha-me até à porta. Tenho os pés a latejar e cambaleio atrás dele. Junto à porta, ele ajoelha-se, agarra-me num tornozelo e, com cuidado, tira-me primeiro um sapato e depois o outro. *Oh, que alívio.* Ele endireita-se e olha para mim, de *Manolos* na mão.

– Melhor? – pergunta, divertido.

Aceno com a cabeça.

– Tive visões deliciosas de ficar com eles à volta das orelhas – murmura ele, a fitar os meus sapatos com um ar melancólico. Abana a cabeça e, dando-me a mão de novo, leva-me pela casa escurecida e escadas acima até ao nosso quarto. – Estás acabada, não estás? – pergunta em voz baixa, a olhar para mim.

Assinto com a cabeça. Ele começa a desapertar-me o cinto da gabardina.

– Eu faço isso – balbucio, numa tentativa nada decidida de o afastar.

– Deixa-me.

Suspiro. Não fazia ideia de que estava tão cansada.

– É da altitude. Não estás habituada. E da bebida, claro.

Ele ensaia um sorriso malandro, despe-me o casaco e atira-o para cima de uma das cadeiras do quarto. Dá-me a mão e leva-me para a casa de banho. *Porque vamos para aqui?*

– Senta-te.

Sento-me na cadeira e fecho os olhos. Ouço-o a mexer nos frascos em cima do lavatório. Estou demasiado cansada para abrir os olhos e descobrir o que estará a fazer. Logo a seguir ele inclina-me a cabeça para trás e eu abro os olhos, surpreendida.

– Olhos fechados – diz Christian. *Caraças,* ele tem uma bola de algodão na mão! Suavemente, passa-o pelo meu olho direito. Fico estupefacta enquanto me retira a maquilhagem com movimentos metódicos. – Ah. Eis a mulher com quem casei – comenta depois de algumas passagens.

– Não gostas de maquilhagem?

– Gosto bastante, mas prefiro o que está por baixo. – Beija-me a testa. – Toma. Toma isto.

Põe-me alguns comprimidos de *Advil* na palma da mão e dá-me um copo com água. Eu olho e faço beicinho.

– Toma isso – ordena-me.

Reviro os olhos, mas faço o que me diz.

– Bom. Precisas de privacidade? – pergunta-me num tom sardónico.

Solto uma risada seca.

– Mas que pudico, Mr. Grey. Sim, tenho de fazer chichi.

Ele ri-se.

– E esperas que eu saia?

Também me rio.

– Queres ficar? – Ele inclina a cabeça para o lado, com uma expressão divertida. – És um filho da mãe perverso. Sai. Não quero que me vejas a fazer chichi. Isso é ir um pouco longe de mais.

Levanto-me e faço-lhe sinal para que saia da casa de banho.

Quando passo da casa de banho para o quarto, ele já mudou de roupa e está com as calças do pijama. Hum... Christian de pijama. Fascinada, fito-lhe o abdómen, os músculos, os pelos abdominais. É distrativo. Ele avança na minha direção.

– Estás a apreciar a vista? – pergunta em tom sarcástico.

– Sempre.

– Parece-me que está ligeiramente embriagada, Mrs. Grey.

– Parece-me que, para variar, tenho de concordar consigo, Mr. Grey.

– Deixa-me ajudar-te a sair do pouco vestido que isto é. Devia mesmo vir com um rótulo sobre efeitos secundários.

Vira-me e desabotoa o único botão do pescoço.

– Estavas tão zangado – murmuro.

– Sim. Estava.

– Comigo?

– Não. Não contigo. – Beija-me o ombro. – Por uma vez.

Sorrio. *Não estava zangado comigo.* Estamos a fazer progressos.

– É uma boa mudança.

– Sim, é. – Beija-me o outro ombro e depois puxa-me o vestido pelas costas e para o chão. Tira-me as cuecas ao mesmo tempo, deixando-me nua. Levantando-se, dá-me a mão. Sai – ordena e eu passo por cima do vestido, segurando-me à sua mão para me equilibrar.

Ele endireita-se e atira o vestido e as cuecas para a cadeira onde está a gabardina de Mia.

– Levanta os braços – diz em voz baixa. Enfia a sua *t-shirt* pelos meus braços e puxa-a para baixo para me tapar. Estou pronta para ir para a cama. Puxa-me para os seus braços e beija-me, ao que o meu hálito mentolado se mescla com o dele. – Por mais que adorasse enterrar-me em si, Mrs. Grey... bebeu demasiado, está a quase dois mil e quinhentos metros acima do nível do mar e não dormiu bem ontem à noite. Anda. Mete-te na cama.

Ele afasta a colcha e eu entro. Tapa-me e volta a beijar-me a testa.

– Fecha os olhos. Quando voltar para a cama, quero que estejas a dormir. – É uma ameaça, uma ordem... é Christian.

– Não vás – rogo.

– Tenho de fazer uns telefonemas, Ana.

– É sábado. É tarde. Por favor.

Ele passa a mão pelo cabelo.

– Ana, se eu me deitar contigo agora, não vais descansar nada. Dorme. – É intransigente. Fecho os olhos e os seus lábios voltam a roçar-me na testa. – Boa noite, querida – murmura.

Imagens do dia correm-me pela mente... Christian a pegar-me e a levar-me ao ombro no avião. A sua ansiedade quanto a eu ir ou não gostar na casa. Fazer amor hoje à tarde. O banho. A sua reação ao meu vestido. O Gigante Louro caído na pista... torno a sentir a palma da mão a latejar. E depois, Christian a levar-me para a cama.

Quem teria adivinhado? Sorrio de orelha a orelha, com a palavra *progresso* a rondar-me a mente enquanto adormeço.

CAPÍTULO QUINZE

Estou demasiado quente. Com o calor de Christian. Tem a cabeça encostada ao meu ombro e está a respirar suavemente junto ao meu pescoço enquanto dorme, com as pernas entrelaçadas nas minhas e o braço à volta da minha cintura. Deixo-me ficar entre o sono e a consciência, com a noção de que, se acordar por completo, ele despertará também, e ele não dorme o suficiente. Enevoada, a minha mente percorre os acontecimentos da noite de ontem. Bebi demasiado... bolas, se bebi. Estou espantada por Christian me ter deixado. Sorrio enquanto recordo a forma como me deitou ontem. Foi querido, mesmo querido, e inesperado. Faço um inventário rápido de como me sinto. Estômago? Bem. Cabeça? Surpreendentemente bem, embora toldada. Ainda tenho a palma da mão vermelha por causa da chapada da noite. Porra. Acabo por pensar nas palmas das mãos de Christian quando me dá palmadas. Contorço-me e ele acorda.

— O que se passa? — Uns olhos cinzentos perscrutam os meus.

— Nada. Bom dia. — Passo os dedos da mão ilesa pelo cabelo dele.

— Mrs. Grey, está com um ar encantador esta manhã — diz ele, dando-me um beijo no rosto, e eu sinto-me radiante.

— Obrigada por teres cuidado de mim ontem à noite.

— Eu gosto de cuidar de ti. É o que quero fazer — diz em voz baixa, mas os olhos traem-no, com o triunfo a refulgir nas suas profundidades cinzas. É como se tivesse vencido o Campeonato do Mundo de Beisebol ou a Super Bowl.

Oh, meu Cinquenta.

— Fazes-me sentir apreciada.

— Isso é porque és — murmura ele, provocando-me um aperto no peito. Agarra-me a mão e eu faço um esgar. Ele solta-a de imediato, alarmado.

— Por causa do murro? — pergunta-me.

Os seus olhos gelam enquanto fixam os meus e a sua voz ganha laivos súbitos de raiva.

– Eu dei-lhe uma bofetada. Não o esmurrei.

– Aquele cabrão!

Pensava que já tínhamos lidado com isto ontem à noite.

– Não suporto a ideia de ele te ter tocado.

– Ele não me magoou, foi só inconveniente. Christian, eu estou bem. A minha mão está um pouco vermelha, nada mais. Decerto conhecerás esta sensação...

Esboço um sorriso brincalhão e a sua expressão muda para uma de diversão surpreendida.

– Ora, Mrs. Grey, conheço muito bem. – Os seus lábios remexem-se, divertidos. – Poderia refrescar a memória dessa sensação neste preciso instante, se a senhora assim o desejasse.

– Oh, refreie a sua palma irrequieta, Mr. Grey.

Acaricio-lhe o rosto com a mão magoada, passando os dedos pela patilha dele. Com delicadeza, puxo-lhe os cabelos curtos. Isso distrai-o e segura-me na mão e dá-me um beijo terno na palma. Milagrosamente, a dor desaparece.

– Porque não me contaste que te doía, ontem à noite?

– Hã... Ontem nem dei por isso. E agora já passou.

O seu olhar suaviza-se e a boca retorce-se.

– Como te sentes?

– Melhor do que mereço.

– Tem um braço direito poderoso, Mrs. Grey.

– É bom que tenha isso presente, Mr. Grey.

– Ai, sim? – Ele vira-se de repente e fica completamente em cima de mim, pressionando-me contra o colchão e mantendo-me os braços acima da cabeça. Fita-me. – Lutaria consigo em qualquer altura, Mrs. Grey. Na verdade, submetê-la na cama é uma fantasia que tenho.

Beija-me a garganta. *O quê?*

– Pensava que passavas a vida a submeter-me – arquejo enquanto ele me mordisca o lóbulo da orelha.

– Hum... mas gostaria de alguma resistência – murmura ele, com o nariz a percorrer-me o maxilar.

Resistência? Imobilizo-me. Ele para, solta-me as mãos e apoia-se nos cotovelos.

– Queres que eu te resista? Aqui? – sussurro, tentando conter a minha surpresa. Ou melhor: o meu choque.

Ele assente com a cabeça, com os olhos toldados mas atentos enquanto mede a minha reação.

– Agora?

Encolhe os ombros e eu percebo que a ideia lhe passa pela cabeça. Esboça o seu sorriso tímido e volta a assentir com a cabeça, desta vez mais devagar.

Oh, céus... Está tenso, deitado em cima de mim, e a sua ereção crescente enterra-se tentadoramente na minha carne suave e disposta a recebê-lo, o que me distrai. De que estamos a falar? De brigar? De uma fantasia? Será que me magoará? A minha deusa interior abana a cabeça – *Nunca.*

– Era a isto que te referias quando falaste de virmos zangados para a cama?

Ele assente mais uma vez com a cabeça, ainda com os olhos atentos. Hum... o meu Cinquenta quer bulha.

– Não mordas o lábio – avisa-me.

Obediente, solto o lábio.

– Acho que me colocou numa situação de desvantagem, Mr. Grey.

Pestanejo e contorço-me de forma provocadora debaixo do seu corpo. Isto pode ser divertido.

– Desvantagem?

– Seguramente já me tem onde me quer, não?

Ele faz um sorriso malandro e torna a pressionar o baixo-ventre contra o meu.

– Bem visto, Mrs. Grey – sussurra e dá-me um beijo rápido nos lábios.

De repente, vira-se e leva-me consigo; ao voltar-se, eu fico por cima dele. Agarro-lhe nas mãos, encosto-as ao lado da cabeça dele e ignoro o protesto de dor da minha mão. O meu cabelo cai como um véu cor de castanha à nossa volta e eu mexo a cabeça para lhe fazer cócegas na cara com a ponta das madeixas. Ele desvia a cara, mas não tenta parar-me.

– Então, queres à bruta? – pergunto, ao mesmo tempo que roço o meu entrepernas no dele.

A sua boca abre-se e ele inspira profundamente.

– Sim – silva ele, ao que o liberto.

– Espera.

Levo a mão ao copo de água que está na mesa de cabeceira. Deve ter sido Christian quem o deixou aqui. Está fria e tem gás – demasiado fresca para se encontrar aqui há muito tempo – e pergunto-me a que horas terá ele vindo para a cama.

Enquanto bebo grandes tragos, Christian descreve pequenos círculos com os dedos pelas minhas coxas acima, deixando-me um formigueiro na pele por onde passa antes de me agarrar e apertar o traseiro nu. Hum.

Imitando o seu repertório impressionante, inclino-me para a frente e beijo-o a fim de verter água fresca para a sua boca. Ele bebe.

– Muito saboroso, Mrs. Grey – murmura ele, com um sorriso arrapazado e brincalhão.

Depois de voltar a pousar o copo na mesa de cabeceira, tiro-lhe as mãos do meu traseiro e torno a segurá-las, uma de cada lado da cabeça dele.

– Então devo mostrar-me relutante? – pergunto com um sorriso trocista.

– Sim.

– Não sou lá grande atriz.

Ele sorri.

– Tenta.

Eu debruço-me e dou-lhe um beijo casto.

– Ok, vou entrar no jogo – sussurro, passando os dentes pelo seu maxilar e sentindo a sombra da sua barba entre os dentes e na língua.

Christian emite um som grave, *sexy* e gutural e mexe-se, atirando-me para o seu lado. Grito de surpresa; em seguida, está em cima de mim e eu começo a debater-me enquanto ele tenta apanhar-me as mãos. Com brusquidão, empurro-lhe o peito com toda a força que tenho, a tentar tirá-lo de cima de mim, enquanto ele se esforça por me abrir as pernas com um joelho.

Continuo a empurrar-lhe o peito – *Bolas, que é pesado* – mas ele não estremece nem se imobiliza como teria feito há algum tempo. *Ele está a gostar disto!* Tenta agarrar-me os pulsos e por fim apanha um deles, apesar dos meus esforços valentes para o libertar. É a mão magoada, pelo que lha cedo, mas agarro-lhe o cabelo com a outra e puxo com força.

– Ah! – Ele solta a cabeça e fita-me, com os olhos bravios e carnais. – Selvagem – sussurra ele, numa voz carregada de encanto libertino.

Em resposta àquela única palavra sussurrada, a minha libido explode e eu deixo de representar. Volto a debater-me em vão por soltar a mão que ele segura. Ao mesmo tempo, tento juntar os tornozelos e fazê-lo sair de cima de mim. É demasiado pesado. *Ah!* É frustrante e sensual.

Com um gemido, Christian captura-me a outra mão. Segura-me os dois pulsos com a mão esquerda, enquanto a direita viaja ociosamente – quase com insolência – pelo meu corpo abaixo, acariciando e apalpando à medida que avança, aproveitando para me apertar um mamilo.

Grito em resposta, com o prazer a lançar-se, agudo e ardente, do meu mamilo para o baixo-ventre. Faço outra tentativa infrutífera de o mandar para o lado, mas ele está simplesmente demasiado *em mim*.

Quando tenta beijar-me, viro a cabeça para que não possa fazê-lo. Logo a sua mão insolente sobe-me do cós da *t-shirt* até ao queixo, mantendo-me quieta enquanto me percorre o maxilar com os dentes, imitando o que lhe fiz há pouco.

– Oh, querida, dá-me luta – murmura.

Eu torço-me e retorço-me, tentando libertar-me do seu aperto impiedoso, mas é em vão. Ele é muito mais forte do que eu. Está a morder-me o lábio inferior enquanto a sua língua tenta invadir-me a boca. E apercebo-me de que não quero resistir-lhe. Quero-o – agora, como sempre. Paro de me debater e correspondo fervorosamente ao seu beijo. Não me importa que não tenha lavado os dentes. Não me importa que devêssemos estar a representar papéis. Desejo, quente e forte, corre-me pelas veias e estou perdida. Desprendo os tornozelos, envolvo-lhe as ancas com as pernas e sirvo-me dos calcanhares para lhe puxar as calças do pijama pelo traseiro abaixo.

– Ana – ofega ele e beija-me por todo o lado. E já não estamos a lutar, somos mãos e línguas e toque e sabor, rápidos e urgentes. – Pele – murmura num tom rouco, com a respiração forçada.

Levanta-me e arranca-me a *t-shirt* num único movimento fluido.

– Tu – sussurro enquanto estou direita, pois é tudo o que me ocorre.

Seguro-lhe a parte da frente das calças e puxo-as para baixo, libertando-lhe a ereção. Agarro-o e aperto-o. Está duro. O ar silva por entre os dentes dele enquanto inspira profundamente e eu deliro com a sua reação.

– Merda – murmura.

Inclina-se para trás, levanta-me as ancas, deita-me na cama enquanto eu o puxo e aperto muito, com a mão a subir e a descer. Ao sentir uma gota de humidade na ponta, descrevo um círculo com o polegar. À medida que ele me desce o corpo para o colchão, enfio o polegar na boca para o saborear enquanto as suas mãos viajam pelo meu corpo acima, acariciando-me as ancas, a barriga, os seios.

– Sabe bem? – pergunta-me, por cima de mim, com os olhos ardentes.

– Sim. Toma. – Insiro-lhe o polegar na boca e ele suga e morde-o. Gemo, agarro-lhe a cabeça e puxo-o para baixo para o beijar. Com as pernas à volta dele, tiro-lhe as calças com os pés e depois encosto-o a mim, enroscando as pernas em torno da sua cintura. Os lábios dele descem do meu maxilar até ao queixo, mordiscando-me ao de leve. – És tão linda. – Baixa mais a cabeça até à base da minha garganta. – Tens uma pele tão bonita.

A sua respiração torna-se mais suave à medida que os seus lábios deslizam até aos meus seios.

O quê? Estou a ofegar, confusa – querendo-o e agora à espera. Pensava que isto seria rápido.

– Christian – ouço o rogo baixo na minha voz e levo as mãos ao seu cabelo.

– Shhh… – sussurra ele e descreve círculos com a língua à volta do meu mamilo antes de o sugar para a boca e o puxar com força.

– Ah! – gemo e contorço-me, inclinando a bacia num gesto tentador.

Ele sorri com a boca encostada à minha pele e concentra-se no outro seio.

– Impaciente, Mrs. Grey? – Depois chupa-me o mamilo com força. Eu puxo-lhe o cabelo. Ele geme e olha para cima. – Olha que te prendo – avisa-me.

– Possui-me – imploro.

– Tudo a seu tempo – murmura ele contra a minha pele.

A sua mão torna a viajar para baixo a uma velocidade tão lenta que me enfurece, chegando à minha anca enquanto me venera o mamilo com a boca. Gemo bem alto, com a respiração entrecortada e ofegante, e tento uma vez mais seduzi-lo, abanando-me contra ele. Ele está intumescido, pesado e próximo, mas demora o tempo que bem lhe apetece.

Que se foda isto. Debato-me e retorço-me, determinada de novo a tirá-lo de cima de mim.

– Mas que...

Christian agarra-me as mãos e encosta-as ao colchão. Fico com os braços completamente estendidos e ele apoia todo o peso do corpo no meu, submetendo-me por inteiro. Estou esbaforida e tresloucada.

– Querias resistência – digo eu, a ofegar.

Ele senta-se em cima de mim e fita-me, com as mãos ainda a prenderem-me os pulsos. Coloco os calcanhares debaixo do traseiro dele e faço força. Ele não se mexe. *Ah!*

– Não queres portar-te bem? – pergunta-me, estupefacto e com os olhos iluminados pela excitação.

– Só quero que faças amor comigo, Christian.

Poderia ele ser mais obtuso? Primeiro debatemo-nos e lutamos, depois ele fica todo ternurento e carinhoso. É confuso. Estou na cama com o Sr. Inconstante.

– Por favor.

Volto a encostar os calcanhares ao rabo dele. Uns olhos cinzentos e ardentes perscrutam os meus. *Oh, que está ele a pensar?* Por um instante, parece perplexo e intrigado. Solta-me as mãos e senta-se em cima dos calcanhares, puxando-me para o seu colo.

– Ok, Mrs. Grey, vamos fazer isto à sua maneira.

Levanta-me e, devagar, faz-me descer e entra em mim, e eu fico a montá-lo.

– Ah!

Assim é que é. É isto que eu quero. É disto que preciso. Com os braços à volta do seu pescoço, entrelaço os dedos no cabelo dele, adorando a sensação de o ter dentro de mim. Começo a mexer-me. Tomo o controlo da situação, levo-o ao meu ritmo, à minha velocidade. Ele geme, os seus lábios encontram os meus e perdemo-nos um no outro.

Passo os dedos por entre os pelos do peito de Christian. Está deitado de barriga para cima, quieto e calado ao meu lado enquanto recuperamos o fôlego. A sua mão vai-me percorrendo ritmicamente as costas.

— Estás calado — sussurro e beijo-lhe o ombro. Ele vira-se e fita-me, sem que a sua expressão revele o que quer que seja. — Foi divertido.

Merda, será que se passa alguma coisa?

— Confundes-me, Ana.

— Confundo-te?

Ele move-se a fim de ficarmos frente a frente.

— Sim. Tu. A mandares. É... diferente.

— E é uma diferença boa ou má?

Passo um dedo pelos seus lábios. Ele franze o sobrolho, como se não entendesse a pergunta. Distraído, beija-me o lábio.

— Boa — responde ele, mas não parece convencido.

— Nunca te tinhas entregado a esta pequena fantasia?

Coro ao dizê-lo. Quererei mesmo saber mais a respeito da vida sexual colorida... hum... caleidoscópica anterior a mim? O meu subconsciente lança-me um olhar receoso por cima dos olhos de tartaruga em meia-lua. *Quererei mesmo ir por aqui?*

— Não, Anastasia. Tu podes tocar-me.

É uma explicação simples que diz imenso. Claro que as quinze não podiam.

— Mrs. Robinson podia tocar-te — murmuro estas palavras antes de o meu cérebro ter noção do que estou a dizer. *Merda. Por que raio a mencionei?*

Ele imobiliza-se. Os seus olhos arregalam-se com a sua expressão de oh-não-onde-é-que-ela-quer-chegar-com-isto.

— Isso era diferente — sussurra ele.

De repente, quero saber.

– De uma maneira boa ou má?

Ele olha para mim. Dúvida e talvez mágoa perpassam-lhe o rosto e, por um instante, parece um homem a afogar-se.

– Má, acho. – As suas palavras mal se ouvem.

Com o caraças!

– Julgava que gostavas.

– Gostava. Na altura.

– E agora não?

Ele fita-me com os olhos arregalados e abana lentamente a cabeça.

Oh, céus...

– Oh, Christian.

Fico avassalada pela quantidade de sentimentos que me inundam. O meu menino perdido. Atiro-me a ele e beijo-lhe a cara, o pescoço, o peito, as pequenas cicatrizes redondas. Ele geme, puxa-me para si e beija-me apaixonadamente. E, muito devagar, com muita ternura, ao seu ritmo, volta a fazer amor comigo.

– Ana Tyson. A esmurrar alguém de uma categoria acima!

Ethan aplaude quando entro na cozinha para tomar o pequeno-almoço. Ele está sentado com Mia e Kate na bancada dos pequenos-almoços enquanto Mrs. Bentley prepara *waffles*. Não há sinal de Christian.

– Bom dia, Mrs. Grey – cumprimenta-me Mrs. Bentley com um sorriso. – O que gostaria de tomar ao pequeno-almoço?

– Bom dia. O que quer que esteja a fazer, obrigada. Onde está o Christian?

– Lá fora – diz Kate, a apontar para o quintal das traseiras.

Vou até à janela que dá para o quintal e as montanhas lá ao fundo. Está um dia límpido, com um céu azul de verão, e o meu belo marido encontra-se a uns seis metros de distância, embrenhado numa conversa com um tipo qualquer.

– Ele está a falar com Mr. Bentley – explica Mia, da bancada onde se encontra.

Viro-me para ela, pois o seu tom amuado distrai-me. Lança um olhar venenoso a Ethan. *Oh, céus.* Volto a perguntar-me o que se passará entre eles. A franzir o sobrolho, concentro-me de novo no meu marido e em Mr. Bentley.

O marido de Mrs. Bentley é louro, tem olhos escuros e uma constituição magra mas musculada. Está a usar umas calças cheias de bolsos e uma *t-shirt* dos Bombeiros de Aspen. Christian vestiu as calças de ganga pretas e uma *t-shirt*. Enquanto os dois homens passeiam pelo relvado em direção à casa, absortos na conversa, Christian baixa-se descontraidamente para apanhar o que me parece ser uma cana de bambu que deve ter sido levada pelo vento ou deixada num canteiro. Parando de andar, Christian ergue-a longe do corpo, como se estivesse a pesá-la cuidadosamente, e fá-la cortar o ar, só uma vez.

Oh...

Mr. Bentley não parece achar este comportamento minimamente invulgar. Continuam a conversa, já mais perto de casa, e Christian repete o gesto. A ponta da cana bate no chão. Ao olhar para cima, Christian vê-me à janela. De repente, sinto-me como se estivesse a espiá-lo. Envergonhada, aceno-lhe com a mão e depois viro-me e regresso à bancada dos pequenos-almoços.

— Que estavas a fazer? — pergunta-me Kate.

— Estava só a ver o Christian.

— Estás mesmo caidinha — troça ela.

— E tu não, ó quase cunhada? — replico, com um grande sorriso e a tentar esquecer a visão perturbadora de Christian a brandir uma cana. Sou surpreendida por Kate, que se levanta de um salto e me abraça. — Vamos ser da mesma família! — exclama ela, e é difícil não ser contagiada pela sua alegria.

— Ei, dorminhoca — acorda-me Christian. — Estamos quase a aterrar. Põe o cinto.

Procuro, sonolenta, o cinto de segurança, mas ele aperta-o por mim. Beija-me a testa antes de se recostar no seu lugar. Eu torno a encostar a cabeça ao ombro dele e fecho os olhos.

Uma caminhada impossivelmente longa e um piquenique no cume de uma montanha espetacular exauriram-me. O resto do nosso grupo também está silencioso — até Mia. Esta tem um ar desalentado, com que passou o dia. Gostaria de saber como corre a sua campanha de conquista a Ethan. Nem sequer sei onde dormiram ontem à noite. O meu olhar cruza-se com o dela e eu sorrio-lhe, querendo saber se está bem. Ela devolve-me um breve sorriso triste e volta a concentrar-se no seu livro. Espreito Christian por entre as minhas pestanas. Ele está a trabalhar num contrato ou qualquer coisa assim, lendo o documento e fazendo anotações nas margens. Mas parece descontraído. Elliot ressona ligeiramente ao lado de Kate.

Ainda tenho de isolar Elliot e interrogá-lo a respeito de Gia, mas tem sido impossível afastá-lo de Kate. Christian não está suficientemente interessado para lhe perguntar, o que é irritante, mas não o pressionei. Temo-nos divertido muito. Elliot tem uma mão possessiva no joelho de Kate. Ela parece radiante... e pensar que ainda ontem à tarde estava tão insegura quanto a ele. O que lhe chamou Christian? Lelliot. Talvez seja uma alcunha de família? Foi querido, bem melhor do que engata-tão. De repente, Elliot abre os olhos e fixa-os diretamente em mim. Eu coro por ter sido apanhada a olhar para ele, que sorri.

— Gosto mesmo de te ver corar, Ana — provoca-me ele enquanto se espreguiça.

Kate sorri-me com um ar de gato satisfeito depois de comer um canário.

A copiloto Beighley anuncia que nos aproximamos do aeroporto de Seattle e Christian aperta-me a mão.

— Como foi o seu fim de semana, Mrs. Grey? — pergunta-me Christian quando estamos no *Audi*, a caminho do Escala. Taylor e Ryan ocupam os lugares da frente.

— Foi bom, obrigada.

Sorrio, sentindo-me envergonhada de repente.

— Podemos ir quando quisermos. E levar qualquer pessoa que desejes.

— Devíamos levar o Ray. Ele havia de gostar de ir à pesca.

— Que boa ideia.

— E como foi para ti? — pergunto.

— Bom — diz, passado um instante, parecendo surpreendido pela minha pergunta. — Mesmo bom.

— Achei-te descontraído.

Ele encolhe os ombros.

— Sabia que estavas segura.

Franzo o sobrolho.

— Christian, eu estou segura a maior parte do tempo. Já te disse, ainda morres antes dos quarenta se mantiveres esses níveis de ansiedade. E eu quero ficar velhinha e de cabelos brancos ao teu lado.

Aperto-lhe a mão. Ele olha para mim como se não percebesse o que estou a dizer. Beija-me os nós dos dedos ao de leve e muda de assunto.

— Como está a tua mão?

— Melhor, obrigada.

Ele sorri.

— Muito bem, Mrs. Grey. Está pronta para tornar a enfrentar a Gia?

Oh, raios. Tinha-me esquecido de que teremos uma reunião com ela ao final do dia para rever os últimos planos. Reviro os olhos.

— Sou capaz de querer manter-te longe dela, para que fiques a salvo — digo, com um sorriso malandro.

— Queres proteger-me? — Christian ri-se de mim.

— Como sempre, Mr. Grey. De todos os predadores sexuais — sussurro.

Christian está a lavar os dentes quando vou para a cama. Amanhã regressamos à realidade — ao trabalho, aos *paparazzi* e a Jack em prisão preventiva mas com a possibilidade de ter um cúmplice. *Hum...* Christian foi vago a esse respeito. Será que sabe? E, se soubesse, contar-me-ia? Suspiro. Conseguir informação dele é como arrancar dentes e tivemos um fim de semana tão agradável. Quererei arruinar esta sensação boa tentando extorquir-lhe informação?

Foi uma revelação vê-lo fora do seu ambiente habitual, fora deste apartamento, descontraído e contente com a sua família. Pergunto-me por alto se será por estarmos aqui, neste apartamento, cheio de memórias e associações, que ele fica tão enervado. Talvez devêssemos mudar-nos.

Resfolego. *Nós vamos mudar-nos* — estamos a remodelar uma casa enorme na costa. Os projetos de Gia estão completos e aprovados, e a equipa de Elliot começa a construção para a semana. Solto uma risadinha ao lembrar-me da expressão escandalizada de Gia quando lhe disse que a vi em Aspen. Afinal, tudo não passou de uma coincidência. Ela tinha-se instalado na sua casa de férias para trabalhar exclusivamente no projeto da nossa casa. Por um momento horrível pensei que pudesse ter tido algo que ver com a escolha do anel de noivado, mas parece que não. Contudo, não confio nela. Quero ouvir a mesma versão de Elliot. Ao menos desta vez ela manteve-se distante de Christian.

Fito o céu noturno. Vou sentir falta desta vista. Este panorama... Seattle a nossos pés, tão carregado de possibilidades, mas tão longe. Talvez seja esse o problema de Christian – tem passado tempo a mais demasiado isolado da vida real, graças ao seu exílio autoimposto. Porém, com família à sua volta, mostra-se menos controlador, menos ansioso – mais livre, mais feliz. Gostava de saber o que diria Flynn de tudo isto. Com o caraças! Talvez essa seja a resposta. Talvez ele precise de uma família sua. Abano a cabeça, rejeitando a ideia – ambos somos muito jovens e tudo isto é demasiado recente. Christian entra no quarto, lindo como de costume mas com ar pensativo.

– Está tudo bem? – pergunto-lhe. Ele acena distraidamente com a cabeça enquanto entra na cama. – Não estou desejosa de regressar à realidade – murmuro.

– Não?

Abano a cabeça e acaricio-lhe o rosto encantador.

– Tive um fim de semana maravilhoso. Obrigada.

Ele esboça um sorriso ténue.

– Tu és a minha realidade, Ana – murmura ele antes de me beijar.

– Sentes falta daquilo?

– De quê? – pergunta-me, intrigado.

– Tu sabes. Dos espancamentos com canas... e isso – sussurro, embaraçada.

Ele fita-me com um olhar impávido. Depois a dúvida perpassa--lhe o rosto, com aquele olhar de onde-é-que-ela-quer-chegar-com-isto.

– Não, Anastasia, não sinto. – Fala numa voz firme e calma. Afaga--me o rosto. – O Dr. Flynn disse-me uma coisa quando te foste embora, uma coisa de que não me esqueci. Disse-me que eu não podia ser assim se tu não estivesses disposta. Foi uma revelação. – Interrompe-se e franze o sobrolho. – Eu não sabia fazer as coisas de outra maneira, Ana. Agora sei. Tem sido uma experiência educativa.

– Eu, educar-te? – duvido.

O seu olhar suaviza-se.

– E tu, sentes falta disso? – pergunta-me.

Oh!

– Não quero que me magoes, mas gosto de brincar, Christian. Tu sabes. Se quisesses fazer qualquer coisa...

Encolho os ombros, a olhar para ele.

– Qualquer coisa?

– Tu sabes, com um *flogger* ou com a tua chibata... – calo-me, já a corar.

Ele arqueia uma sobrancelha, surpreendido.

– Bem... veremos. Neste momento, gostaria de uma boa baunilha tradicional.

O seu polegar percorre-me o lábio inferior e ele torna a beijar-me.

———

De: Anastasia Grey
Assunto: Bom Dia
Data: 29 agosto 2011 09:14
Para: Christian Grey

Mr. Grey,

Queria apenas dizer-lhe que o amo.
É tudo.
Sua para sempre,

A

Anastasia Grey
Editora, SIP

———

De: Christian Grey
Assunto: A Banir o Mau Humor de Segunda-Feira
Data: 29 agosto 2011 09:18
Para: Anastasia Grey

Mrs. Grey,

Que palavras tão gratificantes de se ouvirem de uma esposa
(errante ou não) numa manhã de segunda-feira.
Permita-me assegurar-lhe que sinto exatamente o mesmo.
Desculpa o jantar desta noite. Espero que não seja demasiado
enfadonho para ti.
Bj

Christian Grey
CEO, Grey Enterprises Holdings, Inc.

———

Oh, sim. O jantar da Associação Norte-Americana de Construção
Naval. Reviro os olhos... Mais gente empertigada. Realmente, Christian leva-me a eventos tremendamente interessantes.

———

De: Anastasia Grey
Assunto: Barcos que Passam na Noite[4]
Data: 29 agosto 2011 09:26
Para: Christian Grey

---

4. *Ships that Pass in the Night:* Referência a um dos versos mais conhecidos de um poema de Henry Wadsworth Longfellow. (N. da. T.)

Caro Mr. Grey,

Estou certa de que lhe ocorrerá alguma forma de apimentar o jantar...
Sua e à espera,

Mrs. G.

Anastasia (não-errante) Grey
Editora, SIP

—————

De: Christian Grey
Assunto: A Variedade é o que Dá Sabor à Vida[5]
Data: 29 agosto 2011 09:35
Para: Anastasia Grey

Mrs. Grey,

Ocorrem-me algumas ideias...

Beijo

Christian Grey
CEO, Grey Enterprises Holdings, Inc., Agora Impaciente pelo Jantar da
Associação, Inc.

—————

Todos os músculos da minha barriga se contraem. Hum... o que irá ele engendrar? Hannah bate à porta, interrompendo-me o devaneio.

—————

5. *Variety Is the Spice of Life:* Referência a um verso de William Cowper, que acabaria por se tornar um adágio em língua inglesa. (N. da T.)

– Estás pronta para verificar a tua agenda desta semana, Ana?

– Claro. Senta-te.

Sorrio, recuperando o equilíbrio, e minimizo a janela do correio eletrónico.

– Tive de mudar algumas reuniões. Mr. Fox virá para a semana e o Dr. ...

O meu telefone toca, interrompendo-a. É Roach. Pede-me que vá ao seu gabinete.

– Podemos recomeçar daqui a vinte minutos?

– Com certeza.

———

De: Christian Grey
Assunto: A Noite de Ontem
Data: 30 agosto 2011 09:24
Para: Anastasia Grey

Foi... divertida.
Quem diria que o jantar anual da Associação Norte-Americana
de Construção Naval poderia ser tão estimulante?
Mais uma vez, nunca desilude, Mrs. Grey.
Amo-a.
Beijo

Christian Grey
CEO, Grey Enterprises Holdings, Inc.

———

De: Anastasia Grey
Assunto: Adoro um Bom Jogo...
Data: 30 agosto 2011 09:33
Para: Christian Grey

Caro Mr. Grey,

Tenho sentido falta das bolas prateadas.
O senhor é que nunca desilude.
É tudo.
Bj

Mrs. G.

Anastasia (não-errante) Grey
Editora, SIP

––––––

Hannah bate-me à porta, interrompendo-me os pensamentos eróticos a respeito da noite passada. *As mãos de Christian... a sua boca.*
– Entra.
– Ana, o assistente de Mr. Roach acaba de telefonar. Gostaria que estivesses presente numa reunião desta manhã. Isso vai implicar que mude mais algumas das tuas marcações. Não te importas?
A língua dele.
– Não, claro – balbucio, enquanto tento travar os pensamentos endiabrados.
Ela sorri e sai do meu gabinete... deixando-me com a memória deliciosa da noite passada.

––––––

De: Christian Grey
Assunto: Hyde
Data: 1 setembro 2011 15:24
Para: Anastasia Grey

Anastasia,

Para tua informação, foi recusada fiança ao Hyde e ele permanece em prisão preventiva. Foi acusado de tentativa de rapto e de fogo posto. Até agora, ainda não está marcada uma data para o julgamento.

Christian Grey
CEO, Grey Enterprises Holdings, Inc.

_____

De: Anastasia Grey
Assunto: Hyde
Data: 1 setembro 2011 15:53
Para: Christian Grey

Que boa notícia.
Isso quer dizer que vais aligeirar as medidas de segurança?
Não me dou lá muito bem com a Prescott.
Bj

Ana

Anastasia Grey
Editora, SIP

_____

De: Christian Grey
Assunto: Hyde
Data: 1 setembro 2011 15:59
Para: Anastasia Grey

Não. As medidas de segurança mantêm-se. Isso não está aberto a discussão.
O que tem a Prescott? Se não gostas dela, substituímo-la.

Christian Grey
CEO, Grey Enterprises Holdings, Inc.

_____

Faço uma careta ao ler o seu *e-mail* autocrático. Prescott não é assim tão má.

_____

De: Anastasia Grey
Assunto: Não Percas a Cabeça!
Data: 1 setembro 2011 16:03
Para: Christian Grey

Estava só a perguntar (reviro os olhos). E vou pensar na questão da Prescott.
Controla essa palma da mão irrequieta!
Bj

Ana

Anastasia Grey
Editora, SIP

_____

De: Christian Grey
Assunto: Não Me Tentes
Data: 1 setembro 2011 16:11
Para: Anastasia Grey

Posso assegurar-lhe, Mrs. Grey, que tenho a cabeça bem assente sobre os ombros – não terá verificado isso várias vezes por si mesma?
Já a palma da minha mão, pelo contrário, está mesmo irrequieta.
Sou capaz de fazer algo hoje à noite para resolver esse problema.

Bj

Christian Grey
CEO Ainda de Cabeça Intacta, Grey Enterprises Holdings, Inc.

_____

De: Anastasia Grey
Assunto: Contorço-me
Data: 1 setembro 2011 16:20
Para: Christian Grey

Promessas, promessas...
Agora para de me chagar. Estou a tentar trabalhar; vou ter uma reunião imprevista com um autor. Tentarei não me distrair a pensar em ti durante a reunião.
Bj

A

Anastasia Grey
Editora, SIP

_____

De: Anastasia Grey
Assunto: Velejar & Planar & Espancar
Data: 5 setembro 2011 09:18
Para: Christian Grey

Marido,

Sabes mesmo fazer uma rapariga divertir-se.
Ficarei, claro, à espera deste tipo de tratamento todos os fins de semana.
Estás a estragar-me com mimos. Adoro.

Da tua mulher
Bjs

Anastasia Grey
Editora, SIP

_____

De: Christian Grey
Assunto: A Missão da Minha Vida...
Data: 5 setembro 2011 09:25
Para: Anastasia Grey

É estragá-la com mimos, Mrs. Grey.
E mantê-la a salvo, porque a amo.

Christian Grey
CEO Apaixonado, Grey Enterprises Holdings, Inc.

_____

Oh, céus. Poderia ele ser mais romântico?

_____

De: Anastasia Grey
Assunto: A Missão da Minha Vida...
Data: 5 setembro 2011 09:33
Para: Christian Grey

É deixar que o faças – porque também te amo.
Agora deixa se ser tão meloso.
Estás a fazer-me chorar.

Anastasia Grey

Editora Igualmente Apaixonada, SIP

———

No dia seguinte, olho para o calendário da minha secretária. Só faltam cinco dias para 10 de setembro – o meu aniversário. Sei que vamos até à casa ver os progressos de Elliot e da sua equipa. Hum... será que Christian tem outros planos? A ideia faz-me sorrir. Hannah bate à porta.

– Entre.

Prescott está a passarinhar lá fora. *Que estranho...*

– Olá, Ana – diz Hannah. – Está aqui uma tal Leila Williams que quer ver-te... Diz que é um assunto pessoal.

– Leila Williams? Não conheço nenhuma... – A minha boca fica seca e os olhos de Hannah arregalam-se ao verem a minha expressão.

Leila? Porra. Que quererá ela?

CAPÍTULO DEZASSEIS

— Queres que a mande embora? — sugere Hannah, alarmada pela minha expressão.

— Hum, não. Onde é que ela está?

— Na receção. Não está sozinha. Acompanha-a outra jovem.

Oh!

— E Miss Prescott gostaria de falar contigo — acrescenta ela.

Estou certa de que gostaria.

— Deixa-a entrar.

Hannah chega-se para o lado e Prescott entra no gabinete. Está numa missão, cheia de eficiência profissional.

— Dá-me um instante, Hannah. Prescott, queira sentar-se.

Hannah fecha a porta e deixa-nos a sós.

— Mrs. Grey, Leila Williams encontra-se na sua lista de visitas interditas.

— O quê?

Eu tenho uma lista de gente interdita?

— Na lista de pessoas a quem estamos atentos. O Taylor e o Welch foram bem específicos quanto a não devermos deixá-la entrar em contacto consigo.

Franzo o sobrolho, sem compreender.

— Ela é perigosa?

— Não sei, minha senhora.

— Mas porque é que eu sei sequer que ela está cá?

Prescott engole em seco e, por um momento, parece envergonhada.

— Fiz uma pausa para ir à casa de banho. Ela chegou, falou diretamente com a Claire e esta ligou à Hannah.

— Oh. Estou a ver. — Apercebo-me de que até Prescott tem de fazer chichi e rio-me. — Oh, céus.

– Sim, senhora.

Prescott esboça um sorriso embaraçado e é a primeira vez que vejo uma falha na sua armadura. Tem um sorriso encantador.

– Vou ter de falar novamente com a Claire acerca do protocolo – diz ela, num tom fatigado.

– Claro. O Taylor sabe que ela está aqui?

Faço figas debaixo da mesa, desejando que ela não tenha contado a Christian.

– Deixei-lhe uma breve mensagem de voz.

Oh.

– Então temos pouco tempo. Gostaria de saber o que ela quer.

Prescott fita-me por um momento.

– Tenho de a desaconselhar, minha senhora.

– Ela veio ver-me por algum motivo.

– Espera-se que eu o impeça, minha senhora – diz numa voz suave mas resignada.

– Quero mesmo ouvir o que ela tem para dizer – insisto num tom mais autoritário do que pretendia.

Prescott suprime um suspiro.

– Gostaria de as revistar antes de a senhora falar com elas.

– Ok. Pode fazer isso?

– Estou aqui para a proteger, Mrs. Grey, por isso, sim, posso. Também gostaria de ficar consigo durante a conversa.

– Ok – farei essa concessão. Para mais, da última vez que vi Leila, ela estava armada. – Prossiga.

Prescott levanta-se.

– Hannah – chamo.

Esta abre a porta demasiado depressa. Devia estar mesmo do outro lado.

– Podes verificar se a sala de reuniões está livre, por favor?

– Já o fiz e pode ser usada.

– Prescott, pode revistá-las lá? Tem a privacidade necessária?

– Sim, minha senhora.

– Irei lá ter dentro de cinco minutos, então. Hannah, leva a Leila Williams e quem quer que a acompanhe à sala de reuniões.

– Com certeza. – Hannah olha ansiosamente ora para Prescott, ora para mim. – Será melhor cancelar a tua próxima reunião? É às quatro, mas é do outro lado da cidade.

– Sim – murmuro, distraída.

Hannah assente com a cabeça e depois vai-se embora. Que raio quererá Leila? Não me parece que tenha vindo fazer-me mal. Não o fez quando teve oportunidade. *O Christian vai ficar maluco.* O meu subconsciente contrai os lábios, cruza as pernas numa pose muito empertigada e acena com a cabeça. Tenho de lhe dizer que vou fazer isto. Digito um *e-mail* rápido e depois faço uma pausa, verificando as horas. Sinto uma pontada momentânea de arrependimento. Temo-nos dado tão bem desde Aspen. Carrego no botão "enviar".

―――――

De: Anastasia Grey
Assunto: Visitantes
Data: 6 setembro 2011 15:27
Para: Christian Grey

Christian,

A Leila veio ao meu escritório. Vou recebê-la com a Prescott.
Servir-me-ei das minhas capacidades recém-adquiridas de defesa
com chapadas com a mão já recuperada, caso sejam necessárias.
Tenta, e quero mesmo que tentes, não te preocupar.
Sou uma menina crescida.
Telefono-te assim que tivermos falado.

Bj

A

Anastasia Grey
Editora, SIP

Apressadamente, escondo o BlackBerry na gaveta da minha secretária. Levanto-me, aliso a saia-lápis cinzenta nas ancas, belisco as faces para lhes dar alguma cor e desabotoo a primeira casa da camisa de seda cinzenta. Ok, estou pronta. Depois de inspirar profundamente, saio do gabinete para ir ao encontro da famigerada Leila, ignorando a música "Your Love Is King" que começa a trautear dentro da minha secretária.

Leila está com muito melhor aspeto. Mais do que melhor – está muito atraente. Tem um rubor rosado nas faces e os seus olhos castanhos estão brilhantes, o cabelo limpo e sedoso. Está a usar uma camisa de um tom rosa-pálido e umas calças brancas. Levanta-se assim que entro na sala de reuniões, tal como a amiga – outra jovem de cabelo escuro com uns olhos castanho-claros, da cor do *brandy*. Prescott encontra-se a um canto, sem desviar o olhar de Leila.

– Mrs. Grey, muito obrigada por me receber. – Leila fala com uma voz baixa mas nítida.

– Há... peço desculpa pela segurança – balbucio, pois não sei o que dizer mais. Aceno distraidamente com a mão na direção de Prescott.

– Esta é a minha amiga Susi.

– Olá – cumprimento Susi com um meneio da cabeça.

Ela parece-se com Leila. Parece-se comigo. *Oh, não. Mais uma.*

– Sim – diz Leila, como se me adivinhasse os pensamentos. – A Susi também conhece Mrs. Grey.

Que raio se espera que eu responda? Esboço um sorriso educado.

– Por favor, sentem-se – murmuro.

Batem à porta. É Hannah. Faço-lhe sinal para que entre, sabendo perfeitamente porque nos perturba.

– Peço desculpa por interromper, Ana. Tenho Mr. Grey ao telefone...

– Diz-lhe que estou ocupada.

– Ele insistiu bastante – afirma ela num tom receoso.

– Estou certa de que terá insistido. Pedes-lhe desculpa por mim e dizes-lhe que lhe telefono daqui a pouco?

Ela hesita.

– Hannah, por favor.

Ela acena com a cabeça e apressa-se a sair da sala. Viro-me para as duas mulheres sentadas à minha frente. Ambas me fitam com um ar admirado. É desconfortável.

— O que posso fazer por vocês? — pergunto.

É Susi quem fala:

— Eu sei que isto é muito esquisito, mas também queria conhecê-la. A mulher que capturou o Chris...

Ergo uma mão, interrompendo-a a meio da frase. Não quero ouvir isto.

— Há... percebo onde quer chegar.

— Nós autointitulamo-nos o clube das submissas — diz ela com um grande sorriso e os olhos a brilhar de alegria.

Oh, meu Deus.

Leila arqueja e vira-se boquiaberta para Susi, tão divertida como estarrecida. Susi faz um esgar. Desconfio que Leila lhe deu um pontapé por baixo da mesa.

Que raio se espera que eu diga? Olho nervosamente para Prescott, que se mantém impávida, sem desviar o olhar de Leila.

Susi parece lembrar-se de quem é. Cora, acena com a cabeça e levanta-se.

— Eu espero na receção. Isto é o espetáculo da Lulu.

Percebo que ela está embaraçada. *Lulu?*

— Ficas bem? — pergunta a Leila, que lhe sorri. Susi brinda-me com um sorriso grande, rasgado e genuíno antes de sair da sala.

A Susi e o Christian... não é uma ideia em que eu queira demorar-me. Prescott tira o telemóvel do bolso e atende. Não o ouvi tocar.

— Mr. Grey — diz ela. Eu e Leila viramo-nos para ela. Prescott fecha os olhos como se tivesse dores. — Sim, senhor — responde, dando um passo em frente para me passar o telefone.

Reviro os olhos.

— Christian — murmuro, tentando conter a minha exasperação.

Levanto-me e saio da sala com passos rápidos.

— Mas que merda estás a fazer? — grita ele. Está a fumegar.

— Não grites comigo.

— Como não grito contigo? — vocifera ainda mais alto. — Dei instruções específicas que tu ignoraste por completo... outra vez. Porra, Ana, estou passado de fúria.

– Quando estiveres mais calmo, falaremos sobre isto.

– Não me desligues o telefone na cara – sibila ele.

– Adeus, Christian.

Termino a chamada e desligo o telemóvel de Prescott.

Grande merda. Não tenho muito tempo para estar com Leila. Inspiro profundamente e torno a entrar na sala de reuniões. Tanto Leila como Prescott olham para mim com um ar expectante e eu devolvo o telemóvel a Prescott.

– Onde íamos? – pergunto a Leila ao sentar-me diante dela.

Os seus olhos arregalam-se um pouco. Sim. Ao que parece, eu *lido* com ele, apetece-me dizer-lhe. Mas não me parece que ela queira ouvir isso. Leila mexe nervosamente nas pontas do cabelo.

– Em primeiro lugar, eu queria pedir desculpa – diz em voz baixa.

Oh...

Ela levanta a cabeça e deteta a minha surpresa.

– Sim – diz muito depressa. – E agradecer-lhe por não ter apresentado queixa. Sabe... por causa do seu carro e daquilo no seu apartamento.

– Eu sei que não estava... há, bem – murmuro, com a mente a mil. Não esperava um pedido de desculpas.

– Não, não estava.

– Sente-se melhor, agora? – pergunto-lhe com delicadeza.

– Muito. Obrigada.

– O seu médico sabe que veio aqui?

Ela abana a cabeça.

Oh.

Parece adequadamente culpada.

– Sei que terei de lidar com as consequências disto mais tarde. Mas precisava de vir buscar umas coisas e queria ver Susi, a senhora e... Mr. Grey.

– Quer ver o Christian?

O meu estômago cai em queda livre para o chão. *É por isso que ela está aqui.*

– Sim. Queria perguntar-lhe se não se importa.

Grande porra. Boquiaberta, fito-a, com vontade de lhe dizer que me importo e muito. Não a quero sequer perto do meu marido. Porque terá vindo aqui? Para avaliar a oposição? Para me perturbar? Ou talvez precise disto, como forma de pôr fim a uma fase?

– Leila – vacilo, exasperada. – Não me compete tomar essa decisão, mas sim ao Christian. Terá de lhe perguntar. Ele não precisa da minha autorização. É um homem adulto... na maior parte do tempo.

Ela fita-me por um instante, como se estivesse espantada com a minha reação, e em seguida ri-se um pouco, continuando a mexer nervosamente nas pontas do cabelo.

– Ele tem recusado constantemente os pedidos que lhe fiz para o ver – confessa em voz baixa.

Oh, merda. Estou em mais apuros do que pensava.

– Porque é tão importante para si vê-lo? – pergunto num tom suave.

– Quero agradecer-lhe. Estaria a apodrecer numa horrível prisão psiquiátrica se não fosse ele. Tenho noção disso. – Ela olha para baixo e percorre a extremidade da mesa com a ponta de um dedo. – Sofri um grave episódio psicótico e, sem Mr. Grey e o John... o Dr. Flynn... – Encolhe os ombros e torna a fitar-me, com o rosto repleto de gratidão. Mais uma vez, fico sem palavras. Que esperará ela que eu diga? Não há dúvida que ela deveria revelar estas coisas a Christian, não a mim. – E pela escola de artes. Nunca conseguirei agradecer-lhe o suficiente por isso.

Eu sabia! Christian está a pagar-lhe as aulas. Mantenho um ar inexpressivo, enquanto vou tateando o que sinto em relação a esta mulher, agora que confirmou as minhas suspeitas quanto à generosidade de Christian. Para minha grande surpresa, não nutro qualquer rancor por ela. É uma revelação: estou contente por ela estar melhor. Agora, se tudo correr bem, poderá prosseguir com a sua vida e nós com a nossa.

– Está a faltar a aulas, agora? – pergunto, pois estou interessada.

– Só duas. Volto para casa amanhã.

Ah, boa.

– Que planos tem para a sua estada aqui?

– Recuperar as coisas que deixei com a Susi, voltar a Hamden. Continuar a pintar e a aprender. Mr. Grey já tem alguns quadros meus.

Mas que raio?! O meu estômago volta a abater-se. *Estão pendurados na minha sala de estar?* É uma possibilidade que me incomoda.

— A que tipo de pintura se dedica?

— Abstrata, sobretudo.

— Compreendo.

Percorro mental e rapidamente os quadros da sala de estar, que já conheço tão bem. E dois são de uma ex-submissa dele... talvez.

— Mrs. Grey, posso falar com franqueza? — pergunta, ignorando por completo as minhas emoções contraditórias.

— Com certeza — balbucio, olhando de relance para Prescott, que parece ter descontraído um pouco.

Leila debruça-se sobre a mesa como se estivesse prestes a partilhar um segredo há muito contido.

— Eu amava o Geoff, o meu namorado, que morreu no início deste ano. — A sua voz transforma-se num sussurro triste.

Grande porra, isto está a ficar pessoal.

— Os meus pêsames — resmoneio de forma automática, mas ela continua como se não me ouvisse.

— Amei o meu marido... e outra pessoa — murmura ela.

— O meu marido. — As palavras fogem-me da boca antes que possa travá-las.

— Sim — boqueja ela.

Isto, para mim, não é novidade. Quando levanta a cabeça e me fita, os seus olhos castanhos estão esbugalhados e plenos de emoções opostas, das quais a apreensão parece ser a mais forte... estará preocupada com a minha reação? Porém, a reação avassaladora que esta pobre jovem me suscita é de compaixão. Percorro mentalmente todos os clássicos da literatura de que me lembro que versem amor não correspondido. Engolindo em seco, opto por uma abordagem respeitosa.

— Eu sei. É muito fácil amá-lo.

Os seus olhos arregalam-se ainda mais de surpresa e ela sorri.

— Sim. É... era — corrige-se rapidamente e cora.

Depois solta uma risada tão doce que eu não consigo conter-me e rio também. Sim, Christian Grey deixa-nos com vontade de rir. O meu subconsciente revira os olhos, desesperado comigo, e volta a concentrar-se na leitura do seu exemplar de *Jane Eyre*, cheio de páginas marcadas.

Olho de raspão para o relógio. No meu íntimo, sei que Christian não tardará a chegar.

— Terá uma oportunidade de ver Christian.

— Achei que teria. Sei quão protetor ele é.

Ela sorri. Então foi isto que ela planeou. É muito astuta. Ou *manipuladora*, sussurra o meu subconsciente.

— Foi por isso que veio ver-me aqui?

— Sim.

— Compreendo.

E Christian está a fazer exatamente o que ela quer. Com relutância, vejo-me forçada a reconhecer que ela o conhece bem.

— Ele parecia muito feliz. Consigo — diz ela.

O quê?

— Como pode saber isso?

— Pelo que ouvi quando estive no apartamento — acrescenta num tom cauteloso.

Oh, caramba... como é possível que me tenha esquecido?

— Foi lá muitas vezes?

— Não. Mas ele tratava-a de maneira muito diferente.

Quererei ouvir isto? Sou percorrida por um calafrio. Sinto o couro cabeludo a eriçar-se ao recordar o medo que tive quando ela era a sombra invisível do nosso apartamento.

— Sabe que isso é ilegal. Trespassar propriedade privada.

Ela acena com a cabeça e baixa o olhar para a mesa. Passa uma unha pelo rebordo.

— Foram só algumas vezes e tive a sorte de não ser apanhada. Mais uma vez, preciso de agradecer a Mr. Grey. Ele poderia ter-me mandado para a prisão por isso.

— Não me parece que ele o fizesse — murmuro.

De repente, dá-se um alvoroço do lado de fora da sala de reuniões e eu percebo logo que Christian está no edifício. Um momento depois, ele abre a porta e entra e, antes de a fechar, vislumbro Taylor, que fica pacientemente do outro lado. A sua boca está contraída numa linha séria e ele não me corresponde ao sorriso tenso. Oh, raios, até ele está zangado comigo.

O olhar cinzento e ardente de Christian obriga-me a ficar sentada, fazendo em seguida o mesmo a Leila. O seu comportamento revela uma determinação calma, mas eu sei que não é isso que ele sente e suspeito que Leila também o sabe. O brilho frio e ameaçador dos seus olhos demonstra a verdade – está a emanar raiva, apesar de a disfarçar bem. Com o seu fato cinzento, a gravata escura desafogada e a primeira casa da camisa desabotoada, tem um ar tão profissional como descontraído... e sensual. Tem o cabelo em desalinho – sem dúvida por ter estado a passar as mãos pela cabeça, exasperado.

Leila fita o tampo da mesa com uma expressão nervosa, voltando a passar a ponta do dedo indicador pelo rebordo enquanto Christian vai olhando para mim, para ela e, finalmente, para Prescott.

– Você – diz à segurança em voz baixa. – Está despedida. Saia já.

Empalideço. Oh, não – isto não é justo.

– Christian... – começo a levantar-me.

Ele ergue o dedo indicador num sinal de aviso.

– Não – diz dele, numa voz tão ameaçadoramente calma que me calo de imediato e fico como que colada ao assento.

De cabeça baixa, Prescott sai rapidamente do gabinete, ao encontro de Taylor. Christian fecha a porta atrás dela e caminha até à ponta da mesa. *Merda! Merda! Merda!* A culpa é toda minha. Christian fica de pé, diante de Leila e, pousando as duas mãos no tampo de madeira, inclina-se para a frente.

– Que porra estás aqui a fazer? – rosna-lhe.

– Christian! – exclamo.

Ele ignora-me.

– Então? – exige saber.

Leila espreita por entre as longas pestanas para o ver, com os olhos muito abertos, o rosto exangue, já sem o rubor rosado.

– Queria ver-te e tu não me deixavas – sussurra ele.

– Então vieste aqui acossar a minha mulher? – A sua voz está calma. Demasiado calma.

Leila torna a fitar a mesa. Ele endireita-se, continuando a mirá-la com um ar furioso.

– Leila, se voltares a aproximar-te da minha mulher, tiro-te todo o apoio. Médicos, escola de artes, seguro médico... tudo isso... desaparece. Compreendes?

– Christian... – tento outra vez.

Contudo, ele silencia-me com um olhar gélido. Porque estará a ser tão irrazoável? A minha compaixão por esta mulher triste cresce.

– Sim – responde ela num tom quase inaudível.

– O que está a Susannah a fazer na receção?

– Ela veio comigo.

Ele passa a mão pelo cabelo, lançando-lhe um olhar irado.

– Christian, por favor – rogo. – A Leila só quer agradecer-te. É só isso.

Ele ignora-me, concentrando a sua ira em Leila.

– Ficaste em casa da Susannah enquanto estavas doente?

– Sim.

– Ela sabia o que fazias durante esse tempo?

– Não. Ela estava fora, de férias.

Ele passa um dedo indicador pelo lábio inferior.

– Porque precisas de me ver? Sabes que deves transmitir quaisquer pedidos ao Dr. Flynn. Precisas de alguma coisa? – O seu tom suavizou-se, ainda que apenas um pouco.

Leila torna a percorrer a extremidade da mesa com o dedo.

Para de a atormentar, Christian!

– Tinha de saber.

E, pela primeira vez, ela olha diretamente para os olhos dele.

– Tinhas de saber o quê? – riposta ele.

– Se estavas bem.

Ele fica de queixo caído.

– Se eu estou bem? – pergunta num tom incrédulo.

– Sim.

– Estou ótimo. Pronto, já tens a tua resposta. Agora o Taylor vai levar-te até ao aeroporto para poderes voltar para a Costa Leste. E, se deres um passo que seja a oeste do Mississípi, perdes tudo. Compreendes?

Mas que porra... Christian! Olho para ele, boquiaberta. Que raio lhe passa pela cabeça? Ele não pode confiná-la a um lado do país.

– Sim. Compreendo – responde Leila em voz baixa.

– Bom. – O tom de Christian está mais conciliatório.

– Talvez não seja conveniente para a Leila regressar agora. Ela tem planos – protesto, ultrajada por ela.

Christian lança-me um olhar irado.

– Anastasia – avisa-me, com uma voz gelada –, isto não te diz respeito.

Eu fito-o com um esgar. É claro que me diz respeito. Ela está no meu escritório. Tem de haver aqui mais história do que a que eu conheço. Ele não está a ser racional.

Cinquenta sombras, silva-me o subconsciente.

– A Leila veio ver-me, não a ti – murmuro com petulância.

Leila vira-se para mim, com os olhos arregalados ao máximo.

– Eu tinha ordens a seguir, Mrs. Grey. Desobedeci-lhes. – Olha nervosamente para o meu marido e depois para mim. – Este é o Christian Grey que eu conheço – diz ela, num tom triste e nostálgico.

Christian olha para ela com o cenho carregado enquanto eu fico sem ar nos pulmões. Não consigo respirar. Seria Christian assim a toda a hora? Seria assim comigo, ao início? Tenho dificuldades em lembrar-me. Dirigindo-me um sorriso desalentado, Leila levanta-se.

– Gostaria de ficar até amanhã. O meu voo parte ao meio-dia – diz em voz baixa a Christian.

– Irão buscar-te às dez para te levar ao aeroporto.

– Obrigada.

– Estás em casa da Susannah?

– Sim.

– Ok.

Zangada, fito-o. Ele não pode dar-lhe ordens assim... e como é que ele sabe onde mora Susannah?

– Adeus, Mrs. Grey. Obrigada por me ter recebido.

Eu levanto-me e estendo-lhe a mão. Ela aceita-a com gratidão e aperta-a.

– Hum... adeus. Boa sorte – balbucio, pois não sei bem qual o que recomendará a etiqueta para uma despedida de uma ex-submissa do meu marido.

Ela acena com a cabeça e vira-se para ele.

– Adeus, Christian.

O olhar dele suaviza-se um pouco.

– Adeus, Leila – diz numa voz grave. – Fala com o Dr. Flynn, não te esqueças.

– Sim, senhor.

Ele abre a porta para a deixar sair, mas ela estaca diante dele e levanta a cabeça. Ele imobiliza-se, observando-a com cautela.

– Fico contente por estares feliz. Mereces – diz ela, ao que sai antes de ele poder responder.

Christian franze o sobrolho e fica a vê-la afastar-se. Depois acena com a cabeça a Taylor, que segue Leila em direção à área da receção. Fechando a porta, Christian olha para mim com um ar inseguro.

– Nem penses em ficar zangado comigo – silvo. – Telefona ao Claude Bastille e dá-lhe cabo do canastro ou vai ver o Flynn.

Cai-lhe o queixo; está surpreendido pela minha diatribe e volta a franzir o cenho.

– Tu prometeste que não farias isto. – Agora está com um tom acusatório.

– O quê?

– Desafiar-me.

– Não, não prometi. Disse que teria as tuas preocupações em maior consideração. Eu avisei-te que ela estava aqui. Disse à Prescott que a revistasse e à tua outra amiguinha também. A Prescott esteve o tempo todo comigo. Agora despediste a coitada da mulher, que só fez o que lhe pedi. Disse-te para não te preocupares, e, no entanto, aqui estás tu. Não me lembro de ter recebido a tua bula papal a decretar que eu não podia ver a Leila. Não sabia que os meus visitantes estavam sujeitos a uma lista de gente interdita.

A minha voz vai-se elevando devido à indignação que sinto à medida que vou ganhando mais confiança na causa. Christian observa-me com uma expressão indecifrável. Passado um instante, a sua boca remexe-se.

– Bula papal? – repete, divertido, ao que descontrai visivelmente. O meu objetivo não era aligeirar a nossa conversa, mas ei-lo, a fitar-me com um sorriso trocista, o que me deixa ainda mais zangada. Foi doloroso assistir à troca de palavras entre ele e a sua ex. Como conseguirá demonstrar tanta frieza para com ela? – O que foi? – pergunta, exasperado, dado que continuo com uma expressão resolutamente séria.

– Tu. Porque a trataste com tanta insensibilidade?

Ele suspira e mexe-se, dando um passo na minha direção e apoiando-se na mesa.

– Anastasia – diz ele, como se falasse com uma criança –, tu não percebes. A Leila, a Susannah, todas elas, foram um passatempo agradável e entretido. Mas nada mais. Tu és o centro do meu universo. E, da última vez que vocês estiveram no mesmo espaço, ela apontou-te uma arma.

– Mas, Christian, ela estava doente.

– Eu sei e também sei que agora está melhor, mas não vou voltar a dar-lhe o benefício da dúvida. O que ela fez foi imperdoável.

– Mas acabaste de fazer o que ela queria. Ela queria ver-te e sabia que virias a correr se me visitasse.

Ele encolhe os ombros como se isso não lhe importasse.

– Não te quero conspurcada pela minha antiga vida.

O quê?

– Christian... tu és quem és por causa da tua antiga vida, da tua nova vida, tudo isso. O que te toca, toca-me. Aceitei isso quando acedi a casar contigo, porque te amo.

Ele imobiliza-se. Sei que lhe custa ouvir isto.

– Ela não me magoou. Também te ama.

– Estou-me a cagar para isso.

Fico chocada, de queixo caído. E espanto-me por ele ainda ter a capacidade de me chocar. *Este é o Christian Grey que eu conheço.* As palavras de Leila ressoam-me na mente. Ele reagiu com tanta frieza, de uma forma tão diferente do homem que eu tenho vindo a conhecer e a amar. Franzo o sobrolho ao lembrar-me dos remorsos que ele sentiu quando ela teve o esgotamento nervoso, quando ele julgou poder ser, de alguma maneira, responsável pelo sofrimento dela. Engulo em seco, lembrando-me, também, de que ele lhe deu banho. O meu estômago contorce-se dolorosamente perante esta ideia e a bílis sobe-me à garganta. Como é capaz de dizer que não se importa com ela? Nessa altura importava-se. O que mudou? Por vezes, como agora, pura e simplesmente não o compreendo. Ele funciona a um nível muito, muito afastado do meu.

– Porque estás a defender a causa dela de repente? – pergunta-me, intrigado e irritável.

– Olha, Christian, não é que ache que eu e ela vamos trocar receitas e esquemas de bordados nos próximos tempos. Mas também não pensei que a tratasses com tanta impiedade.

Os seus olhos gelam.

– Disse-te uma vez que não tenho coração – resmunga.

Reviro os olhos – oh, agora ele *está* a comportar-se como um adolescente.

– Isso não é mesmo verdade, Christian. Estás a ser ridículo. Tu importas-te com ela. Não lhe pagarias as aulas de artes e o resto das coisas se não te importasses.

De súbito, tornou-se a minha maior ambição fazê-lo compreender isto. É dolorosamente óbvio que se importa. Porque o nega? É como os seus sentimentos em relação à mãe biológica. *Oh, merda – é claro.* O que sentia por Leila e pelas outras submissas emaranha-se com o que sentia pela mãe. *Gosto de chicotear miúdas pequenas de cabelos escuros como tu porque todas vocês se parecem com a prostituta viciada em* crack. Não admira que esteja tão furioso. Suspiro e abano a cabeça. Mensagem para o Dr. Flynn, por favor. Como é possível que ele não perceba isto?

O meu coração enche-se de dó por ele. O meu menino perdido... Porque terá tanta dificuldade em reencontrar a humanidade, a compaixão que demonstrou para com Leila quando ela sofreu o esgotamento nervoso?

Ele fita-me com raiva a brilhar-lhe nos olhos.

– Fim de discussão. Vamos para casa.

Olho de relance para o relógio. São quatro e vinte e três. Tenho trabalho à minha espera.

– É demasiado cedo – balbucio.

– Para casa – insiste ele.

– Christian – respondo num tom fatigado. – Estou farta de estar sempre a ter a mesma discussão contigo.

Ele franze o sobrolho como se não entendesse.

– Tu sabes – elucido. – Eu faço qualquer coisa que te desagrada e tu engendras alguma maneira de te vingares de mim. Regra geral, isso envolve alguma espécie de queca depravada, que ou é fenomenal ou cruel.

Encolho os ombros, resignada. Isto é cansativo e confuso.

– Fenomenal? – pergunta ele.

O quê?

– Regra geral, sim.

– O que foi fenomenal? – pergunta ele, e o que agora lhe brilha nos olhos é uma curiosidade sensual e divertida. E percebo que quer distrair-me.

Caraças! Não quero discutir isto na sala de reuniões da SIP. O meu subconsciente examina com desdém as suas unhas muito bem arranjadas. *Então não devias ter trazido o assunto à baila.*

– Tu sabes.

Fico vermelha e irritada tanto com ele como comigo.

– Posso tentar adivinhar – sussurra ele.

Caramba, estou a tentar censurá-lo e ele está a confundir-me.

– Christian, eu...

– Eu gosto de te agradar.

Percorre-me delicadamente o lábio inferior com o polegar.

– Gostas – reconheço num sussurro.

– Eu sei – diz ele em voz baixa. Inclina-se e sussurra-me ao ouvido:
– É a única coisa que sei mesmo.

Oh, ele cheira bem. Endireita-se e fita-me, com os lábios curvados num sorriso arrogante que diz conheço-te-tão-bem.

Contraindo os lábios, esforço-me por parecer imune ao seu toque. Ele é tão hábil a distrair-me de qualquer coisa dolorosa, de qualquer coisa sobre a qual não queira falar. *E tu deixa-lo,* acrescenta o meu subconsciente sem ser minimamente útil, desviando o olhar do seu exemplar de *Jane Eyre.*

– O que foi fenomenal, Anastasia? – insta-me, com um brilho perverso no olhar.

– Queres a lista? – pergunto-lhe.

– Há uma lista? – Ele fica agradado.

Oh, este homem é fatigante.

– Bem, as algemas – balbucio, enquanto a minha mente é catapultada para a nossa lua de mel.

Ele franze o cenho e agarra-me numa mão, percorrendo-me o pulso com o polegar.

– Não quero deixar-te marcas.

Oh...

Os seus lábios curvam-se num sorriso lento e carnal.

– Vem para casa – pede num tom sedutor.

– Tenho trabalho à espera.

– Casa – diz, com maior insistência.

Entreolhamo-nos, cinzento derretido a fitar azul fascinado, testando-nos um ao outro, aos nossos limites e vontades. Eu perscruto-lhe o olhar em busca de alguma explicação, tentando perceber como é possível que este homem passe de maníaco do controlo enraivecido a amante sedutor num instante. Os seus olhos vão crescendo e ficando mais sombrios, com uma intenção clara. Ao de leve, acaricia-me o rosto.

– Podíamos ficar aqui. – A sua voz é grave e rouca.

Oh, não. Não. Não. Não. Não no escritório.

– Christian, eu não quero fazer sexo aqui. A tua amante acaba de estar nesta sala.

– Ela nunca foi minha amante – rosna ele, com a boca a contrair-se numa linha triste.

– É só uma maneira de dizer, Christian.

Ele franze o sobrolho com uma expressão intrigada. O amante sedutor desapareceu.

– Não penses demasiado nisto, Ana. Ela passou à história – diz num tom depreciativo.

Suspiro... talvez ele tenha razão. Quero só que ele admita, perante si mesmo, que se preocupa com ela. Um calafrio apodera-se-me do coração. *Oh, não.* É por isso que isto é tão importante para mim. Suponhamos que *eu* faço qualquer coisa imperdoável. Suponhamos que eu não me conformo. Passarei à história, também? Se ele é capaz de uma reviravolta destas, apesar de se ter preocupado tanto quando Leila estava doente... poderá virar-se contra mim? Arquejo, revendo fragmentos de um sonho: espelhos dourados e o som dos seus tacões no chão de mármore enquanto me deixa sozinha num esplendor opulento.

– Não... – A palavra escapa-me por entre os lábios num horror sussurrado antes de eu poder travá-la.

– Sim – contrapõe ele e, agarrando-me no queixo, baixa-se e dá-me um beijo meigo nos lábios.

– Oh, Christian, às vezes assustas-me.

Seguro-lhe a cabeça entre as mãos, entrelaço os dedos no seu cabelo e puxo-lhe os lábios contra os meus. Ele imobiliza-se por um instante, com os braços à minha volta.

– Porquê?

– Conseguiste desligar-te dela tão facilmente...

Ele franze o sobrolho.

– E tu achas que poderia desligar-me de ti, Ana? Por que raio haverias de pensar tal coisa? De onde veio essa ideia?

– De lado nenhum. Beija-me. Leva-me para casa – rogo-lhe.

E, quando os seus lábios tocam nos meus, perco-me.

– Oh, por favor – imploro enquanto Christian sopra ao de leve no meu sexo.

– Tudo a seu tempo – murmura ele.

Puxo as amarras e gemo bem alto, protestando contra o seu ataque carnal. Estou presa com tiras macias de cabedal, tenho cada cotovelo preso ao joelho do lado respetivo e a cabeça de Christian oscila e meneia--se entre as minhas pernas, com a sua língua sabedora a provocar-me sem cessar. Abro os olhos e fito sem ver o teto do nosso quarto, que está banhado pela luz suave da tardinha. A língua dele mexe-se de um lado para o outro, rodopia e gira por cima e à volta do centro do meu universo. Quero esticar as pernas e debato-me, numa tentativa vã de controlar o prazer. Mas não posso. Os meus dedos apertam-lhe o cabelo e puxo com força para combater a sua tortura sublime.

– Não te venhas – avisa-me ele num murmúrio contra mim, ao que lhe sinto a respiração suave na pele quente e molhada enquanto ele resiste aos meus dedos. – Vou espancar-te, se te vieres.

Gemo.

– Controlo, Ana. É tudo uma questão de controlo.

A sua língua renova a incursão erótica. *Oh, ele sabe o que está a fazer.* Não consigo resistir ou travar a minha reação servil e tento – tento mesmo – mas o meu corpo detona sob as suas ministrações impiedosas e a sua língua não para enquanto ele me extrai cada gota de prazer debilitante.

– Oh, Ana – censura-me. – Vieste-te.

Diz a reprimenda triunfante numa voz suave. Vira-me para baixo e eu apoio-me a tremer nos antebraços. Dá-me uma palmada com força no rabo.

– Ah! – grito.

– Controlo – admoesta-me e, agarrando-me pelas ancas, investe dentro de mim. Volto a gritar, com o corpo ainda a estremecer com as réplicas do orgasmo. Ele imobiliza-se dentro de mim e, inclinando-se, abre primeiro uma e depois a outra tira. Passa um braço à minha volta e puxa-me para o seu colo, comigo de costas para ele, e envolve-me a garganta com a mão. Deliro com a sensação de preenchimento.

– Mexe-te – ordena-me.

Gemo e começo a subir e a descer no seu colo.

– Mais depressa – sussurra ele.

E mexo-me cada vez mais depressa. Ele geme e a sua mão inclina-me a cabeça enquanto ele me mordisca o pescoço. A outra mão viaja ociosamente pelo meu corpo, passa-me pela anca, chega ao sexo, ao clítoris... ainda sensível por toda a atenção que recebeu antes. Gemo quando os seus dedos o pressionam e voltam a provocar-me.

– Sim, Ana – rouqueja ele junto à minha orelha. – És minha. Só tu.

– Sim – ofego enquanto o meu corpo torna a retesar-se, a contrair-se em torno dele, a embalá-lo da forma mais íntima.

– Vem-te para mim – exige ele.

E eu deixo-me levar, com o corpo a obedecer prontamente à sua ordem. Ele mantém-me quieta enquanto o clímax me percorre e eu grito o seu nome.

– Oh, Ana, amo-te – geme ele e lança-se contra mim, perdendo-se também na descarga.

Beija-me o ombro e desvia-me o cabelo da cara.

— Isto entra para a lista, Mrs. Grey? — murmura ele.

Estou deitada, quase inconsciente, de barriga para baixo na nossa cama. Christian vai-me massajando o traseiro ao de leve. Está ao meu lado, apoiado num cotovelo.

— Hum.

— Isso quer dizer sim?

— Hum.

Sorrio. Ele também, e volta a beijar-me, ao que, com relutância, me viro de lado para ficar de frente para ele.

— Então? — pergunta.

— Sim. Entra para a lista. Mas é uma lista longa.

O seu rosto quase se parte em dois, tão grande é o seu sorriso, e ele debruça-se para me dar um beijo meigo.

— Bom. Vamos jantar?

No seu olhar brilha amor e humor. Aceno com a cabeça. Estou faminta. Estendo a mão para lhe puxar delicadamente os pelos do peito.

— Quero que me digas uma coisa — sussurro.

— O quê?

— Não te zangues.

— O que é, Ana?

— Tu importas-te.

Os seus olhos arregalam-se e todos os sinais de boa disposição desaparecem.

— Quero que admitas que te importas. Porque o Christian que eu conheço e amo importar-se-ia.

Ele estaca, sem desviar o olhar do meu, e eu testemunho a sua luta interna, como se estivesse prestes a fazer o julgamento de Salomão. Abre a boca para dizer qualquer coisa, depois torna a fechá-la, ao mesmo tempo que uma emoção passageira lhe surge no rosto... dor, talvez.

Diz, peço-lhe mentalmente.

— Sim. Sim, importo-me. Estás contente? — diz, no que mal chega a um sussurro.

Oh, bolas, ainda bem. Que alívio.

— Sim. Muito.

Ele franze o sobrolho.

– Nem acredito que estamos a falar, na nossa cama, acerca...

Eu levo um dedo aos seus lábios.

– Não estamos. Vamos comer. Tenho fome.

Ele suspira e abana a cabeça.

– Intriga-me e fascina-me, Mrs. Grey.

– Bom.

Levanto-me e beijo-o.

———

De: Anastasia Grey
Assunto: A Lista
Data: 9 setembro 2011 09:33
Para: Christian Grey

Está definitivamente em primeiro lugar.

:D

Bj

A

Anastasia Grey
Editora, SIP

———

De: Christian Grey
Assunto: Diz-me Qualquer Coisa Nova
Data: 9 setembro 2011 09:42
Para: Anastasia Grey

Disseste isso nos últimos três dias.

Decide-te.

Ou... podemos experimentar outra coisa.

;)

Christian Grey
CEO a Gostar Deste Jogo, Grey Enterprises Holdings, Inc.

———

Fito o ecrã com um grande sorriso. As últimas noites têm sido... divertidas. Descontraímos outra vez, esquecendo a breve interrupção de Leila. Ainda não arranjei coragem para perguntar se alguma das pinturas penduradas nas nossas paredes é dela – e, francamente, não me interessa. O meu BlackBerry vibra e eu atendo, esperando que seja Christian.

– Ana?

– Sim?

– Ana, querida. É José Senior.

– Mr. Rodríguez! Olá!

Sinto o couro cabeludo a arrepiar-se. Que quererá de mim o pai de José?

– Querida, desculpa ligar-te enquanto estás a trabalhar. Foi o Ray. – A voz falha-lhe.

– O que foi? O que aconteceu?

O coração salta-me para a boca.

– O Ray teve um acidente. – *Oh, não. Papá.* Paro de respirar. – Está no hospital. É melhor vires depressa.

CAPÍTULO DEZASSETE

— Mr. Rodríguez, o que aconteceu? — A minha voz está rouca e grave enquanto contenho as lágrimas.

Ray. Querido Ray. O meu pai.

— Teve um acidente de carro.

— Ok, eu vou... vou já.

A adrenalina corre-me pelas veias e enche-me de pânico. Custa-me respirar.

— Transferiram-no para Portland.

Portland? Que raio está ele a fazer em Portland?

— Transportaram-no para lá de helicóptero, Ana. Eu estou agora a caminho de lá. Do OHSU[6]. Oh, Ana, eu não vi o carro. Pura e simplesmente não o vi... — Não consegue terminar a frase. *Mr. Rodríguez... não!* — Vemo-nos lá — engasga-se ele antes de a chamada cair.

Um terror sombrio agarra-me pela garganta e avassala-me. Ray. Não. Não. Inspiro profundamente para me acalmar, agarro no telefone e ligo a Roach. Ele atende ao segundo toque.

— Ana?

— Jerry. É o meu pai.

— Ana, o que aconteceu?

Explico-lhe, praticamente sem pausas para respirar.

— Vá. Claro, tem de ir. Espero que o seu pai esteja bem.

— Obrigada. Mantenho-o informado.

Sem querer, desligo-lhe o telefone na cara com estrondo mas, neste momento, isso não poderia importar-me menos.

— Hannah! — chamo-a, consciente da ansiedade na minha voz.

---

6. Oregon Health & Science University, instituição de ensino pública que também tem serviço hospitalar. (N. da T.)

Pouco depois, ela espreita e vê-me a guardar as coisas na mala e a enfiar papéis na pasta.

— Sim, Ana? — pergunta, a franzir o sobrolho.

— O meu pai teve um acidente. Tenho de ir.

— Oh, céus...

— Cancela todas as minhas reuniões de hoje. E de segunda-feira. Terás de acabar a preparação da apresentação do *e-book*... as notas estão no ficheiro partilhado. Pede ajuda à Courtney, se precisares.

— Sim — sussurra ela. — Espero que ele esteja bem. Não te preocupes com as coisas daqui. Nós daremos conta do recado.

— Vou levar o BlackBerry.

A preocupação gravada no seu rosto contraído e pálido quase me leva a perder o autodomínio.

Papá.

Agarro no casaco, na mala e na pasta.

— Telefono-te se precisar de alguma coisa.

— Sim, por favor. Boa sorte, Ana. Espero que ele esteja bem.

Esboço um sorriso contido, a debater-me por manter a compostura, e saio do gabinete. É com esforço que não faço o caminho até à receção a correr. Sawyer levanta-se de imediato assim que chego.

— Mrs. Grey? — pergunta, estranhando a minha súbita aparição.

— Vamos para Portland... já.

— Ok, minha senhora — diz ele, de sobrolho franzido, mas a abrir a porta.

Estar em movimento é bom.

— Mrs. Grey — pergunta Sawyer enquanto avançamos muito depressa para o parque de estacionamento. — Posso perguntar-lhe porque vamos fazer esta viagem imprevista?

— É o meu pai. Teve um acidente.

— Compreendo. Mr. Grey sabe?

— Telefono-lhe do carro.

Sawyer assente com a cabeça e abre a porta das traseiras do jipe da *Audi* para que eu entre. Com dedos trémulos, procuro o BlackBerry e telefono para o telemóvel de Christian.

— Mrs. Grey — atende Andrea numa voz viva e despachada.

– O Christian está aí? – murmuro.

– Hum... está algures no edifício, minha senhora. Deixou o BlackBerry a carregar aqui comigo.

Frustrada, resmungo mentalmente.

– Pode dizer-lhe que telefonei e que preciso de falar com ele? É urgente.

– Vou tentar localizá-lo. É certo que tem o hábito de vaguear, às vezes.

– Diga-lhe só que me ligue, por favor – peço, a combater as lágrimas.

– Com certeza, Mrs. Grey. – Hesita. – Está tudo bem?

– Não – sussurro, sem confiar na minha voz. – Por favor, ele que me ligue.

– Sim, senhora.

Desligo. Já não consigo conter a angústia. Puxo os joelhos até ao peito, enrosco-me no assento traseiro e as lágrimas escorrem-me, inde-sejadas, pela cara abaixo.

– Para que sítio de Portland, Mrs. Grey? – pergunta-me Sawyer com brandura.

– Para o OHSU – soluço. – O grande hospital.

Sawyer sai do parque de estacionamento e encaminha-se para a I-5, enquanto eu me recosto no assento de trás, tartamudeando pre-ces silenciosas. *Por favor, que ele fique bem. Por favor, que ele fique bem.*

O toque "Your Love Is King" do meu telemóvel arranca-me ao mantra.

– Christian – arquejo.

– Meu Deus, Ana. O que se passa?

– É o Ray... teve um acidente de carro.

– Merda!

– Pois. Estou a caminho de Portland.

– Portland? Por favor, diz-me que o Sawyer está contigo.

– Sim, é ele quem vai ao volante.

– Onde está o Ray?

– No OHSU.

Ouço uma voz abafada em pano de fundo.

– Sim, Ros – replica Christian num tom zangado. – Eu sei! Des-culpa, querida... só poderei ir lá ter daqui a umas três horas. Tenho umas questões a terminar aqui. Depois voo até lá.

Oh, merda. O *Charlie Tango* está de novo operacional e, da última vez que Christian o pilotou...

– Tenho uma reunião com uns tipos de Taiwan. Não posso deixá-los pendurados. É um negócio que estamos a tentar concluir há meses. – Porque será que eu não sei nada sobre isso? – Saio assim que puder.

– Ok – sussurro.

E quero dizer que está tudo bem, que deve ficar em Seattle e concretizar o negócio, mas a verdade é que o quero comigo.

– Oh, querida – sussurra ele.

– Vou ficar bem, Christian. Demora o tempo de que precisares. Não te apresses. Não quero preocupar-me contigo também. Voa com cuidado.

– Assim farei.

– Amo-te.

– E eu a ti, querida. Irei ter contigo assim que possa. Mantém o Luke por perto.

– Sim, fica descansado.

– Vemo-nos mais logo.

– Até logo.

Depois de desligar, volto a abraçar os joelhos. Não sei nada sobre os negócios de Christian. Que raio andará ele a fazer com gente de Taiwan? Olho pela janela quando passamos pelo aeroporto internacional King County/Boeing Field. Ele tem de voar com cuidado. O meu estômago volta a enovelar-se e sinto a náusea a crescer. Ray *e* Christian. Não me parece que o meu coração pudesse suportar isso. Recostando-me, volto ao meu mantra: *Por favor, que ele fique bem. Por favor, que ele fique bem.*

– Mrs. Grey. – A voz de Sawyer desperta-me. – Já estamos nos terrenos do hospital. Só tenho de descobrir onde são as Urgências.

– Eu sei onde são.

A minha mente visita a minha última vinda ao OHSU, quando, ao fim de dois dias a trabalhar para Clayton, caí de um escadote e torci o tornozelo. Lembro-me de Paul Clayton a observar-me de pé enquanto eu estava caída no chão e a memória faz-me estremecer.

Sawyer para o carro na zona de tomada e largada de passageiros e salta do automóvel para me abrir a porta.

– Vou estacionar, minha senhora, e depois irei à sua procura. Deixe a pasta, eu levo-lha.

– Obrigada, Luke.

Ele acena com a cabeça e eu apresso-me a entrar na tão concorrida área de receção das Urgências. A rececionista atrás do balcão cumprimenta-me com um sorriso educado e, passados alguns instantes, já localizou Ray e envia-me para a sala de espera da sala de operações, no terceiro andar.

Sala de operações? Merda!

– Obrigada – balbucio, tentando concentrar-me nas indicações que me dá para os elevadores.

Tenho o estômago às voltas enquanto corro para lá.

Que ele fique bem. Por favor, que ele fique bem.

O elevador é de uma lentidão agonizante, parando em todos os andares. *Vá lá... Vá lá!* Ordeno-lhe mentalmente que suba mais depressa, fitando com um esgar as pessoas que entram e saem, pois estão a impedir-me de alcançar o meu pai.

Finalmente, as portas abrem-se no terceiro andar e corro até outro balcão, atrás do qual se encontram enfermeiras de fardas azuis.

– Posso ajudá-la? – pergunta uma enfermeira solícita que me fita com um olhar míope.

– O meu pai, Raymond Steele. Acabou de dar entrada. Está na sala de operações n.º 4, julgo. – Enquanto digo estas palavras, desejo que não correspondam à realidade.

– Deixe-me verificar, Miss Steele.

Assinto com a cabeça, sem me dar ao trabalho de a corrigir, e ela fita intensamente o ecrã do computador.

– Sim. Chegou há umas duas horas. Se quiser aguardar, eu informo os médicos de que se encontra aqui. A sala de espera é ali.

Aponta para uma grande porta branca com uma placa útil que diz SALA DE ESPERA em letras grossas e azuis.

– Ele está bem? – pergunto-me, esforçando-me por manter a voz calma.

– Terá de esperar por um dos médicos que a informará, minha senhora.

– Obrigada – resmoneio... mas, no meu íntimo, estou a gritar: *Quero saber já!*

Abro a porta e deparo-me com uma sala de espera funcional e austera, onde Mr. Rodríguez e José estão sentados.

– Ana! – exclama Mr. Rodríguez.

Tem um braço ao peito e um lado da cara com hematomas. Está sentado numa cadeira de rodas, pois também tem uma perna engessada. A medo, passo os braços à sua volta.

– Oh, Mr. Rodríguez – soluço.

– Ana, querida. – Dá-me palmadinhas nas costas, servindo-se do braço que não sofreu ferimentos. – Lamento tanto – balbucia, com a voz rouca e vacilante.

– *No, papá*[7] – admoesta-o José numa voz suave, ao mesmo tempo que passa para trás de mim.

Quando me viro, ele puxa-me para si e abraça-me.

– José – soluço. E perco a compostura: as lágrimas caem-me enquanto toda a tensão, o medo e o aperto no peito que contive durante as últimas três horas vêm à superfície.

– Então, Ana, não chores.

José acaricia-me o cabelo com ternura. Eu passo os braços à volta do seu pescoço e choro baixinho. Ficamos muito tempo assim e sinto-me muito grata por o meu amigo estar aqui. Afastamo-nos quando Sawyer chega à sala de espera. Mr. Rodríguez dá-me um lenço de uma caixa convenientemente ali colocada e eu seco as lágrimas.

– Este é Mr. Sawyer. Segurança – murmuro.

Sawyer cumprimenta-os com um meneio educado da cabeça e depois ocupa um lugar ao canto da sala.

– Senta-te, Ana. – José leva-me até um dos cadeirões de vinil.

– O que aconteceu? Sabem como ele está? O que estão eles a fazer?

José ergue as mãos para travar a minha catadupa de perguntas e senta-se ao meu lado.

---

7. Em castelhano no original. (N. da T.)

– Ainda não temos notícias. Eu, o Ray e o meu pai íamos fazer uma pescaria a Astoria. Fomos abalroados por um bêbedo estúpido da porra...

Mr. Rodríguez tenta interromper, gaguejando um pedido de desculpas.

– *Cálmate, papá!* – reage José. – Eu estou ileso, só magoei umas costelas e bati com a cabeça. O meu pai... bem, o meu pai partiu o pulso e o tornozelo. Mas o outro carro bateu-nos do lado do pendura, onde ia o Ray.

Oh, não, *não*... o pânico volta a invadir-me o sistema límbico. Não, não, não. O meu corpo estremece e gela enquanto imagino o que estará a acontecer a Ray na sala de operações.

– Ele está a ser operado. Fomos levados para o hospital comunitário de Astoria, mas eles transferiram o Ray para aqui. Não sabemos o que estão a fazer. Estamos à espera de notícias.

Começo a tiritar.

– Ei, Ana, estás com frio?

Aceno com a cabeça. Estou a usar uma camisa sem mangas e um casaco fino de verão, e nenhuma dessas coisas me aquece. Com gestos hesitantes, José despe o blusão de cabedal e põe-mo por cima dos ombros.

– Trago-lhe chá, minha senhora? – Sawyer está a meu lado.

Agradecida, assinto com a cabeça e ele sai da sala.

– Porque iam pescar a Astoria? – pergunto.

José encolhe os ombros.

– Diz-se que a pesca lá é boa. Íamos ter uma saída só de homens. Eu queria passar algum tempo com o meu velhote antes de as coisas na faculdade se complicarem, agora que estou no último ano.

Os olhos escuros de José estão muito abertos e luminosos, com medo e arrependimento.

– Também poderias ter-te magoado. E Mr. Rodríguez... poderia ter ficado pior.

A ideia faz-me engolir em seco. A minha temperatura corporal desce mais e eu volto a tremer. José dá-me a mão.

– Raios, Ana, estás gelada.

Mr. Rodríguez inclina-se para a frente e segura-me a outra mão com a que tem ilesa.

– Ana, lamento tanto.

– Mr. Rodríguez, por favor. Foi um acidente… – A voz falha-me e transforma-se num sussurro.

– Trata-me por José – corrige-me.

Correspondo com um sorriso ténue, pois é tudo o que consigo fazer. Estremeço outra vez.

– A polícia levou o sacana para a esquadra. Sete da manhã e o tipo estava perdido de bêbedo – insurge-se José.

Sawyer regressa, com um copo de papel com água quente e uma saqueta de chá. *Ele sabe como gosto do chá!* Fico surpreendida e grata pela distração. Mr. Rodríguez e José soltam-me as mãos enquanto eu aceito com gratidão o copo.

– Algum dos senhores quer alguma coisa? – pergunta-lhes Sawyer.

Eles abanam a cabeça e Sawyer volta a sentar-se ao canto. Eu mergulho a saqueta de chá na água e, levantando-me tremulamente, mando a saqueta usada para o caixote de lixo.

– Porque demorarão tanto? – resmungo, sem me dirigir a ninguém em particular.

Papá… Por favor, que fique bem. Por favor, que fique bem.

– Em breve teremos notícias, Ana – diz José num tom delicado.

Eu aceno com a cabeça e torno a sentar-me junto a ele. Esperamos… e esperamos. Mr. Rodríguez está de olhos fechados, a rezar, segundo me parece, e José segura-me a mão e aperta-a de vez em quando. Eu vou bebericando o chá. Não é *Twinings English Breakfast*, é alguma marca barata e desagradável, que sabe mesmo mal.

Lembro-me da última vez que fiquei à espera de notícias. Da última vez que julguei que tudo estava perdido, quando o *Charlie Tango* desapareceu. Fecho os olhos e ofereço uma prece pela viagem segura do meu marido. Olho de relance para o relógio: 14:15. Ele deve estar quase a chegar. O chá já esfriou… que nojo!

Levanto-me, ando de um lado para o outro, volto a sentar-me. Porque não terão os médicos vindo falar comigo? Dou a mão a José e ele aperta-ma mais uma vez, tentando tranquilizar-me. *Por favor, que fique bem. Por favor, que fique bem.*

O tempo demora tanto a passar.

De repente, a porta abre-se e todos olhamos para lá com um ar expectante. Sinto um nó no estômago. *Será agora?*

Christian entra. O seu rosto ensombra-se por um instante ao reparar que estou de mão dada com José.

– Christian! – exclamo e levanto-me com um pulo, dando graças a Deus por ele ter chegado bem.

Depois os seus braços envolvem-me, o seu nariz encosta-se ao meu cabelo e inspiro o seu odor, o seu calor, o seu amor. Uma pequena parte de mim sente-se mais calma, mais forte e mais resiliente por ele estar aqui. Oh, a diferença que a sua presença faz na minha paz de espírito.

– Há novidades?

Abano a cabeça, sem conseguir falar.

– José – cumprimenta-o com um aceno de cabeça.

– Christian, este é o meu pai, José Senior.

– Mr. Rodríguez... conhecemo-nos no casamento. Depreendo que também tenha estado no acidente?

José volta a contar a história muito resumidamente.

– Vocês encontram-se em condições para estarem aqui? – pergunta Christian.

– Não queremos estar noutro lugar – responde Mr. Rodríguez, numa voz baixa eivada de dor.

Christian assente com a cabeça. Dando-me a mão, ajuda-me a sentar e depois ocupa o lugar ao meu lado.

– Já comeste?

Abano a cabeça.

– Tens fome?

Abano a cabeça.

– Mas tens frio? – pergunta, a olhar para o blusão de José.

Aceno com a cabeça. Ele mexe-se no cadeirão mas, sensatamente, não diz nada.

A porta volta a abrir-se e um jovem médico de roupa hospitalar azul brilhante entra. Parece exausto e desgastado.

Todo o sangue me foge da cabeça quando me levanto, vacilante.

– Ray Steele – sussurro enquanto Christian se posta ao meu lado e me passa um braço à volta da cintura.

– É parente dele? – pergunta o médico.

Os seus olhos azuis brilhantes são quase da mesma cor da bata e, em quaisquer outras circunstâncias, eu tê-lo-ia considerado atraente.

– Sou a filha, Ana.

– Miss Steele...

– Mrs. Grey – corrige-o Christian.

– Peço desculpa – gagueja o médico e, por um segundo, tenho vontade de pontapear Christian. – Sou o Dr. Crowe. O estado do seu pai é estável, mas crítico.

O que quer isso dizer? Os joelhos fraquejam-me e só o braço de Christian impede que eu caia.

– Sofreu graves ferimentos internos – diz o Dr. Crowe –, sobretudo no diafragma, mas conseguimos solucionar isso e também lhe salvámos o baço. Infelizmente, ele teve uma paragem cardíaca durante a operação, devido à perda de sangue. Conseguimos reanimar-lhe o coração, mas isso continua a ser motivo de preocupação. No entanto, o maior receio com que nos confrontamos prende-se com o facto de ter sofrido várias contusões na cabeça e a ressonância magnética revelar que tem um edema cerebral. Induzimos-lhe o coma para que se mantenha imóvel enquanto monitorizamos o inchaço.

Lesões cerebrais? Não.

– É o procedimento habitual nestes casos. Por ora, temos simplesmente de esperar.

– E qual é o prognóstico? – pergunta Christian num tom descontraído.

– Mr. Grey, neste momento é difícil fazer previsões. É possível que recupere por completo, mas isso agora está nas mãos de Deus.

– Quanto tempo vão mantê-lo em coma?

– Isso depende na forma como o cérebro dele reagir. Regra geral, de setenta e duas a noventa e seis horas.

Oh, tanto tempo!

– Posso vê-lo? – sussurro.

– Sim, deverá poder vê-lo dentro de cerca de meia hora. Está a ser levado para a unidade de cuidados intensivos, no sexto andar.

– Obrigada, doutor.

O Dr. Crowe acena com a cabeça, vira-se e deixa-nos.

– Bem, está vivo – sussurro a Christian. E as lágrimas recomeçam a cair-me pelo rosto.

– Senta-te – ordena-me ele num tom brando.

– *Papá*, acho que devíamos ir. Tu precisas de descansar. Não vamos ter mais novidades por agora – murmura José ao pai, que o fita com uma expressão perdida. – Podemos voltar ao final do dia, depois de teres descansado. Concordas, não concordas, Ana? – implora-me ele, virando-se para mim.

– Claro.

– Estão hospedados em Portland? – pergunta Christian. José acena com a cabeça. – Precisam de boleia?

José franze o sobrolho.

– Ia chamar um táxi.

– O Luke pode levar-vos.

Sawyer levanta-se e José parece ficar confuso.

– Luke Sawyer – murmuro para clarificar.

– Oh... Claro. Sim, agradecemos. Obrigado, Christian.

Levanto-me e despeço-me de Mr. Rodríguez e de José com abraços rápidos.

– Sê forte, Ana – sussurra-me José ao ouvido. – Ele é um homem saudável e está em forma. Tem tudo a seu favor.

– Espero que sim – digo e estreito mais o abraço.

Depois de o soltar, tiro o casaco dos ombros e devolvo-lho.

– Fica com ele, se ainda tens frio.

– Não, estou bem. Obrigada. – Olho de relance para Christian e vejo que nos observa com uma expressão impassível. Christian dá-me a mão. – Se houver alguma alteração, eu informo-vos logo – afirmo, enquanto José empurra a cadeira de rodas do pai em direção à porta que Sawyer mantém aberta.

Mr. Rodríguez levanta uma mão e eles fazem uma pequena pausa à saída.

– Vou rezar por ele, Ana – diz numa voz trémula. – Tem sido tão bom reavivar o contacto com ele ao fim de todos estes anos. Tornou--se um bom amigo.

– Eu sei.

E, sem mais, vão-se embora. Christian e eu ficamos a sós. Ele acaricia-me a face.

– Estás pálida. Anda cá.

Senta-se no cadeirão e puxa-me para o seu colo, voltando a envolver-me nos seus braços, a que eu me entrego de boa vontade. Aninho-me nele, sentindo-me oprimida pelo infortúnio do meu padrasto, mas grata por o meu marido estar aqui para me reconfortar. Ele afaga-me o cabelo com delicadeza e dá-me a mão.

– Como se portou o *Charlie Tango*? – pergunto.

Ele sorri.

– Oh, como foi lesto – diz ele, com um orgulho contido na voz.

Isso faz-me sorrir de facto pela primeira vez em várias horas e olho para ele, intrigada.

– Lesto?

– É uma fala de *Um Casamento Escandaloso*. É o filme preferido da Grace.

– Nunca o vi.

– Acho que o tenho lá em casa em *Blu-Ray*. Podemos vê-lo e curtir.

Beija-me a cabeça e eu torno a sorrir.

– Posso persuadir-te a comer qualquer coisa? – pergunta-me.

O meu sorriso desaparece.

– Agora não. Quero ver o Ray primeiro.

Os seus ombros abatem-se, mas ele não me força.

– Como foram os tipos de Taiwan?

– Agradáveis – diz ele.

– Como assim?

– Deixaram-me comprar-lhes o estaleiro por menos do que eu estava disposto a pagar.

Ele comprou um estaleiro?

– Isso é bom?

– Sim. É bom.

– Mas eu julgava que tu já tinhas um estaleiro aqui.

– E tenho. Vamos usar esse para finalizar o processo. Construir os cascos no Oriente. Sai mais barato.

Oh.

– E os trabalhadores do estaleiro de cá?

– Vamos fazer algumas transferências. Devemos conseguir reduzir os despedimentos ao mínimo. – Beija-me a cabeça. – Vamos tentar ver como está o Ray? – sugere em voz baixa.

A unidade de cuidados intensivos, no sexto andar, é uma ala sóbria, estéril e funcional onde se ouvem sussurros e máquinas a apitar. Há quatro pacientes instalados em áreas isoladas cheias de alta-tecnologia. Ray é o do fundo.

Papá.

Parece tão pequeno, naquela cama grande, rodeado por tanta tecnologia. É um choque. O meu pai nunca esteve tão diminuído. Tem um tubo na boca e vários fios que ligam bolsas a uma seringa em cada braço. Uma pequena mola está presa ao seu dedo indicador. Absorta, pergunto-me para que servirá aquilo. Tem uma perna por cima dos lençóis, com gesso azul. Um monitor apresenta o seu ritmo cardíaco: *bip, bip, bip.* É forte e estável. Isso eu percebo. Avanço lentamente para ele. Tem o peito coberto por uma ligadura grande e prístina que desaparece sob o lençol fino que lhe protege o recato.

Dou-me conta de que o tubo que tem no canto direito da boca está ligado a um ventilador. O barulho que faz, misturado com o *bip, bip, bip* do monitor de ritmo cardíaco, transforma-se numa batida ritmada de percussão. Suga, expele, suga, expele, suga, expele em sintonia com os apitos. No ecrã, aparecem quatro linhas, cada uma a avançar constantemente, demonstrando sem margem para dúvidas que continua connosco.

Oh, papá.

Apesar de ter a boca distorcida pelo tubo do ventilador, está com uma expressão pacífica, assim deitado e profundamente adormecido.

Uma enfermeira jovem e baixa aproxima-se da cama e verifica os monitores.

– Posso tocar-lhe? – pergunto, ao mesmo tempo que estico a mão a medo.

– Sim.

Ela sorri com amabilidade. Tem um distintivo que diz Enf.ª
Kellie e deve estar na casa dos vinte anos. É loura e tem uns olhos
muito, muito escuros.

Christian permanece aos pés da cama, observando-me atentamente
enquanto seguro a mão de Ray. Está surpreendentemente quente, o
que me perturba. Deixo-me cair na cadeira ao lado da cama, encosto a
cabeça ao de leve no braço de Ray e começo a chorar.

– Oh, papá. Por favor, melhora – sussurro. – Por favor.

Christian pousa uma mão no meu ombro e aperta-o para me tranquilizar.

– Todos os sinais vitais de Mr. Steele estão bem – diz a enfermeira
Kellie num tom calmo.

– Obrigado – responde Christian.

Levanto a cabeça a tempo de a ver a ficar boquiaberta. Finalmente,
olhou com atenção para o meu marido. Não me interessa. Pode ficar com
o queixo tão caído quanto quiser, desde que faça o meu pai recuperar.

– Ele ouve-me? – pergunto.

– Está num sono profundo. Mas quem sabe?

– Posso ficar aqui durante algum tempo?

– Com certeza.

Sorri-me, com as faces rosadas por um rubor revelador. Ocorre-me
o pensamento incongruente de que ela não será loura natural. Christian olha para mim e ignora-a.

– Tenho de fazer um telefonema. Estarei lá fora. Vou dar-te algum
tempo a sós com o teu pai.

Aceno com a cabeça. Ele dá-me um beijo na cabeça e sai da sala.
Quanto a mim, fico a segurar a mão de Ray, espantando-me com a ironia de só agora, que ele se encontra inconsciente e não consegue ouvir-
-me, eu querer de facto dizer-lhe o quanto gosto dele. Este homem tem
sido a presença constante da minha vida. O meu rochedo. E eu nunca
pensei nisso, até agora. Não temos laços de sangue, mas ele é o meu
pai e eu amo-o muito. Correm-me lágrimas pelo rosto. *Por favor, por
favor, melhora.*

Em voz muito baixa, para não incomodar ninguém, falo-lhe do
nosso fim de semana em Aspen e também do fim de semana passado,

no qual voámos à vela e velejámos no *The Grace*. Falo-lhe da nossa casa nova e das nossas intenções de a tornarmos ecologicamente sustentável. Prometo que o levarei connosco a Aspen para ele poder ir à pesca com Christian e garanto-lhe que Mr. Rodríguez e José também serão bem-vindos. *Por favor, fica connosco para fazermos isso, papá. Por favor.*

Ray permanece imóvel, com o ventilador a sugar e a expelir ar e o monótono mas tranquilizador *bip, bip, bip* do monitor de ritmo cardíaco a serem as únicas respostas que me dá.

Quando levanto a cabeça, Christian encontra-se sentado em silêncio aos pés da cama. Não sei há quanto tempo está ali.

— Olá — diz ele, com compaixão e preocupação a brilharem-lhe nos olhos.

— Olá.

— Com que então, vou pescar com o teu pai, Mr. Rodríguez e o José? — pergunta-me.

Aceno com a cabeça.

— Ok. Agora vamos comer. Deixa-o descansar.

Franzo o sobrolho. Não quero deixá-lo.

— Ana, ele está em coma. Dei os nossos números de telemóvel às enfermeiras daqui. Se houver alguma alteração, elas telefonam-nos. Vamos comer, dar entrada num hotel, descansar e ao final do dia voltamos.

A suíte do Heathman está idêntica àquilo que me lembro dela. Quantas vezes pensei naquela primeira noite e manhã que passei com Christian Grey? Fico à entrada do quarto, paralisada. Caramba, tudo começou aqui.

— Casa longe de casa — diz Christian, em voz baixa, enquanto pousa a minha pasta ao lado de uma das poltronas com demasiado enchimento.

— Queres tomar um duche? Um banho de imersão? Do que precisas, Ana?

Christian fita-me e eu percebo que está à deriva — o meu menino perdido a lidar com acontecimentos que fogem ao seu controlo. Passou a tarde inteira introspetivo e contemplativo. Trata-se de uma situação que não pode manipular ou prever. É a vida real em bruto e ele tem-se escudado disso durante tanto tempo que agora se sente exposto e impotente. O meu querido e protegido Cinquenta Sombras.

– Um banho. Gostaria de tomar um banho de imersão – murmuro, consciente de que, se se mantiver ocupado, se sentirá melhor e até útil.

Oh, Christian, estou entorpecida, enregelada e assustada, mas estou tão contente por estares aqui comigo.

– Banho. Bom. Sim.

Ele atravessa o quarto e eu deixo de o ver quando entra na casa de banho palaciana. Pouco depois, o gorgolejar da água a encher a banheira ecoa no quarto.

Por fim, obrigo-me a segui-lo e entro no quarto. Fico pasma ao ver vários sacos da *Nordstrom* em cima da cama. Christian regressa, de mangas arregaçadas, já sem gravata nem casaco.

– Pedi ao Taylor que nos trouxesse algumas coisas. Roupas de noite. Tu sabes – diz, a observar-me com cautela.

Claro que pediu. Aprovo com um aceno de cabeça para que se sinta melhor. *Onde está o Taylor?*

– Oh, Ana – murmura. – Nunca te vi assim. Costumas ser tão forte e corajosa.

Não sei o que dizer. Miro-o com os olhos entreabertos. Não tenho nada para dar agora. Acho que estou em choque. Abraço o meu próprio corpo, tentando proteger-me do frio penetrante, embora saiba que isso de nada serve, pois o frio vem de dentro. Christian puxa-me para os seus braços.

– Querida, ele está vivo. Os sinais vitais dele estão bem. Só temos de ser pacientes – murmura. – Anda.

Dá-me a mão e leva-me para a casa de banho. Com delicadeza, tira-me o casaco e coloca-o no espaldar da cadeira da casa de banho; quando volta, desabotoa-me a camisa.

A água está deliciosamente quente e fragrante, com o aroma a flor de lótus a espalhar-se pelo ar aquecido e húmido da casa de banho. Estou deitada entre as pernas de Christian, de costas para ele, com os pés apoiados nos seus. Ambos estamos calados e introspetivos e eu finalmente deixei de ter frio. De vez em quando, Christian dá-me beijos na cabeça enquanto eu, distraída, vou rebentando bolhas de espuma. Tem um braço a envolver-me os ombros.

– Não entraste para a banheira com a Leila, pois não? Daquela vez que lhe deste banho? – pergunto.

Ele retesa-se e resfolega, com a mão a apertar-me mais o ombro.

– Há... não. – Parece perplexo.

– Era o que eu pensava. Ainda bem.

Ele puxa-me delicadamente o carrapito frouxo do cabelo para me inclinar a cabeça para trás e poder ver-me o rosto.

– Porque perguntas?

Encolho os ombros.

– Curiosidade mórbida. Não sei... por a ter visto esta semana.

O seu rosto ganha uma expressão rígida.

– Compreendo. Vamos ser menos mórbidos – diz num tom reprovador.

– Durante quanto tempo é que vais sustentá-la?

– Até ela estar recuperada. Não sei. – Encolhe os ombros. – Porquê?

– Há outras?

– Outras?

– Outras ex que tu sustentes.

– Houve uma, sim. Já não.

– Ai, sim?

– Estava a estudar medicina. Agora é médica e encontrou outra pessoa.

– Outro dominador?

– Sim.

– A Leila disse-me que tens dois quadros dela – sussurro.

– Tinha. Não gostava lá muito deles. Tinham mérito técnico, mas eram demasiado garridos para mim. Acho que é o Elliot que os tem agora. Como bem sabemos, ele não tem gosto.

Rio-me e ele passa o outro braço à minha volta, derramando água para fora da banheira.

– Assim é melhor – sussurra ele antes de me dar um beijo na têmpora.

– Ele vai casar com a minha melhor amiga.

– Então é melhor calar-me – diz.

Sinto-me mais descontraída depois do nosso banho. Envolta no meu robe do Heathman, fito os vários sacos em cima da cama. Caramba, isto não pode ser só roupa para dormir. A medo, espreito um deles. Um par de calças de ganga e uma camisola azul-bebé com capuz, do meu tamanho. Com o caraças... Taylor fez compras para um fim de semana inteiro e sabe do que gosto. Sorrio, ao lembrar-me de que não é a primeira vez que me compra roupa estando eu no Heathman.

– Para além de me assediares no Clayton's, alguma vez tiveste de ir a uma loja e comprar qualquer coisa?

– Assediar-te?

– Sim. Assediar-me.

– Tu ficaste toda atarantada, segundo me lembro. E aquele miúdo não te largava. Como é que ele se chamava?

– Paul.

– Um dos teus muitos admiradores.

Reviro os olhos e ele esboça um sorriso genuíno de alívio antes de me beijar.

– Aí está a minha miúda – sussurra ele. – Veste-te. Não quero que fiques cheia de frio outra vez.

– Pronta – murmuro.

Christian está a trabalhar no seu Mac no canto da suíte que serve de escritório. Vestiu umas calças de ganga pretas e uma camisola canelada, enquanto eu vesti as calças de ganga, a camisola de capuz e, por baixo, uma *t-shirt* branca.

– Pareces tão nova – comenta ele num tom suave ao levantar a cabeça, com os olhos a brilhar. – E pensar que amanhã serás um ano mais velha.

A sua voz é melancólica. Esboço um sorriso triste.

– Não estou com muita vontade de celebrar. Podemos ir ver o Ray agora?

– Claro. Quem me dera que comesses qualquer coisa. Mal tocaste na comida.

– Christian, por favor. Não tenho fome. Talvez depois de vermos o Ray. Quero desejar-lhe uma boa noite.

Quando chegamos à unidade de cuidados intensivos, cruzamo-nos com José, que está de saída.

– Christian, Ana, olá.

– O teu pai?

– Estava demasiado cansado para voltar. Teve um acidente de carro hoje de manhã – diz ele com um sorriso triste. – E os analgésicos surtiram efeito. Não estava em condições de se levantar. Tive de fazer fita para ver o Ray, já que não sou da família.

– E? – pergunto, ansiosa.

– Ele está bem, Ana. Na mesma... mas está tudo bem.

O alívio corre-me pelo corpo. É boa notícia não haver mais notícias.

– Vemo-nos amanhã, menina aniversariante?

– Claro. Estaremos por aqui.

José lança um olhar rápido a Christian e depois puxa-me para um breve abraço.

– *Mañana.*

– Boa noite, José.

– Boa noite, José – diz Christian. José acena com a cabeça e prossegue pelo corredor. – Ele continua louco por ti – diz Christian em voz baixa.

– Não, não continua. E, mesmo que continue...

Encolho os ombros porque, neste momento, isso não me interessa.

Christian fita-me com um sorriso confrangido e o meu coração derrete-se.

– Muito bem – murmuro. Ele franze o sobrolho. – Não ficaste a espumar.

Ele fica boquiaberto – ofendido mas também divertido.

– Eu nunca espumei. Vamos ver o teu pai. Tenho uma surpresa para ti.

– Uma surpresa? – arregalo os olhos, alarmada.

– Anda.

Christian dá-me a mão e empurramos as portas duplas da unidade de cuidados intensivos.

Diante dos pés da cama de Ray está Grace, embrenhada numa conversa com Crowe e outra médica que eu ainda não tinha visto. Ao reparar em nós, Grace sorri.

Oh, graças a Deus.

– Christian.

Dá-lhe um beijo no rosto; em seguida vira-se para mim e envolve-me num abraço caloroso.

– Ana. Como estás a aguentar-te?

– Estou bem. É o meu pai que me preocupa.

– Ele está em boas mãos. A Dr.ª Sluder é uma sumidade na sua área. Estudámos juntas em Yale.

Oh...

– Mrs. Grey – cumprimenta-me a Dr.ª Sluder com grande formalidade. Tem o cabelo curto e faz lembrar um gnomo com um sorriso tímido e um leve sotaque sulista. – Como médica encarregada de seguir o processo do seu pai, é com agrado que lhe digo que está tudo a correr bem. Tem os sinais vitais estáveis e fortes. Estamos convictos de que recuperará por completo. O edema cerebral parou de crescer e já revela uma certa diminuição. É muito encorajador, tendo passado tão pouco tempo.

– Isso é uma boa notícia – murmuro.

Ela dirige-me um sorriso caloroso.

– Sim, Mrs. Grey. Estamos a tratar muito bem dele.

– Foi um prazer rever-te, Grace.

Esta sorri.

– Igualmente, Lorraina.

– Dr. Crowe, deixemos estas boas pessoas visitarem Mr. Steele.

Crowe segue a Dr.ª Sluder, que sai da sala.

Olho de relance para Ray e, pela primeira vez desde o acidente, sinto-me um pouco mais esperançosa. As palavras amáveis da Dr.ª Sluder e de Grace reavivaram-me a esperança.

Grace dá-me a mão e aperta-a um pouco.

– Ana, querida, fica com ele. Fala com ele. Só faz bem. Eu ficarei com o Christian na sala de espera.

Assinto com cabeça. Christian concorda, a sorrir e tanto ele como a mãe me deixam com o meu adorado pai, que dorme tranquilamente ao som delicado da lengalenga do ventilador e do monitor do ritmo cardíaco.

Enfio a *t-shirt* branca de Christian e meto-me na cama.

– Pareces mais animada – comenta Christian com cautela enquanto veste o pijama.

– Sim. Acho que ter falado com a Dr.ª Sluder e com a tua mãe fez uma enorme diferença. Pediste à Grace que viesse?

Christian entra na cama e puxa-me para os seus braços, virando-me para que fique de costas para ele.

– Não. Foi ela que quis vir e examinar o teu pai por si mesma.

– Como é que ela ficou a saber?

– Telefonei-lhe hoje de manhã.

Oh.

– Querida, estás exausta. Devias dormir.

– Hum – murmuro em concordância.

Ele tem razão. Estou tão cansada. Foi um dia cheio de emoções. Viro a cabeça para trás e olho para ele por um instante. *Não vamos fazer amor?* E sinto-me aliviada. Na verdade, ele tem-se mantido distante durante todo o dia. Pergunto-me se deveria ficar alarmada com esta reviravolta mas, dado que a minha deusa interior abandonou o espaço e levou a minha libido consigo, pensarei nisso de manhã. Viro-me para ele e aninho-me em Christian, passando uma perna por cima das dele.

– Promete-me uma coisa – diz em voz baixa.

– Hum? – Estou demasiado cansada para proferir a pergunta.

– Promete-me que amanhã comes qualquer coisa. Até sou capaz de tolerar que vistas o blusão de outro homem sem começar a espumar, mas, Ana... tens de comer. Por favor.

– Hum – aquiesço. Ele beija-me a cabeça.

– Obrigada por estares aqui – balbucio e dou-lhe um beijo sonolento no peito.

– Onde haveria eu de estar? Quero estar onde quer que tu te encontres, Ana. Estar aqui faz-me pensar no caminho que percorremos. E na primeira noite em que dormi contigo. Que noite foi essa! Fiquei a ver-te durante horas. Tu estavas simplesmente... linda – murmura ele. Sorrio, encostada ao seu peito. – Dorme – diz ele, e é uma ordem.

Fecho os olhos e deixo-me adormecer.

CAPÍTULO DEZOITO

Mexo-me e abro os olhos, acordada por uma manhã luminosa de setembro. Quente e confortável em lençóis limpos e frescos, demoro algum tempo a orientar-me e sou acometida por uma sensação de *déjà vu*. É claro, estou no Heathman.

— Merda! Papá! — grito alto, lembrando-me, com um arrebatamento de apreensão que me aperta as entranhas e me acelera o coração, do motivo pelo qual estou em Portland.

— Então... — Christian está sentado à beira da cama. Acaricia-me a cara com os nós dos dedos, o que me acalma de imediato. — Telefonei para a unidade de cuidados intensivos hoje de manhã. O Ray passou bem a noite. Está tudo bem — diz, tranquilizando-me.

— Oh, ainda bem. Obrigada — balbucio, sentando-me.

Ele debruça-se e encosta os lábios à minha testa.

— Bom dia, Ana — sussurra ele, após o que me dá um beijo na têmpora.

— Olá — murmuro.

Ele já se levantou e vestiu uma *t-shirt* preta e umas calças de ganga azuis.

— Olá — responde, com um olhar suave e afetuoso. — Quero desejar-te um bom aniversário. Está bem?

Esboço um sorriso hesitante e afago-lhe o rosto.

— Sim, claro. Obrigada. Por tudo.

O seu cenho franze-se.

— Por tudo?

— Por tudo.

Ele fica com uma expressão confusa, mas é passageira e logo os seus olhos se arregalam de antecipação.

— Toma.

Passa-me uma pequena caixa embrulhada de forma encantadora, com um cartão minúsculo.

Apesar da preocupação que sinto pelo meu pai, deteto a ansiedade e o entusiasmo de Christian, que são contagiantes. Leio o cartão.

Por todas as nossas estreias,
no teu primeiro aniversário como minha esposa adorada.
Amo-te.
Bj,
C

Oh, não é querido?

— Também te amo — murmuro, a sorrir-lhe.

Ele corresponde com um grande sorriso.

— Abre.

Desembrulhando com cuidado para não rasgar o papel, descubro uma linda caixa de couro vermelho. *Cartier*. Conheço a marca, graças aos brincos da nossa segunda oportunidade e ao meu relógio. Com cuidado, abro a caixa e encontro uma pulseira de pendentes delicada, de prata, platina ou ouro branco — não sei, mas é absolutamente encantadora. Tem vários pendentes colocados: a Torre Eiffel; um táxi preto de Londres; um helicóptero — *Charlie Tango*; um planador — o voo planado; um *catamaran* — *The Grace*; uma cama; e um cone de gelado? Olho para ele, intrigada.

— Baunilha? — Ele encolhe os ombros em jeito de desculpa e eu não consigo evitar rir-me. Claro.

— Christian, é lindo. Obrigada. É "lesto".

Ele sorri.

O meu pendente preferido é o coração. É um medalhão.

— Podes guardar aí uma fotografia ou o que quiseres.

— Um retrato teu. — Olho para ele por entre as pestanas. — Sempre no meu coração.

Ele esboça o seu sorriso adorável, comovente e tímido.

Afago os dois últimos pendentes: a letra *C* — oh, sim, fui a primeira namorada dele a tratá-lo pelo nome próprio. Isso faz-me sorrir. E, por fim, uma chave.

– Do meu coração e da minha alma – sussurra ele.

Ardem-me lágrimas nos olhos. Atiro-me para os seus braços, cerrando-lhe os meus à volta do pescoço e instalando-me no seu colo.

– Que presente tão atencioso. Adoro-o. Obrigada – murmuro-lhe ao ouvido.

Oh, ele cheira tão bem – um cheiro fresco, a roupas novas, a gel de banho e a Christian. Cheira a casa, à minha casa. As lágrimas que ameaçavam cair começam a fazê-lo.

Ele solta um gemido ligeiro e abraça-me.

– Não sei o que faria sem ti. – A voz falha-me enquanto tento conter a avalanche de emoções.

Ele engole em seco e cinge o abraço.

– Por favor, não chores.

Fungo de uma maneira muito pouco feminina.

– Desculpa. É só que estou tão feliz e triste e ansiosa, tudo ao mesmo tempo. É uma sensação agridoce.

– Ei – diz numa voz suave como uma pena. Inclinando-me a cabeça para trás, dá-me um beijo meigo nos lábios. – Eu compreendo.

– Eu sei – sussurro, ao que sou recompensada de novo com o seu sorriso tímido.

– Quem me dera que nos encontrássemos em circunstâncias mais felizes e em casa. Mas estamos aqui. – Volta a encolher os ombros como se pedisse desculpa. – Anda, levanta-te. A seguir ao pequeno-almoço, vamos ver o Ray.

Depois de vestir umas calças de ganga e uma *t-shirt* novas, o meu apetite regressa por um breve instante, sendo bem-vindo, durante o pequeno-almoço na suíte. Sei que Christian fica satisfeito ao ver-me comer o *muesli* com iogurte grego.

– Obrigada por teres pedido o meu pequeno-almoço preferido.

– É o teu aniversário – diz ele em voz baixa. – E tens de parar de me agradecer.

Revira os olhos, como se estivesse exasperado, mas parece-me que o faz com carinho.

– Quero apenas que saibas que dou valor.

– Anastasia, é isto que eu faço.

Está com uma expressão séria – claro, Christian ao comando e a controlar tudo. Como poderia eu esquecer-me disso... Quereria eu que fosse de outra maneira? Sorrio.

– Sim, pois é.

Ele fita-me com um olhar intrigado e depois abana a cabeça.

– Vamos?

– Vou só lavar os dentes.

Ele faz um sorriso malandro.

– Ok.

Porque estará com um sorriso malandro? A dúvida incomoda-me enquanto vou até à casa de banho. Sem querer, sou acometida por uma memória. Servi-me da sua escova de dentes depois de ter passado a noite ali com ele. Sorrio também e agarro na escova de dentes dele em homenagem a essa primeira vez. Observando-me enquanto lavo os dentes, vejo que estou pálida, demasiado pálida. Mas eu estou sempre pálida. Da última vez que estive aqui, era solteira; e agora tenho vinte e dois anos e sou casada! Estou a ficar velha. Bochecho e mando a água fora.

Levanto o pulso, sacudo-o e os pendentes da minha pulseira tilintam, um som que me deixa satisfeita. Como saberá sempre o meu querido Cinquenta o que me oferecer? Inspiro profundamente, tentando conter a emoção que continua à espreita no meu sistema, e volto a fitar a pulseira. Aposto que custou uma fortuna. *Ah... seja.* Ele tem dinheiro para isso.

Ao avançarmos para os elevadores, Christian segura-me na mão e beija-me os nós dos dedos, com o polegar a passar pelo pendente do *Charlie Tango.*

– Gostas?

– Mais do que gosto. Adoro. Muito. Como a ti.

Ele sorri e beija-me outra vez os nós dos dedos. Sinto-me mais leve do que ontem. Talvez seja por ser de manhã e o mundo parecer sempre um lugar mais esperançoso do que a meio da noite. Ou talvez tenha sido a forma dócil como o meu marido me acordou. Ou por saber que Ray não piorou.

Quando entramos para o elevador vazio, levanto a cabeça e olho para Christian. Os seus olhos depressa fitam os meus e ele torna a esboçar um sorriso trocista.

— Não faças isso — sussurra ele enquanto as portas se fecham.

— Não faço o quê?

— Não olhes para mim assim.

— Que se lixe o contrato — resmoneio, a sorrir.

Ele ri-se, e é um som tão despreocupado e juvenil. Puxa-me para os seus braços e inclina-me a cabeça.

— Um dia alugo este elevador durante uma tarde inteira.

— Só uma tarde? — pergunto, com uma sobrancelha arqueada.

— Mrs. Grey, é gananciosa.

— No que lhe diz respeito, sou.

— Muito folgo em ouvi-lo.

Ele beija-me com delicadeza. E eu não sei se é por estarmos *neste* elevador, por ele não me tocar há mais de vinte e quatro horas ou simplesmente por ser o meu marido inebriante, mas o desejo desabrocha e espraia-se ociosamente a partir do meu baixo-ventre. Percorro-lhe o cabelo com os dedos, aprofundo o beijo, empurro-o contra a parede e encosto o corpo ao dele.

Ele geme na minha boca e segura-me a cabeça, agarrando-me enquanto nos beijamos — um beijo a sério, com as línguas a explorarem o território oh-tão-conhecido mas, não obstante, oh-tão-novo, oh-tão-excitante que é a boca um do outro. A minha deusa interior surge, trazendo consigo a minha libido. Acaricio o rosto do meu marido com as duas mãos.

— Ana — ofega ele.

— Amo-te, Christian Grey. Nunca te esqueças disso — sussurro, de olhos fixos nos seus cinzentos e cada vez mais escuros.

O elevador para suavemente e as portas abrem-se.

— Vamos ver o teu pai antes que eu decida que é hoje que alugo o elevador.

Depois de um beijo rápido, dá-me a mão e leva-me até ao átrio.

Ao passarmos pelo rececionista, Christian faz um sinal discreto ao amável senhor de meia-idade que está atrás do balcão. Este acena com a cabeça e pega no telefone. Eu fito Christian com um olhar interrogativo, ao que ele esboça um sorriso cheio de segredos. Franzo o sobrolho e, por um instante, ele parece-me nervoso.

– Onde está o Taylor?

– Já vamos vê-lo.

Claro, deve ter ido buscar o carro.

– E o Sawyer?

– A tratar de uns recados.

Que recados?

Christian evita as portas giratórias e eu percebo que é para não ter de me soltar a mão. A ideia acalenta-me. Lá fora, está uma manhã de final de verão, mas a brisa já transporta o cheiro do outono que se aproxima. Olho em redor, à procura do todo-o-terreno e de Taylor. Não há sinal deles. A mão de Christian aperta mais a minha e eu olho para ele. Parece ansioso.

– O que se passa?

Ele encolhe os ombros. O rumor de um carro a aproximar-se distrai-me. É gutural... conhecido. Quando me viro para identificar a fonte do ruído, este para de repente. Taylor está a sair de um carro desportivo elegante e branco, estacionado à nossa frente.

Oh, merda! É um *R8*. Viro de imediato a cabeça para Christian, que me observa com receio. *Podes oferecer-me um no meu aniversário... Mas em branco, acho eu.*

– Parabéns – diz-me e eu percebo que está a avaliar a minha reação.

Fito-o boquiaberta, pois é tudo o que consigo fazer. Ele mostra-me uma chave.

– És completamente louco – sussurro.

Porra, ele comprou-me um Audi R8! Com o caraças. Tal e qual como lhe tinha pedido! A minha cara rasga-se num enorme sorriso e eu dou pulos de contentamento num momento de entusiasmo descontrolado e sem reservas. A expressão de Christian é um espelho da minha e eu danço na direção dos seus braços abertos. Ele faz-me girar no ar.

– Tens mais dinheiro do que juízo! – grito. – Adoro-o! Obrigada.

Ele para de dar voltas e desce-me de repente, o que me assusta, pelo que lhe agarro os antebraços.

– Tudo por si, Mrs. Grey – diz, a sorrir-me. *Oh, céus.* Que demonstração de afeto tão pública. Ele debruça-se e beija-me. – Anda. Vamos ver o teu pai.

– Sim. E posso conduzir?

Ele continua a sorrir.

– Claro. É teu.

Endireita-me e solta-me, ao que me apresso a dar a volta ao carro até à porta do condutor.

Taylor abre-ma com um grande sorriso.

– Feliz aniversário, Mrs. Grey.

– Obrigada, Taylor. – Sobressalto-o ao dar-lhe de imediato um abraço, ao qual ele corresponde com embaraço. Ainda está a corar quando entro no carro e ele fecha a porta. – Conduza com cuidado, Mrs. Grey – diz, num tom encavacado.

Eu sorrio-lhe, mal conseguindo conter o entusiasmo.

– Com certeza – prometo, inserindo a chave na ignição enquanto Christian se instala ao meu lado.

– Vai com calma. Agora não estamos a ser perseguidos – avisa-me.

Quando dou à chave, o motor ganha vida com fragor. Verifico o espelho retrovisor e os laterais; ao detetar uma pausa no tráfego, executo uma inversão de marcha larga e perfeita e acelero em direção ao OHSU.

– Ena! – exclama Christian, alarmado.

– O que foi?

– Não te quero na unidade de cuidados intensivos ao lado do teu pai. Abranda – resmunga, num tom que não admite retorta.

Alivio o pé no acelerador e sorrio-lhe.

– Está melhor?

– Muito – resmoneia ele, esforçando-se por parecer severo... mas sem o conseguir de todo.

O estado de Ray mantém-se estável. Vê-lo faz-me voltar a pôr os pés em terra depois da viagem estonteante até aqui. *Deveria mesmo conduzir com mais cuidado.* É impossível controlar todos os condutores alcoolizados deste mundo. Tenho mesmo de perguntar a Christian o que é feito do canalha que bateu em Ray – tenho a certeza de que ele sabe. Apesar dos tubos, o meu pai está com um ar confortável e parece-me que tem um pouco mais de cor nas faces. Enquanto lhe conto como foi a minha manhã, Christian afasta-se para ir tratar de alguns telefonemas.

A enfermeira Kellie paira por perto, verificando os monitores de Ray e tomando notas na ficha dele.

– Todos os sinais dele estão bons, Mrs. Grey.

Ela sorri-me com um ar bondoso.

– Isso é muito encorajador.

Pouco depois, o Dr. Crowe aparece com dois auxiliares de enfermagem e diz-me num tom caloroso:

– Mrs. Grey, está na altura de levar o seu pai para a radiologia. Vamos submetê-lo a uma TAC. Para vermos como está a reagir o cérebro dele.

– Irão demorar?

– No máximo, uma hora.

– Eu espero. Gostaria de ficar a saber.

– Com certeza, Mrs. Grey.

Vou até à sala de espera, que felizmente se encontra vazia, à exceção de Christian que, ao telefone, anda de um lado para o outro. Enquanto fala, olha pela janela e observa a vista panorâmica de Portland. Vira-se para mim quando fecho a porta e parece zangado.

– Quanto acima do limite?... Compreendo... Todas as acusações, tudo. O pai da Ana está na unidade de cuidados intensivos... quero que vocês lhe atirem com tudo o que puderem, pai... Bom. Mantém-me informado. – E desliga.

– O outro condutor?

Ele acena com a cabeça.

– Um beberrão qualquer, um inútil que vive num acampamento de autocaravanas na zona sudeste de Portland – diz com desprezo, e eu fico chocada tanto pelas palavras que usa como pelo seu tom depreciativo. Aproxima-se de mim e o seu tom suaviza-se. – Já te despediste do Ray? Queres ir embora?

– Hã... não.

Olho para ele, ainda a recompor-me da sua exibição de desdém.

– O que se passa?

– Nada. O Ray está a ser levado para a radiologia para lhe fazerem uma TAC e verificarem como está o edema. Gostaria de esperar pelos resultados.

— Ok. Esperamos. — Senta-se e estende-me os braços. Como estamos a sós, é de bom grado que me aninho no seu colo. — Não era assim que planeava passar o dia de hoje — murmura Christian, com a boca encostada ao meu cabelo.

— Nem eu, mas agora sinto-me mais otimista. A tua mãe tranquilizou-me muito. Foi amável da parte dela ter cá vindo ontem à noite.

Christian acaricia-me as costas e pousa o queixo na minha cabeça.

— A minha mãe é uma mulher extraordinária.

— Pois é. És um sortudo por a teres.

Ele assente com a cabeça.

— Devia telefonar à minha mãe. Contar-lhe o que aconteceu ao Ray — murmuro, ao que Christian se retesa. — Estou surpreendida por ela não me ter ligado.

Franzo o sobrolho num momento de tomada de consciência. Na verdade, sinto-me magoada. Afinal, é o meu aniversário e ela estava lá quando eu nasci. Porque não me terá telefonado?

— Talvez tenha — diz Christian.

Tiro o BlackBerry do bolso. Não exibe quaisquer chamadas não atendidas, mas sim bastantes mensagens de parabéns de Kate, José, Mia e Ethan. Da minha mãe, nada. Desalentada, abano a cabeça.

— Telefona-lhe agora — encoraja-me num tom suave.

É o que faço, mas só o gravador de chamadas me atende. Não deixo mensagem. Como é possível que a minha própria mãe se esqueça do meu aniversário?

— Ela não está. Telefono-lhe depois de saber os resultados da TAC.

Christian estreita mais os braços à minha volta, torna a encostar o nariz ao meu cabelo e tem o tato de não fazer comentários em relação à falta de preocupação maternal da minha mãe. Mais do que ouvir, sinto o BlackBerry dele a vibrar. Ele não me deixa levantar e, em vez disso, tira-o com algum esforço do bolso.

— Andrea — atende, de novo muito profissional. Faço outra tentativa para me levantar e ele impede-me, franzindo o sobrolho e mantendo-me presa pela cintura. Volto a encostar-me ao seu peito e ouço um dos lados da conversa. – Bom... Qual é a hora prevista de chegada? E a outra, há... encomenda? – Christian olha de relance para o relógio de pulso. – O Heathman recebeu todas as indicações?... Bom... Sim. Pode esperar até segunda-feira, mas envie-me o *e-mail* de qualquer forma. Eu imprimo-o, assino-o e digitalizo-o para lho devolver... Eles podem esperar... Vá para casa, Andrea... Não, estamos bem, obrigado.

Desliga.

– Está tudo bem?

– Sim.

– Era por causa daquilo de Taiwan?

– Sim.

Ele mexe-se debaixo de mim.

– Estou a pesar-te?

Ele resfolega.

– Não, querida.

– Estás preocupado com o negócio de Taiwan?

– Não.

– Julgava que era importante.

– E é. O estaleiro daqui está dependente disso. Há muitos empregos em jogo.

Oh!

– Só precisamos de convencer os sindicatos. Isso compete ao Sam e à Ros. Mas, com o rumo que a economia está a tomar, nenhum de nós tem grande escolha.

Bocejo.

– Estou a entediá-la, Mrs. Grey? – pergunta-me num tom divertido, enquanto volta a encostar o nariz ao meu cabelo.

– Não! Nunca... sinto-me apenas muito confortável no teu colo. Gosto que me contes dos teus negócios.

– Gostas? – Parece surpreendido.

– Claro. – Inclino-me para trás para poder olhar-lhe para a cara. – Gosto de ouvir qualquer pedacinho de informação que te dignes a partilhar comigo – acrescento com um sorriso malandro, que o faz fitar-me com um ar divertido, enquanto abana a cabeça.

– Sempre faminta por mais informação, Mrs. Grey.

– Diz-me – insto-o, voltando a aninhar-me junto ao seu peito.

– Digo-te o quê?

– Porque o fazes?

– O quê?

– Trabalhar dessa maneira.

– Um homem tem de ganhar a vida.

Está divertido.

– Christian, tu ganhas bem mais do que o suficiente para viver – replico, num tom carregado de ironia.

Ele franze o sobrolho e fica calado por um momento. Não me parece que vá divulgar algum segredo, mas ele surpreende-me.

– Não quero ser pobre – declara em voz baixa. – Já passei por isso. Não voltarei a passar. Para além disso... é um jogo – murmura. – Trata-se de ganhar. Um jogo que sempre me pareceu muito fácil.

– Ao contrário da vida – respondo para mim mesma, antes de me aperceber de que disse as palavras em voz alta.

– Sim, suponho que sim. – Franze o cenho. – Ainda que seja mais simples contigo.

Mais simples comigo? Abraço-o com força.

– Não pode ser tudo um jogo. És muito filantrópico.

Ele encolhe os ombros e eu percebo que está a ficar desconfortável.

– Com algumas coisas, talvez – concede em voz baixa.

– Adoro o Christian filantrópico – murmuro.

– Só esse?

– Oh, também adoro o Christian megalómano e o Christian maníaco do controlo, o Christian *sexperiente*, o Christian perverso, o Christian romântico, o Christian tímido... a lista é interminável.

– É uma data de Christians.

– Diria que são, pelo menos, cinquenta.

Ele ri-se.

– Cinquenta sombras – murmura, com os lábios junto ao meu cabelo.

– O meu Cinquenta Sombras.

Ele muda de posição, reclina-me a cabeça e beija-me.

– Bem, Sr.ª Sombras, vamos lá ver como está o seu pai.

– Ok.

– Podemos ir dar uma volta?

Estamos de novo no *R8* e eu sinto-me tonta de alegria. O cérebro de Ray regressou ao estado normal – o edema desapareceu. A Dr.ª Sluder decidiu despertá-lo do coma amanhã. Diz que está satisfeita com os progressos que ele tem feito.

– Claro – responde Christian com um sorriso. – É o teu aniversário... podemos fazer tudo o que quiseres.

Oh! O seu tom faz-me virar-me e fitá-lo. Está com os olhos escuros.

– Tudo?

– Tudo.

Quantas promessas consegue incluir numa única palavra?

– Bem, quero conduzir.

– Então conduz, querida.

Ele sorri e eu correspondo-lhe. O meu carro deixa-se guiar como um sonho e, assim que entramos na I-5, carrego subtilmente no acelerador, o que nos encosta a ambos nos espaldares.

– Calma, querida – avisa Christian.

Quando voltamos para Portland, tenho uma ideia.

– Fizeste planos para o almoço? – pergunto a Christian, apalpando o terreno.

– Não. Tens fome? – Parece esperançoso.

– Sim.

– Onde queres ir? É o teu dia, Ana.

– Conheço o sítio ideal.

Estaciono perto da galeria onde José expôs as suas fotos, mesmo ao lado do restaurante Le Picotin, onde fomos depois da inauguração.

Christian sorri.

– Por um minuto, julguei que fosses levar-me àquele bar horrível de onde me telefonaste bêbeda.

– Porque haveria eu de fazer isso?

– Para verificares se as azáleas ainda estão vivas – responde ele, arqueando uma sobrancelha sardónica.

Coro.

– Nem me lembres disso! Para mais… mesmo assim levaste-me para o teu quarto de hotel – replico com um sorriso trocista.

– Foi a melhor decisão que alguma vez tomei – diz ele, com um olhar doce e caloroso.

– Sim. Foi.

Inclino-me para ele e beijo-o.

– Achas que aquele sacana arrogante ainda é empregado de mesa lá?

– Arrogante? Achei-o normal.

– Estava a tentar impressionar-te.

– Bem, conseguiu.

A boca de Christian retorce-se, fingindo-se enojado.

– Vamos descobrir? – sugiro.

– Faça favor, Mrs. Grey.

Depois de almoço e de uma passagem rápida pelo Heathman para irmos buscar o portátil de Christian, voltamos para o hospital. Passo a tarde com Ray, lendo em voz alta um dos manuscritos que me enviaram. O único acompanhamento que tenho é som da maquinaria que o mantém vivo, que o mantém comigo. Agora que sei que está a fazer progressos, posso respirar um pouco mais à vontade e descontrair. Estou esperançosa. Ele só precisa de tempo para ficar bem. Tenho tempo – posso dar-lhe isso. Pergunto-me ociosamente se deverei voltar a tentar ligar à minha mãe, mas decido que o farei mais tarde. Seguro ao de leve a mão de Ray enquanto lhe leio, apertando-a de vez em quando, encorajando-o mentalmente a melhorar. Os seus dedos estão macios e quentes. Ainda tem a marca da aliança no dedo – mesmo passado tanto tempo.

Uma ou duas horas depois – perdi a noção do tempo – levanto a cabeça e vejo Christian, de portátil na mão, aos pés da cama com a enfermeira Kellie.

– Está na hora de irmos, Ana.

Oh. Aperto a mão de Ray com mais força. Não quero deixá-lo.

– Vou dar um banho de esponja a Mr. Steele – diz a enfermeira Kellie.

– Ok – concedo. – Voltamos amanhã de manhã.

Dou um beijo no rosto de Ray e sinto-lhe a barba a despontar, o que é uma sensação estranha que não me agrada. *Continua a melhorar, papá. Adoro-te.*

— Pensei que podíamos jantar lá em baixo. Numa sala privada — diz Christian, com um brilho no olhar enquanto abre a porta da nossa suíte.

— A sério? Queres acabar o que começaste há uns meses?

Ele esboça um sorriso malandro.

— Se tiver muita sorte, Mrs. Grey.

Rio-me.

— Christian, não tenho roupa elegante para vestir.

Ele sorri, estende uma mão e leva-me para o quarto. Abre o armário a fim de revelar um grande saco branco de proteger vestidos, pendurado num cabide.

— Taylor? — pergunto.

— Christian — responde ele, num tom simultaneamente autoritário e magoado, que me faz rir.

Abrindo o fecho, deparo-me com um vestido de cetim azul-escuro e tiro-o. É lindo — justo, com alças finas. Parece pequeno.

— É encantador. Obrigada. Espero que me sirva.

— Vai servir — diz ele, cheio de confiança. — E toma. — Pega numa caixa de sapatos e esboça um sorriso lupino. — Sapatos a condizer.

— Pensas em tudo. Obrigada.

Estico-me e beijo-o.

— Pois penso.

Dá-me ainda mais um saco.

Olho para ele, intrigada. Lá dentro está um corpete preto sem alças com um painel central de renda. Ele acaricia-me o rosto, inclina-me o queixo e beija-me.

— Estou ansioso por to tirar mais logo.

Acabada de sair do banho, lavada, depilada e a sentir-me mimada, sento-me à beira da cama e ligo o secador de cabelo. Christian entra no quarto. Acho que esteve a trabalhar.

418

– Olha, deixa-me fazer isso – diz ele, a apontar para a cadeira diante do toucador.

– Secar-me o cabelo?

Ele acena com a cabeça. Eu pestanejo, surpreendida.

– Anda – diz ele, com um olhar intenso.

Conheço aquela expressão e sei que não devo desobedecer-lhe. Lenta e metodicamente, ele seca-me o cabelo, uma madeixa de cada vez, com a sua perícia habitual.

– Não é a primeira vez que fazes isto – murmuro.

O seu sorriso reflete-se no espelho, mas ele não diz uma palavra e continua a escovar-me o cabelo. Hum... é muito relaxante.

Quando entramos no elevador a caminho do jantar, não estamos sozinhos. Christian está delicioso com uma camisa de linho branco, calças de gangas pretas e um casaco, roupa que o caracteriza. Não traz gravata. As duas mulheres no elevador lançam-lhe olhares de admiração e dirigem-me outros, menos generosos. Disfarço o sorriso. *Sim, senhoras, ele é meu.* Christian dá-me a mão e puxa-me para perto de si enquanto descemos em silêncio até ao *mezzanine.*

Está uma azáfama, cheio de pessoas bem vestidas para a noite, sentadas um pouco por todo o lado a conversar e a beber, começando assim a noite de sábado. Estou agradecida por me enquadrar. O vestido envolve-me, assentando sobre as minhas curvas e mantendo tudo no devido lugar. Tenho de dizer que me sinto... atraente a usá-lo. Sei que Christian aprova.

Ao início, penso que nos encaminhamos para a sala de jantares privados onde discutimos pela primeira vez o contrato, mas ele faz-me passar essa porta e segue para o fundo, onde abre a porta para outra sala forrada com painéis de madeira.

– *Surpresa!*

Oh, céus. Kate e Elliot, Mia e Ethan, Carrick e Grace, Mr. Rodríguez e José, a minha mãe e Bob, todos erguem os copos, num brinde. Fico embasbacada, sem palavras. *Como? Quando?* Consternada, viro-me para Christian e este aperta-me a mão. A minha mãe dá um passo em frente e abraça-me. *Oh, mãe!*

– Querida, estás linda. Feliz aniversário.

– Mãe! – soluço, a corresponder ao seu abraço.

Oh, mamã. Correm-me lágrimas pelo rosto apesar de estar tanta gente ali, e escondo a cara no seu pescoço.

– Querida filha, não chores. O Ray vai ficar bem. É um homem tão forte. Não chores. Não no teu dia de anos. – A voz falha-lhe, mas ela mantém a compostura. Segura-me no rosto e limpa-me as lágrimas com os polegares.

– Pensava que te tinhas esquecido.

– Oh, Ana! Como poderia esquecer-me? Dezassete horas de parto não é uma coisa que se esqueça com facilidade.

Solto um risinho por entre as lágrimas e ela sorri.

– Seca os olhos, querida. Está aqui muita gente que quer partilhar contigo este dia especial.

Fungo, sem querer olhar para mais ninguém na sala, embaraçada e encantada por todos terem feito um esforço tão grande para virem ver-me.

– Como é que chegaram? Quando é que chegaram?

– O teu marido mandou o avião dele para nos trazer, querida.

Ela sorri, impressionada. E eu rio-me.

– Obrigada por teres vindo, mãe. – Ela limpa-me o nariz com um lenço, com um gesto que só lembraria a uma mãe. – Mãe! – insurjo--me, já a recompor-me.

– Assim está melhor. Feliz aniversário, querida.

Ela dá um passo ao lado enquanto todos se põem em fila para me abraçar e dar os parabéns.

– Ele está bem, Ana. A Dr.ª Sluder encontra-se entre os melhores médicos do país. Feliz aniversário, meu anjo. – Grace abraça-me.

– Chora o que quiseres, Ana... a festa é tua. – José abraça-me.

– Feliz aniversário, minha querida. – Carrick sorri, com uma mão a envolver-me o rosto.

– Então, miúda? O teu velhote vai ficar bem. – Elliot passa os braços à minha volta. – Parabéns.

– Pronto. – Dando-me a mão, Christian afasta-me de Elliot. – Já chega de tocar na minha mulher. Vai tocar na tua noiva.

Elliot dirige-lhe um sorriso perverso e pisca o olho a Kate.

Um empregado em que eu ainda não tinha reparado dá-me um copo de champanhe cor-de-rosa e outro a Christian. Este pigarreia.

– Seria um dia perfeito se o Ray estivesse aqui connosco, mas ele não está longe. Está a melhorar e eu sei que quereria que te divertisses, Ana. A todos, obrigado por terem vindo e estarem presentes no aniversário da minha linda mulher, o primeiro de muitos. Parabéns, meu amor.

Christian brinda na minha direção entre um coro de "parabéns" e eu tenho de me controlar para não voltar a chorar.

Observo as conversas animadas à volta da mesa de jantar. É estranho encontrar-me no seio da minha família, como num casulo, sabendo que a vida do homem que considero como um pai depende neste momento de uma máquina ligada no ambiente frio e clínico de uma unidade de cuidados intensivos. Sinto-me alheada de tudo o que se passa à minha volta, mas estou agradecida por todos estarem aqui. Assisto às contendas entre Elliot e Christian, ao humor rápido e caloroso de José, ao entusiasmo de Mia pela comida, enquanto Ethan a observa de esguelha. Parece-me que gosta dela... embora seja difícil ter a certeza. Mr. Rodríguez está recostado, como eu, a seguir as conversas. Está com melhor aspeto. Descansado. José dedica-lhe muita atenção, corta-lhe a comida, mantém-lhe o copo cheio. Sem mãe, ter visto o pai à beira da morte fê-lo dar-lhe ainda mais valor... eu sei.

Olho para a minha mãe. Está muito à vontade, encantadora, divertida, afetuosa. Gosto tanto dela. Não posso esquecer-me de lho dizer. A vida é preciosa, agora tenho noção disso.

– Estás bem? – pergunta Kate, numa voz invulgarmente delicada.

Assinto com a cabeça e aperto-lhe a mão.

– Sim. Obrigada por teres vindo.

– Achas que o Sr. Ricalhaço conseguia manter-me longe de ti no teu dia de anos? E voámos de helicóptero! – diz ela, com um grande sorriso.

– A sério?

– Sim. Todos nós. E pensar que o Christian é capaz de o pilotar. – Aceno com cabeça. – Isso é sensual.

– Sim, eu acho que é.

Sorrimos.

– Vais passar a noite aqui? – pergunto.

– Sim. Vamos todos, acho eu. Não sabias nada acerca disto? – Abano a cabeça. – É discreto, ele, não é?

Assinto com a cabeça.

– O que é que ele te ofereceu?

– Isto.

Levanto a mão para lhe mostrar a pulseira.

– Oh, tão gira!

– Sim.

– Londres, Paris... gelado?

– Não queiras saber.

– Posso adivinhar.

Rimo-nos e eu coro, lembrando-me de Ben & Jerry's & Ana.

– Oh... e um *R8*.

Kate cospe o vinho de uma forma muito pouco atraente e este escorre-lhe pelo queixo, o que nos leva a rir ainda mais.

– É um grande maluco, não é? – comenta ela entre risos.

À sobremesa, sou brindada com um sumptuoso bolo de chocolate de vinte e duas velas prateadas e um coro clamoroso a cantar-me os parabéns. Grace observa Christian a cantar com o resto dos meus amigos e familiares e os seus olhos brilham de emoção. Ao reparar que estou a olhar para ela, sopra-me um beijo.

– Pede um desejo – sussurra-me Christian.

Com um único sopro, apago todas as velas, enquanto desejo fervorosamente que o meu pai melhore. *Papá, fica bem. Por favor, fica bem. Gosto tanto de ti.*

À meia-noite, Mr. Rodríguez e José despedem-se.

– Muito obrigada por terem vindo.

Dou um abraço apertado a José.

– Não teria faltado por nada deste mundo. Estou muito contente por o Ray estar no bom caminho.

– Sim. Tu, o teu pai e o Ray têm de ir pescar com o Christian em Aspen.

422

– Sim? Parece fixe.

José sorri antes de ir buscar o casaco do pai e eu ponho-me de cócoras para me despedir de Mr. Rodríguez.

– Sabes, Ana, houve uma altura... bem, em que eu pensei que tu e o José... – A voz treme-lhe e ele fita-me, com um olhar escuro e intenso, mas afetuoso.

Oh, não.

– Eu gosto muito do seu filho, Mr. Rodríguez, mas vejo-o como um irmão.

– Terias sido uma bela nora. E és. Para os Grey.

Ele sorri com uma expressão melancólica e eu coro.

– Espero que lhe baste ter-me como amiga.

– Claro que sim. O teu marido é um bom homem. Escolheste bem, Ana.

– Acho que sim – sussurro. – Amo-o tanto.

Abraço Mr. Rodríguez.

– Trata-o bem, Ana.

– Tratarei – prometo.

Christian fecha a porta da nossa suíte.

– Enfim, sós – confessa ele, encostando-se à porta a observar-me.

Dou um passo na direção dele e percorro-lhe a lapela do casaco com os dedos.

– Obrigada por este aniversário maravilhoso. És realmente o marido mais atencioso, amável e generoso que existe.

– O prazer é todo meu.

– Sim... o teu prazer. Vamos fazer qualquer coisa a esse respeito – sussurro.

Agarrando-lhe a lapela, puxo-lhe os lábios ao encontro dos meus.

Depois de um pequeno-almoço conjunto, abro todos os meus presentes, após o que me despeço alegremente de todos os Grey e Kavanagh que voltarão para Seattle no *Charlie Tango*. Eu, a minha mãe e Christian encaminhamo-nos para o hospital, com Taylor ao volante, já que não caberíamos os três no meu *R8*. Bob preferiu não se juntar à visita e, secretamente, estou aliviada por isso. Seria muito esquisito e tenho a certeza de que Ray não gostaria que Bob o visse num estado tão debilitado.

Ray está na mesma. Mais barbudo. A minha mãe fica chocada quando o vê e, juntas, choramos um pouco mais.

– Oh, Ray.

Ela aperta-lhe a mão e acaricia-lhe o rosto com delicadeza, deixando-me comovida ao ver o amor que nutre pelo ex-marido. Ainda bem que tenho lenços de papel na mala. Sentamo-nos ao lado dele e eu dou a mão à minha mãe enquanto ela segura na dele.

– Ana, houve uma altura em que este homem foi o centro do meu universo. O Sol nascia e punha-se com ele. Vou amá-lo sempre. Cuidou tão bem de ti.

– Mãe... – engasgo-me.

Ela afaga-me o rosto e ajeita-me uma madeixa atrás da orelha.

– Tu sabes que eu vou sempre gostar do Ray. Aconteceu apenas que nos afastámos. – Suspira. – E eu já não podia viver com ele.

A minha mãe baixa o olhar e fita os dedos e eu pergunto-me se estará a pensar em Steve, o Marido Número Três, de quem não falamos.

– Eu sei que gostas do Ray – sussurro, a secar as lágrimas. – Vão despertá-lo do coma hoje.

– Que bom. Tenho a certeza de que vai ficar bem. É tão teimoso. Acho que foi uma coisa que aprendeste com ele.

Sorrio.

– Tens conversado com o Christian?

– Ele acha que tu és teimosa?

– Creio que sim.

– Hei de dizer-lhe que é uma característica de família. Vocês ficam tão bem juntos. Parecem tão felizes.

– Somos, acho. Estamos a caminho disso, pelo menos. Eu amo-o. Ele é o centro do meu mundo. O Sol também se levanta e põe com ele, para mim.

– É óbvio que ele te adora, querida.

– E eu a ele.

– Não te esqueças de lho dizer. Os homens precisam de ouvir essas coisas, tanto quanto nós.

424

Insisto em acompanhar a minha mãe e Bob ao aeroporto para me despedir deles. Taylor segue no *R8* e Christian conduz o jipe. Lamento que não possam ficar mais tempo, mas têm de regressar a Savannah. É uma despedida chorosa.

– Cuida bem dela, Bob – digo enquanto ele me abraça.

– Claro que sim, Ana. E tu cuida de ti.

– Assim farei. – Viro-me para a minha mãe. – Adeus, mãe. Obrigada por teres vindo – sussurro, com a voz a fraquejar. – Adoro-te tanto.

– Oh, minha querida menina, e eu a ti. O Ray vai ficar bem. Ainda não desenrolou toda a sua meada mortal. Deve haver um jogo dos Mariners que ele não pode perder.

Solto uma risada. Ela tem razão. Decido ler a Ray a secção de desporto do jornal de domingo ao final do dia. Observo-os enquanto sobem os degraus para o jato da GEH. Ela acena-me, com lágrimas nos olhos, e entra no avião. Christian envolve-me os ombros com um braço.

– Vamos voltar, querida – murmura.

– Conduzes tu?

– Claro.

Quando regressamos ao hospital ao final do dia, Ray parece diferente. Demoro um pouco a perceber que o som de sugar e expelir do ventilador desapareceu. Ray está a respirar por si mesmo.

Christian afasta-se, em busca da Dr.ª Sluder ou do Dr. Crowe para obter informações atualizadas, enquanto eu ocupo o lugar habitual junto à cama de Ray, ficando atenta a vigiá-lo.

Abro o *Oregonian* de domingo na secção desportiva e começo a ler conscienciosamente o relato do jogo de futebol dos Sounders contra a equipa de Real Salt Lake. Segundo vou lendo, foi um jogo aguerrido, mas os Sounders foram derrotados por um autogolo, marcado por Kasey Keller. Agarro a mão de Ray com firmeza enquanto leio.

– E o resultado final foi Sounders 1, Real Salt Lake 2.

– Então, Annie, perdemos? Não! – rouqueja Ray e aperta-me a mão. *Papá!*

CAPÍTULO DEZANOVE

Caem-me lágrimas pelo rosto. Ele voltou. O meu papá está de volta.
– Não chores, Annie. – A voz de Ray está rouca. – O que aconteceu?
Seguro-lhe a mão entre as minhas e encosto-a à cara.
– Tiveste um acidente. Estás no hospital de Portland.
Ray franze o sobrolho e eu não sei se é por se sentir pouco à vontade com a minha demonstração de afeto atípica ou por não se lembrar do acidente.
– Queres água? – pergunto-lhe, embora não tenha a certeza de que possa dar-lha. Ele assente com a cabeça, com um ar perplexo. O meu coração anima-se. Levanto-me e debruço-me por cima dele para lhe beijar a testa. – Adoro-te, papá. Bem-vindo de volta.
Ele acena com uma mão, embaraçado.
– E eu a ti, Annie. Água.
Corro até ao posto das enfermeiras, ali perto.
– O meu pai... acordou! – anuncio com um grande sorriso à enfermeira Kellie, que também me sorri.
– Informe a Dr.ª Sluder – diz ela à colega, apressando-se a contornar a secretária.
– Ele quer água.
– Já lha levo.
Volto para junto da cama do meu pai, sentindo-me muitíssimo aliviada. Quando chego, está de olhos fechados, pelo que logo me aflijo, pensando que poderá ter voltado ao coma.
– Papá?
– Estou aqui – balbucia ele e pestaneja quando a enfermeira Kellie aparece com um jarro com raspas de gelo e um copo.
– Olá, Mr. Steele. Chamo-me Kellie e sou a sua enfermeira. A sua filha disse-me que tinha sede.

Na sala de espera, Christian está de olhos fixos no portátil, pro-fundamente concentrado. Levanta a cabeça quando eu fecho a porta.

– Acordou – anuncio.

Ele sorri e toda a tensão acumulada à volta dos seus olhos desa-parece. Oh... não tinha reparado nisso. Terá estado tenso durante todo este tempo? Pousa o computador no cadeirão ao lado, levanta--se e abraça-me.

– Como é que ele está? – pergunta-me enquanto me envolve nos seus braços.

– A falar, com sede e pasmado. Não se lembra do acidente de todo.

– Isso é compreensível. Agora que acordou, quero que seja trans-ferido para Seattle. Assim podemos ir para casa e a minha mãe pode monitorizá-lo.

Já?

– Não sei se ele está em condições de ser transferido.

– Vou falar com a Dr.ª Sluder e ver qual é a opinião dela.

– Sentes saudades de casa?

– Sim.

– Está bem.

– Ainda não paraste de sorrir – diz Christian, quando paro o carro diante do Heathman.

– Estou muito aliviada. E contente.

Christian sorri.

– Que bom.

A luz está a desaparecer e eu estremeço ao sair para a noite fresca e entrego a chave ao empregado. Este fita o meu carro com cobiça e eu não o culpo. Christian passa um braço à minha volta.

– Vamos celebrar? – pergunta-me quando entramos no átrio.

– Celebrar?

– A recuperação do teu pai.

Solto uma risada.

– Oh, isso.

– Senti falta desse som.

Christian beija-me a cabeça.

— Será que podemos jantar no quarto? Sabes, passar uma noite sossegada sem sairmos?

— Claro. Anda.

Dando-me a mão, encaminha-me para os elevadores.

— Estava delicioso — murmuro com satisfação ao empurrar o prato, cheia pela primeira vez em muito tempo. — Eles sabem mesmo como fazer uma bela tarte *tatin*.

Tomei banho há pouco e vesti apenas uma *t-shirt* de Christian e umas cuecas. Ao fundo, o iPod de Christian está em modo aleatório e a cantora Dido trauteia qualquer coisa acerca de bandeiras de tréguas.

Christian fita-me com um ar especulativo. Ainda tem o cabelo molhado do banho e está a usar apenas a sua *t-shirt* preta e umas calças de ganga.

— Ainda não te tinha visto comer tanto desde que aqui chegámos — comenta.

— Estava com fome.

Ele recosta-se na cadeira com um sorriso satisfeito e bebe um gole de vinho branco.

— O que te apetece fazer agora? — pergunta numa voz suave.

— O que é que tu queres fazer?

Ele arqueia uma sobrancelha, divertido.

— O que quero fazer sempre.

— E isso é...?

— Mrs. Grey, não seja pudica.

Esticando o braço por cima da mesa de jantar, agarro-lhe na mão, viro-a e passo o dedo indicador pela palma.

— Gostava que me tocasses com este — digo, a percorrer-lhe o dedo indicador.

Ele mexe-se na cadeira.

— Só com esse?

O seu olhar escurece e aquece de imediato.

— Talvez com este? — Passo o dedo pelo seu dedo do meio e de novo até à palma da mão. — E com este. — Com a unha, percorro-lhe o dedo anelar. — Este é muito *sexy*.

– Ai, é?

– É mesmo. Diz: *Este homem é meu.*

E deslizo o dedo pelo pequeno calo que já se formou na palma da sua mão abaixo da aliança. Ele inclina-se para a frente e segura-me o queixo com a outra mão.

– Mrs. Grey, está a seduzir-me?

– Espero que sim.

– Anastasia, já me tens – diz numa voz grave. – Anda cá. – Puxa-me a mão para me sentar ao colo dele. – Gosto de ter acesso ao teu corpo sem barreiras.

Desliza uma mão pela minha coxa até ao meu traseiro. Agarra-me a nuca com a outra mão e beija-me, mantendo-me firme e quieta.

Sabe a vinho branco, a tarte de maçã e a Christian. Eu passo os dedos pelo seu cabelo, puxando-o para mim enquanto as nossas línguas vão explorando, se vão remexendo e enrolando-se à volta uma da outra e o meu sangue começa a aquecer. Estamos sem fôlego quando Christian se afasta.

– Vamos para a cama – murmura, de novo com os lábios encostados aos meus.

– Cama?

Ele afasta-se mais e puxa-me o cabelo para que eu fique a olhar para ele.

– Onde preferiria, Mrs. Grey?

Encolho os ombros, fingindo-me indiferente.

– Surpreenda-me.

– Esta noite está atrevida.

Desce o nariz pela cana do meu.

– Se calhar preciso de ser amarrada.

– Se calhar precisa. Está a ficar muito mandona com a idade avançada.

Estreita os olhos, mas não consegue disfarçar o humor latente.

– O que vai fazer quanto a isso? – desafio.

Os seus olhos brilham.

– Eu sei o que gostaria de fazer quanto a isso. Não sei é se está a fim.

– Oh, Mr. Grey, tem-me tratado com muita delicadeza nos últimos dois dias. Não sou feita de vidro, sabe?

– Não gostas de delicadeza?

– Contigo, claro que gosto. Mas, sabes... a variedade é o condimento da vida – digo, a pestanejar.

– Queres uma coisa menos delicada?

– Uma coisa revitalizante.

Ele arqueia as sobrancelhas, surpreendido.

– Revitalizante – repete, com humor e perplexidade na voz.

Aceno com a cabeça. Ele fita-me por um instante.

– Não mordas o lábio – sussurra, após o que se levanta de repente, comigo nos seus braços. Arquejo e agarro-me aos bíceps dele, com medo de que me deixe cair. Ele avança até à poltrona mais pequena das três que existem na suíte e deposita-me nela.

– Espera aqui. Não te mexas.

Lança-me um olhar breve e intenso antes de virar costas, dirigindo-se à casa de banho. Oh... Christian descalço. Porque serão os seus pés tão sensuais? Volta pouco depois, apanhando-me de surpresa ao debruçar-se por trás de mim.

– Acho que podemos dispensar isto. – Agarra-me na *t-shirt* e tira-ma, deixando-me apenas de cuecas. Puxa-me o rabo-de-cavalo para trás e beija-me. – Levanta-te – ordena contra os meus lábios. Estende uma toalha no sofá.

Toalha?

– Despe as cuecas.

Eu engulo em seco, mas obedeço e deixo-as cair ao lado da poltrona.

– Senta-te. – Volta a agarrar-me o rabo-de-cavalo e a puxar-me a cabeça para trás. – Vais dizer-me se isto for demasiado, sim?

Aceno com a cabeça.

– Diz. – A sua voz é severa.

– Sim – guincho.

Ele esboça um sorriso trocista.

– Bom. Então, Mrs. Grey... tendo em conta os pedidos recebidos, vou amarrá-la. – A sua voz decresce de volume até se tornar um sussurro ofegado. O desejo percorre-me o corpo como um relâmpago, ao ouvir aquelas palavras. Oh, meu querido Cinquenta... na poltrona? – Puxa os joelhos para cima – ordena-me em voz baixa. – E encosta-te.

Eu apoio os pés na borda da poltrona, com os joelhos à frente. Ele leva a mão à minha perna direita e, tirando o cinto de um dos roupões de banho, ata uma ponta por cima do meu tornozelo.

– Roupões?

– Estou a improvisar.

Torna a esboçar aquele sorriso e aperta o nó corredio acima do meu tornozelo e a outra ponta do cinto macio ao pé de trás da poltrona, a fim de me manter as pernas abertas.

– Não te mexas – avisa-me e repete o processo com a minha perna direita, atando a ponta desse cinto ao outro pé da poltrona.

Oh, céus... Estou sentada, esparramada na poltrona, com as pernas bem afastadas.

– Ok? – pergunta ele em voz baixa, fitando-me por trás da poltrona.

Assinto com a cabeça, à espera de que ele me amarre as mãos também. Mas ele contém-se. Debruça-se e beija-me.

– Nem imaginas como estás sensual – murmura e esfrega o nariz no meu. – Acho que precisamos de uma música diferente.

Endireita-se e avança descontraidamente até ao *dock* do iPod.

Como é que ele faz isto? Aqui estou, atada e excitada até mais não, enquanto ele se mantém relaxado e calmo. Continua no meu campo de visão, pelo que observo o movimento dos músculos das suas costas enquanto ele muda a música. De imediato, a voz doce e quase infantil de uma mulher começa a cantar e o tema da canção é estar a ser observada.

Oh, gosto desta música.

Christian vira-se e os seus olhos fitam os meus enquanto ele dá a volta até à frente da poltrona e se ajoelha graciosamente diante de mim.

Subitamente, sinto-me muito exposta.

– Exposta? Vulnerável? – pergunta-me, com a sua capacidade desconcertante de dar voz às minhas palavras não proferidas.

Está com as mãos pousadas nos joelhos. Aceno com a cabeça. Porque não me toca?

– Bom – murmura. – Estende as mãos.

Não sou capaz de desviar o olhar dos seus olhos hipnotizantes enquanto faço o que me pede. Christian verte um pouco de um líquido oleoso, que tem num pequeno frasco transparente, em cada uma das minhas palmas das mãos. É aromatizado – com um odor forte, almis-carado e sensual que não consigo definir.

– Esfrega as mãos. – Contorço-me sob o seu olhar ardente e car-regado. – Fica quieta – avisa-me.

Oh, céus.

– Agora, Anastasia, quero que te toques.

Com o caraças.

– Começa pela garganta e vai descendo.

Hesito.

– Não sejas tímida, Ana. Anda. Faz isso.

O humor e o desafio na sua expressão são evidentes, tal como o desejo que sente.

A voz doce canta que não tem nada de doce. Levo as mãos ao pes-coço e deixo-as deslizar até à parte de cima dos meus seios. O óleo fá-las escorregar sem dificuldade pela minha pele. Tenho as mãos quentes.

– Desce mais – murmura Christian, com os olhos a escurecer. Não me toca.

Agarro nos meus seios.

– Brinca contigo.

Oh, céus. Puxo suavemente os mamilos.

– Com mais força – insta-me ele. Está sentado e imóvel entre as minhas coxas, apenas a observar-me. – Como eu faria – acrescenta, com um brilho sombrio nos olhos.

Os músculos da minha barriga contraem-se. Gemo e puxo os mamilos com mais força, sentindo-os a retesarem-se e alongarem-se sob o meu toque.

– Sim. Assim. Outra vez.

Fecho os olhos e puxo com força, rodando e torcendo os mamilos entre os meus dedos. Gemo.

– Abre os olhos.

Pestanejo e olho para ele.

– Outra vez. Quero ver-te. Ver-te a apreciar o teu toque.

Oh, bolas. Repito o processo. Isto é tão... erótico.

– As mãos. Mais para baixo.

Contorço-me.

432

– Fica quieta, Ana. Absorve o prazer. Mais abaixo. – Fala numa voz grave e rouca, tentadora e cativante.

– Faz tu – sussurro.

– Oh, farei... em breve. Agora tu. Mais abaixo.

Christian, emanando sensualidade, passa a língua pelos dentes. *Grande porra...* Retorço-me, puxando as amarras. Ele abana a cabeça devagar.

– Quieta. – Pousa as mãos nos meus joelhos para me manter no lugar. – Anda, Ana... desce mais.

As minhas mãos deslizam até à barriga.

– Mais abaixo – boqueja ele e é a carnalidade personificada.

– Christian, por favor.

As mãos dele deslizam dos meus joelhos e percorrem-me as coxas, avançando na direção do meu sexo.

– Anda, Ana. Toca-te.

Roço a minha mão esquerda no meu sexo e fricciono num círculo lento, com a boca em forma de O enquanto ofego.

– Outra vez – sussurra ele.

Gemo mais e repito o movimento, lançando a cabeça para trás, a arquejar.

– Outra vez.

Gemo bem alto e Christian inspira bruscamente. Agarrando-me nas mãos, inclina-se para a frente e sobe e desce com o nariz e depois a língua pelo meio das minhas coxas.

– Ah!

Quero tocar-lhe mas, quando tento mexer as mãos, os seus dedos apertam-me os pulsos.

– Também te prendo estes. Fica quieta.

Gemo. Ele solta-me e depois insere os dois dedos do meio em mim, com a base da palma da mão encostada ao meu clítoris.

– Vou fazer com que te venhas depressa, Ana. Estás pronta?

– Sim – ofego.

Ele começa a mexer os dedos, a mão, para cima e para baixo, rapidamente, atacando tanto o ponto sensível dentro de mim como o meu clítoris. Ah! A sensação é intensa – mesmo intensa. O prazer cresce e espraia-se pela parte inferior do meu corpo. Quero esticar as pernas, mas não posso. As minhas mãos arrepanham a toalha debaixo de mim.

– Rende-te – sussurra Christian.

Expludo à volta dos seus dedos, soltando gritos incoerentes. Ele pressiona o pulso contra o meu clítoris enquanto os arrepios me percorrem o corpo, prolongando a agonia deliciosa. Tenho a vaga noção de que está a soltar-me as pernas.

– É a minha vez – murmura ele e vira-me, de modo a que fique com a cara na poltrona e os joelhos no chão.

Afasta-me as pernas e dá-me uma palmada forte na nádega.

– Ah! – grito e ele arremete contra mim.

– Oh, Ana – silva por entre dentes cerrados ao começar a mover-se. Os seus dedos agarram-me as ancas com força à medida que vai investindo, uma e outra vez. E o prazer começa a crescer de novo. *Não... Ah...*

– Vem-te, Ana! – grita Christian e eu desfaço-me de novo, pulsando em redor dele e gritando enquanto me venho.

– Foi suficientemente revitalizante para ti? – pergunta-me, a beijar-me o cabelo.

– Oh, sim – murmuro, com os olhos postos no teto.

Estou deitada em cima do meu marido, de costas para ele, e ambos estamos no chão ao lado da poltrona. Ele continua vestido.

– Acho que devíamos fazer isto de novo. Desta vez, contigo despido.

– Céus, Ana. Deixa o homem respirar.

Eu rio-me e ele abafa o riso.

– Estou contente por o Ray ter despertado. Parece que todos os teus apetites voltaram – diz ele, sem disfarçar o sorriso na voz.

Eu viro-me e faço uma expressão de desdém.

– Estás a esquecer-te de ontem à noite e de hoje de manhã? – pergunto, a fazer beicinho.

– Não houve nada nessas duas ocasiões que merecesse ser esquecido. – Ele sorri e, assim, parece tão jovem, despreocupado e feliz. Agarra-me no traseiro. – Tem um rabo fabuloso, Mrs. Grey.

– Também o senhor. – Ergo uma sobrancelha. – Ainda que o seu continue tapado.

– E o que vai fazer para resolver isso?

– Ora, vou despi-lo, Mr. Grey. Todo.

Ele sorri.

– E eu acho que tu és muito doce – murmuro, referindo-me à música que toca sem cessar. O seu sorriso desaparece. *Oh, não.* – És. – Aproximo-me dele e beijo-lhe o canto da boca. Ele fecha os olhos e aperta os braços à minha volta. – Christian, és. Tornaste este fim de semana tão especial... apesar de tudo o que aconteceu ao Ray. Obrigada.

Ele abre os olhos grandes, cinzentos e sérios, e a sua expressão comove-me.

– Porque te amo – murmura.

– Eu sei. Também te amo. – Acaricio-lhe o rosto. – E tu és muito precioso para mim. Sabes disso, não sabes?

Ele continua a parecer perdido.

Oh, Christian... meu querido Cinquenta.

– Acredita em mim – sussurro.

– Não é fácil. – A sua voz é quase inaudível.

– Tenta. Tenta mesmo, porque é verdade.

Torno a afagar-lhe o rosto, com os dedos a roçar nas suas patilhas. Os seus olhos são oceanos cinzentos de perda, mágoa e dor. Quero abarcar-lhe o corpo e embalá-lo. Qualquer coisa que ponha fim àquele ar. Quando se aperceberá de que é o meu mundo? Que é mais do que merecedor do meu amor, do amor dos seus pais – dos seus irmãos? Já lho disse vezes sem conta e, no entanto, cá estamos nós com Christian a fitar-me com o seu ar perdido e abandonado. Tempo. É só uma ques-tão de tempo.

– Vais arrefecer. Anda.

Põe-se de pé com elegância e puxa-me para me levantar. Eu passo um braço à sua volta e caminhamos até ao quarto. Não vou pressioná--lo mas, desde o acidente de Ray, tornou-se ainda mais importante para mim que ele saiba o quanto o amo.

Quando entramos no quarto, eu franzo o sobrolho, desesperada por recuperar a disposição aligeirada e muito desejada que tínhamos alcançado pouco antes.

– E se víssemos televisão? – sugiro.

Christian resfolega.

— Eu estava com esperanças de irmos à segunda volta.

E o meu inconstante Cinquenta está de volta. Arqueio as sobrancelhas e paro junto à cama.

— Bem, nesse caso, acho que vou ser eu a mandar.

Ele fita-me boquiaberto e eu empurro-o para a cama, onde rapidamente o monto, segurando-lhe as mãos ao lado da cabeça. Ele sorri-me.

— Bem, Mrs. Grey, agora que me tem, o que me vai fazer?

Eu debruço-me e sussurro-lhe ao ouvido:

— Vou foder-te com a boca.

Ele fecha os olhos, inspirando profundamente, e eu percorro-lhe o maxilar ao de leve com os dentes.

Christian está a trabalhar ao computador. A manhã está luminosa e ele está a escrever um *e-mail*, segundo me parece.

— Bom dia — murmuro timidamente à porta do quarto.

Ele vira-se e sorri-me.

— Mrs. Grey. Acordou cedo.

Estende-me os braços e corro pela suíte para o seu colo.

— Tal como o senhor.

— Estava só a trabalhar — diz ele, mudando de posição e beijando-me a cabeça.

— O que foi? — pergunto, pressentindo que algo se passa.

Ele suspira.

— Recebi um *e-mail* do detetive Clark. Quer falar contigo acerca do cabrão do Hyde.

— A sério?

Chego-me para trás para o encarar.

— Sim. Disse-lhe que por enquanto vais ficar em Portland, pelo que ele teria de esperar. Mas ele diz que gostaria de te interrogar aqui.

— Vem cá?

— Parece que sim.

Christian está com um ar intrigado e eu franzo o sobrolho.

— O que será tão importante que não possa esperar?

— Exatamente.

– Quando é que vem?

– Hoje. Vou responder-lhe ao *e-mail*.

– Não tenho nada a esconder. Mas o que será que ele quer saber?

– Havemos de descobrir quando ele chegar. Também estou intrigado. – Christian volta a mudar de posição. – O pequeno-almoço deve estar a chegar. Vamos comer e depois podemos ir ver o teu pai.

Aceno com a cabeça.

– Podes ficar aqui, se quiseres, estou a ver que estás ocupado.

Ele faz um esgar.

– Não, quero ir contigo.

– Está bem.

Sorrio, passo-lhe os braços à volta do pescoço e beijo-o.

Ray está de mau humor. Que alegria. Tem comichão, está impaciente e desconfortável.

– Pai, tiveste um grande acidente de carro. Vais demorar tempo a recuperar. Eu e o Christian queremos levar-te para Seattle.

– Não sei porque hão de ter esse trabalho todo comigo. Vou ficar bem aqui sozinho.

– Não sejas ridículo.

Aperto-lhe a mão com ternura e ele tem a graciosidade de me sorrir.

– Precisas de alguma coisa?

– Bem que atacava um *donut*, Annie.

Sorrio-lhe com indulgência.

– Trago-te um ou dois. Podemos ir à Voodoo.

– Boa!

– E também queres um café decente?

– Ah, se quero!

– Ok, nós trazemos-te.

Christian está de novo na sala de espera, a falar ao telemóvel. Devia mesmo instalar um escritório aqui. Por estranho que pareça, encontra-se sozinho, embora as outras camas da unidade de cuidados intensivos estejam ocupadas. Fico a pensar se terá espantado as outras visitas. Desliga.

– O Clark chega por volta das quatro da tarde.

Franzo o sobrolho. O que poderá ser tão urgente?

– Ok. O Ray quer café e *donuts*.

Christian ri-se.

– Acho que eu também quereria isso, se tivesse tido um acidente. Pede ao Taylor que vá buscar.

– Não, eu vou.

– Leva o Taylor contigo. – A sua voz é severa.

– Ok.

Reviro os olhos e ele lança-me um olhar de censura. Depois esboça um sorriso travesso e inclina a cabeça para um lado.

– Não está aqui ninguém. – Fala numa voz deliciosamente baixa e eu percebo que está a ameaçar espancar-me.

Estou prestes a desafiá-lo quando um casal jovem entra na sala. Ela chora discretamente. Encolho os ombros em jeito de desculpa e ele acena com a cabeça. Agarra no seu portátil, dá-me a mão e sai comigo.

– Eles precisam mais de privacidade do que nós – murmura. – Divertimo-nos mais tarde.

Lá fora, Taylor aguarda pacientemente.

– Vamos buscar café e *donuts*.

Às quatro em ponto, batem à porta da suíte. Taylor deixa o detetive Clark entrar: parece estar mais mal-humorado do que é costume. A verdade é que parece sempre mal-humorado. Talvez o seu rosto seja assim.

– Mr. Grey, Mrs. Grey, obrigado por me receberem.

– Detetive Clark.

Christian dá-lhe um aperto de mão e indica-lhe um lugar. Eu sento-me na poltrona onde gozei tanto ontem à noite. A ideia faz-me corar.

– É com Mrs. Grey que desejo falar – diz Clark num tom determinado a Christian e a Taylor, que se encontra ao lado da porta.

Christian olha de relance para Taylor, que se vira e sai, fechando a porta atrás de si.

– Seja o que for que queira dizer à minha mulher, poderá dizê-lo à minha frente. – A voz de Christian é despachada e profissional.

O detetive Clark vira-se para mim.

– Tem a certeza de que quer que o seu marido esteja presente?

Eu franzo o sobrolho.

– Com certeza. Não tenho nada a esconder. É só a mim que quer interrogar?

– Sim, minha senhora.

– Gostaria que o meu marido ficasse.

Christian senta-se ao meu lado, irradiando tensão.

– Muito bem – murmura Clark, resignado. Pigarreia. – Mrs. Grey, Mr. Hyde afirma que a senhora o assediou sexualmente e que fez vários avanços lascivos para o seduzir.

Oh! Quase desato a rir, mas pouso a mão na coxa de Christian para o restringir, pois ele chega-se para a frente na poltrona.

– Isso é absurdo – riposta Christian.

Aperto-lhe a perna para o silenciar.

– Isso não é verdade – declaro calmamente. – De facto, aconteceu o oposto. Ele fez-me várias propostas bastante insistentes e foi despedido.

A boca do detetive Clark contrai-se por um breve instante numa linha fina antes de prosseguir:

– O Hyde alega que a senhora inventou uma história sobre assédio sexual para que ele fosse despedido. Diz que o fez porque ele rejeitou os seus avanços e porque a senhora queria o emprego dele.

Franzo o sobrolho. *Com o caraças.* Jack alucina ainda mais do que eu julgava.

– Isso não é verdade. – Abano a cabeça.

– Senhor detetive, por favor não me diga que fez uma viagem tão longa para importunar a minha mulher com estas acusações ridículas.

O detetive Clark concentra o seu olhar firme e azul em Christian.

– Preciso de ouvir isto da parte de Mrs. Grey, senhor – diz ele, num tom contido.

Eu volto a apertar a perna de Christian, implorando-lhe em silêncio que mantenha a calma.

– Não tens de ouvir estas merdas, Ana.

– Eu acho que deveríamos contar ao detetive Clark o que aconteceu.

Christian fita-me com uma expressão impassível e depois faz um gesto de resignação.

– O que o Hyde está a dizer não corresponde pura e simplesmente à verdade. – A minha voz parece calma, embora eu me sinta tudo menos tranquila. Estou perplexa com estas acusações e nervosa por Christian poder explodir. *O que pretenderá o Jack?* – Mr. Hyde abordou-me na copa do escritório ao final de um dia. Disse-me que era graças a ele que eu tinha sido contratada e que esperava favores sexuais em troca. Tentou chantagear-me, servindo-se de *e-mails* que eu tinha enviado ao Christian que, na altura, não era meu marido. Eu não sabia que o Hyde me espiava o correio eletrónico. Ele sofre de alucinações... até me acusou de ser uma espia enviada por Christian, supostamente para o ajudar a adquirir a empresa. Ele não sabia que o Christian já tinha comprado a SIP. – Abano a cabeça enquanto recordo o meu encontro perturbador e tenso com Hyde. – No fim, eu... eu abati-o.

As sobrancelhas de Clark arqueiam-se de surpresa.

– Abateu-o?

– O meu pai é ex-militar. O Hyde... hum, tocou-me e eu sei defender-me.

Christian olha de relance para mim com uma expressão de orgulho.

– Compreendo.

Clark recosta-se na poltrona e solta um grande suspiro.

– Contactaram alguma das anteriores assistentes pessoais do Hyde? – pergunta Christian, num tom quase jovial.

– Sim, contactámos. Mas a verdade é que não conseguimos que nenhuma delas fale realmente connosco. Todas dizem que foi um chefe exemplar, ainda que nenhuma tenha permanecido mais de três meses no emprego.

– Nós também nos deparámos com esse problema – murmura Christian.

Hã? Olho boquiaberta para Christian, tal como o detetive Clark.

– O responsável pela minha equipa de segurança. Ele interrogou as últimas cinco assistentes pessoais do Hyde.

– Por que motivo?

Christian fita-o com um olhar férreo.

– Porque a minha mulher trabalhava para ele e eu passo vistorias a toda a gente com quem ela trabalha.

O detetive Clark ruboresce. Eu encolho os ombros e ofereço-lhe um sorriso de bem-vindo-ao-meu-mundo.

– Compreendo – murmura Clark. – Parece-me que há aqui coisas que não estamos a ver, Mr. Grey. Amanhã procederemos a uma revista mais exaustiva ao apartamento dele, por isso talvez surja alguma coisa. Ainda que, segundo tudo indica, ele já não viva lá há algum tempo.

– Já revistaram a casa?

– Sim. Vamos fazê-lo de novo. Desta vez, em busca de impressões digitais.

– Ainda não o acusaram por ter tentado assassinar-me e à Ros Bailey? – pergunta Christian em voz baixa.

O quê?

– Esperamos encontrar mais provas em relação à sabotagem do seu helicóptero, Mr. Grey. Precisamos de mais do que uma impressão digital parcial e, enquanto ele se encontra em prisão preventiva, podemos reunir argumentos para levar o caso a tribunal.

– Foi só por isto que aqui veio?

Clark mostra-se enervado.

– Sim, Mr. Grey, foi. A menos que lhe tenha ocorrido algo mais sobre a nota?

Nota? Qual nota?

– Não. Já lhe disse. Não vejo qualquer significado nela. – Christian não consegue ocultar a irritação. – E não percebo por que motivo não podíamos ter tratado disto por telefone.

– Acho que lhe disse que prefiro uma abordagem pessoal. E vou visitar a minha tia-avó, que vive em Portland: dois coelhos... uma cajadada.

Clark permanece com uma expressão pétrea, nada perturbado pelo mau humor do meu marido.

– Bem, se é tudo, tenho de voltar ao trabalho.

Christian levanta-se e o detetive Clark percebe a deixa.

– Obrigado pelo tempo que me dispensou, Mrs. Grey – agradece num tom educado. Eu assinto com a cabeça. – Mr. Grey.

Christian abre a porta e Clark sai. Eu afundo-me na poltrona.

– Dá para acreditar no sacana? – explode Christian.

– No Clark?

– Não. Naquele cabrão, o Hyde.

– Não, não dá.

– Mas que porra está ele a fazer? – sussurra Christian por entre dentes cerrados.

– Não sei. Achas que o Clark acreditou em mim?

– Claro que sim. Ele sabe que o Hyde é um sacana passado dos cornos.

– Estás muito praguejador.

– Praguejador? – Christian esboça um sorriso sardónico. – Essa palavra existe?

– Se não existe, passa a existir.

Inesperadamente, ele sorri e senta-se ao meu lado, puxando-me para os seus braços.

– Não penses naquele cabrão. Vamos ver o teu pai e tentar convencê--lo a ser transferido amanhã.

– Ele mostrou-se inflexível quanto a querer ficar em Portland e não se transformar num fardo.

– Eu falo com ele.

– Quero viajar com ele.

Christian fita-me e, por um instante, penso que vai recusar.

– Ok. Eu também vou. O Sawyer e o Taylor podem levar os carros. Vou deixar o Sawyer conduzir o teu *R8* hoje à noite.

No dia seguinte, Ray está a examinar o seu novo ambiente – um quarto arejado e luminoso no centro de reabilitação do Northwest Hospital, em Seattle. É meio-dia e ele parece ensonado. A viagem – de helicóptero, ainda por cima – deixou-o exausto.

– Diz ao Christian que agradeço – pede-me em voz baixa.

– Podes agradecer-lhe pessoalmente. Ele passa por cá ao final do dia.

– Não vais trabalhar?

– Acho que vou. Só queria assegurar-me de que ficavas bem instalado aqui.

– Vai andando. Não precisas de te preocupar comigo.

– Eu gosto de me preocupar contigo.

O meu BlackBerry vibra. Verifico o número – não o reconheço.

— Não vais atender? — pergunta Ray.

— Não. Não sei quem é. Podem deixar mensagem. Trouxe-te coisas para leres.

Aponto para a pilha de revistas desportivas que deixei na mesa de cabeceira dele.

— Obrigado, Annie.

— Estás cansado, não estás?

Ele acena com a cabeça.

— Vou deixar-te dormir. — Dou-lhe um beijo na testa. — Até logo, papá — murmuro.

— Adeusinho, querida. E obrigado. — Ray segura-me a mão e aperta-a com delicadeza. — Gosto de que me chames "papá". Faz-me recuar no tempo.

Oh, papá. Correspondo-lhe com outro aperto na mão.

Enquanto avanço para a saída do hospital para ir para o todo-o--terreno onde Sawyer me espera, ouço alguém a chamar-me.

— Mrs. Grey! Mrs. Grey!

Ao virar-me, vejo que a Dr.ª Greene corre na minha direção, tão imaculada como sempre, ainda que um pouco ruborizada.

— Mrs. Grey, como está? Recebeu a minha mensagem? Telefonei--lhe há pouco.

— Não.

Sinto o couro cabeludo a arrepiar-se.

— Bem, fiquei espantada por ter cancelado quatro consultas.

Quatro consultas? Fito-a, de queixo caído. *Faltei a quatro consultas! Como?*

— Talvez seja melhor falarmos sobre isto no meu gabinete. Ia sair agora para almoçar... tem tempo?

Aceno docilmente com a cabeça.

— Com certeza. Eu... — Não sei o que dizer. Faltei a quatro consultas? *Tenho a injeção em atraso. Merda.*

Num torpor, sigo-a pelo hospital e até ao seu gabinete. Como é possível que tenha faltado a quatro consultas? Tenho uma vaga ideia de uma delas ter sido adiada — Hannah mencionou-o — mas *quatro*?

Como posso ter perdido quatro?

O gabinete da Dr.ª Greene é espaçoso, minimalista e com pormenores bem escolhidos.

— Estou tão agradecida por me ter apanhado antes de eu me ir embora — balbucio, ainda em estado de choque. — O meu pai teve um acidente de carro e acabámos de o trazer de Portland.

— Oh, lamento muito. Como é que ele está?

— Está bem, obrigada. A recuperar.

— Ainda bem. Isso explica por que razão cancelou a consulta de sexta-feira.

A Dr.ª Greene mexe o rato sobre a secretária e o computador desperta.

— Sim... já passaram mais de treze semanas. Está mesmo no limite. É melhor fazermos um teste antes de lhe dar outra injeção.

— Um teste? — sussurro, com todo o sangue a fugir-me da cabeça.

— Um teste de gravidez.

Oh, não.

Ela abre uma gaveta da secretária.

— Sabe o que fazer com isto. — Passa-me um pequeno recipiente. — A casa de banho fica mesmo ao lado do gabinete.

Levanto-me como se estivesse em transe, com o corpo todo a funcionar em piloto automático, e cambaleio até à casa de banho.

Merda, merda, merda, merda, *merda.* Como posso ter deixado isto acontecer... de novo? De repente, sinto-me maldisposta e entoo uma prece silenciosa. *Por favor, não. Por favor, não. É demasiado cedo. É demasiado cedo. É demasiado cedo.*

Quando volto ao gabinete da Dr.ª Greene, ela dirige-me um sorriso tenso e faz-me sinal para que me sente na cadeira diante da sua secretária. Sento-me e entrego-lhe a amostra sem dizer nada. Ela mergulha uma pequena tira na amostra e observa. Arqueia as sobrancelhas à medida que a tira vai ficando azul.

— O que significa o azul? — A tensão quase me sufoca.

Ela levanta a cabeça e fita-me com um olhar sério.

— Bem, Mrs. Grey, significa que está grávida.

O quê? Não. Não. Não. Merda.

CAPÍTULO VINTE

Fico boquiaberta a olhar para a Dr.ª Greene, sentindo o mundo a ruir à minha volta. Um bebé. Um bebé. Não quero um bebé... ainda. *Merda*. E, no meu íntimo, sei que Christian se vai passar.

– Mrs. Grey, está muito pálida. Quer um copo de água?

– Por favor.

A minha voz é quase inaudível. Tenho a mente a mil. Engravidei? Quando?

– Depreendo que está surpreendida.

Aceno com a cabeça à médica, mantendo-me em silêncio enquanto ela me enche um copo do seu dispensador de água convenientemente colocado no gabinete. O gole que dou sabe-me bem.

– Chocada – sussurro.

– Podemos fazer uma ecografia para ver quão avançada está a gravidez. A julgar pela sua reação, desconfio que só tenham decorrido uma ou duas semanas desde a conceção... no máximo, estará grávida há quatro ou cinco semanas. Presumo que não tenha tido sintomas que a incomodem?

Abano a cabeça, de novo em silêncio. *Sintomas?* Não me parece.

– Eu achava... eu achava que este era um método anticoncetivo fiável.

A Dr.ª Greene arqueia uma sobrancelha.

– Regra geral, é, *se* não se esquecer de tomar a injeção – responde num tom calmo.

– Devo ter perdido a noção do tempo.

O Christian vai-se passar. Eu sei.

– Não teve qualquer hemorragia?

Franzo o sobrolho.

– Não.

– Isso é normal com o DIU. Façamos uma ecografia, sim? Tenho tempo.

Assinto com a cabeça, estupefacta, e a Dr.ª Greene encaminha-me para uma maca de cabedal preto por trás de um biombo.

– Vou pedir-lhe que dispa a saia e a roupa interior e que se tape com a manta que está em cima da maca para começarmos – diz num tom despachado.

Roupa interior? Pensava que a ecografia me examinaria a barriga. Porque será necessário tirar as cuecas? Consternada, encolho os ombros, após o que me apresso a cumprir as ordens da médica e a deitar-me sob a manta branca e macia.

– Está bem assim.

A Dr.ª Greene aparece aos pés da maca, puxando a máquina de ecografias para mais perto de mim. É um conjunto de computadores muito sofisticado. Sentando-se, posiciona o ecrã de forma a que ambas possamos vê-lo e mexe na bola de controlo que o teclado tem incorporada. O ecrã ganha vida.

– Importa-se de levantar as pernas, dobrar os joelhos e afastá-los? – pede-me ela sem rodeios. – Franzo o sobrolho, receosa. – Vamos fazer uma ecografia transvaginal. Se acabou de engravidar, devemos conseguir encontrar o bebé com isto.

Mostra-me uma sonda branca e comprida.

Oh, só pode estar a brincar!

– Ok – balbucio, mortificada, e faço o que me diz.

Greene protege a sonda com um preservativo e lubrifica-o com um gel transparente.

– Mrs. Grey, se puder descontrair...

Descontrair? Estou grávida, raios partam! Como é que espera que descontraia? Coro e esforço-me por me deixar levar para o meu lugar feliz... que mudou de localização, passando para algures perto da ilha perdida da Atlântida.

Lenta e delicadamente, ela insere a sonda.

Grande porra!

Tudo o que vejo no ecrã é o equivalente visual a ruído branco – embora a cor seja mais sépia. Devagar, a Dr.ª Greene vai movendo a sonda, o que é muito desconcertante.

– Ali – murmura ela.

Carrega num botão que captura a imagem no ecrã e aponta para um ponto minúsculo na tempestade sépia.

É um pontinho. Tenho um pontinho minúsculo na barriga. Minúsculo. *Uau.* Esqueço o desconforto enquanto fito o ponto com um ar embasbacado.

– É demasiado cedo para vermos a batida cardíaca, mas sim, está mesmo grávida. Há quatro ou cinco semanas, diria. – Franze o sobrolho. – Parece que a injeção perdeu efeito mais cedo. Oh, bem, isso às vezes acontece.

Estou demasiado atónita para dizer o que quer que seja. O pontinho é um bebé. Um bebé a sério. Filho do Christian. Meu filho. Com o caraças. *Um bebé!*

– Quer que lhe faça uma impressão?

Aceno com a cabeça, ainda sem conseguir falar, e a Dr.ª Greene carrega num botão. Depois remove a sonda com cuidado e passa-me um toalhete para que me limpe.

– Parabéns, Mrs. Grey – diz enquanto me sento. – Teremos de marcar outra consulta. Sugiro daqui a quatro semanas. Então poderemos calcular com mais exatidão a idade do seu bebé e prever a data do parto. Já pode vestir-se.

– Está bem.

Estou atordoada e visto-me à pressa. Tenho um ponto, um pontinho. Quando saio de trás do biombo, a Dr.ª Greene está de novo à secretária.

– Entretanto, vou passar-lhe uma receita porque gostaria que começasse a tomar ácido fólico e vitaminas pré-natais. E aqui está um panfleto com o que deve e o que não deve fazer.

Enquanto me entrega um frasco com comprimidos e um panfleto, continua a falar comigo, mas eu já não a ouço. Estou em choque. Atónita. Decerto deveria estar contente. Decerto deveria ter trinta anos... no mínimo. É tão cedo... demasiado cedo. Tento abafar a sensação crescente de pânico.

Despeço-me educadamente da Dr.ª Greene, desço as escadas e saio para a tarde fresca de outono. De repente, sou acometida por um frio insinuante e por um mau pressentimento profundo. Christian vai-se passar, eu sei, mas quanto e a que ponto, não faço ideia. As palavras que me disse atormentam-me: *Ainda não estou preparado para te partilhar.* Aperto mais o casaco, numa tentativa de me livrar do frio.

Sawyer salta do jipe e abre-me a porta. Franze o sobrolho ao ver a minha expressão, mas ignoro a sua preocupação.

– Para onde, Mrs. Grey? – pergunta-me num tom delicado.

– Para a SIP.

Aninho-me no assento traseiro do carro, fecho os olhos e encosto a nuca ao apoio para a cabeça. Devia estar feliz. Sei que devia estar feliz. Mas não estou. É muito cedo. Demasiado cedo. E o meu trabalho? E a SIP? E Christian e eu? Não. Não. *Não.* Vamos ficar bem. Ele vai ficar bem. Ele adorava Mia quando esta era bebé – lembro-me de Carrick mo ter dito –, e é-lhe muito dedicado agora. Talvez eu devesse avisar Flynn... Talvez não deva contar a Christian. Talvez... talvez eu devesse pôr fim a isto. Travo os pensamentos antes que prossigam por esse caminho sombrio, alarmada com o rumo que estão a tomar. Por instinto, desço uma mão, que repousa defensivamente sobre a minha barriga. *Não. O meu Pontinho.* Sinto lágrimas nos olhos. O que hei de fazer?

Uma visão de um rapazinho de cabelo acobreado e olhos cinzentos luminosos a correr pelo prado da casa nova invade-me os pensamentos, provocando-me e fascinando-me com possibilidades. Está a rir e a gritar, encantado, enquanto eu e Christian o perseguimos. Christian balouça-o bem alto nos seus braços e leva-o, apoiado numa anca, dando-me a mão para regressarmos a casa.

A visão transforma-se noutra, em que Christian se afasta de mim, repugnado. Estou gorda e desajeitada, a gravidez deixou-me pesada. Ele percorre a longa câmara de espelhos, cada vez mais longe de mim, com o som dos seus passos a ecoar nos espelhos prateados, nas paredes e no chão. *Christian...*

Acordo, sobressaltada. *Não.* Ele vai-se passar.

Quando Sawyer encosta diante da SIP, eu saio muito depressa do carro e entro no edifício.

– Ana, que bom ver-te. Como está o teu pai? – pergunta-me Hannah assim que chego.

Fito-a com um ar calmo.

– Está melhor, obrigada. Podes vir ao meu gabinete?

– Com certeza. – Parece surpreendida enquanto me segue. – Está tudo bem?

– Preciso de saber se adiaste ou cancelaste alguma das minhas consultas com a Dr.ª Greene.

– Com a Dr.ª Greene? Sim, desmarquei umas duas ou três. Sobretudo porque estavas noutras reuniões ou porque chegarias atrasada. Porquê?

Porque agora estou grávida, porra! Grito-lhe mentalmente. Para me acalmar, inspiro profundamente.

– Quando tiveres de fazer alterações na minha agenda, podes assegurar-te de que me avisas? Eu nem sempre consulto a agenda pessoal.

– Claro – responde Hannah num tom submisso. – Peço desculpa. Fiz algo de errado?

Abano a cabeça e solto um grande suspiro.

– Podes trazer-me um chá? Depois vamos falar do que se passou durante a minha ausência.

– Com certeza. Trato já disso.

Mais animada, ela sai do meu gabinete. Fico a observar a sua figura a afastar-se.

– Estás a ver aquela mulher? – digo em voz baixa ao ponto. – Ela pode ser o motivo pelo qual aqui estás.

Dou uma palmadinha na barriga e depois sinto-me uma idiota chapada, por estar a falar com o ponto. *O meu* Pontinho minúsculo. Abano a cabeça, exasperada comigo e com Hannah... embora, no fundo, saiba que não posso culpá-la. Desalentada, ligo o computador. Tenho um *e-mail* de Christian.

———

De: Christian Grey
Assunto: *Fazes-me Falta*
Data: 13 setembro 2011 13:58
Para: Anastasia Grey

Estou de volta ao escritório há apenas três horas e já me fazes falta.
Espero que o Ray tenha ficado bem instalado no quarto novo. A minha

mãe vai vê-lo hoje à tarde e verificará como ele está.

Eu passo por aí por volta das seis e depois podemos ir vê-lo antes de irmos para casa.

Parece-te bem?

O teu marido dedicado,

Christian Grey
CEO, Grey Enterprises Holdings, Inc.

_____

Escrevo uma resposta rápida.

_____

De: Anastasia Grey
Assunto: Fazes-me Falta
Data: 13 setembro 2011 14:10
Para: Christian Grey

Claro.
Bj,

Anastasia Grey
Editora, SIP

_____

De: Christian Grey
Assunto: Fazes-me Falta
Data: 13 setembro 2011 14:14
Para: Anastasia Grey

Estás bem?

Christian Grey

CEO, Grey Enterprises Holdings, Inc.

_____

De: Anastasia Grey
Assunto: Fazes-me Falta
Data: 13 setembro 2011 14:17
Para: Christian Grey

Ótima. Só ocupada.

Vemo-nos às seis.

Bj,

Anastasia Grey

Editora, SIP

_____

Quando lhe hei de contar? Hoje à noite? Talvez depois do sexo? Talvez durante o sexo. Não, isso poderia ser perigoso, tanto para ele como para mim. Quando ele estiver a dormir? Levo as mãos à cabeça. Que raio hei de fazer?

– Olá – cumprimenta-me Christian com desconfiança quando eu entro no todo-o-terreno.

– Olá – murmuro eu.

– O que se passa?

Ele franze o sobrolho e eu abano a cabeça enquanto Taylor dá início à viagem para o hospital.

– Nada.

Talvez agora? Poderia contar-lhe enquanto nos encontramos num espaço fechado e Taylor está connosco.

– Está tudo bem no trabalho? – continua Christian a sondar.

– Sim. Ótimo. Obrigada.

– O que se passa, Ana? – pergunta num tom mais autoritário e eu acobardo-me.

– Tive saudades tuas, só isso. E estou preocupada com o Ray.

Christian descontrai a olhos vistos.

– O Ray está bem. Falei com a minha mãe hoje à tarde e ela está impressionada com os progressos dele. – Christian agarra-me na mão. – Caramba, estás gelada. Comeste alguma coisa?

Coro.

– Ana – censura-me ele, irritado.

Bem, não comi porque sei que te vais passar dos cornos quando te disser que estou grávida.

– Como logo à noite. Não tive mesmo tempo.

Ele abana a cabeça de frustração.

– Queres que acrescente "alimentar a minha mulher" à lista de deveres dos seguranças?

– Desculpa. Vou comer. Foi só um dia estranho. Sabes, com a transferência do meu pai e isso tudo.

Os seus lábios contraem-se numa linha fina, mas ele não diz uma palavra. Quanto a mim, olho pela janela. *Conta-lhe!*, silva o meu subconsciente. Não. Sou uma cobarde.

Christian interrompe-me o devaneio.

– É possível que tenha de ir a Taiwan.

– Oh. Quando?

– No final desta semana. Talvez na próxima.

– Está bem.

– Quero que venhas comigo.

Engulo em seco.

– Christian, por favor. Tenho o meu emprego. Não reavivemos essa discussão.

Ele suspira e faz beicinho como um adolescente amuado.

– Achei que podia convidar-te – resmoneia com petulância.

– Quanto tempo vais ficar lá?

– Uns dois dias, não mais. Quem me dera que me dissesses o que está a incomodar-te.

Como é que ele nota?
– Bem, agora que o meu querido marido vai ausentar-se...
Ele beija-me os nós dos dedos.
– Não ficarei muito tempo longe.
– Bom.
E dirijo-lhe um sorriso ténue.

Ray está muito mais animado e menos resmungão quando chegamos ao seu quarto. Fico comovida com a gratidão tácita que demonstra em relação a Christian e, por um momento, esqueço-me da notícia que tenho para dar e sento-me a ouvi-los conversar acerca de pesca e dos Mariners. Porém, ele fatiga-se depressa.
– Papá, vamos deixar-te dormir.
– Obrigado, querida Ana. Gosto de vos ver. A tua mãe também esteve cá hoje, Christian. Tranquilizou-me muito. E é fã dos Mariners.
– Mas não adora pesca – comenta Christian num tom sardónico.
– Não sei de muitas mulheres que adorem, hã? – sorri Ray.
– Venho ver-te amanhã, está bem?
Dou-lhe um beijo. O meu subconsciente contrai os lábios. *Isso se o Christian não te tiver trancado... ou pior.* A minha disposição abate-se de imediato.
– Anda.
Christian está de mão estendida para mim e a franzir o cenho. Pego na sua mão e deixamos o hospital.

Vou depenicando a comida. É o frango à caçador de Mrs. Jones, mas a verdade é que não tenho fome. Sinto o estômago enovelado numa bola tensa de ansiedade.
– Raios! Ana, vais contar-me o que se passa? – Irritado, Christian afasta o seu prato vazio. Eu olho para ele. – Por favor. Estás a dar comigo em doido.
Engulo em seco e tento submeter o pânico que me sobe pela garganta. Inspiro profundamente para me acalmar. É agora ou nunca.
– Estou grávida.
Ele estaca e, muito devagar, toda a cor se esvai do seu rosto.

– O quê? – sussurra, exangue.

– Estou grávida.

O seu sobrolho franze-se de incompreensão.

– Como?

Como... *como?* Que espécie ridícula de pergunta é essa? Coro e fito-o com um olhar que diz: "Como é que te parece?"

A sua atitude muda de imediato e o seu olhar endurece.

– A tua injeção? – rosna.

Oh, merda.

– Esqueceste-te de tomar a injeção?

Eu limito-me a fitá-lo, incapaz de falar. Bolas, está furioso – está mesmo furioso.

– Céus, Ana. – Bate com o punho na mesa, o que me assusta, e levanta-se tão abruptamente que quase atira a cadeira ao chão. – Só tens uma coisa, uma coisa de que precisas de te lembrar. Merda! Não acredito, porra. Como pudeste ser tão estúpida?

Estúpida! Arquejo. Merda. Quero dizer-lhe que a injeção não surtiu efeito, mas não encontro as palavras. Baixo a cabeça e olho para os meus dedos.

– Desculpa – sussurro.

– Desculpa? Porra!

– Eu sei que a altura não é a melhor.

– Não é a melhor! – grita ele. – Conhecemo-nos há uns cinco minutos. Queria mostrar-te a porra do mundo e agora... Foda-se. Fraldas e vómito e merda!

Fecha os olhos. Acho que está a tentar conter o temperamento e a perder a batalha.

– Esqueceste-te? Diz-me. Ou fizeste isto de propósito?

Os seus olhos refulgem e a fúria irradia dele como um campo magnético.

– Não – sussurro.

Não posso contar-lhe o que Hannah fez, caso contrário, ele despede-a.

– Pensava que estávamos de acordo quanto a isto! – grita.

– Eu sei. Estávamos. Desculpa.

Ele ignora-me.

– É por isto. É por isto que gosto de controlo. Para que merdas assim não aconteçam e não lixem tudo.

Não... Pontinho.

– Christian, por favor, não grites comigo.

Começam a correr-me lágrimas pelo rosto.

– Não abras as comportas agora – riposta ele. – Porra. – Passa uma mão pelo cabelo e puxa-o. – Achas que estou preparado para ser pai? – A voz falha-lhe, devido a uma mescla de raiva e pânico.

Então, tudo se torna claro, o medo e a aversão espelhados nos seus olhos – a raiva que sente é a de um adolescente impotente. *Oh, Cinquenta, lamento tanto. Para mim também é um choque.*

– Eu sei que nenhum de nós está preparado para isto, mas acho que vais ser um pai maravilhoso. – Engasgo-me. – Vamos resolver tudo.

– Como é que tu sabes, porra!? – grita ele, mais alto ainda. – Diz-me como!

Os olhos dele faíscam enquanto uma enorme quantidade de emoções lhe perpassa o rosto. O medo é a mais proeminente.

– Oh, merda – urra Christian, vencido, e ergue as mãos em gesto de derrota.

Vira-se e caminha a passo decidido em direção ao vestíbulo, pegando no casaco ao sair do salão. Os seus passos ecoam no soalho de madeira e ele desaparece pelas portas duplas que dão para o vestíbulo. Quando sai, bate com a porta, o que me sobressalta de novo.

Fico sozinha no silêncio – no vazio inerte e silencioso do salão. Estremeço involuntariamente ao fitar, num torpor, as portas fechadas. *Ele virou-me costas. Merda!* Reagiu ainda pior do que eu poderia ter imaginado. Afasto o prato e cruzo os braços sobre a mesa, deixando a cabeça cair sobre eles enquanto choro.

– Ana, querida. – Mrs. Jones está ao meu lado.

Endireito-me rapidamente, a limpar as lágrimas da cara.

– Eu ouvi. Lamento muito – diz num tom afável. – Gostaria de uma infusão herbal ou de alguma outra coisa?

– Gostaria de um copo de vinho branco.

Mrs. Jones hesita por uma fração de segundo e eu lembro-me do

Ponto. Agora não posso beber álcool. Poderei? Tenho de estudar o folheto que a Dr.ª Greene me deu.

– Trago-lhe um copo.

– Pensando melhor, prefiro uma chávena de chá, por favor.

Assoo-me e ela esboça um sorriso amável.

– Sai uma chávena de chá.

Ela levanta os nossos pratos e vai até à área da cozinha. Sigo-a e empoleiro-me num banco, a vê-la preparar-me o chá.

Mrs. Jones pousa uma chávena fumegante à minha frente.

– Posso dar-lhe mais alguma coisa, Ana?

– Não, isto basta, obrigada.

– Tem a certeza? Não comeu muito.

Olho para ela.

– Não tenho grande apetite.

– Ana, devia comer. Já não se trata apenas de si. Por favor, deixe--me preparar-lhe qualquer coisa. O que lhe apetece?

Fita-me com tanta expectativa. Mas, na verdade, não sou capaz de pensar em comida.

O meu marido acabou de me deixar sozinha porque estou grávida, o meu pai teve um grave acidente de viação e Jack Hyde, o maluco, anda a tentar convencer o mundo de que eu o assediei. De repente, tenho uma vontade irreprimível de rir. *Já viste o que me fizeste, Pontinho!* Afago a barriga.

Mrs. Jones dirige-me um sorriso indulgente.

– Sabe de quantas semanas está? – pergunta-me em voz baixa.

– É muito recente. Quatro ou cinco semanas, a médica não tem a certeza.

– Se não come, ao menos deveria descansar.

Eu aceno com a cabeça e, de chávena na mão, encaminho-me para a biblioteca. É o meu refúgio. Tiro o BlackBerry da mala e pondero telefonar a Christian. Sei que foi um choque para ele... mas realmente teve uma reação exagerada. *Quando é que ele não tem reações exageradas?* O meu subconsciente arqueia uma sobrancelha cuidadosamente depilada. Suspiro. Cinquenta sombras passadas dos cornos.

– Sim, é o teu papá, Pontinho. Se tudo correr bem, há de acalmar--se e voltar... em breve.

Agarro no folheto de coisas a fazer e a evitar e sento-me para o ler. Não consigo concentrar-me. Christian nunca me virou costas. Tem sido tão atencioso e amável nos últimos dias, tão carinhoso, e agora... E se ele nunca mais volta? *Merda!* Talvez fosse melhor ligar a Flynn. Não sei o que fazer. Estou à toa. Em tantos aspetos, ele é tão frágil; eu já sabia que ele reagiria mal à notícia. Mostrou-se tão querido durante este fim de semana. Todas as circunstâncias fugiam ao seu controlo, mas ele lidou bem com tudo. Contudo, esta novidade já foi de mais.

Desde que o conheci que a minha vida tem sido complicada. Será por causa dele? Será por estarmos juntos? E se ele não conseguir superar isto? E se ele quiser divorciar-se? A bílis sobe-me à boca. Não. Não posso pensar assim. Ele voltará. Voltará. Sei que sim. Sei que, independentemente de todos os gritos e palavras azedas, ele me ama... sim. E também vai amar-te, Pontinho.

Recostando-me na cadeira, começo a dormitar.

Acordo com frio e desorientada. A tremer, levanto o pulso para ver as horas: onze da noite. *Oh, sim... Tu.* Levo a mão à barriga. Onde estará Christian? Terá regressado? Com os membros entorpecidos, saio do cadeirão e vou à procura do meu marido.

Cinco minutos mais tarde, apercebo-me de que não está em casa. Espero que não lhe tenha acontecido nada. Memórias da longa espera de quando o *Charlie Tango* desapareceu voltam a atormentar-me.

Não, não, não. Para de pensar assim. Ele deve ter ido... onde? Quem terá ido ver? Elliot? Talvez esteja com Flynn. Espero que sim. Recupero o BlackBerry da biblioteca e envio-lhe uma mensagem escrita.

Onde estás?

Entro na casa de banho e ponho água a correr. Tenho tanto frio.

Quando saio da banheira, ele ainda não regressou. Visto uma das minhas camisas de noite ao estilo dos anos 30 e o robe e volto ao salão. Pelo caminho, passo pelo quarto de hóspedes. Talvez este pudesse ser o quarto do Pontinho. A ideia ataranta-me e eu deixo-me ficar à porta, contemplando esta realidade. Vamos pintá-lo de azul ou cor-de-rosa? A ideia doce é azedada pelo facto de o meu marido errante estar tão lixado com a perspetiva. Tiro a coberta da cama de hóspedes e vou para o salão, onde ficarei à espera.

Algo me acorda. Um som.

– Merda!

É Christian, no vestíbulo. Ouço a mesa a raspar de novo no soalho.

– Merda! – repete ele, abafando mais a voz.

Endireito-me a tempo de o ver cambalear ao passar pelas portas duplas. *Está bêbedo.* O meu couro cabeludo arrepia-se. *Merda, o Christian bêbedo?* Eu sei o ódio que devota a bêbedos. Salto do sofá e corro na direção dele.

– Christian, estás bem?

Ele apoia-se à ombreira das portas do vestíbulo.

– Mrs. Grey – tartamudeia.

Porra. Está *muito* embriagado. Não sei o que fazer.

– Oh... estás mesmo gira, Anastasia.

– Onde estiveste?

Ele leva um dedo aos lábios e esboça um sorriso travesso.

– Chiu!

– Acho que é melhor vires para a cama.

– Contigo... – diz ele, entre risinhos.

A rir-se! De sobrolho carregado, passo delicadamente um braço à volta da cintura dele, pois ele mal consegue suster-se de pé, quanto mais caminhar. Onde é que esteve? Como voltou para casa?

– Deixa-me ajudar-te a ir para a cama. Apoia-te em mim.

– És muito linda, Ana.

Inclina-se para mim e cheira-me o cabelo, quase nos mandando aos dois ao chão.

– Christian, anda. Vou levar-te para a cama.

– Ok – diz ele, como se tentasse concentrar-se.

Vamos aos tropeções pelo corredor e finalmente chegamos ao quarto.

– Cama – declara, a sorrir.

– Sim, cama.

Tento fazê-lo sentar-se na beira da cama, mas ele trava-me.

– Vem comigo.

– Christian, acho que precisas de dormir.

– E já começa. Ouvi falar disto.

Franzo o cenho.

– Ouviste falar do quê?

– Que quando há bebés não há sexo.

– Tenho a certeza de que isso não é verdade. Se fosse, só havia filhos únicos.

Ele fita-me.

– És engraçada.

– E tu estás bêbedo.

– Sim.

Ele sorri, mas o seu sorriso vai-se alterando à medida que pensa nisso, ao que uma expressão atormentada lhe perpassa o rosto, com um olhar que me enregela por completo.

– Vá lá, Christian – digo com carinho. Detesto aquela expressão. Revela memórias horríveis e feias que nenhuma criança deveria ver. – Vamos deitar-te.

Empurro-o com cuidado e ele deixa-se cair no colchão, espalhando o corpo em todas as direções e sorrindo-me, já sem a expressão atormentada.

– Deita-te comigo – balbucia.

– Primeiro vamos despir-te.

Ele rasga um grande sorriso de bêbedo.

– Assim é que se fala.

Com o caraças. Christian bêbedo é engraçado e brincalhão. Prefiro-o mil vezes a Christian furioso.

– Senta-te. Deixa-me tirar-te o casaco.

– O quarto está a girar.

Merda... será que vai vomitar?

– Christian, senta-te!

Ele esboça um sorriso trocista.

– Mrs. Grey, é uma coisinha muito mandona...

– Sim. Faz o que te digo e senta-te.

Levo as mãos às ancas. Ele volta a sorrir, a custo apoia-se nos cotovelos e depois senta-se de uma maneira muito pouco própria de Christian, muito desajeitada. Antes que se deixe cair de novo, agarro-lhe a gravata e tiro-lhe o casaco, um braço de cada vez.

– Cheiras bem.

– Tu cheiras a bebidas espirituosas.

– Sim... *bour-bon*. – Pronuncia as sílabas com tanto exagero que tenho de abafar uma risada.

Largo o casaco dele no chão e começo a desfazer-lhe o nó da gravata. Ele pousa-me as mãos nas ancas.

– Gosto de sentir este tecido no teu corpo, Anastay-shia – diz ele, a arrastar as palavras. – Devias usar sempre cetim ou seda. – Percorre-me as ancas para cima e para baixo com as mãos, depois puxa-me para si e encosta a boca à minha barriga. – E temos um invasor aqui.

Paro de respirar. Com o caraças. Ele está a falar com o Pontinho.

– Vais manter-me acordado, não vais? – diz, ainda com a boca encostada à minha barriga.

Oh, céus. Christian olha para cima, por entre as suas longas pestanas escuras, com os olhos cinzentos toldados e enevoados. Sinto um aperto no coração.

– Vais preferi-lo a mim – diz num tom triste.

– Christian, não sabes o que estás a dizer. Não sejas ridículo... não vou preferir ninguém. E "ele" pode ser "ela".

Ele franze o sobrolho.

– Uma menina... oh, Deus.

Volta a deixar-se cair na cama e tapa os olhos com um braço. Consegui desapertar-lhe a gravata. Desfaço o laço de um atacador e descalço-lhe o sapato e a meia, após o que passo para o outro. Quando me levanto, entendo porque não houve qualquer resistência – Christian perdeu os sentidos. Está perfeitamente adormecido e ressona ao de leve.

Fico a observá-lo. É tão lindo, raios o partam, até bêbedo e a ressonar. Com os lábios esculturais entreabertos, um braço por cima da cabeça a despentear-lhe o cabelo já em desalinho e o rosto descontraído, parece novo – mas a verdade é que ele é novo: o meu marido jovem, stressado, bêbedo e infeliz. A ideia pesa-me no peito.

Bem, pelo menos está em casa. Gostava de saber onde foi. Não estou certa de ter energia ou força para o mover ou para o despir mais. Ficou em cima da colcha. Volto ao salão, agarro na colcha que estava a usar e levo-a para o nosso quarto.

Ele continua a dormir a sono solto, ainda com a gravata e o cinto. Subo para a cama, tiro-lhe a gravata e desabotoo-lhe delicadamente o colarinho da camisa. Ele balbucia algo incoerente, mas não acorda. Com cuidado, desaperto-lhe o cinto e puxo-o pelas presilhas; com algum esforço, lá consigo tirá-lo. A camisa fica desfraldada e revela uma nesga dos seus pelos abdominais. Não consigo resistir. Dobro-me e beijo-lhe a barriga. Ele mexe-se e empurra as ancas, mas continua a dormir.

Sento-me e volto a fitá-lo. *Oh, Cinquenta, Cinquenta, Cinquenta... que hei de fazer contigo?* Passo-lhe os dedos pelo cabelo – é tão suave – e beijo-lhe uma têmpora.

– Amo-te, Christian. Mesmo quando ficas bêbedo depois de teres estado sabe Deus onde. Amo-te. Vou amar-te sempre.

– Hum – murmura ele.

Volto a beijar-lhe a têmpora e depois saio da cama e tapo-o com a colcha que trouxe. Posso dormir aninhada nele, virada de lado na cama... *Sim, vou fazer isso.*

Mas primeiro vou apanhar as roupas dele. Abano a cabeça, agarro nas suas meias e dobro o casaco sobre um braço. Quando o faço, o BlackBerry dele cai ao chão. Apanho-o e, sem querer, desbloqueio-o. O ecrã revela o menu das mensagens escritas. Vejo a que lhe enviei e, por cima, outra.

Merda. Fico com o couro cabeludo arrepiado.

Foi bom ver-te. Agora compreendo.
Não te preocupes. Vais ser um pai maravilhoso.

É *dela*. Mrs. Elena Cabra Maléfica Robinson.
Merda. Foi o que ele esteve a fazer. Foi *vê-la*.

CAPÍTULO VINTE E UM

Fito o texto, boquiaberta, e depois olho para o meu marido adormecido. Ele esteve fora de casa até à uma e meia da manhã a beber – com *ela!* Ressona ligeiramente, dormindo o sono de um bêbedo aparentemente inocente e descontraído. Parece tão sereno.

Oh, não, não, não. As minhas pernas transformam-se em gelatina e, lentamente, deixo-me cair no cadeirão ao lado da cama, sem conseguir acreditar. A traição crua, amarga e humilhante fere-me. Como foi capaz? Como pôde ir ter com ela? Lágrimas escaldantes e zangadas correm-me pela cara. A sua ira e o seu medo, a necessidade que teve de explodir comigo, tudo isso eu consigo compreender e até perdoar. Mas isto... esta deslealdade é demasiado. Puxo os joelhos ao encontro do peito e abraço-os, protegendo-me e ao meu Pontinho. Embalo-me para a frente e para trás, a chorar sem ruído.

O que esperava eu? Casei-me com este homem demasiado depressa. Eu sabia – eu sabia que isto iria acontecer. Porquê. Porquê. *Porquê?* Como pôde ele fazer-me isto? Ele sabe o que penso daquela mulher. Como foi capaz de recorrer a ela? Como? A faca penetra e gira lenta e dolorosamente no meu coração, lacerando-me. Será sempre assim?

Por entre as minhas lágrimas, a sua figura prostrada turva-se e cintila. Oh, Christian. Casei com ele porque o amo e, no meu íntimo, sei que me ama também. Sei que sim. O presente dolorosamente doce que me ofereceu no meu aniversário volta-me à memória.

Por todas as nossas estreias, no teu primeiro aniversário como minha esposa adorada. Amo-te. Bj, C.

Não, não, não – não posso acreditar que vá ser sempre assim, dois passos em frente e três atrás. Mas é assim que sempre tem sido com ele. Depois de cada obstáculo, avançamos, centímetro a centímetro. Ele virá a si... virá. Mas e eu? Recuperarei desta... desta traição? Penso no seu comportamento durante este último fim de semana, tão horrível quanto maravilhoso. A sua força tranquila enquanto o meu padrasto se encontrava magoado e em coma na unidade de cuidados intensivos... a minha festa surpresa, que reuniu todos os meus amigos e familiares... a forma como me inclinou diante do Heathman e me beijou à vista de todos. *Oh, Christian, esgotas-me toda a confiança, toda a fé... e eu amo-te.*

Porém, já não sou apenas eu. Pouso a mão na barriga. Não, não lhe permitirei que me sujeite e ao nosso Ponto a isto. O Dr. Flynn disse-me que deveria dar-lhe o benefício da dúvida – bem, desta vez não. Limpo as lágrimas dos olhos e o nariz com as costas da mão.

Christian mexe-se e vira-se, encolhe as pernas e aninha-se debaixo da colcha. Estende uma mão, como se procurasse alguma coisa, depois resmunga e franze o sobrolho, mas torna a sossegar, dormindo com o braço esticado.

Oh, Cinquenta. Que hei de fazer contigo? E que raio estavas tu a fazer com a Cabra Maléfica? Preciso de saber.

Olho mais uma vez para a mensagem ofensiva e depressa engendro um plano. Inspirando profundamente, envio-a para o meu BlackBerry. Passo 1 terminado. Verifico rapidamente as outras mensagens recentes, mas só vejo comunicações de Elliot, Andrea, Taylor, Ros e minhas. Nenhuma outra de Elena. Bom, parece-me. Saio do menu das mensagens, aliviada por ele não andar a trocar mensagens com ela, e o coração salta-me para a garganta. *Oh, céus.* O *wallpaper* do telemóvel dele é um conjunto de fotografias minhas, uma manta de retalhos de Anastasias minúsculas em várias poses – na lua de mel, no nosso fim de semana recente passado a velejar e a planar, e ainda várias fotos tiradas por José. Quando terá ele feito isto? Deve ter sido há pouco tempo.

Reparo no ícone do correio eletrónico e uma ideia sedutora insinua--se na minha mente... *Eu podia ler os e-mails do Christian.* Descobrir se tem andado a conversar com ela. Deverei fazê-lo? Envolta em seda verde-jade, a minha deusa interior acena enfaticamente com a cabeça, tendo a boca contraída num esgar. Antes que possa travar-me, invado--lhe a privacidade.

Há centenas e centenas de *e-mails.* Vou passando os olhos por eles e todos me parecem uma seca tremenda... a maioria provém de Ros, de

Andrea e de vários funcionários da empresa dele, sem contar com os meus. Não há nem um da Cabra Maléfica. Aproveito para ficar descansada ao ver que também não há *e-mails* de Leila.

Uma das mensagens chama-me a atenção. É de Barney Sullivan, o técnico de informática.

De: Barney Sullivan
Assunto: Jack Hyde
Data: 13 setembro 2011 14:09
Para: Christian Grey

As câmaras de videovigilância de Seattle detetam a carrinha branca desde a South Irving Street. Antes disso não encontro quaisquer indícios, pelo que o Hyde tem de ter estado nessa área.

Como o Welch lhe disse, o carro do suspeito não identificado foi alugado com uma carta de condução falsificada por uma mulher desconhecida, ainda que nada a ligue à área da South Irving Street.

Os contactos dos funcionários da GEH e da SIP que sabemos morarem na área encontram-se no ficheiro em anexo, que também enviei ao Welch.

Não havia qualquer informação no computador que o Hyde usava na SIP acerca das antigas assistentes dele.

Para lhe avivar a memória, envio-lhe uma lista do que foi recuperado do computador que o Hyde usava na SIP.

Moradas dos Grey:
Cinco propriedades em Seattle
Duas propriedades em Detroit

Currículos Detalhados de:
Carrick Grey
Elliot Grey
Christian Grey
Dr.ª Grace Trevelyan

Anastasia Steele

Mia Grey

Artigos de jornais e *online* acerca de:

Dr.ª Grace Trevelyan

Carrick Grey

Christian Grey

Elliot Grey

Fotografias:

Carrick Grey

Dr.ª Grace Trevelyan

Christian Grey

Elliot Grey

Mia Grey

Vou prosseguir a minha investigação, a ver que mais consigo descobrir.

B Sullivan

Diretor de Informática, GEH

————

Este *e-mail* bizarro distrai-me da minha noite de tristeza. Clico no anexo para passar os olhos pelos nomes da lista, mas é evidente que é enorme, demasiado grande para ser aberta no BlackBerry.

Que estou a fazer? É tarde. Tive um dia cansativo. Não há *e-mails* da Cabra Maléfica nem de Leila Williams, o que me dá algum consolo. Olho de relance para o despertador: passa um pouco das duas da manhã. Foi um dia de revelações. Vou ser mãe e o meu marido esteve a confraternizar com a inimiga. Bem, ele que cure a bebedeira. Não vou dormir com ele. Pode acordar sozinho amanhã. Depois de colocar o BlackBerry dele na mesa de cabeceira, pego na minha mala, que está ao lado da cama, e, com um último olhar para o meu Judas adormecido e de ar angelical, saio do quarto.

A chave extra do quarto do prazer encontra-se no lugar do costume, no armário da despensa. Agarro nela e subo as escadas muito depressa. Do armário das roupas de cama tiro uma almofada, um edredão e um lençol; depois destranco a porta do quarto do prazer e entro, acendendo as luzes e reduzindo-as. É estranho que o cheiro e o ambiente deste espaço me reconfortem tanto, tendo em conta que tive de usar a palavra de segurança da última vez que aqui estivemos. Tranco a porta e deixo a chave na fechadura. Sei que, amanhã de manhã, Christian andará freneticamente à minha procura e não me parece que tente entrar aqui se a porta estiver trancada. Bem, será bem feito.

Aninho-me no sofá de estilo Chesterfield, envolvida no edredão, e saco o BlackBerry da mala. Ao consultar as mensagens, encontro a da Cabra Maléfica, que reencaminhei do telemóvel de Christian. Escolho "responder" e digito:

GOSTARIAS QUE MRS. LINCOLN ESTIVESSE PRESENTE QUANDO ACABARMOS POR DISCUTIR ESTA MENSAGEM QUE ELA TE ENVIOU? ASSIM ESCUSAS DE CORRER PARA OS BRAÇOS DELA EM SEGUIDA. A TUA MULHER.

Seleciono "enviar" e ponho o telemóvel em silêncio. Enrosco-me no edredão. Apesar de toda a minha bravata, estou avassalada pela enormidade do logro de Christian. Isto deveria ser uma altura feliz. Bolas, vamos ser pais. Por um breve instante, revivo o momento em que lhe disse que estava grávida e imagino que ele se deixou cair de joelhos, puxando-me para os seus braços e dizendo-me que me ama e ao nosso Pontinho.

No entanto, eis-me aqui, sozinha e com frio num quarto do prazer criado para fantasias sadomasoquistas. De repente, sinto-me velha, muito mais velha do que sou. Sempre soube que estar com Christian seria um desafio mas, desta vez, realmente superou-se. O que lhe terá passado pela cabeça? Bem, se quer uma discussão, vai tê-la. De forma alguma permitirei que corra para aquela mulher monstruosa sempre que temos um problema. Ele terá de escolher – ou ela, ou eu e o nosso Pontinho. Fungo um pouco, prestes a chorar, mas, por estar tão exausta, não tardo a adormecer.

Acordo sobressaltada, momentaneamente desorientada... *Oh, sim – estou no quarto do prazer.* Como não tem janelas, não faço ideia de que horas sejam. A maçaneta da porta é sacudida.

– Ana! – grita Christian do lado de fora.

Fico paralisada, mas ele não entra. Ouço vozes abafadas que se afastam. Expiro e vejo as horas no BlackBerry. São dez para as oito e tenho quatro chamadas não atendidas e duas mensagens de voz. As chamadas são quase todas de Christian, mas também há uma de Kate. *Oh, não.* Ele deve ter-lhe telefonado. Não tenho tempo para ouvir as mensagens. Não quero chegar tarde ao trabalho.

Enrolo o edredão à minha volta e agarro na mala antes de me dirigir para a porta. Destranco-a lentamente e espreito. Não há sinal de quem quer que seja. *Oh, merda...* Talvez isto seja um pouco melodramático. Reviro os olhos, autocensurando-me, inspiro profundamente e desço as escadas.

Taylor, Sawyer, Ryan, Mrs. Jones e Christian estão todos à entrada do salão, com Christian a bombardear instruções. Como um só, viram-se para mim, de queixo caído. Christian ainda está a usar as roupas com que dormiu. Está com um ar desalinhado, pálido e tão lindo que é de cortar a respiração. Os seus grandes olhos cinzentos estão arregalados e eu não sei se é por sentir medo ou fúria. É difícil percebê-lo.

– Sawyer, estarei pronta para sair dentro de vinte minutos – balbucio, apertando mais o edredão à minha volta, como se isso me protegesse.

Ele acena com a cabeça e todos os olhos se focam em Christian, que continua a fitar-me com intensidade.

– Gostaria de alguma coisa para o pequeno-almoço, Mrs. Grey? – pergunta Mrs. Jones. Abano a cabeça.

– Não tenho fome, obrigada.

Ela contrai os lábios mas não diz nada.

– Onde estavas? – pergunta Christian, numa voz baixa e rouca.

De repente, Sawyer, Taylor, Ryan e Mrs. Jones dispersam, debandando para o gabinete de Taylor, para o vestíbulo e para a cozinha, como ratos aterrorizados a fugir de um navio a afundar-se.

Ignoro Christian e marcho em direção ao nosso quarto.

– Ana – chama-me ele –, responde-me.

Ouço os seus passos atrás de mim enquanto entro no quarto e prossigo caminho para a casa de banho. Rapidamente, tranco a porta.

– Ana! – Grita Christian, a bater com força na porta. Abro o chuveiro. A porta abana. – Ana, abre a maldita porta.

– Vai-te embora!

– Não vou a lado nenhum.

– Como queiras.

– Ana, por favor.

Entro no duche, ao que deixo de o ouvir. Oh, está quente. A água regeneradora corre por mim como uma cascata, limpando-me da pele a exaustão da noite. *Oh, céus.* Sabe tão bem. Por um momento, por um momento brevíssimo, posso fingir que tudo está bem. Lavo o cabelo e, quando termino, sinto-me melhor, mais forte, pronta a enfrentar o comboio desenfreado que é Christian Grey. Enrolo o cabelo numa toalha, seco-me rapidamente com outra, em que envolvo o corpo.

Destranco a porta e abro-a, ao que me deparo com Christian encostado à parede em frente, com as mãos atrás das costas. Está com uma expressão receosa, como a de um animal acossado. Passo por ele e entro no quarto de vestir.

– Estás a ignorar-me? – pergunta-me Christian, incrédulo, à entrada do quarto de vestir.

– És muito perspicaz, não és? – comento num tom distraído enquanto procuro algo para vestir.

Ah, sim, o meu vestido cor de ameixa. Tiro-o do cabide, escolho umas botas pretas de salto agulha e encaminho-me para o quarto. Espero que Christian me dê passagem, o que ele acaba por fazer – as suas boas maneiras acabam por vencê-lo. Pressinto o seu olhar fixo em mim enquanto avanço até à cómoda. Daí, vejo-o pelo espelho, imóvel junto à entrada, a observar-me. Num gesto digno de uma vencedora de um *Oscar*, deixo a toalha cair ao chão e finjo-me indiferente a ter ficado nua. Ouço o seu arquejo contido e ignoro-o.

– Porque estás a fazer isto? – pergunta, numa voz baixa.

– Porque é que achas? – A minha voz parece veludo enquanto tiro umas cuecas bonitas, de renda preta, da *La Perla*.

– Ana... – Ele interrompe-se ao ver-me vesti-las.

— Vai perguntar à tua Mrs. Robinson. Estou certa de que ela terá uma explicação para te dar — resmoneio enquanto procuro o sutiã a condizer.

— Ana, já te disse, ela não é minha...

— Não quero ouvir, Christian. — Aceno com a mão, num gesto displicente. — Ontem é que era a altura certa para conversarmos mas, em vez disso, tu decidiste ir fazer queixinhas e embebedar-te com a mulher que abusou de ti durante anos. Liga-lhe. Tenho a certeza de que ela estará mais do que disposta a dar-te ouvidos agora.

Encontro o sutiã a condizer, visto-o devagar e aperto os colchetes. Christian avança para dentro do quarto e pousa as mãos nas ancas.

— Porque estiveste a espiar-me? — pergunta.

Apesar da minha determinação, ruborizo.

— Não é isso que interessa, Christian — riposto. — O que se passa é que, assim que as coisas ficam complicadas, tu vais a correr ter com ela.

A sua boca descreve uma linha triste.

— Não foi isso que aconteceu.

— Não estou interessada.

Com um par de meias de ligas rendadas, passo para a cama. Sento-me, estico os dedos dos pés e faço o material sedoso subir até à minha coxa.

— Onde estavas? — repete, com o olhar a seguir as minhas mãos enquanto estas sobem pela perna, mas eu continuo a ignorá-lo enquanto enrolo lentamente a outra meia.

Levanto-me e inclino-me para a frente para secar o cabelo com a toalha. Por entre as coxas, vejo-lhe os pés descalços e sinto o seu olhar intenso. Quando termino, endireito-me e recuo até à cómoda, de onde tiro o secador de cabelo.

— Responde-me. — A sua voz continua grave e rouca.

Ligo o secador, deixo de o ouvir e, com os olhos semicerrados, observo-o pelo espelho enquanto vou modelando o cabelo com os dedos. Ele fita-me com um ar zangado, de olhos estreitados e frios, assustadores, até. Desvio o olhar, concentrando-me na tarefa em mãos e tentando suprimir o calafrio que me provoca. Engulo em seco e concentro-me em secar o cabelo. Ele continua furioso. Sai com aquela maldita mulher e está furioso *comigo? Como se atreve!?* Quando o meu cabelo fica com um ar selvagem e indómito, paro. Sim... agrada-me. Desligo o secador.

– Onde estavas? – sussurra, num tom gélido.

– Que te importa?

– Ana, para com isso. Agora.

Encolho os ombros e Christian percorre o quarto rapidamente na minha direção. Viro-me e dou um passo atrás quando ele estende uma mão.

– Não me toques – disparo, ao que ele estaca.

– Onde estavas? – exige ele saber, com as mãos cerradas junto ao corpo.

– Não estava a embebedar-me com um ex – fervilho. – Dormiste com ela?

Ele insurge-se.

– *O quê?* Não!

Fita-me boquiaberto e tem a lata de parecer magoado e zangado ao mesmo tempo. O meu subconsciente solta um pequeno suspiro de alívio.

– Achas que eu seria capaz de te enganar? – O seu tom é de indignação moral.

– Enganaste-me – rosno. – Contando a nossa vida privada e o que te vai na alma cobarde a essa mulher.

Ele fica de queixo caído.

– Cobarde. É isso que pensas?

Está com os olhos a chispar.

– Christian, eu vi a mensagem. É o que sei.

– Essa mensagem não era para ti – rosna ele.

– Bem, a verdade é que a vi quando o teu BlackBerry te caiu do casaco enquanto eu te despia, porque tu estavas demasiado bêbedo para o faze-res sozinho. Fazes ideia de quanto me magoaste indo ver essa mulher?

Ele empalidece por um instante, mas eu estou lançada, com a minha cabra interior de rédea solta.

– Lembras-te de teres chegado a casa ontem à noite? Lembras-te do que me disseste?

Ele fita-me com um ar inexpressivo, de rosto imóvel.

– Bem, tinhas razão. De facto, a ter de escolher, escolho este bebé indefeso em vez de ti. É o que qualquer progenitor com amor faz. Era o que a tua mãe deveria ter feito por ti. E lamento que não o tenha feito... pois, se tivesse, não estaríamos a ter esta conversa. Mas agora és um adulto... precisas de crescer e de acordar para a vida, de parar de agir como um adolescente petulante.

Podes não estar contente acerca deste bebé. Eu não estou extasiada, dada a altura em que surge e a tua receção menos do que morna a esta nova vida, sangue do teu sangue. Mas ou fazes isto comigo, ou eu faço-o sozinha. A decisão é tua.

Enquanto te revolves na tua poça de autocomiseração e autodesprezo, eu vou trabalhar. E, quando voltar, vou passar as minhas coisas para o andar de cima.

Ele pestaneja, chocado.

— Agora, se me dás licença, preciso de acabar de me vestir — termino, com a respiração acelerada.

Muito lentamente, Christian dá um passo atrás, com uma atitude endurecida.

— É isso que queres? — sussurra.

— Já não sei o que quero.

O meu tom reflete o dele e é preciso um esforço monumental para fingir desinteresse enquanto levo os dedos ao creme hidratante e o espalho delicadamente pelo rosto. Olho de relance para o espelho. Olhos azuis arregalados, rosto pálido mas faces avermelhadas. *Estás a ir muito bem. Não recues agora. Não cedas agora.*

— Não me queres? — sussurra ele.

Oh... não... oh, não, não vás por aí, Grey.

— Ainda estou aqui, não estou? — riposto.

Agarro no rímel e aplico-o primeiro no olho direito.

— Pensaste ir embora? — As suas palavras são quase inaudíveis.

— Quando o nosso marido prefere a companhia da ex-amante, não costuma ser bom sinal. — Sirvo-me da quantidade certa de desdém na voz, furtando-me à pergunta.

Agora, *gloss* nos lábios. Estico os lábios para o meu reflexo no espelho. *Mantém-te forte, Steele... hã... Grey.* Que porra, nem do meu apelido consigo lembrar-me. Agarro nas botas, volto para a cama e calço-as muito depressa, puxando-as até aos joelhos. Pois. Estou sensual, apenas de roupa interior e botas. Eu sei. Levantando-me, lanço-lhe um olhar desapaixonado. Ele pestaneja e o seu olhar viaja veloz e avidamente pelo meu corpo.

– Sei o que estás a fazer – murmura ele e a sua voz adquiriu um laivo quente e sedutor.

– Sabes? – A voz falha-me. *Não, Ana... aguenta-te.*

Ele engole em seco e dá um passo em frente. Eu recuo e ergo as mãos.

– Nem penses nisso, Grey – sussurro num tom ameaçador.

– És a minha mulher – diz em voz baixa, ameaçando-me também.

– Sou a mulher grávida que tu abandonaste ontem e, se me tocares, vou gritar a plenos pulmões.

Ele arqueia as sobrancelhas, sem acreditar em mim.

– Gritavas?

– Como se estivesses a matar-me – respondo, estreitando os olhos.

– Ninguém te ouviria – murmura ele, com um olhar intenso que me faz lembrar da nossa manhã em Aspen. *Não. Não. Não.*

– Estás a tentar assustar-me? – pergunto, sem fôlego, tentando deliberadamente desincentivá-lo.

Funciona. Ele estaca e engole em seco.

– Não era essa a minha intenção – responde, a franzir o sobrolho.

Mal consigo respirar. Se ele me tocar, sucumbirei. Estou ciente do poder que detém sobre mim e sobre o meu corpo traidor. Eu sei. Valho-me da zanga que sinto.

– Bebi um copo com alguém de quem costumava ser próximo. Espairecemos. Não a verei de novo.

– Procuraste-a?

– Ao princípio, não. Tentei ver o Flynn. Mas dei por mim no salão de beleza dela.

– E esperas que eu acredite que não vais vê-la outra vez? – Não consigo conter a fúria enquanto lhe silvo estas palavras. – E da próxima vez que eu ultrapassar algum limite imaginário? Já tivemos esta discussão vezes sem conta. Como se estivéssemos na roda de Íxion. Se eu voltar a fazer asneira, vais correr de novo para os braços dela?

– Eu não vou tornar a vê-la – diz ele, com um tom de finalidade absoluta. – Ela finalmente compreende o que sinto.

Pestanejo.

– O que quer isso dizer?

Ele endireita-se e passa uma mão pelo cabelo, exasperado, zangado e mudo. Tento uma abordagem diferente.

– Porque é que podes falar com ela e comigo não?

– Estava zangado contigo. Continuo zangado.

– Não me digas?! – riposto. – Bem, *eu* estou zangada contigo agora. Zangada por teres sido tão frio e insensível ontem, quando precisava de ti. Zangada por teres dito que engravidei de propósito, quando não o fiz. Zangada por me teres traído. – Consigo suprimir um soluço. A sua boca abre-se de choque e ele fecha os olhos por um momento, como se eu o tivesse esbofeteado. Engulo em seco. *Acalma-te, Anastasia.* – Devia ter controlado melhor a toma das injeções. Mas não o fiz de propósito. Esta gravidez também é um choque para mim – resmungo, tentando alcançar um mínimo de civilidade. – É possível que a injeção não tenha surtido efeito.

Ele fita-me em silêncio.

– Ontem agiste mesmo muito mal – sussurro, com a raiva a ferver de novo. – Tive muito com que lidar nas últimas semanas.

– Tu agiste mesmo muito mal há três ou quatro semanas. Ou seja lá quando esqueceste a injeção.

– Bem, Deus me livre de ser perfeita como tu!

Oh, basta, basta, basta. Ficamos a encarar-nos com expressões coléricas.

– Mas que grande cena, Mrs. Grey – sussurra ele.

– Bem, fico contente por, mesmo grávida, poder entretê-lo.

Ele fita-me com uma expressão impávida.

– Tenho de tomar um duche – murmura.

– E eu já dei espetáculo que chegue.

– É um belo espetáculo – sussurra. Dá um passo em frente e eu torno a recuar.

– Não.

– Detesto que não me deixes tocar-te.

– Irónico, hã?

Os seus olhos estreitam-se de novo.

– Não resolvemos grande coisa, pois não?

– Parece-me que não. À exceção de eu ir sair deste quarto.

Os seus olhos chispam e arregalam-se por um instante.

– Ela não significa nada para mim.

– Exceto quando precisas dela.

– Eu não preciso dela. Preciso de ti.

– Ontem não precisaste. Custa-me a engolir que estejas com essa mulher, Christian.

– Ela já saiu da minha vida.

– Quem me dera acreditar em ti.

– Bolas, Ana.

– Por favor, deixa-me acabar de me vestir.

Ele suspira e passa uma mão pelo cabelo.

– Vemo-nos ao final do dia – despede-se, com a voz fria e expurgada de sentimentos.

E, por um breve momento, quero abraçá-lo e acalmá-lo... mas resisto, pois estou demasiado zangada. Ele vira-se e encaminha-se para a casa de banho. Eu permaneço imóvel até ouvir a porta fechar-se.

Cambaleio até à cama e deixo-me cair nela. Não houve lágrimas, gritos ou assassinatos, nem sucumbi à sua *sexperiência*. Mereço uma Medalha de Honra do Congresso, mas sinto-me tão em baixo... Merda. Não ficou nada resolvido. Estamos à beira de um precipício. Estará o nosso casamento em risco? Porque não perceberá que se portou como um completo anormal ao ir ter com aquela mulher? E o que quererá dizer quando afirma que não tornará a vê-la? Como raio espera que eu acredite nisso? Olho de relance para o rádio-despertador – oito e meia. *Merda!* Não quero chegar tarde. Inspiro profundamente.

– A Segunda Ronda foi um empate, Pontinho – sussurro, fazendo festas na barriga. – O Papá poderá ser uma causa perdida, mas espero que não. Porquê, oh, porque vieste tão cedo, Pontinho? As coisas estavam apenas a começar a ficar boas. – Treme-me o lábio, mas volto a inspirar profundamente, para purificar a alma e controlar as emoções em torvelinho. – Anda lá. Vamos mostrar o que valemos no trabalho.

Não me despeço de Christian. Ele ainda está no duche quando eu e Sawyer partimos. Enquanto vou olhando pelos vidros fumados do jipe, perco a compostura e os meus olhos marejam-se. A minha disposição reflete-se no céu cinzento e desolado, e eu pressinto algo de mau. Não chegamos sequer a falar do bebé. Tive menos de vinte e quatro horas para assimilar a novidade que é o Pontinho. Christian teve ainda menos tempo.

– Nem sequer sabe como te chamas – murmuro, acariciando a barriga e limpando as lágrimas da cara.

– Mrs. Grey. – Sawyer interrompe-me o devaneio. – Chegámos.

– Oh. Obrigada, Sawyer.

– Vou num instante à pastelaria, minha senhora. Posso trazer-lhe alguma coisa?

– Não. Obrigada, mas não. Não tenho fome.

Hannah tem o meu *latte* à minha espera. Basta-me cheirá-lo para sentir o estômago às voltas.

– Há... posso pedir-te antes chá, por favor? – balbucio, embaraçada.

Sabia que havia uma razão para nunca ter gostado realmente de café. Caramba, tem um cheiro horrível.

– Estás bem, Ana?

Aceno com a cabeça e apresso-me a abrigar-me na segurança do meu gabinete. O BlackBerry vibra. É Kate.

– Porque andava o Christian à tua procura? – pergunta-me, sem qualquer preâmbulo.

– Bom dia, Kate. Como estás?

– Deixa-te de rodeios, Steele. O que se passa? – começa a Inquisição de Katherine Kavanagh.

– Eu e o Christian discutimos, nada mais.

– Ele magoou-te?

Reviro os olhos.

– Sim, mas não da maneira que julgas. – Não consigo lidar com Kate neste momento. Sei que chorarei e, neste momento, estou muito orgulhosa de mim mesma por me ter mantido forte durante a manhã.

– Kate, vou ter uma reunião. Depois telefono-te.

– Ok. Tu estás bem?

– Sim. – *Não.* – Ligo-te mais tarde, está bem?

– Ok, Ana, como queiras. Estou aqui para ti.

– Eu sei – sussurro e combato o remoinho de emoção que as suas palavras amáveis me provocam. *Não vou chorar. Não vou chorar.*

– O Ray está bem?

– Sim – sussurro de novo.

– Oh, Ana – responde ela.

– Não.

– Ok. Telefona-me.

– Sim.

Durante o resto da manhã, vou verificando o correio eletrónico, na esperança de receber notícias de Christian. Mas nada. À medida que o dia avança, apercebo-me de que não vai contactar-me de todo e de que ainda está zangado. Bem, eu também continuo zangada. Atiro-me ao trabalho, fazendo apenas uma pausa à hora de almoço para comer um *bagel* de salmão com queijo derretido. Sinto-me extraordinariamente melhor depois de ter comido alguma coisa.

Às cinco da tarde, eu e Sawyer pomo-nos a caminho do hospital, para que eu visite Ray. Sawyer mostra-se muito mais cuidadoso do que é habitual, até demasiado solícito. É irritante. Enquanto nos aproxima-mos do quarto de Ray, ele paira a meu lado.

– Posso trazer-lhe um chá enquanto visita o seu pai? – sugere.

– Não, obrigada, Sawyer. Estou bem.

– Espero cá fora.

Abre-me a porta e eu sinto-me grata por me livrar dele por uns momentos. Ray está sentado na cama a ler uma revista. De barba feita e com a parte de cima de um pijama, parece igual ao que era.

– Olá, Annie – cumprimenta-me com um sorriso.

Mas logo fica com uma expressão abatida.

– Oh, papá...

Corro para a beira da cama dele e, num gesto muito pouco carac-terístico, ele abre os braços e abraça-me.

– Annie? – sussurra. – O que se passa?

Aperta-me contra si e dá-me um beijo na cabeça. Enquanto estou nos seus braços, apercebo-me de que, entre nós, momentos como este têm sido muito raros. *Porque será?* Será por isso que gosto de ir para o colo de Christian? Pouco depois, afasto-me e sento-me na cadeira ao lado da cama. Ray tem o sobrolho franzido devido à preocupação.

— Conta lá ao teu velhote o que se passa.

Abano a cabeça. Ele não precisa dos meus problemas agora.

— Não é nada, pai. Estás com bom aspeto.

Aperto-lhe a mão.

— Já me sinto mais "eu", ainda que esta perna engessada seja uma estopada.

— Uma estopada? — A sua palavra instiga-me um sorriso.

Ele também sorri.

— Estopada soa melhor do que comichão danada.

— Oh, pai, estou tão contente por estares bem.

— Também eu, Annie. Hei de querer balouçar alguns netos neste joelho. Não gostaria de perder essa oportunidade por nada deste mundo.

Pestanejo. *Merda.* Será que ele sabe? E contenho as lágrimas que me ardem nos cantos dos olhos.

— Tu e o Christian estão a dar-se bem?

— Discutimos — sussurro, tentando falar apesar do nó que tenho na garganta. — Mas vamos resolver o problema.

Ele acena com a cabeça.

— É bom homem, o teu marido — garante Ray.

— Tem dias. O que dizem os médicos?

Não quero falar do meu marido agora; é um tema de conversa doloroso.

Quando regresso ao Escala, Christian não está em casa.

— Mr. Grey telefonou e avisou que ficaria a trabalhar até tarde — informa-me Mrs. Jones, num tom apologético.

— Oh. Obrigada por me dizer.

Porque não mo disse ele? Bolas, está mesmo a levar o amuo para toda uma outra esfera. Por um instante, recordo-me da discussão que tivemos acerca dos nossos votos nupciais e da birra que ele fez nessa altura. Mas agora sou eu a ofendida.

— O que gostaria de jantar?

Mrs. Jones tem um brilho determinado e férreo nos olhos.

— Massa.

Ela sorri.

— Esparguete, *penne, fusilli?*

— Esparguete, à bolonhesa.

— É para já. E, Ana... queria dizer-lhe que Mr. Grey ficou frenético hoje de manhã quando achou que a senhora tinha ido embora. Parecia possesso — diz ela com um sorriso carinhoso.

Oh...

Às nove da noite, ele ainda não chegou. Quanto a mim, estou sentada à secretária da biblioteca, perguntando-me onde se encontrará. Telefono-lhe.

— Ana — atende, numa voz fria.

— Olá.

Ouço-o inspirar.

— Olá — responde num tom mais baixo.

— Vens para casa?

— Mais tarde.

— Estás no escritório?

— Sim. Onde achavas que estava?

Com ela.

— Deixo-te trabalhar.

Nenhum de nós desliga e o silêncio cresce e torna-se tenso.

— Boa noite, Ana — acaba ele por dizer.

— Boa noite, Christian.

Ele desliga.

Oh, merda. Fito o meu BlackBerry. Não sei o que espera que eu faça. Não vou deixar que me pise. Sim, está zangado, está bem. Eu também estou zangada. Mas encontramo-nos nesta situação. Eu não fugi para desabafar com o meu ex-amante pedófilo. Quero que ele admita que isso não é um comportamento aceitável.

Recosto-me na cadeira, a olhar para a mesa de bilhar e a lembrar-me de como nos divertimos a jogar. Levo a mão à barriga. Talvez seja realmente cedo de mais. Talvez isto não devesse acontecer... E, mesmo

478

enquanto o penso, o meu subconsciente está a gritar: *não!* Se eu interromper esta gravidez, nunca me perdoarei – nem a Christian.

– Oh, Ponto, o que nos fizeste?

Não tenho estofo para ligar a Kate. Não estou em condições de falar com quem quer que seja. Envio-lhe uma mensagem escrita, na qual lhe prometo telefonar em breve.

Por volta das onze, já não aguento o peso das pálpebras. Resignada, subo as escadas para o meu antigo quarto. Depois de me aninhar debaixo das cobertas, dou finalmente rédea livre às emoções, chorando contra a almofada, a ofegar entre grandes soluços nada femininos de mágoa...

Sinto a cabeça pesada quando acordo. Uma luz austera entra pelas grandes janelas do meu quarto. Ao olhar de relance para o despertador, vejo que são sete e meia. O meu primeiro pensamento é *Onde está o Christian?* Sento-me e tiro as pernas da cama. No chão, ao lado desta, está a gravata cinzento-prateada de Christian, a minha preferida. Não estava aqui quando vim deitar-me. Pego-lhe e fico a olhar para ela e acariciar o material sedoso com os polegares e os indicadores, antes de a encostar à face. Ele esteve aqui, a ver-me dormir. E uma centelha de luz ateia-se no meu íntimo.

Mrs. Jones está atarefada na cozinha quando desço as escadas.

– Bom dia – cumprimenta-me num tom animado.

– Bom dia. O Christian? – pergunto.

A sua expressão abate-se.

– Já saiu.

– Então sempre veio dormir a casa?

Preciso de o confirmar, embora tenha a sua gravata como prova.

– Veio. – Ela faz uma pausa. – Ana, por favor desculpe-me por falar sem ser chamada, mas não desista dele. É um homem teimoso.

Aceno com a cabeça e ela cala-se. Estou certa de que a minha expressão lhe diz que, neste momento, não estou interessada em falar do meu marido errante.

Quando chego ao emprego, verifico o correio eletrónico. O meu coração acelera quando vejo que tenho um *e-mail* de Christian.

———

De: Christian Grey
Assunto: Portland
Data: 15 setembro 2011 06:45
Para: Anastasia Grey

Ana,

Hoje vou voar até Portland.
Tenho uns negócios a concluir na WSU.
Achei que quererias saber.

Christian Grey
CEO, Grey Enterprises Holdings, Inc.

———

Oh. Vêm-me lágrimas aos olhos. Só isto? Sinto o estômago às voltas. Merda! Vou vomitar. Corro para a casa de banho e chego mesmo a tempo, despejando o pequeno-almoço na sanita. Deixo-me escorregar até ao chão do cubículo e levo as mãos à cabeça. Poderia sentir-me pior? Passado algum tempo, ouço uma batida delicada na porta.

– Ana? – É Hannah.

Merda.

– Sim?

– Estás bem?

– Saio já.

– O Boyce Fox já chegou.

Merda.

– Acompanha-o à sala de reuniões. Vou lá ter daqui a nada.

– Queres que te leve um chá?

– Por favor.

Depois do almoço – mais um *bagel* de salmão com queijo derretido, que o meu estômago consegue digerir – fico inerte diante do computador, em busca de inspiração e a tentar perceber como eu e Christian havemos de resolver este problema enorme.

O meu BlackBerry vibra e assusta-me. Olho para o ecrã – é Mia. Caramba, era mesmo aquilo de que precisava, todo o seu entusiasmo febril. Hesito, ponderando a possibilidade de ignorar a chamada, mas a boa educação leva a melhor.

– Mia! – atendo com uma voz animada.

– Ora, olá, Ana... há muito tempo que não falávamos. – A voz masculina é-me conhecida. *Foda-se!*

Fico com o couro cabeludo arrepiado e todos os pelos do meu corpo se retesam enquanto a adrenalina me percorre o sangue e o meu mundo deixa de girar.

É Jack Hyde.

CAPÍTULO VINTE E DOIS

– Jack.

A voz falha-me, abafada pelo medo. Como terá saído da prisão? Porque terá o telemóvel de Mia? O sangue foge-me do rosto e sinto-me tonta.

– Lembra-se de mim – diz ele, num tom calmo.

Pressinto o seu sorriso amargurado.

– Sim. Claro – respondo automaticamente, com a mente a mil.

– Provavelmente está a perguntar-se porque lhe telefonei.

– Sim.

Desliga.

– Não desligue. Tenho estado a ter uma conversinha com a sua cunhada.

O quê? Mia! Não!

– O que é que você fez? – sussurro, tentando não revelar o medo que sinto.

– Ouça-me, sua puta provocadora e interesseira. Você lixou-me a vida. O Grey lixou-me a vida. Vocês estão em dívida *para comigo*. Agora tenho esta cabra em meu poder. E você, o sacana com quem casou e a porra da família toda dele vão pagar.

O desdém e a amargura de Hyde chocam-me. *A família dele?* Mas que raio?

– O que quer?

– Quero o dinheiro dele. Quero mesmo a porra do dinheiro dele. Se as coisas tivessem sido diferentes, poderia ter sido eu. Por isso, *você* vai arranjar-mo. Quero cinco milhões de dólares, hoje.

– Jack, eu não tenho acesso a esse dinheiro.

Ele resfolega, sem acreditar.

– Tem duas horas para o arranjar. Nem mais um segundo... duas horas. Não conte a ninguém ou quem sofre é esta cabra. Nem à polícia.

Nem ao sacana do seu marido. Nem à equipa de segurança dele. Se falar com alguém, eu vou saber. Compreende?

Ele faz uma pausa e eu tento responder, mas o pânico e o medo selam-me a garganta.

– Compreende!? – grita ele.

– Sim – sussurro.

– Senão, mato-a.

Arquejo.

– Mantenha este telefone consigo. Se contar a alguém, ainda a fodo antes de a matar. Tem duas horas.

– Jack, preciso de mais tempo. Três horas. Como é que sei que a tem consigo?

A chamada cai. Fico horrorizada a olhar para o telemóvel, com a boca ressequida pelo medo, com o sabor desagradável e metálico do terror. *Mia, ele tem a Mia.* Será que tem? A minha mente revolve-se com a possibilidade obscena e o meu estômago volta a reclamar. Acho que vou vomitar, mas inspiro profundamente, tentando controlar o pânico, e a náusea passa. Tenho a mente a mil com as possibilidades. *Conto ao Christian? Conto ao Taylor? Telefono à polícia? Como é que o Jack vai saber? Será que tem mesmo a Mia?* Preciso de tempo, de tempo para pensar... mas só o conseguirei se seguir as instruções dele. Agarro na minha mala e encaminho-me para a porta.

– Hannah, tenho de sair. Não sei bem quanto tempo vou estar fora. Cancela as minhas reuniões desta tarde. Diz à Elizabeth que tive uma emergência.

– Com certeza, Ana. Está tudo bem?

Hannah franze o sobrolho, com a preocupação estampada no rosto enquanto me vê a afastar-me.

– Sim – respondo distraidamente, apressando-me em direção à receção, onde Sawyer aguarda. – Sawyer.

Este salta do cadeirão ao ouvir a minha voz e franze o sobrolho ao reparar na minha expressão.

– Não me sinto bem. Por favor, leve-me para casa.

– Com certeza, minha senhora. Quer esperar aqui enquanto eu vou buscar o carro?

– Não, vou consigo. Estou com pressa para chegar a casa.

Vou espreitando pela janela, tomada por um terror absoluto enquanto revejo o meu plano. Ir a casa. Mudar de roupa. Encontrar o livro de cheques. Escapar, não sei como, à vigilância de Ryan e Sawyer. Ir ao banco. Raios, quanto espaço ocuparão cinco milhões de dólares? Quanto pesarão? Precisarei de uma mala? Deveria telefonar antes ao banco? Mia. *Mia*. E se ele não a tiver? Como posso confirmá-lo? Se telefonar a Grace, deixá-la-ei desconfiada e poderei colocar Mia em perigo. Ele disse que saberia. Lanço um olhar pela janela das traseiras do jipe. Estarei a ser seguida? Sinto a pulsação acelerar enquanto perscruto os carros que avançam atrás de nós. Parecem bastante inofensivos. *Oh, Sawyer, mais depressa. Por favor.* Por um instante, entreolhamo-nos pelo espelho retrovisor e o seu sobrolho franze-se.

Sawyer carrega num botão do auricular *Bluetooth* para atender uma chamada.

– T... Quereria dizer-lhe que Mrs. Grey está comigo. – O olhar de Sawyer volta a cruzar-se com o meu antes de ele tornar a concentrar-se na estrada e prosseguir a conversa. – Não se sente bem. Estou a levá-la para o Escala... Compreendo... Sim, senhor. – Os olhos de Sawyer desviam-se da estrada em busca dos meus no espelho retrovisor. – Sim – concorda ele e desliga.

– Era o Taylor? – sussurro.

Ele acena com a cabeça.

– Está com Mr. Grey?

– Sim, minha senhora.

O olhar de Sawyer suaviza-se com compaixão.

– Ainda estão em Portland?

– Sim, minha senhora.

Bom. Tenho de manter Christian a salvo. Desço a mão até à barriga e esfrego-a conscientemente. E a ti, Pontinho. Tenho de vos manter aos dois em segurança.

– Podemos ir mais depressa? Não me sinto bem.

– Sim, minha senhora.

Sawyer pisa o acelerador e o carro desliza por entre o trânsito.

Não há sinal de Mrs. Jones quando eu e Sawyer chegamos ao apartamento. Dado que o seu carro não está na garagem, parto do princípio de que terá ido às compras com Ryan. Sawyer encaminha-se para o gabinete de Taylor enquanto eu corro para o escritório de Christian. Aos tropeções, dou a volta à secretária dele e abro a gaveta em busca dos livros de cheques. A arma de Leila desliza para a frente. Sinto uma pontada incongruente de irritação por Christian não ter guardado convenientemente esta arma. Ele não sabe patavina acerca de armas. *Caramba, pode magoar-se.*

Depois de um instante de hesitação, agarro na pistola, confirmo que está carregada e enfio-a no cós das minhas calças pretas. Posso vir a precisar dela. Engulo em seco. Só pratiquei em alvos. Nunca disparei contra uma pessoa; espero que Ray me perdoe. Concentro-me na busca do livro de cheques certo. Há cinco e só um deles está em nome de C. Grey e Mrs. A. Grey. Tenho cerca de cinquenta e quatro mil dólares na minha conta. Não faço ideia de quanto dinheiro haverá nesta. Mas decerto Christian terá crédito no banco para levantar cinco milhões de dólares. Talvez haja dinheiro no cofre? Porra. Não faço ideia da combinação. Ele não disse que a tinha no armário de arquivo? Tento abri-lo, mas está trancado. *Merda.* Terei de me ater ao plano A.

Inspiro profundamente e, com uma atitude mais composta mas determinada, vou até ao quarto. A cama foi feita e, por um momento, sinto uma pontada. Talvez devesse ter passado aqui a noite. De que vale discutir com alguém que, por admissão própria, é cinquenta sombras? Ele agora nem sequer fala comigo. Não – não tenho tempo para pensar nisto.

Muito depressa, troco as calças por umas de ganga, visto uma camisola com capuz e calço uns ténis. Passo a arma para a parte de trás do cós das calças de ganga. Do armário, tiro um grande saco de pano. Caberão cinco milhões de dólares aqui? O saco de ginástica de Christian está no fundo do armário. Abro-o, esperando que esteja cheio de roupa suja, mas não – tem um conjunto de ginástica lavado e arrumado. De facto, Mrs. Jones trata de tudo. Despejo o conteúdo no chão e enfio o saco de ginástica no meu saco de pano. Pronto, assim já deve dar. Verifico que tenho a minha carta de condução para me identificar no banco e vejo as horas. Passaram trinta e um minutos desde que Jack me telefonou. Agora só tenho de sair do Escala sem que Sawyer me veja.

Avanço lenta e silenciosamente até ao vestíbulo, ciente da câmara de vigilância, que está apontada ao elevador. Acho que Sawyer continua no gabinete de Taylor. Com cautela, abro a porta do vestíbulo, fazendo o menor ruído possível. Depois de sair e de a fechar discretamente, fico mesmo encostada à porta, fora do alcance da lente da câmara. Saco do telemóvel e ligo a Sawyer.

– Mrs. Grey.

– Sawyer, estou no quarto do primeiro andar, será que pode vir dar-me uma ajuda? – Mantenho a voz baixa, pois sei que ele está mesmo ao fundo do corredor, do outro lado desta porta.

– Vou já ter consigo, minha senhora – responde ele e eu deteto-lhe a confusão na voz.

Nunca lhe telefonei a pedir ajuda. Sinto o coração na garganta, a bater a um ritmo impressionante e frenético. Será que isto vai resultar? Desligo e ouço os seus passos a atravessar o corredor e a subir as escadas. Torno a inspirar profundamente para me acalmar e, por um instante, penso na ironia de estar a fugir da minha própria casa como uma criminosa.

Assim que Sawyer chega ao patamar do primeiro andar, corro para o elevador e carrego no botão para o chamar. A porta desliza e abre-se com o apito demasiado ruidoso que anuncia que o elevador está pronto. Corro lá para dentro e bato com ânsia no botão da garagem na cave. Depois de uma pausa agoniante, as portas começam lentamente a fechar-se e, nesse momento, ouço os gritos de Sawyer.

– Mrs. Grey! – Mesmo antes de as portas se fecharem, vejo-o surgir no vestíbulo. – Ana! – grita ele, sem conseguir acreditar.

Todavia, chegou demasiado tarde e deixo de o ver. O elevador desce suavemente até ao piso da garagem. Tenho uns dois minutos de avanço em relação a Sawyer e sei que ele tentará parar-me. Olho com pena para o *R8* enquanto corro para o *Saab*, abro a porta, atiro o saco de lona para o lugar do passageiro e me ponho atrás do volante.

Dou à chave e os pneus chiam à medida que eu acelero e espero durante onze segundos agonizantes até que a cancela da saída se levanta.

Assim que fico com a passagem livre, saio; pelo espelho retrovisor, tenho um vislumbre de Sawyer a correr do elevador de serviço para a garagem. A sua expressão assombrada e magoada atormenta-se enquanto entro na rampa para a Quarta Avenida.

Por fim, deixo de conter a respiração. Sei que Sawyer telefonará a Christian ou a Taylor, mas lidarei com essa questão quando for necessário – não tenho tempo para pensar nisso agora. Remexo-me desconfortavelmente no assento, sabendo, no fundo do meu coração, que o mais provável é que Sawyer tenha acabado de perder o emprego. *Não penses nisso.* Tenho de salvar Mia. Tenho de ir ao banco e levantar cinco milhões de dólares. Olho de relance para o espelho retrovisor, esperando nervosamente ver o todo-o-terreno a sair da garagem atrás de mim; porém, enquanto me afasto, não há sinal de Sawyer.

O banco é elegante, moderno e discreto. Está decorado com tons suaves, incluindo o chão, e há vidros foscos, de um verde-pálido, por todo o lado. Avanço até ao balcão das informações.

– Posso ajudá-la, minha senhora?

A jovem cumprimenta-me com um sorriso alegre e falso; por um instante, arrependo-me de ter vestido as calças de ganga.

– Gostaria de levantar uma grande quantidade de dinheiro.

A Miss Sorriso Falso arqueia uma sobrancelha ainda mais falsa.

– Tem uma conta neste banco? – Não consegue dissimular o sarcasmo.

– Sim – riposto. – Eu e o meu marido temos várias contas aqui. Ele chama-se Christian Grey.

Os seus olhos abrem-se muito por um segundo e a falsidade dá lugar ao choque. Volta a observar-me de cima abaixo, desta vez com uma combinação de descrença e pasmo.

– Por aqui, minha senhora – sussurra ela. Acompanha-me até um pequeno gabinete, com uma decoração espartana e revestido a mais vidro fosco e verde. – Por favor, queira sentar-se. – Aponta para uma cadeira de couro preto, junto à secretária de vidro que tem um computador de última geração e um telefone. – Quanto quererá levantar hoje, Mrs. Grey? – pergunta-me num tom agradável.

– Cinco milhões de dólares.

Mantenho o olhar fixo no dela, como se pedisse um valor destes todos os dias. Ela fica exangue.

– Compreendo. Vou chamar o gerente. Oh, perdoe-me a pergunta, mas tem um documento de identificação?

– Tenho. Mas gostaria de falar com o gerente.

– Com certeza, Mrs. Grey.

Ela apressa-se a sair. Recosto-me na cadeira e uma vaga de náusea acomete-me ao sentir a pressão incómoda da arma na zona lombar. *Agora não. Não posso vomitar agora.* Inspiro profundamente e a náusea passa. Nervosa, vejo as horas. Duas e vinte e cinco.

Um homem de meia-idade entra no gabinete. Está a ficar calvo, mas usa um fato cinzento-escuro, aprumado e de ar dispendioso, com uma gravata a condizer. Estende-me uma mão.

– Mrs. Grey. Chamo-me Troy Whelan. – Ele sorri, cumprimentamo-nos com um aperto de mão e ele senta-se à secretária diante de mim. – A minha colega disse-me que a senhora deseja levantar uma grande maquia.

– É verdade. Cinco milhões de dólares.

Ele vira-se para o computador moderno e marca alguns números.

– Regra geral, pedimos que nos avisem com alguma antecedência para procedermos a entregas de grandes quantidades de dinheiro. – Faz uma pausa e lança-me um sorriso tranquilizador mas arrogante. – Mas, felizmente, detemos a reserva de dinheiro de toda a área nordeste do Pacífico – gaba-se ele.

Raios, estará a tentar impressionar-me?

– Mr. Whelan, estou com pressa. O que preciso de fazer? Trouxe a minha carta de condução e o livro de cheques da nossa conta conjunta. Basta passar um cheque?

– Comecemos pelo princípio, Mrs. Grey. Posso ver o seu documento de identificação? – pede-me, ao que a sua ostentação jovial dá lugar à seriedade de um banqueiro.

– Aqui tem.

Entrego-lhe a minha carta de condução.

– Mrs. Grey... Aqui diz Anastasia Steele.

Oh, merda.

– Oh... sim. Hum.

– Vou telefonar a Mr. Grey.

– Oh, não, não será necessário. – *Merda!* – Devo ter alguma coisa no meu nome de casada.

Remexo na mala. O que tenho que me identifique? Agarro na carteira, abro-a e encontro uma fotografia em que estou com Christian na cama do camarote do *Fair Lady. Não posso mostrar-lhe isto!* Tiro o meu cartão preto da American Express.

– Aqui está.

– Mrs. Anastasia Grey – lê Whelan. – Sim, deve servir. – Franze o sobrolho. – Isto é altamente irregular, Mrs. Grey.

– Quer que diga ao meu marido que o seu banco se mostrou pouco cooperante?

Endireito os ombros e fito-o com o meu olhar mais intimidante. Ele faz uma pausa, reavaliando-me por um instante, ao que me parece.

– Terá de passar um cheque, Mrs. Grey.

– Com certeza. Desta conta?

Mostro-lhe o livro de cheques enquanto tento acalmar o coração acelerado.

– Com certeza. Também preciso que preencha mais alguma documentação. Dá-me licença por um minuto?

Assinto com a cabeça e ele sai do gabinete. Mais uma vez, solto a respiração contida. Não fazia ideia de que seria tão difícil. Com gestos desajeitados, abro o livro de cheques e tiro uma caneta da mala. Passo-o simplesmente ao portador? Não faço a mínima. Com dedos trémulos, escrevo: *Cinco milhões de dólares. $ 5 000 000.*

Oh, meu Deus, espero estar a fazer o que está certo. Mia, pensa na Mia. Não posso contar a ninguém.

As palavras ameaçadoras e repugnantes de Jack atormentam-me. *Se contar a alguém, ainda a fodo antes de a matar.*

Mr. Whelan regressa, de rosto pálido e expressão confrangida.

– Mrs. Grey? O seu esposo deseja falar consigo – murmura ele, ao que aponta para o telefone na mesa de vidro que nos separa.

O quê? Não.

– Está em linha. Basta carregar no botão. Eu ficarei lá fora.

Ao menos tem o cuidado de parecer envergonhado. Mas que traidor. Lanço-lhe um olhar de desdém, sentindo o sangue a fugir-me de novo do rosto enquanto ele sai do gabinete.

Merda! Merda! *Merda!* O que hei de dizer a Christian? Ele vai perceber. Ele vai intervir. É um perigo para a irmã. Treme-me a mão quando a levo ao telefone. Encosto-o à orelha, tentando acalmar a respiração descontrolada, e carrego no botão para ativar a linha um.

– Olá – murmuro, ainda a tentar, em vão, serenar os nervos.

– Vais deixar-me? – As palavras de Christian são ditas num sussurro agoniado e sem fôlego.

O quê?

– Não!

A minha voz espelha a dele. *Oh, não. Oh, não. Oh, não... como pode pensar uma coisa destas?* Por causa do dinheiro? Ele pensa que vou deixá-lo por causa *do dinheiro?* E, num momento de horrível clareza, percebo que a única forma que tenho de manter Christian longe, fora de perigo, e de salvar a sua irmã... é mentir.

– Sim – sussurro.

E uma dor lancinante percorre-me, ao mesmo tempo que fico com lágrimas nos olhos. Ele arqueja, quase num soluço.

– Ana, eu... – Engasga-se.

Não! Tapo a boca com uma mão para abafar as emoções contraditórias.

– Christian, por favor. Não.

Contenho as lágrimas.

– Vais-te embora? – pergunta.

– Sim.

– Mas porque estás a levantar esse dinheiro? Só estavas interessada no dinheiro? – A sua voz torturada é quase inaudível.

Não! Correm-me lágrimas pelo rosto.

– Não – sussurro.

– Cinco milhões chegam?

Oh, por favor, para!

– Sim.

– E o bebé? – A sua voz é um eco ofegante.

O quê? A minha mão desce-me da boca para a barriga.

– Eu tomo conta do bebé – murmuro.

O meu Pontinho... o nosso Pontinho.

– É isso que queres?

Não!

– Sim.

Ele inspira profundamente.

– Leva-o todo – silva.

– Christian – soluço. – É por ti. Pela tua família. Por favor, não digas mais.

– Levanta tudo, Anastasia.

– Christian...

E é por pouco que não cedo. Quase lhe conto – Jack, Mia, o resgate. *Confia em mim, por favor!*, imploro-lhe em silêncio.

– Vou amar-te sempre – diz numa voz enrouquecida.

E desliga.

– Christian! Não... Eu também te amo.

E todas as merdas estúpidas porque passámos nos últimos dias se reduzem a uma insignificância. Eu prometi que nunca o deixaria. *Não vou deixar-te. Vou salvar a tua irmã.* Afundo-me na cadeira, chorando copiosamente com as mãos na cara.

Sou interrompida por uma batida insegura na porta. Whelan entra, embora eu não tenha respondido. Olha para todo o lado, exceto para mim. Está mortificado.

Telefonou-lhe, seu canalha! Fito-o com um olhar furioso.

– O seu esposo acedeu a liquidar cinco milhões dos seus bens, Mrs. Grey. Isto é altamente irregular mas, como nosso principal cliente... ele foi insistente... muito insistente.

Interrompe-se e cora. Depois franze o sobrolho, a olhar para mim, e não percebo se é por Christian estar a ter uma atitude altamente irregular ou porque Whelan não sabe como lidar com uma mulher chorosa no seu gabinete.

– Sente-se bem? – pergunta-me.

– Pareço-lhe bem? – riposto.

– Peço desculpa. Um copo de água?

Aceno com a cabeça, desolada. Acabei de abandonar o meu marido. Bem, Christian pensa que o fiz. O meu subconsciente contrai os lábios. *Porque tu lhe disseste isso.*

– Vou pedir à minha colega que lho traga enquanto preparo o dinheiro. Se puder assinar aqui, minha senhora... e passe o cheque ao portador e assine aqui também.

Pousa um formulário na mesa. Rabisco a minha assinatura na linha pontilhada do cheque e também na do formulário. *Anastasia Grey.* Caem lágrimas na secretária, por pouco não acertando nos papéis.

– Eu fico com isto, minha senhora. Vamos demorar cerca de meia hora a preparar o dinheiro.

Olho de relance para o meu relógio. Jack disse duas horas – com essa meia hora, passarão duas horas desde que me ligou. Aceno com a cabeça e Whelan sai do gabinete em pés de lã, deixando-me a sós com a minha tristeza.

Alguns instantes, minutos, horas depois – não sei – a Miss Sorriso Falso volta com uma garrafa de água e um copo.

– Mrs. Grey – diz em voz baixa enquanto pousa o copo na secretária e o enche.

– Obrigada.

Agarro no copo e bebo de bom grado. Ela sai e eu fico só com os meus pensamentos desordenados e assustados. Resolverei as coisas com Christian de alguma maneira... se não for demasiado tarde. Pelo menos está fora desta história. Neste momento, tenho de me concentrar em Mia. E se Jack estiver a mentir? E se ele não a tiver raptado? Devia mesmo ligar à polícia.

Se contar a alguém, ainda a fodo antes de a matar. Não posso. Recosto-me na cadeira, sentindo a presença tranquilizadora da pistola de Leila no cós das calças, a enterrar-se nas minhas costas. Quem teria pensado que eu viria a sentir-me tão agradecida por Leila me ter ameaçado com uma arma? Oh, Ray, estou tão satisfeita por me teres ensinado a disparar.

Ray! Arquejo. Ele estará a contar que o visite hoje à tarde. Talvez possa simplesmente deixar o dinheiro com Jack. Ele pode fugir enquanto eu levo Mia a casa. *Oh, isto parece absurdo!*

O meu BlackBerry ganha vida e a música "Your Love Is King" espalha-se pelo gabinete. *Oh, não! Que quererá Christian? Retorcer mais a faca nas minhas feridas?*

Só estavas interessada no dinheiro?

Oh, Christian... como podes julgar isso? A raiva inflama-se nas minhas entranhas. Sim, raiva. Ajuda. Deixo a chamada ser atendida pelo gravador. Logo lidarei com o meu marido.

Batem à porta.

— Mrs. Grey. — É Whelan. — O dinheiro está pronto.

— Obrigada.

Levanto-me e o gabinete começa a andar à roda. Agarro-me à cadeira.

— Mrs. Grey, sente-se bem?

Aceno com a cabeça e fito-o com um olhar que o manda recuar. Inspiro profundamente mais uma vez para me acalmar. *Tenho de fazer isto. Tenho de fazer isto. Preciso de salvar a Mia.* Puxo a bainha da camisola com capuz para baixo, a fim de ocultar a coronha da pistola que tenho no cós das calças.

Mrs. Grey franze o sobrolho mas abre-me a porta e eu forço as pernas trémulas a avançar.

Sawyer aguarda à entrada, perscrutando a área aberta ao público. Os nossos olhares cruzam-se e ele franze o cenho, avaliando a minha reação. Oh, está furioso. Levanto o dedo indicador, como forma de lhe dizer que irei ter com ele em breve. Ele acena com a cabeça e atende uma chamada no telemóvel. *Merda! Aposto que é Christian.* Viro-me abruptamente e quase colido com Whelan, que está mesmo atrás de mim, após o que torno a entrar no pequeno gabinete.

— Mrs. Grey? — Whelan parece confuso enquanto me segue.

Sawyer pode dar cabo do plano todo. Olho para Whelan.

— Está uma pessoa lá fora que não quero ver. Uma pessoa que anda a seguir-me.

Os olhos de Whelan arregalam-se.

— Quer que chame a polícia?

— Não!

Grande porra, não. Que hei de fazer? Olho de relance para o relógio. São quase três um quarto. Jack deve estar prestes a ligar-me. *Pensa,*

Ana, pensa! Whelan observa-me com um desespero e um espanto cada vez maiores. De certeza que acha que sou louca. *Tu és louca,* censura-me o subconsciente.

— Preciso de fazer uma chamada. É possível dar-me um pouco de privacidade, por favor?

— Com certeza — responde Whelan, aparentemente agradecido por poder sair do gabinete.

Assim que ele fecha a porta, marco o número de Mia com dedos trémulos.

— Ora, ora, se não é o meu ordenado — atende Jack num tom desdenhoso.

Não tenho tempo para esta treta.

— Tenho um problema.

— Eu sei. O seu segurança seguiu-a até ao banco.

O quê? Como é que ele sabe, raios?

— Vai ter de o despistar. Tenho um carro à sua espera nas traseiras do banco. Um 4x4 preto, um *Dodge.* Tem três minutos para lá chegar.

O Dodge!

— Sou capaz de demorar mais de três minutos.

O coração volta a saltar-me para a boca.

— Até é esperta, para uma puta interesseira, Grey. Arranje maneira. E desfaça-se do telemóvel assim que chegar ao carro. Percebeu, cabra?

— Sim.

— Diga! — protesta ele.

— Percebi.

Ele desliga.

Merda! Abro a porta e vejo que Whelan me aguarda pacientemente.

— Mr. Whelan, preciso de ajuda para levar os sacos até ao carro. Está estacionado nas traseiras do banco. Será que têm uma saída nas traseiras?

Ele franze o sobrolho.

— Temos, sim. Para o pessoal.

— Será que podemos sair por aí? Assim evitava a atenção indesejada na porta da frente.

— Como preferir, Mrs. Grey. Pedirei a dois funcionários que a ajudem com os sacos e a dois guardas que supervisionem o trajeto. Queira ter a bondade de me seguir.

– Precisava de lhe pedir mais um favor.

– Às suas ordens, Mrs. Grey.

Dois minutos depois, eu e a minha escolta estamos na rua, a caminho do *Dodge*. As janelas são fumadas, pelo que não distingo quem está ao volante. Porém, à medida que nos aproximamos, a porta do lado do condutor abre-se e uma mulher vestida de preto, com um boné preto que lhe tapa parte da cara, sai graciosamente do carro. *A Elizabeth, lá do escritório!? Mas que raio?* Ela dirige-se à bagageira do jipe e abre-a. Os dois bancários jovens que transportam o dinheiro colocam os sacos pesados no porta-bagagens.

– Mrs. Grey – diz ela, com a lata de sorrir como se fôssemos partir numa expedição amigável.

– Elizabeth – cumprimento-a num tom glacial. – Que agradável vê-la fora do escritório.

Mr. Whelan pigarreia.

– Bem, foi uma tarde interessante, Mrs. Grey – diz ele.

E eu vejo-me obrigada a respeitar as amenidades sociais de me despedir dele com um aperto de mão e um agradecimento, enquanto a minha mente corre a toda a velocidade. *A Elizabeth? Mas porque estará envolvida com Jack?* Whelan e a sua equipa voltam para o banco, deixando-me a sós com a diretora de recursos humanos da SIP, que está envolvida num rapto, extorsão e, muito possivelmente, noutros crimes. *Porquê?*

Elizabeth abre a porta de trás e faz-me sinal para que entre.

– O seu telemóvel, Mrs. Grey? – pede, a observar-me com cautela. Eu passo-lho e ela atira-o para um caixote de lixo ali perto. – Isto há de despistar os cães – afirma num tom arrogante.

Quem é esta mulher? Elizabeth fecha-me a porta com estrondo e volta para o lugar do condutor. Olho ansiosamente para trás enquanto ela avança para o trânsito, em direção a leste. Não há sinal de Sawyer.

– Elizabeth, já tens o dinheiro. Telefona ao Jack. Diz-lhe que liberte a Mia.

– Eu acho que ele quer agradecer-te pessoalmente.

Merda! Espantada, fito-a pelo espelho retrovisor.

Ela empalidece e um esgar ansioso deforma-lhe o rosto bonito.

– Porque estás a fazer isto, Elizabeth? Eu pensava que não gostavas do Jack.

Ela volta a olhar para mim pelo espelho retrovisor e eu vejo-lhe um laivo de dor nos olhos.

– Ana, vamos dar-nos bem se mantiveres a boca fechada.

– Mas não podes fazer isto. Está tão errado.

– Silêncio – diz ela, mas eu pressinto o seu desconforto.

– Ele tem algo que use contra ti? – pergunto.

Os seus olhos fixam os meus e ela carrega no travão a fundo, atirando-me para a frente com tanta força que bato com a cara no assento da frente.

– Eu disse-te para estares calada – rosna. – E sugiro-te que ponhas o cinto de segurança.

E, nesse momento, percebo que tem. Algo tão terrível que ela está disposta a fazer isto por ele. Pergunto-me o que poderá ser. Terá roubado fundos à empresa? Será algo relacionado com a vida pessoal dela? Algo sexual? A ideia faz-me estremecer. Christian disse que nenhuma das assistentes pessoais de Jack falavam sobre ele. Talvez se passe o mesmo com todas. *Era por isso que ele também queria foder-me.* Sinto bílis na garganta, tal a repulsa que isso me provoca.

Elizabeth afasta-se da baixa de Seattle e sobe para as colinas a leste. Passado pouco tempo, avançamos por ruas residenciais. Vejo a tabuleta de uma das ruas: SOUTH IRVING STREET. De repente, ela guina para a esquerda e entra numa rua deserta que tem um parque infantil delapidado de um dos lados e um enorme parque de estacionamento de betão, flanqueado por edifícios baixos e vazios do outro. Entra no parque de estacionamento e para ao lado da última construção de tijolo. Vira-se para mim.

– Está na hora do espetáculo – murmura.

Fico com o couro cabeludo arrepiado enquanto o medo e a adrenalina me percorrem o corpo.

– Não tens de fazer isto – sussurro-lhe.

A boca dela contrai-se numa linha triste e ela sai do carro.

Isto é pela Mia. Isto é pela Mia. Rezo rapidamente: *Por favor, que ela esteja bem, por favor, que ela esteja bem.*

– Sai – ordena-me Elizabeth num tom ríspido, ao abrir a porta de trás com um puxão.

Merda. Quando saio, as pernas tremem-me tanto que me admiro por conseguir manter-me de pé. A brisa fresca da tarde transporta o cheiro do outono que se aproxima e o odor empoeirado de edifícios devolutos.

– Ora, vejam só.

Jack surge de uma pequena entrada à esquerda do edifício entaipado. Tem o cabelo curto. Tirou os brincos e está a usar um fato. *Um fato?* Avança na minha direção, emanando arrogância e ódio. A minha pulsação acelera.

– Onde está a Mia? – gaguejo, com a boca tão seca que mal consigo pronunciar as palavras.

– Primeiro vamos ao que interessa, cabra – diz Jack com desdém, ao parar diante de mim. Quase que sinto o sabor do seu desprezo. – O dinheiro?

Elizabeth está a verificar os sacos na bagageira.

– Está aqui uma data de dinheiro – diz ela, num tom admirado, abrindo e fechando os fechos dos sacos.

– E o telemóvel dela?

– No lixo.

– Bom – rosna Jack e, do nada, ataca-me, batendo-me com as costas da mão na cara.

O golpe feroz e inesperado atira-me ao chão e a minha cabeça embate com um estrondo nauseante no betão. A dor explode-me na cabeça, fico com os olhos cheios de lágrimas e com a visão toldada, com o choque do embate a ressoar, numa agonia que me pulsa pelo crânio.

Grito sem voz, de sofrimento e terror chocado. Oh, não... *Pontinho.* Em seguida, Jack dá-me um pontapé rápido e cruel nas costelas, que me deixa sem fôlego. Cerro os olhos com força, tento conter a náusea e a dor, debatendo-me por respirar. *Pontinho, Pontinho, oh, meu Pontinho...*

– Isto é pela SIP, sua cabra de merda! – grita Jack.

Puxo as pernas para cima, enrolando-me sobre mim mesma, a temer o próximo golpe. *Não, não, não.*

– Jack! – guincha Elizabeth. – Aqui não. Não em plena luz do dia, merda!

Ele espera.

– A cabra merece – declara ele a Elizabeth.

E isso dá-me um segundo valioso durante o qual posso levar a mão atrás e tirar a arma do cós das calças de ganga. Trémula, faço pontaria, aperto o gatilho e disparo. A arma atinge-o mesmo acima do joelho e ele cai à minha frente, a gritar de agonia, agarrado à coxa e com os dedos a ficarem ensanguentados.

– *Merda!* – urra Jack.

Viro-me para enfrentar Elizabeth, que me observa de queixo caído, horrorizada e a levar as mãos à cabeça. Ela fica turva... está tudo escuro. *Merda...* Ela está ao fundo de um túnel. A escuridão engole-a. Engole-me. Muito ao longe, há uma confusão dos demónios. Carros a chiar... travões... portas... gritos... passos a correr... Deixo cair a arma.

– Ana! – A voz de Christian... A voz de Christian... A voz angustiada de Christian. Mia... *salvar* Mia. – ANA!

Escuridão... paz.

CAPÍTULO VINTE E TRÊS

Só há dor. Dói-me a cabeça, o peito... uma dor ardente. O flanco, o braço. Dor. Dor e palavras sussurradas na penumbra. *Onde estou?* Embora tente, não consigo abrir os olhos. As palavras sussurradas tornam-se mais nítidas... um farol na escuridão.

– Tem as costelas magoadas, Mr. Grey, e uma fissura no crânio, mas os sinais vitais estão estáveis e fortes.

– Porque continua inconsciente?

– Mrs. Grey sofreu uma grande contusão na cabeça. Mas a atividade cerebral está normal e não há sinal de edema. Acordará quando estiver pronta. Dê-lhe apenas algum tempo.

– E o bebé? – As palavras são angustiadas, ofegantes.

– O bebé está bem, Mr. Grey.

– Oh, graças a Deus. – Estas palavras são uma litania... uma prece. – Oh, graças a Deus.

Oh, céus. Ele está preocupado com o bebé... o bebé?... *Pontinho.* Claro. O meu *Pontinho.* Em vão, tento levar a mão à barriga. Nada se mexe, nada reage.

E o bebé?... Oh, graças a Deus.

Ele quer o bebé. Oh, graças a Deus. Descontraio e a inconsciência torna a reclamar-me, afastando-me da dor.

Tudo é pesado e doloroso: membros, cabeça, pálpebras, nada se move. Os meus olhos e boca mantêm-se resolutamente fechados, recusam-se a abrir e deixam-me cega, muda e com dores. Enquanto vou saindo do nevoeiro, a consciência paira por cima de mim, uma sereia sedutora que não alcanço. Os sons transformam-se em vozes.

– Não vou deixá-la.

Christian! Ele está aqui... Força-me a despertar – a sua voz é um sussurro esforçado e angustiado.

— Christian, devias dormir.

— Não, pai. Quero estar aqui quando ela acordar.

— Eu fico com ela. É o mínimo que posso fazer depois de ter salvado a minha filha.

Mia!

— Como está a Mia?

— Está grogue... assustada e zangada. O *Rohypnol* ainda vai demorar umas horas a sair-lhe do sangue.

— Meu Deus.

— Eu sei. Sinto-me tão estúpido por lhe ter aliviado a segurança. Tu bem que me avisaste, mas a Mia é tão casmurra. Se não fosse a Ana...

— Todos julgávamos que o Hyde estava fora de jogo. E a minha mulher louca e estúpida... Porque é que ela não me contou? — A voz de Christian está carregada de angústia.

— Christian, acalma-te. A Ana é uma jovem impressionante. Foi incrivelmente corajosa.

— Corajosa, obstinada, teimosa e estúpida. — A voz falha-lhe.

— Então — murmura Carrick —, não sejas tão ríspido com ela, nem contigo, filho... O melhor é ir ter com a tua mãe, Christian. Devias mesmo tentar dormir.

O nevoeiro torna a cerrar-se.

O nevoeiro alivia-se, mas não tenho a noção do tempo.

— Se não a puseres em cima de um joelho para lhe dares uns açoites, faço-o eu, raios partam. Mas que porra é que lhe passou pela cabeça?

— Confie em mim, Ray, sou mesmo capaz de o fazer.

Pai! Ele está aqui. Combato o nevoeiro... combato... Mas volto a cair nas trevas. *Não...*

— Detetive, como pode verificar, a minha mulher não está em condições de responder às suas perguntas.

Christian está zangado.

— Ela é uma jovem obstinada, Mr. Grey.

— Quem me dera que ela tivesse matado o cabrão.

— Isso implicaria mais papelada para mim, Mrs. Grey... Miss Morgan está a cantar como um canário. O Hyde é mesmo um sacana retorcido. Guarda-lhe um rancor sério, e ao seu pai também...

O nevoeiro torna a engolir-me e eu sou arrastada por ele. *Não!*

— O que queres dizer com isso? Não se falavam? — É Grace. Parece zangada.

Tento virar a cabeça, mas deparo-me com o silêncio renitente e inerte do meu corpo.

— O que fizeste?

— Mãe...

— Christian! O que fizeste?

— Eu estava tão zangado. — É quase um soluço... Não.

— Então...

O mundo mergulha e turva-se e eu desapareço.

Ouço vozes baixas e abafadas.

— Disseste-me que tinhas cortado todos os contactos — diz Grace. Fala num tom baixo e admoestador.

— Eu sei. — Christian parece resignado. — Mas vê-la serviu para que eu pusesse tudo em perspetiva. Sabes... com a criança. Pela primeira vez senti... Que o que fizemos... estava errado.

— O que *ela* fez, querido... Os filhos têm esse efeito. Fazem-nos ver o mundo sob uma luz diferente.

— Ela finalmente entendeu... e eu também... Magoei a Ana — sussurra ele.

— Magoamos sempre aqueles que amamos, querido. Vais ter de lhe dizer que lamentas. E de ser sincero e de lhe dar tempo.

— Ela disse que ia deixar-me.

Não. Não. Não!

— E tu acreditaste nela?

— Ao princípio, sim.

— Querido, tu esperas sempre o pior de toda a gente, incluindo de ti. Sempre foste assim. A Ana ama-te muito e é óbvio que tu a amas.

— Ela estava furiosa comigo.

– Tenho a certeza de que estava. Eu também estou bastante zangada contigo agora. Acho que só nos enfurecemos realmente com alguém que amamos a sério.

– Já pensei nisso e ela mostrou-me inúmeras vezes o quanto gosta de mim... a ponto de pôr a vida em perigo.

– Sim, mostrou, querido.

– Oh, mãe, porque é que ela não acorda? – A voz falha-lhe. – Quase a perdi.

Christian! Há soluços abafados. Não...

Oh... a escuridão envolve-me. *Não...*

– Demoraste vinte e quatro anos a deixar-me abraçar-te assim...

– Eu sei, mãe... Estou contente por termos conversado.

– Também eu, querido. Vou estar sempre aqui. Nem acredito que vou ser avó.

Avó!

O abismo doce chama-me.

Hum. A sua barba a despontar raspa nas costas da minha mão enquanto ele me aperta os dedos.

– Oh, querida, por favor, volta para mim. Lamento. Lamento tudo. Mas acorda. Fazes-me falta. Amo-te.

Eu tento. Eu tento. Quero vê-lo. Mas o corpo desobedece-me e eu torno a adormecer.

Tenho muita vontade de urinar. Abro os olhos. Estou no ambiente limpo e estéril de um quarto de hospital. Está escuro, à exceção de uma lâmpada de presença, e o silêncio é absoluto. Doem-me a cabeça e o peito mas, mais do que isso, tenho a bexiga a rebentar. Preciso de fazer chichi. Testo os meus membros. Arde-me o braço direito e reparo na agulha intravenosa que tenho no interior do cotovelo. Fecho os olhos por um instante. Virando a cabeça – satisfeita por esta reagir à minha vontade – torno a abri-los. Christian está a dormir, sentado ao meu lado e apoiado na minha cama, com a cabeça sobre os braços dobrados. Estendo a mão, de novo grata por ter o corpo a reagir, e passo os dedos pelo seu cabelo macio.

Ele acorda sobressaltado, levantando a cabeça tão depressa que a minha mão fragilizada resvala para a cama.

— Olá — rouquejo.

— Oh, Ana — responde numa voz sufocada e aliviada.

Agarra-me na mão, aperta-a com força e encosta-a à face com a barba por fazer.

— Tenho de ir à casa de banho — sussurro.

Ele abre a boca e depois fita-me com o sobrolho franzido.

— Ok.

A custo, tento levantar-me.

— Ana, não te mexas. Vou chamar uma enfermeira.

Levanta-se depressa, muito alarmado, e carrega num botão ao lado da cama.

— Por favor — sussurro. *Porque me dói tudo?* — Tenho de me levantar. — *Bolas, sinto-me tão fraca.*

— Será que, por uma vez, podes fazer o que te digo? — riposta, exasperado.

— Preciso mesmo de fazer chichi — rouquejo.

Tenho a boca e a garganta tão secas. Uma enfermeira entra no quarto. Deve estar na casa dos cinquenta anos, embora tenha o cabelo preto como azeviche. Está a usar uns brincos de pérola enormes.

— Mrs. Grey, seja bem-vinda. Vou transmitir à Dr.ª Bartley que acordou. — Avança até ao lado da minha cama. — Chamo-me Nora. Sabe onde está?

— Sim. Hospital. Preciso de fazer chichi.

— Tem um cateter.

O quê? Oh, isso é nojento. Lanço um olhar ansioso a Christian e depois volto a fitar a enfermeira.

— Por favor. Quero levantar-me.

— Mrs. Grey.

— Por favor.

— Ana — avisa-me Christian.

Eu torno a tentar levantar-me.

— Deixe-me tirar-lhe o cateter. Mr. Grey, estou certa de que Mrs. Grey apreciaria um pouco de privacidade — diz a enfermeira, de olhos postos em Christian para que ele saia.

– Não vou a lado nenhum – riposta ele, com um olhar firme.

– Christian, por favor – sussurro, estendendo a mão para agarrar na dele. Ele aperta-a por um segundo e depois lança-me um olhar exasperado. – Por favor – imploro.

– Está bem – cede ele e passa a mão pelo cabelo. – Tem dois minutos – silva à enfermeira.

Inclina-se, beija-me a testa, vira costas e sai do quarto.

Christian volta dois minutos depois, enquanto a enfermeira Nora me ajuda a sair da cama. Tenho uma bata hospitalar fina vestida. Não me lembro de me terem despido.

– Deixe-me levá-la – diz ele e avança na nossa direção.

– Mr. Grey, eu consigo – repreende a enfermeira.

Ele fita-a com um olhar hostil.

– Raios partam, é a minha mulher. Eu levo-a – insiste ele entre dentes cerrados enquanto afasta o suporte da alimentação intravenosa do seu caminho.

– Mr. Grey! – protesta ela.

Ele ignora-a, baixa-se e, com cuidado, tira-me da cama. Eu passo os braços à volta do pescoço dele, com todo o corpo a reclamar. *Caramba, dói-me tudo.* Leva-me ao colo até à casa de banho do quarto, enquanto a enfermeira Nora nos segue, a empurrar o suporte.

– Mrs. Grey, está demasiado leve – resmunga num tom de reprovação enquanto me ajuda a pôr-me de pé. Oscilo. Sinto as pernas como se fossem feitas de gelatina. Christian acende a luz e eu fico momentaneamente cegada pela lâmpada fluorescente que tremeluz. – Senta-te antes que caias – ordena-me, ainda a segurar-me.

Com hesitação, sento-me na sanita.

– Sai. – Tento mandá-lo embora.

– Não. Faz e pronto, Ana.

Será que isto podia ser mais embaraçoso?

– Não sou capaz, contigo aqui.

– Podes cair.

– Mr. Grey!

Ambos ignoramos a enfermeira.

– Por favor – rogo.

Ele levanta as mãos num gesto de derrota.

– Fico do lado de fora, com a porta aberta.

Dá dois passos até ficar mesmo no limiar da porta com a enfermeira zangada.

– Vira-te, por favor – peço-lhe.

Porque me sinto tão ridiculamente tímida com este homem? Ele revira os olhos mas faz-me a vontade. E, assim que vira costas... descontraio e saboreio o alívio.

Faço um inventário das minhas lesões. Dói-me a cabeça, tenho o peito dorido no sítio onde Jack me pontapeou e sinto o flanco a latejar por ter sido empurrada para o chão. Para além disso, tenho sede e fome. *Caramba, estou mesmo esfomeada.* Acabo, agradecida por não ter de me levantar para lavar as mãos, pois o lavatório está aqui perto. Pura e simplesmente não tenho forças para me levantar.

– Já fiz – aviso enquanto seco as mãos à toalha.

Christian volta-se, torna a entrar e, antes que eu dê por isso, já estou de novo nos seus braços. Senti a falta destes braços. Ele para e encosta o nariz ao meu cabelo.

– Oh, tive saudades suas, Mrs. Grey – sussurra ele e, com a enfermeira Nora a segui-lo, deita-me na cama e solta-me... com relutância, parece-me.

– Se já terminou, Mr. Grey, gostaria de examinar Mrs. Grey agora. – A enfermeira Nora está irada.

Ele afasta-se.

– É toda sua – diz, num tom mais contido.

Ela expira pelo nariz para lhe demonstrar o desagrado e depois concentra-se em mim.

É exasperante, não é?

– Como se sente? – pergunta-me, com a voz cheia de compaixão e com um laivo de irritação, que suspeito ser por causa de Christian.

– Magoada e com sede. Muita sede – sussurro.

– Trago-lhe água assim que tenha verificado os seus sinais vitais e a Dr.ª Bartley a tenha examinado.

Leva a mão a um aparelho para medir a tensão e fecha-o em torno do meu braço. Lanço um olhar ansioso a Christian. Ele está com um ar terrível – parece até atormentado –, como se não dormisse há dias. Tem o cabelo em desalinho, há muito que não se barbeia e traz uma camisa bastante amarrotada. Franzo o sobrolho.

– Como te sentes?

Sem fazer caso da enfermeira, ele senta-se na cama, afastado do meu braço.

– Confusa. Dorida. Faminta.

– Faminta? – Ele pestaneja, surpreendido. Aceno com a cabeça. – O que queres comer?

– Qualquer coisa. Sopa.

– Mr. Grey, será necessária a autorização da médica antes de Mrs. Grey poder comer.

Ele fita-a com um ar impassível e em seguida saca do BlackBerry do bolso das calças e marca um número.

– A Ana quer canja de galinha... Bom... Obrigado. – E desliga.

Eu olho de relance para Nora, cujos olhos se semicerram, concentrados em Christian.

– Taylor? – pergunto rapidamente.

Christian assente com a cabeça.

– A sua tensão arterial está normal, Mrs. Grey. Vou buscar a médica.

Tira-me o aparelho e, sem mais palavras, sai da sala com passos zangados que emanam reprovação.

– Acho que irritaste a enfermeira Nora.

– Surto esse efeito nas mulheres – replica ele com um sorriso malandro.

Rio-me, mas paro de repente, pois isso faz-me doer o peito.

– Sim, tens.

– Oh, Ana, adoro ouvir-te rir.

Nora regressa com um jarro de água. Ambos nos calamos, entreolhando-nos enquanto ela enche um copo e mo passa.

– Dê goles pequenos – avisa-me.

– Sim, minha senhora – concordo antes de beber o primeiro trago de água fresca.

Oh, céus. É perfeito. Bebo mais e Christian observa-me com intensidade.

— A Mia? — pergunto.

— Está a salvo. Graças a ti.

— Eles tinham-na?

— Sim.

Toda aquela loucura foi justificada. O alívio percorre-me o corpo. *Graças a Deus, graças a Deus, graças a Deus que está bem*. Franzo o sobrolho.

— Como foi que a apanharam?

— Elizabeth Morgan. — É a resposta concisa dele.

— Não!

Christian acena com a cabeça.

— Ofereceu-lhe boleia no ginásio.

Franzo mais o sobrolho, ainda sem compreender.

— Ana, depois conto-te os pormenores. A Mia está bem, tendo em conta o que aconteceu. Foi drogada. Ainda está grogue e abalada mas, por algum milagre, não lhe fizeram mal. — O maxilar dele contrai-se. — O que tu fizeste — passa a mão pelo cabelo —, foi incrivelmente corajoso e incrivelmente estúpido. Podias ter morrido.

Os seus olhos estão de um cinzento sombrio e gélido, e percebo que está a conter a ira.

— Não sabia o que mais fazer — sussurro.

— Podias ter-me contado! — responde com veemência, de punhos cerrados no colo.

— Ele disse que a matava se eu contasse a alguém. Não podia correr esse risco.

Christian fecha os olhos, com o terror espelhado no rosto.

— Já morri mil vezes desde quinta.

Quinta-feira?

— Que dia é hoje?

— É quase sábado — diz ele, a consultar o relógio. — Estiveste mais do vinte e quatro horas inconsciente.

Oh.

— E o Jack e a Elizabeth?

– Em prisão preventiva. Ainda que o Hyde esteja aqui, guardado por polícias. Tiveram de lhe extrair a bala com que o atingiste – diz Christian num tom amargurado. – Não sei em que sítio do hospital é que está, felizmente, pois se soubesse ainda o matava com as minhas próprias mãos.

O rosto dele ensombra-se.

Oh, merda. O Jack está aqui?

Isto é pela SIP, sua cabra de merda! Empalideço. O meu estômago vazio dá voltas, lágrimas deixam-me os olhos a arder e um calafrio profundo percorre-me.

– Então. – Christian aproxima-se mais de mim, com a voz carregada de preocupação. Tirando-me o copo da mão, dá-me um abraço terno. – Agora estás a salvo – murmura ele com a boca encostada ao meu cabelo e a voz rouca.

– Christian, lamento tanto.

As lágrimas começam a cair.

– Pronto. – Ele acaricia-me o cabelo e eu choro encostada ao seu pescoço.

– Aquilo que te disse. Eu nunca te deixaria.

– Pronto, querida, eu sei.

– Sabes?

A sua confissão trava-me as lágrimas.

– Acabei por perceber. A sério, Ana, o que estavas a *pensar?* – pergunta num tom tenso.

– Apanhaste-me de surpresa – murmuro contra o seu colarinho. – Quando falei contigo do banco. Por achares que eu ia deixar-te. Pensei que me conhecias melhor. Já te disse vezes sem conta que nunca te deixaria.

– Mas depois da forma horrível como eu me comportei... – A sua voz está praticamente inaudível e os seus braços apertam-me mais. – Por um instante, achei que te tinha perdido.

– Não, Christian. Nunca. Não queria que interferisses e colocasses a vida da Mia em risco.

Ele suspira e eu não sei se é de zanga, exasperação ou mágoa.

– Como é que percebeste? – apresso-me a perguntar para o distrair daquela linha de raciocínio.

Ele ajeita-me uma madeixa atrás da orelha.

– Tinha acabado de aterrar em Seattle quando me telefonaram do banco. As últimas notícias que tinha tido eram que não te sentias bem e ias para casa.

– Então estavas em Portland quando o Sawyer vos ligou do carro?

– Estávamos quase a levantar voo. Fiquei preocupado contigo – diz num tom suave.

– Ficaste?

Ele franze o sobrolho.

– Claro que fiquei. – Passa o polegar pelo meu lábio inferior. – Passo a vida a preocupar-me contigo. Tu sabes.

Oh, Christian!

– O Jack telefonou-me quando eu estava a trabalhar – murmuro. – Deu-me duas horas para arranjar o dinheiro. – Encolho os ombros. – Tinha de sair e pareceu-me que essa seria a melhor desculpa.

A boca de Christian contrai-se numa linha austera.

– E fugiste ao Sawyer. Ele também está furioso contigo.

– Também?

– Como eu.

Com um gesto hesitante, toco-lhe na cara, passando os dedos pela barba por fazer. Ele fecha os olhos e aproxima o rosto dos meus dedos.

– Não fiques zangado comigo. Por favor – sussurro.

– Estou mesmo furioso. O que fizeste foi uma estupidez monumental. A raiar a loucura.

– Já te disse que não sabia o que mais haveria de fazer.

– Parece que não te importas minimamente com a tua segurança. E agora não és só tu – acrescenta, num tom zangado.

Treme-me o lábio. Ele está a pensar no nosso Pontinho.

A porta abre-se, o que nos sobressalta, e entra uma jovem afro--americana com uma bata branca sobre roupa hospitalar cinzenta.

– Boa noite, Mrs. Grey. Sou a Dr.ª Bartley.

Ela começa a examinar-me exaustivamente; dirige-me uma luz aos olhos, pede-me que lhe toque nos dedos e depois no meu nariz enquanto fecho um olho e em seguida o outro, verifica-me todos os reflexos.

Mas tem uma voz suave e um toque delicado – é uma médica gentil. A enfermeira Nora junta-se a ela e Christian retira-se para um canto do quarto e faz alguns telefonemas enquanto as duas profissionais de saúde cuidam de mim. É difícil concentrar-me na Dr.ª Bartley, na enfermeira Nora e em Christian ao mesmo tempo, mas ouço-o a falar com o pai, com a minha mãe e com Kate, dizendo-lhes que já despertei. Por fim, deixa uma mensagem a Ray.

Ray. *Oh, merda...* Recordo vagamente ter ouvido a sua voz. Ele esteve aqui... sim, enquanto eu ainda estava inconsciente.

A Dr.ª Bartley examina-me as costelas, com os dedos a sondar delicada mas firmemente.

Estremeço.

– Estão só magoadas, não se racharam nem partiram. Teve muita sorte, Mrs. Grey.

Faço um esgar. *Sorte?* Não seria a palavra que eu escolheria. Christian também a fita com um olhar de indignação. Ele diz-me qualquer coisa sem emitir som algum. Parece-me que é *imprudente*, mas não tenho a certeza.

– Vou receitar-lhe alguns analgésicos. Precisará deles por causa das costelas e da dor de cabeça que de certeza terá. Mas tudo parece estar como deve, Mrs. Grey. Sugiro-lhe que durma um pouco. Dependendo de como se sentir de manhã, é possível que lhe demos alta. Será a minha colega, a Dr.ª Singh, quem a verá amanhã.

– Obrigada.

Batem à porta e Taylor entra, com uma caixa de cartão preto com o brasão do hotel Fairmont Olympic gravado a creme de lado.

Com o caraças!

– Comida? – pergunta a Dr.ª Bartley, surpreendida.

– Mrs. Grey tem fome – diz Christian. – É canja de galinha.

A médica sorri.

– Sopa faz-lhe bem, só o caldo. Não pode comer coisas pesadas.

Despede-se com um olhar e sai do quarto, acompanhada pela enfermeira Nora.

Christian empurra o carrinho do tabuleiro até à minha cama e Taylor pousa a caixa.

– Seja bem-vinda, Mrs. Grey.

– Olá, Taylor. Obrigada.

– Não tem de quê, minha senhora.

Parece-me que quer dizer mais mas que se contém.

Christian está a abrir a caixa, tirando de lá um termo, uma tigela de sopa, um prato, um guardanapo de linho, uma colher de sopa, um cestinho com pão, um saleiro e um pimenteiro de prata... o Olympic excedeu-se mesmo.

– Que bom, Taylor.

Tenho o estômago a reclamar. Estou esfomeada.

– Mais alguma coisa? – pergunta.

– Não, é tudo, obrigado – diz Christian, dispensando-o.

Taylor assente com a cabeça.

– Taylor, obrigada.

– Posso trazer-lhe mais alguma coisa, Mrs. Grey?

Olho de relance para Christian.

– Só roupas lavadas para o Christian.

Taylor sorri.

– Sim, senhora.

Christian baixa a cabeça para ver a própria camisa, intrigado.

– Há quanto tempo estás com essa camisa vestida? – pergunto-lhe.

– Desde quinta de manhã – responde com um sorriso de esguelha.

Taylor sai.

– Ele também está bastante chateado contigo – acrescenta Christian num tom resmungão, enquanto desenrosca a tampa do termo e despeja a canja cremosa na tigela.

O Taylor, também! Mas não perco tempo a pensar nisso, pois a canja distrai-me. Tem um cheiro delicioso e o vapor que emana em espirais é convidativo. Provo-a e sinto que é tudo o que prometia ser.

– Está boa? – pergunta Christian, tornando a sentar-se à beira da cama.

Aceno com entusiasmo, mas não paro de comer. A fome que sinto é primitiva. Só me interrompo para limpar a boca ao guardanapo de linho.

– Conta-me o que aconteceu... depois de teres percebido o que se estava a passar.

Christian leva uma mão ao cabelo e abana a cabeça.

– Oh, Ana, é bom ver-te comer.

– Tenho fome. Conta-me.

Ele franze o sobrolho.

– Bem, depois da chamada do banco e de eu ficar a pensar que o meu mundo tinha ruído por completo... – Não consegue dissimular a dor na voz. Eu paro de comer. *Oh, merda.* – Não pares, senão calo-me – sussurra ele, num tom inflexível a condizer com o seu olhar. Continuo a comer a sopa. *Ok, Ok... Bolas, sabe bem.* O olhar de Christian suaviza-se e, passado um instante, ele recomeça: – Seja como for, pouco depois de termos terminado a nossa conversa, o Taylor informou-me que o Hyde tinha saído sob fiança. Não sei como, pois julgava que tínhamos conseguido impedir quaisquer tentativas de o deixarem sair. Mas isso fez-me pensar no que tu tinhas dito... e percebi que algo de muito errado se passava.

– Nunca estive interessada no dinheiro – digo de repente, com uma raiva inesperada a formar-se na minha barriga. Falo mais alto: – Como podes sequer ter pensado isso? Nunca quis saber da porra do teu dinheiro!

A minha cabeça começa a latejar e eu faço um esgar. Christian fica boquiaberto a olhar para mim durante um segundo, surpreendido pela minha veemência. Estreita os olhos.

– Tento na língua – rosna. – Acalma-te e come.

Lanço-lhe um olhar amotinado.

– Ana – avisa-me.

– Isso foi o que me magoou mais, Christian – sussurro. – Quase tanto como teres ido ver aquela mulher.

Ele inspira profundamente como se eu o tivesse esbofeteado e, de súbito, parece exausto. Fechando os olhos por um instante, abana a cabeça com um ar resignado.

– Eu sei – suspira ele. – E lamento. Mais do que possas imaginar. – Tem os olhos iluminados pela contrição. – Por favor, come. Enquanto a sopa está quente. – Fala numa voz branda e cativante, e eu faço o que me pede.

Ele exala um suspiro de alívio.

– Continua – sussurro, entre duas dentadas do ilícito pão branco acabado de cozer.

– Não sabíamos que a Mia tinha desaparecido. Achei que ele poderia estar a chantagear-te ou algo assim. Voltei a telefonar-te, mas não atendeste. – Faz uma expressão zangada. – Deixei-te uma mensagem e depois liguei ao Sawyer. O Taylor começou a seguir o teu telemóvel. Eu sabia que estavas no banco, pelo que foi para lá que nos dirigimos.

– Não sei como é que o Sawyer me encontrou. Também estava a seguir-me pelo telemóvel?

– O *Saab* está equipado com um aparelho de localização. Todos os nossos carros estão. Quando chegámos ao banco, tu já estavas em movimento e nós seguimos-te. Porque estás a sorrir?

– Até certo ponto, sabia que havias de me perseguir.

– E isso é divertido porque...? – pergunta ele.

– O Jack tinha-me dado ordens para que me livrasse do telemóvel. Por isso, pedi o telemóvel emprestado ao Whelan e foi esse que acabou no lixo. Pus o meu num dos sacos de lona para tu poderes localizar o teu dinheiro.

Christian suspira.

– O nosso dinheiro, Ana – diz em voz baixa. – Come.

Limpo a tigela de sopa com o último bocado de pão, que meto na boca. Pela primeira vez em muito tempo, sinto-me satisfeita, apesar da nossa conversa.

– Acabei.

– Linda menina.

Ouvimos uma batida na porta e a enfermeira Nora volta a entrar, com um pequeno copo de papel. Christian afasta o carrinho e começa a guardar todos os itens na caixa.

– Analgésico – diz-me Nora com um sorriso, ao mostrar-me o comprimido branco no copo de papel.

– Não faz mal tomá-lo? Sabe... com o bebé?

– Não, Mrs. Grey. É *Lortab*... é inofensivo; não afetará o bebé.

Aceno com a cabeça, agradecida. Tenho a cabeça a latejar. Engulo o comprimento com um gole de água.

– Devia descansar, Mrs. Grey.

A enfermeira Nora lança um olhar pleno de significado a Christian. Este acena com a cabeça. *Não!*

– Vais-te embora? – exclamo, a entrar em pânico.

Não vás... ainda agora começámos a falar!

Christian resfolega.

– Se lhe passa pela cabeça que vou deixá-la fora de vista, Mrs. Grey, está muito enganada.

Nora bufa, mas fica a meu lado e ajusta-me as almofadas para eu me deitar.

– Boa noite, Mrs. Grey – diz ela e, com um último olhar de censura a Christian, sai.

Ele arqueia uma sobrancelha quando ela fecha a porta.

– Acho que a enfermeira Nora não me aprova.

Ele permanece junto à cama, com um ar cansado, e, apesar de querer que ele fique, sei que devo tentar persuadi-lo a ir para casa.

– Tu também precisas de descansar, Christian. Vai para casa. Pareces exausto.

– Não vou deixar-te. Passo pelas brasas aqui no cadeirão.

Esboço um esgar crítico e depois viro-me de lado.

– Dorme comigo.

Ele franze o sobrolho.

– Não. Não posso.

– Porque não?

– Não quero magoar-te.

– Não me vais magoar. Por favor, Christian.

– Tens uma agulha intravenosa.

– Christian. Por favor.

Ele fita-me e eu percebo que se sente tentado.

– Por favor.

Levanto as cobertas, convidando-o para a cama.

– Que se foda.

Ele descalça os sapatos e as meias e, hesitante, deita-se ao meu lado. Com cuidado, passa um braço à minha volta e eu encosto a cabeça ao seu peito. Beija-me a cabeça.

– Acho que a enfermeira Nora não vai gostar disto – sussurra num tom conspiratório.

Solto um risinho mas paro, pois a dor espalha-se-me pelo peito.

– Não me faças rir. Dói-me.

– Oh, mas eu adoro esse som – diz ele com alguma tristeza na voz baixa. – Desculpa, querida, peço tanta, tanta desculpa.

Dá-me outro beijo na cabeça e inspira profundamente e eu não sei por que motivo me pede desculpa... por me ter feito rir? Ou pela confusão em que nos metemos? Pouso a mão sobre o coração dele e ele tapa-a com a sua. Mantemo-nos calados durante algum tempo.

– Porque foste ver aquela mulher?

– Oh, Ana – geme ele. – Queres discutir isso agora? Não podemos esquecer o assunto? Estou arrependido, Ok?

– Preciso de saber.

– Digo-te amanhã – resmoneia, irritado. – Oh, e o detetive Clark quer falar contigo. É só uma questão de rotina. Agora dorme.

Beija-me a cabeça. Expiro um grande suspiro. Preciso de saber porquê. Ao menos ele diz que se arrepende. Já é qualquer coisa, concorda o meu subconsciente, que parece estar de bom humor. Ai, o detetive Clark. Estremeço ao pensar que terei de lhe contar o que aconteceu na quinta e reviver tudo.

– Sabes porque é que o Jack fez tudo isto?

– Hum – murmura Christian.

Sinto-me tranquilizada pelo lento subir e descer do seu peito, que me embala a cabeça ao de leve, adormecendo-me com o abrandar da sua respiração. E, enquanto adormeço, tento dar sentido aos fragmentos de conversas que ouvi quando estava na fronteira da consciência, mas eles escapam-me, mostram-se muito elusivos, atormentando-me nos recantos da memória. Oh, é frustrante e cansativo... e...

Nora tem a boca contraída e os braços cruzados numa posição hostil. Levo um dedo aos lábios.

– Por favor, deixe-o dormir – sussurro, de olhos semicerrados por causa da luz da manhã.

– Esta cama é sua. Não dele – silva ela num tom severo.

– Dormi melhor por ele estar aqui – insisto, tentando defender o meu marido.

Para mais, é verdade. Christian mexe-se e tanto eu como a enfermeira Nora estacamos. Ele balbucia ainda a dormir:

– Não me toques. Já não. Só a Ana.

Franzo o sobrolho. Raras vezes ouvi Christian a falar durante o sono. Decerto que isso poderá dever-se a ele dormir menos do que eu. Só tinha ouvido os seus pesadelos. Os braços dele apertam-me e eu estremeço.

– Mrs. Grey – diz a enfermeira com um olhar de aviso.

– Por favor – rogo-lhe.

Ela abana a cabeça, vira costas e vai-se embora, ao que torno a aninhar-me em Christian.

Quando acordo, não há sinal de Christian. O sol brilha pela janela e agora posso mesmo apreciar o quarto. *Tenho flores!* Não reparei nelas ontem à noite. São vários ramos. Pergunto-me distraidamente de quem serão.

Uma batida leve na porta distrai-me e Carrick espreita. Sorri quando vê que estou acordada.

– Posso entrar? – pergunta.

– Claro.

Ele avança pelo quarto, dirigindo-se até mim, com os olhos azul--claros e gentis a observarem-me com uma expressão arguta. Está a usar um fato azul-escuro – deve estar a trabalhar. Surpreende-me, pois debruça-se e dá-me um beijo na testa.

– Posso sentar-me?

Aceno com a cabeça e ele empoleira-se à beira da cama e segura--me na mão.

– Não sei como agradecer-te pela minha filha, rapariga louca, corajosa e querida. É provável que lhe tenhas salvado a vida. Ficarei em dívida para contigo para sempre. – A voz treme-lhe, cheia de gratidão e compaixão.

Oh... não sei o que dizer. Aperto-lhe a mão, mas mantenho-me calada.

– Como te sentes?

– Melhor. Dorida – respondo com honestidade.

– Deram-te analgésicos?

– *Lor...* qualquer coisa.

– Bom. Onde está o Christian?

– Não sei. Quando acordei, não estava aqui.

– Não há de estar longe, tenho a certeza. Não te deixou enquanto estiveste inconsciente.

– Eu sei.

– Ele está um pouco zangado contigo, e com razão.

Carrick esboça um sorriso trocista. Ah, estou a ver com quem Christian aprendeu.

– O Christian está sempre zangado comigo.

– Está?

Ele sorri, satisfeito – como se isto fosse uma coisa boa. O seu sorriso é contagioso.

– Como está a Mia?

Os seus olhos turvam-se e o sorriso desaparece.

– Está melhor. Furiosa. Acho que a raiva é uma reação saudável ao que lhe aconteceu.

– Está aqui?

– Não, está em casa. Acho que a Grace não vai perdê-la de vista.

– Sei o que isso é.

– Tu também precisas de ser vigiada – admoesta-me. – Não quero que corras mais riscos tolos com a tua vida ou a do meu neto.

Coro. *Ele sabe!*

– A Grace leu a tua ficha e contou-me. Parabéns.

– Hã... obrigada.

Ele observa-me e o seu olhar suaviza-se, apesar de franzir o sobrolho perante a minha expressão.

– O Christian vai habituar-se à ideia – diz com delicadeza. – Será o melhor para ele. Só tens... de lhe dar algum tempo.

Assinto com a cabeça. *Oh... eles conversaram.*

– Tenho de ir. Esperam-me no tribunal. – Com um sorriso, levanta-se. – Venho ver-te mais tarde. A Grace tem a Dr.ª Singh e a Dr.ª Bartley em alta estima. Sabem o que estão a fazer.

Inclina-se e dá-me outro beijo na testa.

– Estou a falar a sério, Ana. Nunca poderei retribuir o que fizeste por nós. Obrigado.

Olho para ele, a pestanejar para não chorar, subitamente avassalada, e ele afaga-me o rosto com afeto. Depois vira-se e vai-se embora.

Oh, céus. Estou zonza com a sua gratidão. Talvez agora possa esquecer o malogro do acordo pré-nupcial. O meu subconsciente acena sabiamente com a cabeça, mais uma vez em sintonia comigo. Abano a cabeça e, com movimentos inseguros, levanto-me da cama. Fico aliviada ao descobrir que tenho muito mais equilíbrio do que ontem. Apesar de Christian ter dormido comigo, repousei e sinto-me revitalizada. Ainda me dói a cabeça, mas é uma dor seca e incomodativa que não se compara com o latejar de ontem. Estou rígida e dorida, mas preciso mesmo de tomar banho. Sinto-me suja. Encaminho-me para a casa de banho.

– Ana! – grita Christian.

– Estou na casa de banho – respondo, a acabar de lavar os dentes.

Já me sinto melhor. Ignoro o reflexo no espelho. *Caramba, estou com péssimo aspeto.* Quando abro a porta, Christian encontra-se ao lado da cama, com um tabuleiro cheio de comida. Transformou-se. Completamente vestido de preto, fez a barba, tomou duche e parece repousado.

– Bom dia, Mrs. Grey – diz num tom animado. – Trouxe-lhe o pequeno-almoço.

Está com um ar tão jovial e feliz.

Uau. Sorrio de orelha a orelha ao voltar para a cama. Ele empurra o carrinho e levanta a tampa para revelar o meu pequeno-almoço: aveia com frutos secos, panquecas com doce de ácer, *bacon*, sumo de laranja e chá *Twinings English Breakfast*. Fico com água na boca; tenho tanta fome. Engulo o sumo de laranja com poucos goles e lanço-me à aveia. Christian senta-se à beira da cama, a observar-me. Esboça um sorriso trocista.

– O que foi? – pergunto, de boca cheia.

– Gosto de te ver comer – diz ele. Mas não me parece que seja isso que o faz sorrir. – Como te sentes?

– Melhor – respondo entre duas colheradas.

– Nunca te vi comer assim.

Olho para ele e sinto um aperto no coração. Não podemos continuar a ignorar a situação.

– É por estar grávida, Christian.

Ele resfolega e a sua boca retorce-se num sorriso irónico.

– Se eu soubesse que engravidar-te te faria comer, poderia tê-lo feito antes.

– Christian Grey! – exclamo e pousou a tigela de aveia.

– Não pares de comer – avisa-me.

– Christian, temos de falar sobre isto.

Ele imobiliza-se.

– O que há a dizer? Vamos ser pais.

Encolhe os ombros, numa tentativa desesperada de parecer descontraído, mas tudo o que vejo é o medo que sente. Afasto o tabuleiro, gatinho pela cama até ele e seguro-lhe nas mãos.

– Estás assustado – sussurro. – Eu percebo. – Ele fita-me, impassível, com os olhos arregalados e toda a jovialidade desaparecida. – Eu também estou. É normal.

– Que tipo de pai posso eu ser? – A sua voz está rouca, quase inaudível.

– Oh, Christian. – Reprimo um soluço. – Um pai que tenta dar o seu melhor. É tudo o que qualquer pessoa pode fazer.

– Ana... eu não sei se sou capaz...

– Claro que és. És carinhoso, és divertido, és forte, vais ditar as regras. Nada faltará a um filho nosso.

Ele está paralisado, a fitar-me, com a dúvida espelhada no seu rosto lindo.

– Sim, teria sido ideal esperarmos. Termos mais tempo só para nós. Mas seremos três e todos cresceremos em conjunto. Seremos uma família. Uma família só nossa. E o teu filho vai amar-te incondicionalmente, tal como eu.

Vêm-me lágrimas aos olhos.

– Oh, Ana – suspira Christian, com a voz angustiada e sofrida. – Pensei que te tinha perdido. Depois achei que te tinha perdido outra vez. Ver-te caída no chão, pálida, fria e inconsciente... foi o pior dos meus medos tornado realidade. E agora aqui estás tu... corajosa e forte... a dar-me esperança. A amar-me, depois de tudo o que eu fiz.

– Sim, eu amo-te, Christian, desesperadamente. Vou amar-te sempre.

Ele agarra-me a cabeça entre as mãos com cuidado e limpa-me as lágrimas com os polegares. Fita-me nos olhos, cinzento a perder-se em azul, e tudo o que vejo é o seu medo, espanto e amor.

– Eu também te amo – sussurra. E depois dá-me um beijo doce e terno, como um homem que adora a sua mulher. – Vou tentar ser bom pai.

– Vais tentar e vais conseguir. Afinal, não tens grande escolha, porque eu e o Pontinho não vamos a lado nenhum.

– Pontinho?

– Pontinho.

Ele arqueia as sobrancelhas.

– Tinha pensado chamar-lhe Júnior.

– Então Júnior.

– Mas gosto de Pontinho.

Ele esboça o seu sorriso tímido e beija-me de novo.

CAPÍTULO VINTE E QUATRO

— Por mais que me agradasse passar o resto do dia a beijar-te, o teu pequeno-almoço está a arrefecer — murmura Christian, com os lábios encostados aos meus. Olha para mim, já divertido, embora os seus olhos estejam mais escuros e sensuais. Com o caraças, já mudou outra vez. O meu Sr. Inconstante. — Come — ordena, numa voz suave.

Engulo em seco, reagindo ao seu olhar ardente, e volto para debaixo das cobertas, com o cuidado de não puxar o fio da agulha intravenosa. Ele põe o tabuleiro à minha frente. A aveia está fria, mas as panquecas, ainda tapadas, estão boas — na verdade, estão deliciosas.

— Sabes — tartamudeio entre garfadas —, o Pontinho pode ser uma menina.

Christian passa a mão pelo cabelo.

— Duas mulheres, hã?

Uma expressão de alarme perpassa-lhe o rosto e o seu olhar escurecido desaparece.

Oh, porra.

— Tens preferência?

— Preferência?

— Menino ou menina?

Ele franze o sobrolho.

— Contento-me com saudável — diz em voz baixa, obviamente desconcertado pela pergunta. — Come — dispara, e eu entendo que está a tentar evitar o assunto.

— Estou a comer, estou a comer... Caramba, vê se te acalmas, Grey.

Observo-o com cautela. Tem os cantos dos olhos enrugados pela preocupação. Ele disse que tentaria, mas eu sei que continua assustadíssimo com o bebé. *Oh, Christian, eu também estou.* Senta-se no cadeirão ao meu lado e pega no *Seattle Times*.

– Voltou a aparecer nos jornais, Mrs. Grey – comenta com azedume.

– Voltei?

– Os cretinos estão só a recuperar a história de ontem, mas os factos parecem estar bastante corretos. Queres ler?

Abano a cabeça.

– Lê-me tu. Estou a comer.

Ele sorri e começa a ler o artigo em voz alta. É um relato sobre Jack e Elizabeth, que os retrata como Bonnie e Clyde dos tempos modernos. Refere concisamente o rapto de Mia, o meu envolvimento no seu resgate e o facto de eu e Jack nos encontrarmos no mesmo hospital. Como é que a imprensa consegue toda esta informação? Tenho de perguntar a Kate.

Quando Christian acaba, peço-lhe:

– Por favor, lê outra coisa. Gosto de te ouvir.

Ele faz-me a vontade e lê-me um artigo sobre uma empresa de *bagels* em expansão e o facto de a Boeing se ter visto obrigada a cancelar o lançamento de um avião novo. Christian franze o sobrolho enquanto lê. Contudo, a ouvir a sua voz tranquilizadora enquanto como, sabendo que estou bem, que Mia está a salvo e que o meu Pontinho está em segurança, sinto-me num momento precioso de paz, apesar de tudo o que tem acontecido nos últimos dias.

Compreendo que Christian esteja assustado por causa do bebé, mas não tenho noção da profundidade do seu medo. Resolvo falar mais com ele acerca disto. A ver se consigo deixá-lo mais à vontade. O que me intriga é que não lhe faltam modelos positivos de pais. Tanto Grace como Carrick são pais exemplares ou, pelo menos, assim parecessem. Talvez tenha sido a interferência da Cabra Maléfica que o perturbou tanto. Gostaria de acreditar nisso. Mas, na verdade, creio que tudo remonta à sua mãe biológica, ainda que tenha a certeza de que Mrs. Robinson não terá ajudado. Interrompo os pensamentos ao recordar uma conversa sussurrada. *Raios!* Paira-me num recanto da memória, aconteceu enquanto eu estava inconsciente. Christian a falar com Grace. Desaparece nas sombras da minha mente. *Oh, é tão frustrante.*

Pergunto-me se Christian irá dizer-me de livre vontade porque foi vê-la ou se terei de insistir. Estou prestes a abordar a questão quando ouço uma batida na porta.

O detetive Clark entra no quarto com um ar apologético. É justificado – o meu coração aperta-se quando o vejo.

– Mr. Grey, Mrs. Grey. Estou a incomodar?

– Sim – riposta Christian.

Clark ignora-o.

– Folgo em ver que já despertou, Mrs. Grey. Preciso de lhe fazer algumas perguntas sobre a tarde de quinta-feira. Trata-se apenas de um procedimento de rotina. É oportuno?

– Com certeza – balbucio, mas não quero reviver os acontecimentos de quinta.

– A minha mulher deveria estar a repousar – agita-se Christian.

– Serei breve, Mr. Grey. E assim deixar-vos-ei em paz mais cedo.

Christian levanta-se e oferece o seu lugar a Clark, após o que se senta ao meu lado na cama, dá-me a mão e aperta-a para me tranquilizar.

Meia hora depois, Clark terminou. Não fiquei a saber de novidade alguma, mas contei-lhe os acontecimentos de quinta-feira numa voz baixa e entrecortada, vendo Christian a empalidecer e a fazer esgares nalgumas partes.

– Quem me dera que tivesses feito pontaria mais acima – resmoneia.

– Talvez tivesse sido um serviço prestado às mulheres se Mrs. Grey o tivesse feito – concorda Clark.

O quê?

– Obrigado, Mrs. Grey. Por ora é tudo.

– Não vão deixá-lo sair em liberdade outra vez, pois não?

– Acho que desta vez não conseguirá fiança, minha senhora.

– Sabe-se quem lhe pagou a fiança? – pergunta Christian.

– Não, senhor. Foi confidencial.

Christian franze o sobrolho mas parece-me que tem as suas suspeitas. Clark levanta-se para ir embora no preciso momento em que a Dr.ª Singh e dois estagiários entram no quarto.

Depois de um exame aturado, a Dr.ª Singh declara que estou em condições de ir para casa. Christian abate-se na cadeira, aliviado.

– Mrs. Grey, terá de ficar atenta às dores de cabeça e à visão. Se as dores aumentarem ou se ficar com a visão turva, terá de regressar de imediato ao hospital.

Aceno com a cabeça, tentando conter o entusiasmo por ir para casa.

Quando a Dr.ª Singh sai, Christian pede-lhe para falarem no corredor. Mantém a porta aberta enquanto lhe faz uma pergunta. Ela sorri.

– Sim, Mr. Grey, não há problema.

Ele sorri e, ao entrar no quarto, é um homem mais feliz.

– De que falaram?

– De sexo – diz ele, com um sorriso perverso.

Oh. Coro.

– E?

– Estás como nova.

Oh, Christian!

– Dói-me a cabeça – respondo, a imitar o seu sorriso trocista.

– Eu sei. Vou-te deixar em paz durante algum tempo. Estava só a verificar.

Em paz? Franzo o sobrolho, sentindo uma pontada momentânea de desapontamento. Não tenho a certeza de querer ser deixada *em paz.*

A enfermeira Nora vem ao quarto tirar-me a agulha intravenosa. Lança um olhar irado a Christian. Julgo que será uma das poucas mulheres que conheci que se mostra indiferente ao charme dele. Agradeço-lhe quando ela sai com o suporte.

– Levo-te para casa? – pergunta-me Christian.

– Gostava de ver o Ray primeiro.

– Claro.

– Ele já sabe do bebé?

– Achei que quererias ser tu a contar-lhe. Também não disse à tua mãe.

– Obrigada.

Sorrio, agradecida por ele não me ter privado de transmitir a notícia bombástica.

– A minha mãe sabe – acrescenta Christian. – Viu a tua ficha.

Disse ao meu pai, mas mais ninguém sabe. A minha mãe disse-me que os casais costumam esperar pelas doze semanas para... terem a certeza.

Encolhe os ombros.

— Não sei se estou preparada para contar ao Ray.

— Tenho de te avisar: ele está furioso. Disse-me que deveria dar-te umas palmadas.

O quê? Christian ri-se da minha expressão escandalizada.

— Eu disse-lhe que teria todo o gosto.

— Não disseste! — exclamo, embora um eco de uma conversa sussurrada me instigue a memória.

Sim, Ray esteve aqui enquanto eu estava inconsciente... Ele pisca-me o olho.

— Toma, o Taylor trouxe-te roupa lavada. Ajudo-te a vestir.

Como Christian previu, Ray está furioso. Nem me lembro de alguma vez o ter visto tão zangado. Christian tomou a decisão sensata de nos deixar a sós. Para um homem taciturno, Ray enche o seu quarto de hospital com invetivas, censurando-me pelo meu comportamento irresponsável. Volto a ter doze anos.

Oh, pai, por favor, acalma-te. A tua tensão não vai aguentar.

— E ainda tive de aturar a tua mãe — resmunga, sacudindo as duas mãos num gesto de exasperação.

— Pai, desculpa.

— E o coitado do Christian! Nunca o vi assim. Envelheceu. Envelhecemos décadas, eu e ele, nos últimos dois dias.

— Ray, desculpa.

— A tua mãe está à espera de que lhe ligues — diz, já num tom mais contido.

Eu dou-lhe um beijo na face e ele por fim acaba a tirada.

— Eu telefono-lhe. Mas obrigada por me teres ensinado a disparar.

Por um instante, ele observa-me com um orgulho paternal mal disfarçado.

— Estou contente por teres pontaria — diz, num tom ríspido. — Agora vai para casa e vê se descansas.

— Estás com bom aspeto, pai — tento mudar de assunto.

— E tu estás pálida.

De súbito, o seu medo é evidente. Tem uma expressão idêntica à de Christian ontem à noite e eu agarro-lhe na mão.

— Estou bem. Prometo que não volto a fazer uma coisa destas.

Ele agarra-me a mão com força e puxa-me para um abraço.

— Se alguma coisa te acontecesse... — sussurra, com a voz rouca e baixa.

Sinto lágrimas a arderem-me nos lábios. Não estou habituada a demonstrações de emoção do meu padrasto.

— Pai, estou bem. Não tenho nada que um duche quente não cure.

Deixamos o hospital pela saída das traseiras, a fim de nos esquivarmos aos *paparazzi* reunidos à entrada. Taylor leva-nos até ao todo-o-terreno.

Christian mantém-se em silêncio enquanto Sawyer conduz. Eu evito o olhar de Sawyer pelo espelho retrovisor, envergonhada por a última vez que o vi ter sido no banco, quando lhe escapei. Telefono à minha mãe, que chora e soluça. Demoro quase toda a viagem a acalmá-la, mas consigo-o ao prometer que a visitarei em breve. Durante a conversa, Christian dá-me a mão e vai passando o polegar pelos meus nós dos dedos. Está nervoso... aconteceu qualquer coisa.

— O que se passa? — pergunto quando finalmente desligo a chamada.

— O Welch quer ver-me.

— O Welch? Porquê?

— Descobriu qualquer coisa sobre este cabrão do Hyde. — Os lábios de Christian retesam-se num esgar e um calafrio de medo percorre-me. — Não quis dizer-me ao telefone.

— Oh.

— Vem de Detroit logo à tarde.

— Achas que encontrou uma ligação?

Christian assente com a cabeça.

— O que achas que pode ser?

— Não faço ideia.

O sobrolho de Christian franze-se de perplexidade.

Taylor entra na garagem do Escala e para o carro diante do elevador para nos deixar sair antes de ir estacionar. Na garagem, podemos evitar a atenção dos fotógrafos que nos esperam. Christian ajuda-me a sair do carro. Com a mão à volta da minha cintura, leva-me até ao elevador.

– Contente por estares em casa? – pergunta-me.

– Sim – suspiro.

Porém, ao encontrar-me no ambiente familiar do elevador, a enormidade daquilo por que passei acomete-me e começo a tremer.

– Ei... – Christian abraça-me e puxa-me contra si. – Estás em casa. Estás a salvo – diz ele, a beijar-me a cabeça.

– Oh, Christian.

Um dique que eu nem sabia que tinha rebenta e desato a soluçar.

– Pronto, pronto – sussurra Christian enquanto me embala a cabeça encostada ao seu peito.

Mas é demasiado tarde. Choro, avassalada, molhando-lhe a *t-shirt* ao recordar o ataque cruel de Jack – *Isto é pela SIP, sua cabra de merda!* –, ter dito a Christian que ia abandoná-lo – *Vais deixar-me?* – e o medo, o medo tremendo que senti por Mia, por mim mesma e pelo Pontinho.

Quando as portas do elevador deslizam e se abrem, Christian pega-me ao colo como a uma criança e leva-me para o vestíbulo. Eu passo os braços em torno do seu pescoço e agarro-me a ele, a chorar sem fazer barulho.

Ele avança até à casa de banho e, com cuidado, senta-me na cadeira.

– Um banho? – pergunta-me.

Abano a cabeça. Não... não... não como Leila.

– Duche? – A preocupação sufoca-lhe a voz.

Por entre lágrimas, aceno com a cabeça. Quero lavar a sujidade dos últimos dias, desfazer-me da memória do ataque de Jack. *Sua puta interesseira.* Soluço a tapar a cara com as mãos enquanto o som da água a cair do chuveiro ecoa nas paredes.

– Então – chama Christian. Ajoelhando-se à minha frente, afasta-me as mãos das faces cheias de lágrimas e segura-me no rosto. Eu olho para ele e pestanejo, tentando parar de chorar. – Estás em segurança. Vocês os dois – sussurra.

Eu e o Ponto. Os meus olhos voltam a marejar-se.

– Para, vá. Não aguento ver-te chorar.

Está com a voz rouca. Continua a limpar-me a cara com os polegares, mas as minhas lágrimas vão caindo.

– Desculpa, Christian. Peço desculpa por tudo. Por te ter preocupado, por ter posto tudo em risco... por tudo o que disse.

– Chega, querida, por favor. – Beija-me a testa. – Eu é que peço desculpa. São precisos dois para dançar o tango, Ana. – Oferece-me um sorriso triste. – Bem, é o que a minha mãe está sempre a dizer. Eu disse e fiz coisas de que não me orgulho. – Os seus olhos cinzentos estão mortiços mas penitentes. – Vamos lá despir-te – diz, num tom meigo.

Limpo o nariz às costas da mão e ele dá-me outro beijo na testa.

Com gestos rápidos, tira-me a roupa, tendo especial cuidado ao puxar-me a *t-shirt* pela cabeça. Mas não tenho a cabeça muito dorida. Encaminhando-me para o duche, despe-se em tempo recorde antes de entrar para a água quente comigo. Puxa-me para os seus braços e segura-me, abraça-me durante muito tempo, com a água a escorrer por nós, a acalmar-nos aos dois.

Deixa-me chorar contra o seu peito. De vez em quando, beija-me a cabeça, mas não me larga, limita-se a embalar-me com delicadeza sob a água quente. Sentir a sua pele na minha, os pelos do peito na minha cara... este homem que eu amo, que duvida de si mesmo, que é lindo e que eu poderia ter perdido devido à minha própria irresponsabilidade. A ideia faz-me sentir vazia e dorida, mas também estou grata por ele se encontrar aqui, por ele continuar aqui – apesar de tudo o que aconteceu.

Ele tem algumas coisas a explicar-me mas, neste momento, só quero apreciar a sensação dos seus braços reconfortantes e protetores à minha volta. E, então, ocorre-me: quaisquer explicações que me deva têm de partir dele. Não posso forçá-lo – ele tem de querer dizer-me. Não assumirei o papel da mulher chata, sempre a tentar sacar informação do marido. Isso é tão cansativo. Eu sei que ele me ama. Sei que me ama mais do que alguma vez amou alguém e, por ora, isso basta. A epifania é libertadora. Paro de chorar e dou um passo atrás.

– Melhor? – pergunta-me.

Assinto com a cabeça.

– Bom. Deixa-me olhar para ti – diz ele e, por um momento, não sei o que quer dizer. Mas ele agarra-me na mão e observa o braço sobre o qual caí quando Jack me bateu. Tenho hematomas no ombro e arranhões no cotovelo e no pulso. Ele beija cada uma das feridas. Tira uma esponja e o gel de banho da prateleira, e o cheiro doce e familiar a jasmim invade-me as narinas. – Vira-te.

Com delicadeza, começa a lavar-me o braço magoado, depois o pescoço, os ombros, as costas e o outro braço. Vira-me de lado e passa os dedos compridos pelo meu flanco. Estremeço quando me toca no grande hematoma que tenho na anca. Os olhos de Christian endurecem e os seus lábios contraem-se. A sua raiva é palpável enquanto silva por entre os dentes cerrados.

– Não me dói – murmuro, para o tranquilizar.

Uns olhos cinzentos e ardentes fitam os meus.

– Quero matá-lo. Quase o fiz – sussurra de uma forma críptica.

Eu franzo o sobrolho e estremeço perante a sua expressão sombria. Ele despeja mais gel de banho na esponja e, com uma delicadeza terna e dolorosa, lava-me a anca e o traseiro antes de se ajoelhar e passar para as pernas. Pausa para examinar o joelho. Os seus lábios roçam no hematoma antes de tornar a lavar-me as pernas e os pés. Estico o braço e acaricio-lhe a cabeça, passando os dedos pelo seu cabelo molhado. Ele levanta-se e contorna com os dedos o hematoma que tenho na zona das costelas que Jack pontapeou.

– Oh, querida – geme ele, com a voz angustiada e os olhos escuros de fúria.

– Estou bem.

Puxo-lhe a cabeça até à minha e beijo-lhe os lábios. Ele hesita em corresponder mas, quando a minha língua toca na dele, o seu corpo agita-se contra o meu.

– Não – sussurra, com os lábios encostados aos meus, e recua. – Vamos tratar de te limpar.

Está com uma expressão séria. *Raios...* está mesmo determinado. Faço beicinho e o ambiente entre nós aligeira-se de imediato. Ele sorri e dá-me um beijo rápido.

– Limpar – enfatiza. – Não sujar.

– Gosto de me sujar.

– Eu também, Mrs. Grey. Mas agora e aqui não.

Deita a mão ao champô e, antes que o possa persuadir a fazer outra coisa, começa a lavar-me o cabelo.

Também adoro estar limpa. Sinto-me fresca e revigorada e não sei se é do duche, de ter chorado ou de ter decidido deixar de acossar Christian acerca de tudo. Ele envolve-me numa grande toalha e passa outra à volta da cintura enquanto eu vou secando o cabelo com cuidado. Dói-me a cabeça, mas é uma dor seca e persistente que é perfeitamente suportável. Trouxe alguns analgésicos, mas a Dr.ª Singh pediu-me que não os tomasse, a menos que fosse necessário.

Enquanto seco o cabelo, penso em Elizabeth.

– Ainda não percebo porque é que a Elizabeth estava associada com o Jack.

– Eu percebo – resmoneia Christian num tom sombrio.

Isto é novidade. Franzo o sobrolho e olho para ele, mas isso distrai-me. Está a secar o cabelo com uma toalha e ainda tem o peito e os ombros molhados, com gotas de água que cintilam sob as luzes de halogéneo. Ele interrompe-se e sorri.

– Estás a apreciar a vista?

– Como é que sabes? – pergunto, tentando não fazer caso de ter sido apanhada embasbacada a olhar para o meu marido.

– Que estás a apreciar a vista? – provoca.

– Não – censuro. – Acerca da Elizabeth.

– O detetive Clark deu a entender.

Fito-o com uma expressão que diz "conta-me mais", ao mesmo tempo que outra memória de quando estive inconsciente me assoma à mente. Clark esteve no meu quarto. Quem me dera lembrar-me do que disse.

– O Hyde tinha vídeos. Gravações de todas elas. Em várias *pens*.

O quê? Franzo o sobrolho, com a pele da testa a retesar-se.

– Vídeos dele a fodê-la e às outras assistentes dele.

Oh!

– Exatamente. Material para fazer chantagem. Gosta à bruta.

Christian franze o cenho e eu vejo confusão e depois nojo a perpassar-lhe o rosto. Empalidece quando o nojo se transforma em autodesprezo. Claro... Christian também gosta à bruta.

– Não penses isso. – As palavras fogem-me antes que as possa travar.

O seu cenho fica ainda mais carregado.

– Não penso o quê?

Ele imobiliza-se e fita-me com um ar apreensivo.

– Tu não és *nada* como ele.

O seu olhar endurece mas ele não diz nada, confirmando que era mesmo isso que estava a pensar.

– Não és – insisto, num tom inflexível.

– Somos farinha do mesmo saco.

– Não, não são – nego, embora perceba porque possa julgar isso.

O pai morreu numa rixa num bar. A mãe bebia até mais não. Passou a infância a entrar e a sair de casas de acolhimento... e a meter-se em sarilhos. Sobretudo a roubar carros. Passou algum tempo num estabelecimento correcional para jovens. Recordo a informação que Christian revelou na viagem de avião até Aspen.

– Ambos tiveram passados conturbados e ambos nasceram em Detroit. É só isso, Christian.

Cerro as mãos em punhos e levo-as à cintura.

– Ana, a fé que depositas em mim é comovente, sobretudo tendo em conta os últimos dias. Saberemos mais quando o Welch chegar.

Está a pôr fim à conversa.

– Christian...

Interrompe-me com um beijo.

– Basta – sussurra e eu lembro-me da promessa que fiz de não o molestar para que me dê informação. – E não faças beicinho. Anda. Deixa-me secar-te o cabelo.

E eu percebo que o assunto está encerrado.

Depois de vestir umas calças de ginástica e uma *t-shirt*, sento-me entre as pernas de Christian enquanto ele me seca o cabelo.

– Então o Clark disse-te alguma coisa enquanto eu estava inconsciente?

– Que me lembre, não.

– Ouvi algumas das tuas conversas.

A escova para de me escovar o cabelo.

— Ouviste? — pergunta ele, num tom descontraído.

— Sim. Com o meu pai, com o teu, com o detetive Clark... com a tua mãe.

— E com a Kate?

— A Kate foi ao hospital?

— Fez uma visita curta, sim. Também está furiosa contigo.

Viro-me para ele.

— Para com essa treta de *toda a gente está furiosa com a Ana*, Ok?

— Estou só a contar-te a verdade — diz Christian, divertido com a minha explosão.

— Sim, foi irresponsável, mas, sabes, a tua irmã estava em perigo.

Ele fica com uma expressão abatida.

— Sim. Estava. — Desliga o secador e pousa-o na cama ao lado dele. Agarra-me pelo queixo. — Obrigado — diz, surpreendendo-me. — Mas chega de comportamentos irresponsáveis. Porque, da próxima vez, dou-te uma carga de pancada.

Arquejo.

— Não o farias!

— Faria. — Está a falar a sério. Com o caraças. Mesmo a sério. — Tenho a permissão do teu padrasto.

Esboça um sorriso trocista. Está a gozar comigo! Estará? Atiro-me a ele e faço-o virar-se, ao que caio na cama e nos braços dele. O embate provoca-me uma dor nas costelas que me percorre e faço uma careta. Christian empalidece.

— Comporta-te! — ralha-me e, por um momento, fica zangado.

— Desculpa — balbucio, a acariciar-lhe a face.

Ele encosta o nariz à minha mão e beija-a com carinho.

— Sinceramente, Ana, não te preocupas minimamente com a tua própria segurança. — Levanta-me o cós da *t-shirt* e repousa os dedos na minha barriga. Contenho a respiração. — Já não és só tu — sussurra, passando as pontas dos dedos pela cintura das minhas calças, acariciando-me a pele.

O desejo inesperado, quente e pesado explode-me no sangue. Arquejo e Christian retesa-se, interrompe o percurso dos dedos e fita-me. Levanta a mão e ajeita-me uma madeixa de cabelo atrás da orelha.

– Não – diz ele.

O quê?

– Não olhes para mim assim. Vi as nódoas negras. E a resposta é "não". – Fala numa voz firme antes de me dar um beijo na testa.

Eu contorço-me.

– Christian – protesto.

– Não. Mete-te na cama. – Ele senta-se.

– Cama?

– Precisas de descansar.

– Preciso de ti.

Ele fecha os olhos e abana a cabeça, como se estivesse a fazer um grande esforço. Quando volta a abri-los, estão a brilhar de determinação.

– Faz só o que te digo, Ana.

Estou tentada a despir-me por completo, mas depois lembro-me dos hematomas e percebo que não vencerei assim. Com relutância, aceno com a cabeça.

– Ok.

E, de propósito, fito-o a fazer um beicinho exagerado. Ele sorri, divertido.

– Vou trazer qualquer coisa para almoçares.

– Vais cozinhar?

Nem posso acreditar e até ele se ri.

– Vou aquecer qualquer coisa. Mrs. Jones tem andado ocupada.

– Christian, eu faço isso. Estou bem. Caramba, quero sexo... bem posso cozinhar.

Sento-me a custo, tentando disfarçar o esgar que me provocam as costelas doridas.

– Cama! – Os olhos de Christian chispam e ele aponta para a almofada.

– Vem comigo – murmuro, desejando estar a usar algo mais sedutor do que calças de ginástica e uma *t-shirt*.

– Ana, mete-te na cama. Agora.

Faço uma careta e deixo as calças caírem sem cerimónia no chão, sempre a fitá-lo com um ar zangado. A sua boca retorce-se, a controlar um sorriso, enquanto puxa o edredão.

– Ouviste a Dr.ª Singh. Ela mandou-te descansar – diz, numa voz mais branda. Eu sento-me na cama e cruzo os braços, mostrando a minha frustração. – Fica – ordena, obviamente a divertir-se.

Faço uma careta ainda maior.

O guisado de galinha de Mrs. Jones é, sem dúvida, um dos meus pratos preferidos. Christian come comigo, sentado de pernas cruzadas a meio da cama.

– Foi muito bem aquecido – brinco e ele sorri.

Estou cheia e sonolenta. Seria este o seu plano?

– Pareces cansada – comenta, enquanto pega no meu tabuleiro.

– Estou.

– Bom. Dorme. – Beija-me. – Tenho algum trabalho para adiantar. Posso fazê-lo aqui, se não te importares.

Aceno com a cabeça... a perder a batalha com as pálpebras. Não fazia ideia de que um guisado de galinha poderia ser tão cansativo.

O Sol está a pôr-se quando acordo. Uma luz rosada preenche o quarto. Christian está sentado no cadeirão, a observar-me, e os seus olhos brilham na luz ténue. Tem uns papéis amarfanhados nas mãos e o rosto exangue.

Com o caraças!

– O que se passa? – pergunto de imediato, sentando-me sem fazer caso dos protestos das costelas.

– O Welch acabou de se ir embora.

Oh, merda.

– E?

– Vivi com o cabrão – sussurra.

– Viveste? Com o Jack? – Ele acena com a cabeça, de olhos abertos de espanto. – Há algum parentesco entre vocês?

– Não. Valha-me Deus, não.

Mexo-me e afasto o edredão, convidando-o a deitar-se ao meu lado e, para meu espanto, ele nem hesita. Livra-se dos sapatos e mete-se na cama. Com um braço à minha volta, aninha-se e pousa a cabeça no meu colo. Estou atónita. *O que é isto?*

534

– Não compreendo – murmuro, passando os dedos pelo seu cabelo enquanto o fito.

Christian fecha os olhos e franze o sobrolho, como se se esforçasse para se recordar.

– Depois de eu ter sido encontrado com a prostituta viciada em *crack*, antes de ir morar com o Carrick e a Grace, estive à guarda do estado de Michigan. Vivi numa casa de acolhimento. Mas não me lembro de nada dessa altura.

Tenho a mente a mil. Uma casa de acolhimento? Isto é novidade, tanto para mim como para ele.

– Durante quanto tempo?

– Uns dois meses. Não tenho qualquer memória disso.

– Falaste com os teus pais acerca disto?

– Não.

– Talvez devesses. É possível que eles possam explicar-te.

Ele aperta-me com força.

– Olha.

Passa-me os papéis que, afinal, são duas fotografias. Eu estico-me e acendo o candeeiro da mesa de cabeceira para poder examiná-las com atenção. A primeira foto é de uma casa delapidada com uma porta amarela e uma grande janela de madeira no telhado. Tem um pórtico e um pequeno quintal. Nada que a torne memorável.

A segunda é um retrato de família – à primeira vista, uma família vulgar de operários – um homem e a esposa, parece-me, com os filhos. Os dois adultos usam *t-shirts* azuis amarrotadas e lavadas muitas vezes. Aparentam uns quarenta e tal anos. A mulher tem o cabelo louro apanhado, o homem um corte austero e curto, mas ambos sorriem calorosamente para a câmara. O homem tem a mão sobre os ombros de uma adolescente de ar melancólico. Observo cada uma das crianças – gémeos idênticos, com uns doze anos; ambos têm cabelo cor de areia e olham para a câmara com um grande sorriso; há outro menino, mais pequeno, de cabelo louro arruivado e um esgar; e, escondido atrás dele, um rapazinho de cabelo acobreado e olhos cinzentos muito abertos, com roupas que não condizem e agarrado a uma mantinha encardida.

Merda.

– Este és tu – sussurro, sentindo o coração a saltar-me pela boca.

Sei que Christian tinha quatro anos quando a mãe morreu. Mas aquela criança parece muito mais nova. Devia estar muito malnutrido. Reprimo um soluço ao mesmo tempo que as lágrimas me vêm aos olhos. *Oh, meu querido Cinquenta.* Christian acena com a cabeça.

– Sou eu.

– Foi o Welch quem trouxe estas fotos?

– Sim. Não me lembro de nada disto – declara numa voz seca e sem vida.

– De estares com pais de acolhimento? Porque haverias de te lembrar? Christian, foi há muito tempo. É isso que te preocupa?

– Lembro-me de outras coisas que aconteceram antes e depois. Lembro-me de ter conhecido os meus pais. Mas isto... É como se houvesse um enorme vazio.

O meu coração aperta-se e compreendo o que se passa. O meu querido maníaco do controlo gosta de que tudo tenha o seu lugar e agora ficou a saber que lhe falta uma parte do *puzzle*.

– O Jack está nesta fotografia?

– Sim, é o miúdo mais velho.

Os olhos de Christian continuam cerrados e ele agarra-se a mim como se eu fosse um bote de salvamento. Passo-lhe os dedos pelo cabelo enquanto observo o rapaz mais velho, que lança um olhar desafiante e arrogante à câmara. Reconheço Jack. Mas é apenas um miúdo, um rapaz triste de oito ou nove anos, a esconder o medo atrás de uma máscara de hostilidade. Ocorre-me uma ideia.

– Quando o Jack me telefonou a dizer que tinha a Mia, disse-me que, se as coisas tivessem sido diferentes, poderia ter sido ele.

Christian fecha mais os olhos e estremece.

– O cabrão!

– Achas que ele fez isto tudo por os Grey te terem adotado em vez dele?

– Quem sabe? – O tom de Christian é amargurado. – Estou-me a cagar para ele.

— Talvez ele soubesse que andávamos, quando fui àquela entrevista de emprego. Talvez sempre tenha sido sua intenção seduzir-me. — A bílis sobe-me pela garganta.

— Não me parece — resmunga Christian, já de olhos abertos. — As investigações que fez sobre a minha família só começaram cerca de uma semana depois de teres ido trabalhar para a SIP. O Barney sabe as datas exatas. E, Ana, ele fodeu com as assistentes todas e filmou os atos.

Christian torna a fechar os olhos e a abraçar-me com força.

Suprimindo o tremor que me acomete, tento lembrar-me das várias conversas que tive com Jack quando comecei a trabalhar na SIP. No meu íntimo, sabia que ele era uma má companhia, mas ignorei todos os meus instintos. O Christian tem razão — não me preocupo minimamente com a minha própria segurança. Lembro-me da discussão que tivemos por eu querer ir a Nova Iorque com Jack. Caramba... podia ter acabado nalgum vídeo sexual sórdido. A ideia dá-me náuseas. E, nesse momento, lembro-me das fotografias das submissas que Christian guardava.

Oh, merda. *Somos farinha do mesmo saco.* Não, Christian, tu não és nada como ele. Ele continua aninhado em mim como um rapazinho.

— Christian, acho que deverias falar com os teus pais.

Não quero obrigá-lo a mexer-se, pelo que mudo de posição e deslizo até ficar deitada e com os olhos à altura dos dele.

Um olhar cinza e pasmado fita o meu, fazendo-me pensar na criança do retrato.

— Deixa-me telefonar-lhes — sussurro. Ele abana a cabeça. — Por favor — rogo.

Christian continua a fitar-me, com mágoa e dúvidas acerca de si mesmo refletidas nos olhos enquanto pondera o meu pedido. *Oh, Christian, por favor!*

— Eu telefono-lhes — responde.

— Está bem. Podemos ir vê-los juntos ou podes ir só tu. Como preferires.

— Não. Vou pedir-lhes que venham cá.

— Porquê?

— Não quero que vás a lugar algum.

— Christian, estou em condições de andar de carro.

— Não. — A sua voz é firme mas ele esboça um sorriso irónico. — Para mais, é sábado à noite, devem estar nalgum evento.

— Telefona-lhes. É óbvio que esta novidade te perturbou. Talvez possam dar-te algumas luzes.

— Ok — diz ele, como se eu o tivesse desafiado.

Senta-se e leva a mão ao telefone da mesa de cabeceira. Eu ponho um braço à volta dele e encosto a cabeça ao seu peito enquanto ele faz a chamada.

— Pai? — Deteto a sua surpresa por Carrick ter atendido. — A Ana está bem. Estamos em casa. O Welch acabou de sair. Descobriu a ligação... a casa de acolhimento em Detroit... Não me lembro de nada disso.

A última frase é dita num tom quase inaudível. Volto a sentir uma pressão no peito. Abraço-o e ele aperta-me o ombro.

— Pois... Vêm?... Ótimo. — Desliga. — Vêm a caminho.

Parece surpreendido e eu apercebo-me de que, provavelmente, ele nunca lhe tinha pedido ajuda.

— Boa. Devia vestir-me.

O braço de Christian retesa-se à minha volta.

— Não vás.

— Está bem.

Aninho-me de novo a seu lado, atónita com o facto de ele ter acabado de me contar muito acerca de si mesmo — e de livre e espontânea vontade.

À entrada do salão, Grace abraça-me com cuidado.

— Ana, Ana, querida Ana — sussurra. — Salvaste dois dos meus filhos. Como poderei agradecer-te?

Coro, tão comovida quanto envergonhada pelas suas palavras. Carrick também me abraça e dá-me um beijo na testa.

Depois Mia agarra-me e esmaga-me as costelas. Estremeço e arquejo, mas ela não nota.

— Obrigada por me salvares daqueles sacanas.

Christian ralha-lhe:

— Mia! Cuidado! Ela tem dores.

– Oh! Desculpa.

– Estou bem – balbucio, aliviada quando ela me liberta.

Mia está com bom aspeto. Impecavelmente vestida com umas calças justas de ganga preta e uma blusa de folhos cor-de-rosa. Sinto-me contente por estar a usar um vestido e uns sapatos rasos confortáveis. Ao menos estou com um ar apresentável.

Mia corre até ao irmão e passa um braço à volta da cintura dele. Sem dizer nada, Christian entrega a foto a Grace. Esta arqueja, levando a mão à boca para conter a emoção, pois reconhece Christian de imediato. Carrick envolve-lhe os ombros com um braço enquanto observa também a fotografia.

– Oh, querido. – Grace acaricia a face de Christian.

Taylor aparece.

– Mr. Grey? Miss Kavanagh, o irmão dela e o seu estão a subir no elevador, senhor.

Christian franze o sobrolho.

– Obrigado, Taylor – murmura, intrigado.

– Telefonei ao Elliot e disse-lhe que vínhamos cá – explica Mia com um sorriso. – É uma festa de boas-vindas.

Lanço um olhar compassivo ao meu pobre marido enquanto tanto Grace como Carrick fitam a filha com um ar exasperado.

– Então é melhor prepararmos alguma coisa para comer – declaro. – Mia, dás-me uma mãozinha?

– Oh, com todo o gosto.

Levo-a para a cozinha enquanto Christian passa para o escritório com os pais.

Kate está apoplética de indignação, dirigida a mim, a Christian, mas, sobretudo, a Jack e a Elizabeth.

– O que te passou pela *cabeça*, Ana? – grita ao confrontar-me na cozinha, fazendo com que todos os olhares se fixem em nós.

– Kate, por favor. Já ouvi o mesmo sermão de toda a gente! – riposto.

Ela fica especada a mirar-me e, por um minuto, julgo que vou ser submetida a um sermão de Katherine Kavanagh sobre como não sucumbir a raptores; porém, em vez disso, ela abraça-me.

– Caramba... às vezes não usas os miolos com que nasceste, Steele – sussurra. Quando me dá um beijo no rosto, tem lágrimas nos olhos. *Kate!* – Estava tão preocupada contigo.

– Não chores. Vais fazer-me chorar também.

Ela recua e limpa os olhos, envergonhada, após o que inspira profundamente e se recompõe.

– Falando em coisas mais agradáveis, marcámos a data do nosso casamento. Que achas de maio? E, claro, quero que sejas minha madrinha.

– Oh... Kate... Uau. Parabéns!

Porra... o Pontinho... o Júnior!

– O que foi? – pergunta-me, sem compreender a minha expressão de alarme.

– Há... estou só muito contente por ti. Para variar, uma boa notícia!

Estendo os braços e puxo-a para outro abraço. Merda, merda, *merda.* Quando nascerá o Pontinho? Faço um cálculo mental. A Dr.ª Greene disse que deveria ter quatro ou cinco semanas. Por isso... algures em maio? *Merda.*

Elliot passa-me uma taça de champanhe.

Oh. Merda.

Christian sai do escritório com um ar empalidecido e segue os pais até ao salão. Os seus olhos arregalam-se quando me vê de copo na mão.

– Kate – cumprimenta-a num tom distante.

– Christian – responde ela na mesma medida.

Suspiro.

– Os seus medicamentos, Mrs. Grey – diz-me ele, de olhar fixo no copo.

Estreito os olhos. *Raios. Apetece-me uma bebida.* Grace sorri ao juntar-se a mim na cozinha depois de Elliot lhe dar um copo.

– Um golinho não fará mal – sussurra e pisca-me o olho com uma expressão conspiratória, erguendo o copo para brindar comigo.

Christian fica a ver-nos com um ar zangado até que Elliot o distrai com novidades acerca do último jogo entre os Mariners e os Rangers.

Carrick junta-se a nós, põe os braços à nossa volta e Grace dá-lhe um beijo na cara antes de ir ter com Mia ao sofá.

– Como é que ele está? – pergunto discretamente a Carrick enquanto ficamos na cozinha, a ver o resto da família no sofá.

Surpreendida, reparo que Mia e Ethan estão de mãos dadas.

– Abalado – murmura Carrick, de expressão carregada e rosto sério. – Lembra-se de tanto da sua vida com a mãe biológica... lembra-se de muitas coisas que preferiria ter esquecido. Mas isto... – Interrompe-se. – Espero que tenhamos ajudado. Estou contente por ele nos ter ligado. Disse-nos que foste tu quem o aconselhou a fazê-lo.

O olhar de Carrick suaviza-se. Eu encolho os ombros e apresso-me a beber um gole de champanhe.

– És muito boa para ele. Ele não dá ouvidos a mais ninguém.

Franzo o sobrolho. Não me parece que isso seja verdade. O espectro indesejado da Cabra Maléfica paira na minha mente. E sei que Christian também fala com Grace. Já o ouvi. Torno a sentir-me frustrada enquanto tento recordar a conversa que tiveram no hospital, mas continua a escapar-me.

– Anda sentar-te, Ana. Estás com um ar cansado. Tenho a certeza de que não esperavas que estivéssemos todos aqui hoje.

– É ótimo ver-vos a todos.

Sorrio. Porque é verdade, é ótimo. Sou uma filha única que, ao casar, entrou numa família grande e gregária; e adoro. Aninho-me ao lado de Christian.

– Um gole – silva ele e tira-me o copo da mão.

– Sim, senhor.

Pestanejo muito e desarmo-o por completo. Ele passa um braço à volta dos meus ombros e retoma a conversa acerca de beisebol com Elliot e Ethan.

– Os meus pais acham que és capaz de andar por cima de água – resmoneia Christian enquanto despe a *t-shirt*.

Eu estou enroscada na cama a assistir ao espetáculo.

– Ainda bem que tu tens outra opinião – brinco.

– Oh, não sei.

Ele tira as calças de ganga.

– Explicaram-te o que se passou?

– Em parte. Vivi com os Collier durante dois meses enquanto os meus pais esperavam pela burocracia. Já tinham a aprovação necessária para a adoção, por causa do Elliot, mas a espera é um requisito legal, para o caso de haver parentes vivos que queiram ficar com a criança.

– O que sentes acerca disso? – sussurro.

Ele franze o sobrolho.

– Acerca de não ter parentes vivos? Que se foda. Se tinham alguma parecença com a prostituta viciada em *crack*... – Abana a cabeça, enojado.

Oh, Christian! Eras uma criança e amavas a tua mãe.

Ele veste o pijama, mete-se na cama e puxa-me com delicadeza para os seus braços.

– Começo a ter alguma ideia. Lembro-me da comida. Mrs. Collier cozinhava bem. E, ao menos, agora já sabemos porque é que o cabrão está tão obcecado pela minha família. – Passa a mão livre pelo cabelo. – Caramba! – exclama, virando-se de repente para olhar para mim.

– O que foi?

– Agora faz sentido!

Os seus olhos estão plenos de entendimento.

– O quê?

– Passarinho. Mrs. Collier costumava chamar-me Passarinho.

Franzo o sobrolho.

– Isso faz sentido?

– A nota – diz ele, sem desviar o olhar de mim. – A nota de resgate que o cabrão deixou. Dizia qualquer coisa como: "Sabes quem sou? Porque eu sei quem tu és, Passarinho."

Não estou a ver qualquer sentido.

– É de um livro infantil. Meu Deus. Os Collier tinham-no. Chamava-se... *És a Minha Mãe?*[8] Merda. – Os seus olhos arregalam-se. – Eu adorava esse livro.

Oh. Sei que livro é. Sinto um aperto no peito... *Cinquenta!*

– Mrs. Collier costumava ler-mo.

Estou à toa, não sei o que dizer.

---

8. Referência a um livro infantil ilustrado de P. D. Eastman, publicado em 1960, sem edição portuguesa. O título original é *Are You My Mother?* (N. da T.)

– Meu Deus. Ele sabia... aquele cabrão sabia.

– Vais contar à polícia?

– Sim, vou. Sabe Deus o que fará o Clark com esta informação. – Christian abana a cabeça, como se tentasse ordenar os pensamentos. – Bem, de qualquer maneira, obrigado por esta noite.

Ena. Mudança de velocidade.

– Porquê?

– Por teres preparado tudo para a minha família sem qualquer aviso.

– Não me agradeças, agradece à Mia. E a Mrs. Jones, que mantém a despensa bem abastecida.

Ele abana a cabeça como se se sentisse exasperado. Comigo? Porquê?

– Como se sente, Mrs. Grey?

– Bem. E o senhor?

– Ótimo.

Ele franze o sobrolho... sem compreender o motivo da minha preocupação. Oh... nesse caso. Percorro-lhe o estômago com os dedos, descendo cada vez mais.

Ele ri-se e agarra-me a mão.

– Oh, não. Nem penses.

Faço beicinho e ele suspira.

– Ana, Ana, Ana, o que hei de fazer contigo?

Dá-me um beijo na cabeça.

– Tenho algumas ideias.

Mexo-me ao seu lado e estremeço quando a dor se espraia pelo meu tronco, devido às costelas magoadas.

– Querida, já passaste por bastante. Além disso, tenho uma história para te contar antes de adormeceres. – *Oh?* – Tu querias saber...

Interrompe-se, fecha os olhos e engole em seco. Todos os pelos do meu corpo se eriçam. *Merda.* Ele recomeça numa voz muito suave:

– Imagina um adolescente a querer ganhar um dinheiro extra para poder dar continuidade ao seu vício secreto de beber. – Vira-se de lado para ficarmos frente a frente e fita-me os olhos. – Então, eu estava no quintal dos Lincoln, a varrer o entulho e o lixo do acrescento que Mr. Lincoln tinha acabado de fazer à casa...

Bolas... ele está a falar.

CAPÍTULO VINTE E CINCO

Mal consigo respirar. Quero ouvir isto? Christian fecha os olhos e engole em seco. Quando torna a abri-los, estão luminosos mas inseguros, cheios de memórias perturbadoras.

– Era um dia quente de verão. Eu estava a trabalhar no duro. – Resfolega e abana a cabeça, subitamente divertido. – Dava cabo das costas, limpar aquele entulho. Eu estava sozinho e Elen... Mrs. Lincoln apareceu do nada e deu-me limonada. Começámos a conversar e eu fiz um comentário atrevido qualquer... e ela esbofeteou-me. Deu-me uma chapada com tanta força... – Inconscientemente, leva a mão à cara e acaricia a face, com os olhos a turvarem-se com a recordação. *Grande merda!* – Mas depois beijou-me. E, quando acabou, bateu-me outra vez.

Ele pestaneja, parecendo ainda estar confuso, passado todo este tempo.

– Nunca me tinham beijado ou batido assim.

Oh. Ela atirou-se. A um miúdo.

– Queres ouvir isto? – pergunta-me Christian.

Sim... Não...

– Só se quiseres contar-me – digo em voz baixa, deitada de frente para ele, com a mente a mil.

– Estou a tentar dar-te algum contexto.

Eu aceno com a cabeça, fazendo aquilo que espero que seja um gesto de encorajamento. Mas suspeito que talvez pareça uma estátua gelada e de olhos arregalados pelo choque.

Ele franze o sobrolho, com os olhos a perscrutarem os meus, tentando avaliar a minha reação. Depois vira-se de barriga para cima e fita o teto.

– Bem, como é natural, eu senti-me confuso, zangado e excitado como o caraças. Quero dizer, uma mulher mais velha e sensual a fazer--se assim a mim...

Abana a cabeça, como se ainda não fosse capaz de acreditar.

Sensual? Sinto-me indisposta.

– Ela voltou para casa, deixando-me no quintal das traseiras. Comportava-se como se nada tivesse acontecido. Eu fiquei completamente à toa. Por isso, recomecei a tarefa de descarregar o entulho no contentor. Quando me fui embora ao final do dia, ela pediu-me que voltasse no dia seguinte. Não mencionou o que tinha acontecido. Por isso, no dia seguinte regressei. Mal podia esperar por voltar a vê-la – sussurra, como se se tratasse de uma confissão sombria... que, na verdade, é.

– Ela não me tocou quando me beijou – murmura, virando a cabeça para olhar para mim. – Tens de compreender... a minha vida era um inferno na Terra. Eu era um tesão com pernas, de quinze anos, alto para a idade que tinha, com as hormonas aos saltos. As miúdas da escola...

Ele interrompe-se, mas eu percebi: um adolescente assustado, solitário mas atraente. O meu coração contrai-se.

– Andava zangado, tão zangado com toda a gente, comigo, com os meus pais. Não tinha amigos. O meu psicólogo dessa altura era um otário chapado. Os meus pais mantinham-me com rédea curta; não compreendiam.

Volta a fitar o teto e passa uma mão pelo cabelo. Tenho vontade de também lhe tocar no cabelo, mas contenho-me.

– Não suportava que ninguém me tocasse. Não aguentava. Não suportava a proximidade de quem quer que fosse. Costumava lutar... caramba, se lutava. Meti-me nalgumas rixas horríveis. Fui expulso de um par de escolas. Mas era uma maneira de aliviar a tensão. De tolerar algum tipo de contacto físico. – Ele faz outra pausa. – Bem, já tens uma ideia. E, quando ela me beijou, só me agarrou na cara. Não me tocou no corpo – diz, numa voz quase inaudível.

Ela devia saber. Talvez Grace lhe tivesse contado. *Oh, meu pobre Cinquenta.* Tenho de enfiar as mãos debaixo da almofada e apoiar a cabeça para resistir ao impulso de o abraçar.

– Bem, no dia seguinte, lá regressei à casa, sem saber o que espe-rar. E vou-te poupar aos pormenores macabros, mas foi mais do mesmo. E foi assim que a nossa relação começou.

Oh, porra, é doloroso ouvir isto.

Ele torna a deitar-se de lado para olhar para mim.

– E sabes uma coisa, Ana? O meu mundo ganhou sentido. Sim-ples e claro. Tudo. Era exatamente aquilo de que precisava. Foi uma lufada de ar fresco. Ela tomava as decisões, livrava-me das merdas todas, deixava-me respirar.

Com o caraças.

– E, mesmo depois de ter terminado, o meu mundo continuou a fazer sentido por causa dela. E manteve-se assim até te ter conhecido.

Mas que raio posso responder? Com um gesto hesitante, ajeita-me uma madeixa atrás da orelha.

– Tu viraste-me o mundo do avesso. – Fecha os olhos e, quando torna a abri-los, estão indefesos. – O meu mundo era ordenado, calmo e controlado; depois tu entraste nele com os teus comentários desca-rados, a tua inocência, a tua beleza e a tua temeridade tranquila... e tudo o que havia antes de ti passou a ser mortiço, vazio, medíocre... nada.

Oh, céus.

– Apaixonei-me – sussurra.

Contenho a respiração. Ele afaga-me o rosto.

– Também eu – murmuro com o pouco fôlego que me resta.

O seu olhar suaviza-se.

– Eu sei – diz, sem som.

– Sabes?

– Sim.

Aleluia! Esboço um sorriso tímido.

– Finalmente – sussurro.

Ele acena com a cabeça.

– E isso fez-me ver tudo a partir de outra perspetiva. Quando eu era mais novo, a Elena era o centro do meu mundo. Não havia nada que eu não tivesse feito por ela. E ela fez muito por mim. Fez-me deixar de beber. Fez-me esforçar-me na escola... Sabes, deu-me um mecanismo de defesa que eu antes não tinha, permitiu-me experimentar coisas que eu nunca pensei poder vir a sentir.

— O toque — sussurro.

Ele assente com a cabeça.

— De certa forma.

Franzo o sobrolho, sem saber o que ele quer dizer. Ele hesita ao ver a minha reação. *Conta-me!*, peço-lhe mentalmente.

— Quando se cresce com uma autoimagem absolutamente negativa, a julgar que se é alguma espécie de rejeitado, um selvagem que ninguém pode amar, pensa-se que se merece ser espancado.

Christian... tu não és nenhuma dessas coisas.

Ele interrompe-se e passa a mão pelo cabelo.

— Ana, é muito mais fácil exibir a dor... — De novo, é uma confissão. Oh.

— Ela canalizou a minha raiva. — A sua boca contrai-se numa linha triste. — Sobretudo para dentro... apercebo-me disso agora. O Dr. Flynn tem abordado esta questão. Só recentemente é que vi a nossa relação como realmente era. Sabes... no meu aniversário.

Estremeço com a memória indesejada de Elena e Christian a eviscerarem-se verbalmente um ao outro na festa de aniversário de Christian.

— Para ela, a nossa relação baseava-se em sexo e em controlo. Era uma mulher solitária que encontrava alguma espécie de conforto num rapaz que era o seu brinquedo sexual.

— Mas tu gostas de controlo — sussurro.

— Sim. Gosto. Vou gostar sempre, Ana. Sou assim. Rendi-me durante um período breve. Deixei que alguém tomasse todas as decisões por mim. Não era capaz de ser eu a tomá-las... não estava em condições disso. Mas, por me ter submetido a ela, encontrei-me e arranjei a força para assumir as rédeas da minha vida... assumir o controlo e tomar decisões por mim mesmo.

— Tornares-te Dominador?

— Sim.

— Decisão tua?

— Sim.

– Desistires de Harvard?

– Decisão minha e a melhor que alguma vez tomei. Até te ter conhecido.

– A mim?

– Sim. – Os seus lábios curvam-se num sorriso suave. – A melhor decisão que alguma vez tomei foi casar-me contigo.

Oh, céus.

– Não foi teres fundado a tua empresa?

Ele abana a cabeça.

– Nem teres aprendido a pilotar?

Ele abana a cabeça.

– Tu – boqueja. Acaricia-me a face com os nós dos dedos. – Ela sabia – sussurra ele.

Franzo o sobrolho.

– Sabia o quê?

– Que eu estava caidinho por ti. Encorajou-me a ir à Geórgia à tua procura e ainda bem que o fez. Ela achou que te assustarias e fugirias. Coisa que fizeste.

Empalideço. Prefiro não pensar nisso.

– Ela julgava que eu precisava de todos os apetrechos do estilo de vida que apreciava.

– Como Dominador? – sussurro.

Ele acena com a cabeça.

– Isso permitia-me manter toda a gente a uma distância segura, dava--me o controlo e mantinha-me alheado ou, pelo menos, eu achava que sim. Tenho a certeza de que sabes o motivo – acrescenta em voz baixa.

– Por causa da tua mãe biológica?

– Eu não queria voltar a ser magoado. E depois tu deixaste-me. – Mal distingo as suas palavras. – E eu fiquei de rastos.

Oh, não.

– Evitei a intimidade durante tanto tempo... não sei como fazer isto.

– Estás a ir muito bem – murmuro. Contorno-lhe os lábios com um dedo indicador. Ele contrai-os para me dar um beijo. *Estás a falar comigo.* – Sentes falta? – sussurro.

– Falta?

– Desse estilo de vida.

– Sim, sinto.

Oh!

– Mas só na medida em que sinto falta do controlo que acarretava. E, sinceramente, a tua proeza estúpida... – Faz uma pausa – ...que salvou a minha irmã... – sussurra, com as palavras cheias de alívio, admiração e incredulidade. – Foi assim que eu fiquei a saber.

– A saber?

– A saber mesmo que me amas.

Faço uma expressão interrogativa.

– Sabes?

– Sim. Porque arriscaste tanto... por mim, pela minha família.

Franzo mais o cenho. Ele aproxima-se e passa-me o dedo pela testa, por cima do nariz.

– Quando franzes a testa, ficas aqui com um *V* – murmura ele. – É um sítio muito macio para se beijar. Posso portar-me tão mal... e tu continuas aqui.

– Porque estás surpreendido por eu continuar aqui? Já te disse que não te vou deixar.

– Por causa da forma como reagi quando me disseste que estavas grávida. – Desce o dedo pela minha bochecha. – Tinhas razão. Sou um adolescente.

Oh, merda... eu de facto disse isso. O meu subconsciente lança-me um olhar zangado. *O médico dele também o disse!*

– Christian, eu disse algumas coisas horríveis.

Ele cala-me com um dedo sobre os meus lábios.

– Chiu. Mereci ouvi-las. Para além disso, estou a contar-te uma história para adormeceres.

Volta a virar-se de barriga para cima.

– Quando me disseste que estavas grávida... – Ele interrompe-se. – Eu julgava que, durante algum tempo, seríamos só nós os dois. Tinha pensado em termos filhos, mas era apenas uma ideia abstrata. Tinha uma vaga noção de que, algures no futuro, teríamos um filho.

Só um? Não... Um filho único como eu, não. Talvez não seja esta a melhor altura para abordar essa questão.

– Tu ainda és tão nova e eu sei que, embora discreta, és ambiciosa. *Ambiciosa? Eu?*

– Bem, puxaste-me o tapete debaixo dos pés. Céus, foi mesmo inesperado. Nem num milhão de anos adivinharia, quando te perguntei o que se passava, que estavas grávida. – Ele suspira. – Fiquei tão zangado. Zangado contigo. Zangado comigo. Zangado com toda a gente. E isso fez-me regredir, a sensação de tudo escapar ao meu controlo. Tive de sair. Fui ver o Flynn, mas ele estava numa reunião de pais numa escola qualquer.

Christian interrompe-se e arqueia uma sobrancelha.

– Irónico – suspiro.

Christian esboça um sorriso trocista, concordando comigo.

– Por isso, andei, andei e andei e, antes que desse por isso... estava no salão de beleza. A Elena estava de saída. Ficou surpreendida por me ver. E, verdade seja dita, eu fiquei surpreendido por ter ido ali parar. Ela percebeu que eu estava zangado e perguntou-me se queria uma bebida.

Oh, merda. Chegámos ao cerne da questão. O meu coração acelera-se. *Quero mesmo saber isto?* O meu subconsciente mira-me, com uma sobrancelha depilada arqueada, em jeito de aviso.

– Fomos até outro bar que eu conheço e pedimos uma garrafa de vinho. Ela pediu desculpa pela forma como se comportou da última vez que nos viu. Custa-lhe que a minha mãe já não queira ter nada que ver com ela... ficou com um círculo social mais reduzido... mas compreende. Falámos do negócio dela, que corre bem, apesar da recessão... Mencionei que tu querias ter filhos.

Franzo o sobrolho.

– Pensava que lhe tinhas contado que eu estava grávida.

Ele fita-me com uma expressão sincera.

– Não, não lhe contei.

– Porque não me disseste isso?

Ele encolhe os ombros.

– Não tive oportunidade.

– Tiveste, sim.

– Não consegui encontrar-te na manhã seguinte, Ana. E, quando te vi, estavas tão furiosa comigo...

Oh, sim.

— Pois estava.

— Seja como for, a dada altura durante a noite, a meio da segunda garrafa, ela debruçou-se para me tocar. E eu fiquei estático — sussurra ele, tapando os olhos com um braço.

Sinto o couro cabeludo a arrepiar-se. *O que é isto?*

— Ela viu que eu me esquivei ao toque dela. Ficámos os dois chocados. — Está a falar baixo, muito baixo.

Christian, olha para mim! Puxo-lhe o braço e ele baixa-o, virando a cara para me fitar os olhos. Merda. Está com o rosto pálido e os olhos arregalados.

— O que foi? — sussurro.

Ele franze o cenho e engole em seco.

Oh... o que não estará a contar-me? Quererei saber?

— Ela fez-se a mim.

Percebo que ele está chocado.

Fico sem fôlego. Sinto-me tonta e parece-me que o meu coração parou de bater. *Aquela Cabra Maléfica da porra!*

— Foi um instante suspenso no tempo. Ela viu a minha expressão e apercebeu-se de que tinha passado muito dos limites. Eu... rejeitei-a. Não penso nela assim há anos e, para além disso... — Volta a engolir em seco. — Amo-te. Disse-lhe que amo a minha mulher.

Fico a olhar para ele. Não sei o que dizer.

— Ela recuou de imediato. Tornou a pedir desculpa, fez com que tudo parecesse uma brincadeira. Quero dizer, disse-me que é feliz com o Isaac e com o negócio, e que não nos guarda qualquer rancor. Disse que sentia falta da minha amizade, mas que percebia que agora a minha vida era contigo. E que era uma situação muito embaraçosa, tendo em conta o que aconteceu da última vez que estivemos todos na mesma sala. Eu não poderia estar mais de acordo. Despedimo-nos... foi a nossa despedida final. Disse-lhe que não voltaria a vê-la e ela foi-se embora.

Engulo em seco, com o medo a apertar-me o coração.

— Beijaram-se?

— Não! — insurge-se ele. — Não suportaria estar assim tão perto dela.

Oh. Bom.

– Sentia-me infelicíssimo. Queria vir para casa, estar contigo. Mas... sabia que me tinha portado mal. Fiquei e acabei a garrafa; depois comecei a beber *bourbon*. Enquanto bebia, lembrei-me de que há algum tempo disseste: "Se fosse o meu filho..." E comecei a pensar no Júnior e na forma como eu e a Elena começámos. E isso deixou-me... desconfortável. Nunca tinha pensado nisso assim.

Uma memória vem-me à ideia – uma conversa sussurrada que ouvi naquele estado de semiconsciência... A voz de Christian: *Mas vê-la serviu para que eu pusesse tudo em perspetiva. Sabes... com a criança. Pela primeira vez senti... Que o que fizemos... estava errado.* Estava a falar com Grace.

– É só isso?

– Basicamente.

– Oh.

– Oh?

– Está acabado?

– Sim. Está acabado desde que te vi. Apercebi-me disso naquela noite, finalmente, e ela também.

– Desculpa – balbucio.

Ele franze o sobrolho.

– Porquê?

– Por estar tão zangada no dia seguinte.

Ele resfolega.

– Querida, eu sei bem o que é estar zangado. – Faz uma pausa e suspira. – Estás a ver, Ana, eu quero-te só para mim. Não quero partilhar--te. Aquilo que temos, eu nunca tive. Quero ser o centro do teu universo, durante algum tempo, pelo menos.

Oh, Christian.

– E és. Isso não vai mudar.

Ele esboça um sorriso indulgente, triste e resignado.

– Ana – sussurra. – Isso não é verdade. – Sinto lágrimas a arderem--me nos olhos. – Como poderia ser? – Oh, não. – Merda... não chores, Ana. Por favor, não chores.

Ele acaricia-me o rosto.

– Desculpa.

Tenho o lábio inferior a tremer e ele afaga-o com o polegar, tentando acalmar-me.

– Não, Ana, não. Não peças desculpa. Vais ter mais alguém a quem amar. E tens razão. É assim que deve ser.

– O Pontinho também vai amar-te. Vais ser o centro do mundo do Pontinho... do Júnior – sussurro. – Os filhos amam os pais incondicionalmente, Christian. É assim que nascem. Programados para amar. Todos os bebés... até tu. Pensa nesse livro de que gostavas quando eras pequeno. Ainda querias a tua mãe. Amava-la.

Ele franze o sobrolho e afasta a mão, cerrando-a num punho que encosta ao pescoço.

– Não – sussurra.

– Sim. Amavas. – As lágrimas já me correm livremente. – Claro que amavas. Não era uma opção. É por isso que te dói tanto.

Ele fita-me com uma expressão magoada.

– É por isso que és capaz de me amar – murmuro. – Perdoa-a. Ela tinha de lidar com o seu próprio mundo de dor. Era uma mãe terrível e tu adorava-la.

Ele observa-me sem dizer nada, com os olhos atormentados... por memórias que não consigo sequer começar a imaginar.

Oh, por favor, não pares de falar.

Por fim, diz:

– Eu costumava escovar-lhe o cabelo. Ela era bonita.

– Basta olhar para ti para não se ter dúvidas disso.

– Era uma mãe terrível – diz numa voz quase inaudível. Eu aceno com a cabeça e ele fecha os olhos. – Tenho medo de vir a ser um pai terrível.

Acaricio-lho o rosto belo. *Oh, meu Cinquenta, Cinquenta, Cinquenta.*

– Christian, passa-te sequer pela cabeça que eu te deixaria ser um pai terrível?

Ele abre os olhos e fita-me durante aquilo que me parece uma eternidade. Sorri à medida que o alívio lhe vai iluminando a cara.

– Não, acho que não deixarias. – Afaga-me o rosto com os nós dos dedos, observando-me com um ar de admiração. – Meu Deus, como é forte, Mrs. Grey. Amo-te tanto. – Dá-me um beijo na testa. – Não sabia que era capaz.

– Oh, Christian – sussurro, tentando conter a emoção.

– E assim acaba a história para adormeceres.

– Foi uma história e tanto...

Ele sorri com uma expressão melancólica, mas parece-me que está aliviado.

– Como está a tua cabeça?

– A cabeça?

Na verdade, está prestes a explodir com tudo o que me contaste!

– Dói-te?

– Não.

– Ainda bem. Acho que agora deverias dormir.

Dormir! Como posso dormir depois de tudo isto?

– Dorme – diz num tom austero. – Precisas de descansar.

Faço beicinho.

– Tenho uma dúvida.

– Ai, sim? Qual? – pergunta, com um olhar desconfiado.

– Porque é que, de repente, decidiste ser tão... sincero, à falta de palavra melhor? – Ele franze o sobrolho. – Estás a contar-me isto tudo, quando, regra geral, arrancar-te informação é uma experiência desgastante e custosa.

– É?

– Sabes que sim.

– Porque estou a ser sincero? Não sei. Talvez por te ter visto praticamente morta no betão frio. Por ir ser pai. Não sei. Disseste que querias saber e eu não quero que a Elena seja um obstáculo entre nós. Não pode. Pertence ao passado e eu já to disse muitas vezes.

– Se ela não tivesse tentado seduzir-te... continuarias a ser amigo dela?

– Já estás a fazer mais do que uma pergunta.

– Desculpa. Não tens de me dizer. – Coro. – Já me deste mais informação do que alguma vez esperei que desses.

O seu olhar suaviza-se.

– Não, acho que não continuaria, mas desde o meu aniversário que me dava a sensação de ser um assunto inacabado. Ela ultrapassou os limites e para mim chega. Por favor, acredita em mim. Não vou voltar a vê-la. Tu disseste que ela era mais do que podias suportar. É uma condição que compreendo – responde, numa voz calma e sincera.

Ok. Vou deixar o assunto por aqui. O meu subconsciente afunda-se no cadeirão. *Até que enfim!*

– Boa noite, Christian. Obrigada pela história elucidativa antes de adormecer.

Inclino-me para o beijar e os nossos lábios tocam-se por um instante, mas ele afasta-se quando tento aprofundar o beijo.

– Não – sussurra. – Estou desesperado por fazer amor contigo.

– Então faz.

– Não, precisas de descansar e já é tarde. Dorme.

Desliga a luz, mergulhando-nos na escuridão.

– Amo-te incondicionalmente, Christian – murmuro enquanto me aninho ao seu lado.

– Eu sei – sussurra ele e eu pressinto o seu sorriso tímido.

Acordo sobressaltada. A luz está a inundar o quarto e Christian não está na cama. Olho de relance para o despertador e vejo que são sete e cinquenta e três. Inspiro profundamente e faço um esgar ao sentir a dor nas costelas que, no entanto, não é tão forte como era ontem. Acho que posso ir trabalhar. *Trabalhar, sim.* Quero ir trabalhar.

É segunda-feira e ontem passei o dia inteiro a preguiçar na cama. Christian só me deixou sair para fazer uma visita breve a Ray. Sinceramente, continua um maníaco do controlo. Sorrio com ternura. *O meu maníaco do controlo.* Tem-se mostrado atencioso, carinhoso e conversador... e não me toca desde que voltei para casa. Vou ter de fazer algo quanto a isso. Não me dói a cabeça e a dor na zona das costelas abrandou – ainda que, é certo, tenha de ter cuidado quando me rio –, mas sinto-me frustrada. Acho que nunca passei tanto tempo sem sexo desde... bem, desde a primeira vez.

Acho que ambos recuperámos o nosso equilíbrio. Christian anda muito mais descontraído; a sua longa história antes de adormecer parece ter dado descanso a alguns fantasmas, tanto dele *como* meus. Veremos.

Tomo um duche rápido e, depois de me secar, percorro cuidadosamente o meu guarda-fatos. Quero algo *sexy*. Algo que possa galvanizar

Christian a entrar em ação. Quem diria que um homem tão insaciável seria capaz de tanto autodomínio? Não quero mesmo ficar a pensar no que Christian aprendeu acerca de disciplinar o corpo. Não falamos da Cabra Maléfica desde a sua confissão. Espero que nunca mais falemos. Para mim, está morta e enterrada.

Escolho uma saia preta tão curta que é quase indecente e uma blusa de seda branca com folhos. Visto umas meias de liga de renda e calço os meus *Louboutins* pretos de salto. Um pouco de rímel e *gloss* nos lábios para um ar natural e, depois de escovar o cabelo com vigor, deixo-o solto. Sim. Isto deve resultar.

Christian está a comer ao balcão do pequeno-almoço. A sua garfada de omelete para no ar quando me vê. Franze o sobrolho.

– Bom dia, Mrs. Grey. Vai a algum lado?

– Trabalhar – respondo com um sorriso doce.

– Não me parece. – Divertido, Christian resfolega com irrisão. – A Dr.ª Singh recomendou uma semana de baixa.

– Christian, não vou passar o dia sozinha na cama. Por isso, mais vale que vá trabalhar. Bom dia, Gail.

– Mrs. Grey. – Mrs. Jones tenta disfarçar o sorriso. – Quer tomar o pequeno-almoço?

– Por favor.

– *Muesli?*

– Prefiro ovos mexidos com tostas integrais.

Mrs. Jones sorri e Christian mostra-se surpreendido.

– Com certeza, Mrs. Grey – responde Mrs. Jones.

– Ana, não vais trabalhar.

– Mas...

– Não. É simples. Não discutas.

Christian mostra-se inflexível. Lanço-lhe um olhar zangado e só então reparo que ainda está de calças de pijama e com a *t-shirt* que usou ontem à noite.

– Tu vais trabalhar? – pergunto.

– Não.

Estarei a enlouquecer?

– É segunda-feira, não é?

Ele sorri.

— Da última vez que verifiquei, era.

Estreito os olhos.

— Vais fazer gazeta?

— Não vou deixar-te aqui sozinha, para te meteres em apuros. E a Dr.ª Singh disse que só poderias voltar ao trabalho ao fim de uma semana. Lembras-te?

Deslizo para um banco ao lado dele e puxo um pouco a saia para cima. Mrs. Jones pousa uma chávena de chá à minha frente.

— Estás com bom aspeto — diz Christian. Cruzo as pernas. — Muito bom. Sobretudo aqui. — Passa um dedo pela minha pele nua à mostra entre a saia e as meias de ligas. A minha pulsação acelera enquanto o seu dedo me percorre a pele. — Esta saia é muito curta — murmura ele com uma certa reprovação na voz e com o olhar a acompanhar o movimento do dedo.

— É? Não tinha reparado.

Christian fita-me, com a boca retorcida num sorriso divertido mas exasperado.

— A sério, Mrs. Grey?

Coro.

— Não sei bem se será um *look* apropriado ao local de trabalho — murmura ele.

— Bem, dado que não vou trabalhar, essa questão não se põe.

— Não?

— Não — boquejo.

Christian torna a sorrir e recomeça a comer a omelete.

— Tenho uma ideia melhor.

— Tens?

Ele mira-me por entre as longas pestanas, com os olhos cinzentos a escurecerem. Inspiro profundamente. *Oh, céus. Já não era sem tempo.*

— Podemos ir ver como está o Elliot a avançar com a casa.

O quê? Oh! Provocador! Tenho a vaga noção de que íamos fazer isso antes de Ray ter sofrido o acidente.

— Adoraria.

— Boa — responde ele com um sorriso.

– Não tens de ir trabalhar?

– Não. A Ros já voltou de Taiwan. Tudo isso correu bem. Hoje está tudo bem.

– Pensava que *tu* é que ias a Taiwan.

Ele resfolega.

– Ana, estavas no hospital.

– Oh.

– Pois... oh. Por isso, vou passar o dia de hoje na companhia da minha mulher.

Estala os lábios ao dar um gole no seu café.

– Companhia? – Não consigo disfarçar a minha voz esperançada.

Mrs. Jones pousa os ovos mexidos à minha frente, voltando a não ser capaz de ocultar o seu sorriso. Christian esboça um sorriso de gozo.

– Companhia – repete e acena com a cabeça.

Tenho demasiada fome para continuar a *flirtar* com o meu marido.

– É bom ver-te comer – murmura ele. Levantando-se, inclina-se e dá-me um beijo na cabeça. – Vou tomar um duche.

– Hã... posso ir lavar-te as costas? – tartamudeio com a boca cheia de tosta e ovos mexidos.

– Não. Come.

Enquanto se afasta do balcão do pequeno-almoço, puxa a *t-shirt* pela cabeça, oferecendo-me a visão dos seus ombros esculturais e das costas nuas ao avançar pelo salão. Paro de mastigar. Ele está a fazer isto de propósito. *Porquê?*

Christian está descontraído durante a viagem para norte. Acabámos de deixar Ray e Mr. Rodríguez a assistirem a um jogo de futebol no novo televisor de ecrã plano que eu suspeito ter sido o meu marido quem comprou para o quarto de hospital de Ray.

Christian tem andado relaxado desde que tivemos "a conversa". É como se lhe tivesse saído um peso dos ombros; a sombra de Mrs. Robinson já não é uma presença tão grande a pairar sobre nós, talvez por eu ter decidido esquecer o assunto – ou por ele o ter decidido, não sei. Mas sinto-me mais próxima dele do que nunca. Talvez porque, finalmente, ele se abriu comigo. Espero que continue a fazê-lo.

E também está a aceitar melhor o bebé. Ainda não foi comprar um berço, mas estou com bastantes esperanças.

Olho para ele, absorvendo a sua figura enquanto conduz. Tem um ar descontraído, informal... *sexy* com o cabelo despenteado, os *Ray-Ban*, um casaco às riscas, uma camisa de linho branco e calças de ganga.

Ele lança-me um olhar de relance e aperta-me a perna acima do joelho, acariciando-me ao de leve com os dedos.

– Ainda bem que não mudaste de roupa.

A verdade é que vesti um casaco de sarja e, em vez dos sapatos de salto alto, optei por uns rasos, mas continuo com a minissaia. A sua mão mantém-se sobre o meu joelho. Pouso a minha na dele.

– Vais continuar a provocar-me?

– Talvez – responde com um sorriso.

– Porquê?

– Porque posso.

O seu sorriso arrapazado cresce.

– Podem ser dois a jogar esse jogo – sussurro.

Os seus dedos sedutores sobem pela minha coxa.

– Vamos a isso, Mrs. Grey – desafia-me, com o sorriso ainda maior.

Agarro-lhe na mão e pouso-a sobre o joelho dele.

– Bem, podes deixar as mãos quietas.

Ele faz um ar de troça.

– Como desejar, Mrs. Grey.

Raios. Este jogo vai sair-me pela culatra.

Christian vira e entra no acesso da nossa casa nova. Para diante do teclado e marca um número, ao que os portões brancos e ornamentados se abrem. Avançamos pela faixa ladeada por árvores, sob folhas que são uma mescla de verde, amarelo e cobre refulgente. A erva alta do prado está a ganhar uma tonalidade dourada, mas ainda há algumas flores silvestres amarelas a pontilhar o relvado. Está um dia lindo. O sol brilha e o ar salgado do Sound mistura-se com o aroma do outono que se aproxima. É um sítio tão tranquilo e belo. E pensar que será aqui que estabeleceremos o nosso lar...

Chegamos a uma curva na faixa e a nossa casa torna-se visível. Vários camiões grandes, com o logótipo GREY CONSTRUCTION nos lados, estão estacionados diante da casa, que se encontra rodeada por andaimes, e há vários homens de capacete atarefados no telhado.

Christian estaciona à frente do pórtico e desliga o motor. Pressinto o seu entusiasmo.

– Vamos procurar o Elliot.

– Ele está cá?

– Espero que sim. Pago-lhe para isso.

Resfolego e Christian sorri enquanto sai do carro.

– Ei, mano! – grita Elliot de algures. Tanto eu como Christian olhamos em redor. – Aqui em cima! – Está no telhado, a acenar e com um sorriso de orelha a orelha. – Até que enfim te vejo por cá. Fica aí. Já desço.

Olho para Christian, que encolhe os ombros. Passados alguns minutos, Elliot surge na porta da frente.

– Olá, mano. – Dá um aperto de mão a Christian. – E como está a senhorita?

Pega-me ao colo e faz-me rodopiar.

– Melhor, obrigada – rio-me sem fôlego, com as costelas a protestar.

Christian franze o sobrolho, mas Elliot não faz caso disso.

– Vamos para o escritório. Têm de usar um destes – diz-nos, a tocar no seu capacete.

A casa não é mais do que uma concha. Os pavimentos estão cobertos por um material rijo e fibroso que parece serapilheira; algumas das paredes originais desapareceram e foram substituídas por outras. Elliot vai à nossa frente, explicando o que está a acontecer, enquanto homens – e algumas mulheres – trabalham à nossa volta. Fico aliviada ao ver que a escadaria de pedra, com a sua balaustrada intrincada de ferro continua presente, completamente tapada por lençóis brancos que a protegem do pó.

Na sala de estar, a parede do fundo foi retirada para dar lugar à parede de vidro projetada por Gia, e os trabalhos no terraço já tiveram início. Apesar da confusão, a vista é impressionante. A nova disposição condiz com o resto e mantém o encanto antigo da casa... Gia saiu-se bem. Elliot explica pacientemente os vários processos e dá-nos uma estimativa aproximada para a conclusão de cada um. Espera que possamos mudar-nos por volta do Natal, ainda que Christian ache que se trata de uma previsão otimista.

Com o caraças – passar o Natal com vista para o Sound. Mal posso esperar. Uma bolha de entusiasmo cresce dentro de mim. Imagino-nos a decorar uma enorme árvore enquanto um rapazinho de cabelo acobreado nos observa, maravilhado.

Elliot termina a visita guiada na cozinha.

– Vou deixar-vos passear pela casa à vontade. Mas tenham cuidado: estão num estaleiro de obras.

– Claro. Obrigado, Elliot – murmura Christian, dando-me a mão. – Estás contente? – pergunta-me assim que Elliot nos deixa a sós.

Eu estou a observar a estrutura oca desta divisão e a pensar onde pendurarei os quadros de pimentos que comprámos em França.

– Muito. Adoro. E tu?

– Também – sorri ele.

– Que bom. Estava a pensar como ficariam os quadros dos pimentos aqui.

Christian acena com a cabeça.

– Quero pendurar as fotos que o José te tirou. Tens de decidir onde devem ficar.

Coro.

– Nalgum sítio onde eu não as veja com frequência.

– Não sejas assim – ralha-me, a passar o polegar pelo meu lábio inferior. – São as minhas fotografias preferidas. Adoro aquela que está no meu escritório.

– Não faço ideia porquê – murmuro e beijo-lhe o polegar.

– Há coisas piores do que passar o dia a olhar para o teu rosto lindo e sorridente. Tens fome? – pergunta-me.

– De quê?

Ele esboça um sorriso malandro e os seus olhos toldam-se. Esperança e desejo correm-me pelas veias.

– Comida, Mrs. Grey.

E dá-me um beijo rápido nos lábios. Eu olho para ele a fazer beicinho e suspiro.

— Sim. Ultimamente estou sempre com fome.

— Nós os três podemos fazer um piquenique.

— Três? Vamos ter companhia?

Christian inclina a cabeça para o lado.

— Daqui a uns sete ou oito meses.

Oh... Pontinho. Fito-o com um sorriso apatetado.

— Pensei que talvez gostasses de comer ao ar livre.

— No prado? — pergunto. Ele assente com a cabeça. — Claro — respondo, ainda a sorrir.

— Isto vai ser um sítio ótimo para ter uma família — murmura ele, de olhos fixos em mim.

Família! Mais do que um filho? Será que me atrevo a puxar esse assunto agora?

Ele encosta os dedos abertos à minha barriga. *Porra!* Contenho a respiração e pouso a minha mão sobre a dele.

— Custa a acreditar — sussurra ele e, pela primeira vez, ouço fascínio na sua voz.

— Eu sei. Oh... olha, tenho provas. Uma imagem.

— Sim? O primeiro sorriso do bebé?

Tiro a ecografia do Pontinho da carteira.

— Estás a ver?

Christian examina-a com cuidado e durante vários segundos.

— Oh... Pontinho. Sim, já percebo.

Ele parece distraído, pasmado.

— O teu filho — sussurro.

— Nosso filho — contrapõe ele.

— O primeiro de muitos.

— Muitos? — repete, com os olhos esbugalhados.

— Pelo menos dois.

— Dois? — pergunta, a testar a palavra. — Não podemos ir encarando um de cada vez?

Sorrio.

— Claro.

Voltamos para a tarde quente e outonal do exterior.

— Quando vais contar aos teus pais? — pergunta Christian.

– Em breve – murmuro. – Tinha pensado contar ao Ray hoje de manhã, mas Mr. Rodríguez estava lá.

Encolho os ombros.

Christian acena com a cabeça e abre a bagageira do *R8*. Lá dentro está um cesto de vime para piqueniques e a toalha de xadrez que comprámos em Londres.

– Anda – diz ele, segurando o cesto e a toalha numa mão enquanto me estende a outra.

Juntos, avançamos pelo prado.

– Claro, Ros, vai em frente.

Christian desliga. É a terceira chamada que atende durante o nosso piquenique. Descalçou os sapatos e as meias e está a observar-me, com os braços sobre os joelhos dobrados. Deixou o casaco em cima do meu, pois o sol aquece-nos. Estou deitada ao lado dele, na toalha de piquenique, e à nossa volta a erva alta, dourada e verde protege-nos do barulho da casa e dos olhares dos trabalhadores das obras. Estamos num refúgio bucólico só nosso. Ele dá-me mais um morango, que eu mastigo e sugo com gratidão enquanto lhe fito os olhos cada vez mais escuros.

– Saboroso? – sussurra.

– Muito.

– Já chega?

– De morangos, sim.

Os seus olhos chispam perigosamente e ele sorri.

– Mrs. Jones sabe mesmo preparar um piquenique – diz ele.

– Lá isso é verdade – confirmo.

Mudando subitamente de posição, deita-se com a cabeça apoiada na minha barriga. Fecha os olhos e parece satisfeito. Eu enredo os dedos no seu cabelo.

Ele solta um grande suspiro, mas depois faz um esgar e verifica o número no ecrã do BlackBerry, que começou a vibrar. Revira os olhos e atende a chamada.

– Welch – atende. Retesa-se, escuta durante um ou dois segundos e depois torna a sentar-se, muito direito. – Vinte e quatro horas por dia, sete dias por semana... Obrigado – diz ele entre dentes cerrados antes de desligar.

A sua mudança de humor é imediata. Desapareceu o meu marido provocador e sedutor, sendo substituído por um mestre do universo frio e calculista. Franze o cenho por um instante e depois fita-me com um sorriso distante e assustador. Sinto um calafrio a percorrer-me a coluna. Com o BlackBerry na mão, pressiona uma tecla de marcação rápida.

– Ros, qual é a nossa participação na Lincoln Timber?

Ele ajoelha-se e eu fico com o couro cabeludo arrepiado. *Oh, não, o que se passa?*

– Então, consolide as ações com as da GEH e depois despeça a direção... à exceção do CEO... Quero lá saber... Estou a ouvir, mas faça-o e pronto... obrigado... mantenha-me informado.

Desliga e fita-me com um ar impassível. Grande merda! Christian está furioso.

– O que aconteceu?

– O Linc – murmura ele.

– O Linc? O ex-marido da Elena?

– Nem mais. Foi ele quem pagou a fiança do Hyde.

Chocada, fico de queixo caído. Quanto a ele, está com a boca comprimida numa linha austera.

– Bem, estará a fazer figura de idiota – murmuro, melindrada. – Quero dizer, o Hyde cometeu outro crime depois de sair com fiança.

Os olhos de Christian estreitam-se e ele faz um sorriso de gozo.

– Defendeu bem o seu argumento, Mrs. Grey.

– O que acabaste de fazer?

Ajoelho-me diante dele.

– Fodi-o.

Oh.

– Hum... isso parece um pouco impulsivo – murmuro.

– Sou um tipo dado a ações repentinas.

– Estou ciente disso.

Ele semicerra os olhos e contrai mais os lábios.

– Já tinha este plano de reserva há algum tempo – afirma ele com secura.

Franzo o sobrolho.

– Ai, sim?

Ele não fala de imediato, parecendo estar a sopesar algo na sua mente; em seguida, inspira profundamente.

– Há vários anos, tinha eu vinte e um, o Linc deu uma carga de pancada à mulher. Partiu-lhe o maxilar, o braço direito e quatro costelas por ela andar a ir para a cama comigo. – O seu olhar endurece. – E agora fiquei a saber que pagou a fiança a um homem que tentou matar-me, raptou a minha irmã e partiu a cabeça à minha mulher. Para mim, basta. Acho que está na altura de me vingar.

Empalideço. *Mas que merda.*

– Defendeu bem o seu argumento, Mr. Grey – sussurro.

– Ana, é isto que eu faço. Não costumo ser motivado por vingança, mas não posso deixá-lo safar-se com isto. O que ele fez à Elena... bem, ela deveria ter apresentado queixa, mas não o fez. Estava no direito dela. Mas com o Hyde passou mesmo dos limites. O Linc tornou as coisas pessoais ao ir atrás da minha família. Vou esmagá-lo, desmantelar-lhe a empresa mesmo nas barbas dele e vender as frações a quem der mais. Vou deixá-lo na bancarrota.

Oh...

– Para além disso – prossegue com um sorriso malandro. – Conseguiremos uma boa maquia com o negócio.

Fito uns olhos cinzentos ardentes que, de súbito, se suavizam.

– Não queria assustar-te – sussurra.

– Não assustaste – minto.

Ele arqueia uma sobrancelha, divertido.

– Apanhaste-me de surpresa, nada mais – respondo antes de engolir em seco.

Realmente, por vezes Christian é mesmo assustador. Roça os lábios nos meus.

– Farei tudo para te manter em segurança. Para manter a minha família em segurança. Para manter este pequenito em segurança – murmura ele, encostando a mão à minha barriga, numa carícia delicada.

Oh... Paro de respirar. Christian fita-me, com os olhos a escurecer.

Os seus lábios entreabrem-se enquanto inspira e, num movimento deliberado, passa a ponta dos dedos pelo meu sexo.

Com o caraças. O desejo detona como uma bomba, deixando-me a corrente sanguínea incendiada. Agarro-lhe a cabeça, enfiando os dedos no seu cabelo, e puxo-o com força para que os meus lábios vão ao encontro dos dele. Christian arqueja, surpreendido pelo meu ataque, e isso dá-me livre acesso à sua boca. Ele geme e corresponde ao meu beijo, com os lábios e a língua ávidos pelos meus e, por um momento, consumimo-nos, perdidos em línguas, lábios, hálitos e a sensação tão, tão doce de nos redescobrirmos.

Oh, quero este homem. Já passou demasiado tempo. Quero-o aqui, agora, ao ar livre, no nosso prado.

– Ana – ofega ele, fascinado, e a sua mão desce pelo meu traseiro até à bainha da minha saia. Quanto a mim, debato-me desajeitadamente para lhe desabotoar a camisa. – Ena, Ana... para.

Ele recua, de maxilar contraído, e agarra-me nas mãos.

– Não. – Os meus dentes mordiscam-lhe o lábio inferior e puxam-no. – Não – volto a murmurar, de olhar fixo nele. Solto-o. – Quero-te.

Ele inspira profundamente. Está dividido, com a indecisão bem patente nos seus luminosos olhos cinzentos.

– Por favor, preciso de ti.

Todos os poros do meu ser imploram por ele. *É isto que nós fazemos.*

Ele geme, derrotado, enquanto a boca dele encontra a minha e molda os meus lábios aos seus. Uma mão segura-me a cabeça enquanto a outra desliza pelo meu corpo até à cintura, deita-me e estende-se ao meu lado, sem nunca deixar de me beijar.

Nesse momento, afasta-se, ficando a ver-me de cima.

– É tão linda, Mrs. Grey.

Eu acaricio-lhe o rosto encantador.

– Também o senhor, Mr. Grey. Por dentro e por fora.

Ele franze o sobrolho e os meus dedos percorrem-lhe as rugas da testa.

– Não faças essa cara. Para mim és, mesmo quando estás zangado – sussurro.

Ele geme de novo e a sua boca captura a minha, empurrando-me contra a relva macia sob a toalha.

– Tive saudades tuas – sussurra ele e os seus dentes raspam-me no maxilar.

Fico com o coração nas nuvens.

– E eu tuas. Oh, Christian.

Cerro uma mão no seu cabelo e agarro-lhe o ombro com a outra.

Os lábios dele descem-me para a garganta com beijos ternos e os dedos seguem-nos, desabotoando-me cada casa da blusa com destreza. Afastando-me a blusa, beija-me a curva suave dos seios. Emite um murmúrio apreciativo e gutural, um som que me viaja pelo corpo até às zonas mais profundas e sombrias.

– O teu corpo está a mudar – sussurra ele. Com o polegar, estimula-me o mamilo até este ficar ereto e a pressionar o sutiã. – Agrada-me – acrescenta.

Vejo-lhe a língua a provar e a percorrer a linha entre o sutiã e o meu peito, provocando e atormentando-me. Com a copa do sutiã delicadamente presa entre os dentes, puxa-a para baixo, libertando-me o seio e acariciando-me o mamilo com o nariz. Este retesa-se com o seu toque e o frio da brisa suave e outonal. Os seus lábios fecham-se à volta do meu mamilo, que ele suga durante muito tempo e com força.

– Ah! – gemo, inspiro profundamente e depois faço um esgar, pois a dor irradia-me das costelas magoadas.

– Ana! – exclama Christian, a fitar-me com um ar preocupado. – Era a isto que me referia – admoesta-me. – A falta de cuidado que tens contigo. Não quero magoar-te.

– Não, não pares – choramingo. Ele fica a olhar para mim e a debater-se consigo mesmo. – Por favor.

– Assim. – De repente, mexe-se e eu fico sentada em cima dele, já com a saia arregaçada até às ancas. As suas mãos deslizam até às minhas ligas. – Pronto, assim é melhor e eu posso apreciar a vista.

Levanta as mãos e prende o dedo indicador na outra copa do sutiã, libertando-me esse seio também. Segura-me nos dois seios e eu atiro a cabeça para trás, empurrando-os para as suas mãos desejadas e hábeis. Provoca-me, puxando e girando os meus mamilos até que grito; depois senta-se e ficamos de narizes encostados, com os olhos cinzentos e ávidos dele a fitarem os meus. Beija-me, ainda a provocar-me com os dedos.

Eu levo as mãos à sua camisa, abro as duas primeiras casas e é como uma sobrecarga sensorial – quero beijá-lo todo, despi-lo, fazer amor com ele, tudo ao mesmo tempo.

– Então... – Agarra-me a cabeça com cuidado e puxa-a para trás; os seus olhos estão cheios de promessas sensuais. – Não há pressa. Vamos com calma. Quero saborear-te.

– Christian, já passou tanto tempo. – Estou a ofegar.

– Devagar – sussurra ele, e é uma ordem. Beija-me o canto direito da boca. – Devagar. – Beija o esquerdo. – Devagar, querida. – Puxa-me o lábio inferior com os dentes. – Vamos fazer isto com calma.

Espraia os dedos pelo meu cabelo, mantém-me quieta enquanto a sua língua me invade a boca, procurando, saboreando, acalmando... inflamando. Oh, o meu homem sabe beijar.

Acaricio-lhe o rosto, desço os dedos trémulos até ao seu queixo, depois até à garganta, e recomeço a desabotoar-lhe a camisa, com calma, enquanto ele continua a beijar-me. Lentamente, afasto-lhe a camisa, passo os dedos pelas suas clavículas, percorrendo-as sobre a pele quente e sedosa. Empurro-o com delicadeza para o chão até ele ficar deitado debaixo de mim. Quando torno a sentar-me, olho para ele, ciente de que me contorço contra a sua ereção crescente. *Hum.* Os meus dedos viajam dos lábios dele até ao seu maxilar, descendo-lhe então pelo pescoço, pela maçã de Adão e pela pequena cova na base da garganta. *O meu homem lindo.* Debruço-me e os meus beijos seguem a ponta dos meus dedos. Raspo os dentes no seu maxilar e beijo-lhe o pescoço. Ele fecha os olhos.

– Ah – geme ele e inclina a cabeça para trás, facilitando-me o acesso ao pescoço, com a boca descontraída e aberta numa veneração silenciosa. Christian perdido e excitado é tão estimulante... e excita-me tanto.

A minha língua desce-lhe pelo esterno, rodopiando por entre os pelos do seu peito. *Hum.* Sabe tão bem. Cheira tão bem. É inebriante. Beijo primeiro uma e depois outra das suas pequenas cicatrizes redondas e ele agarra-me as ancas, pelo que interrompo o movimento dos dedos no seu peito e olho para ele. Está com a respiração acelerada.

– Queres fazer isto? Aqui? – ofega, com os olhos toldados por uma combinação estonteante de amor e luxúria.

– Sim – murmuro e os meus lábios e língua roçam-lhe o peito até ao mamilo. Puxo e giro-o delicadamente com os dentes.

– Oh, Ana – sussurra ele. Envolvendo-me a cintura, levanta-me, abre o botão e a braguilha das calças e fica livre. Torna a sentar-me em cima dele e eu faço pressão, adorando senti-lo quente e duro debaixo de mim. Ele percorre-me as coxas com as mãos, parando onde as meias de ligas dão lugar à pele nua; então descreve círculos pequenos e provocadores no cimo das meias, de forma a deixar as pontas dos polegares a tocarem-me... a tocarem-me onde quero ser tocada. Arquejo. – Espero que não tenhas muito apego a esta roupa interior – murmura, com um brilho selvagem nos olhos.

Os seus dedos contornam o elástico da minha cintura e depois deslizam-me para dentro das cuecas, tocando-me, antes de as agarrarem com força e espetarem os polegares no material delicado. As minhas cuecas desintegram-se. De mãos espraiadas nas minhas coxas, volta a roçar os polegares no meu sexo. Inclina as ancas para que a sua ereção se esfregue em mim.

– Sinto-te molhada. – A sua voz está eivada de apreciação carnal e, de repente, senta-se de novo com um braço à volta da minha cintura, pelo que tornamos a ficar com os narizes encostados. Ele faz o seu nariz percorrer a cana do meu. – Vamos fazer isto devagar, Mrs. Grey. Quero senti-la toda.

Ergue-me e, com uma facilidade deliciosa, frustrante e lenta, desce-me para entrar em mim. Sinto-me abençoada à medida que cada centímetro dele me preenche.

– Ah – gemo, tentando agarrar-lhe os braços.

Tento subir um pouco para obter alguma fricção, mas ele mantém-me quieta.

– Todo eu – sussurra ele e inclina a bacia, entrando por completo em mim. Atiro a cabeça para trás e solto um grito de prazer puro. – Deixa-me ouvir-te – murmura ele. – Não, não te mexas, sente só.

Abro os olhos, com a boca imobilizada num *Ah!* silencioso e ele está a olhar para mim, um olhos cinzentos toldados e devassos a fitarem os meus, azuis e estonteados. Mexe as ancas mas não me deixa mover.

Gemo. Os seus lábios estão a beijar-me o pescoço.

– Este é o meu sítio preferido. Enterrado em ti – murmura com a boca encostada à minha pele.

– Por favor, mexe-te – imploro.

– Devagar, Mrs. Grey.

Torna a inclinar as ancas e o prazer irradia pelo meu corpo. Seguro-lhe o rosto e beijo-o, absorvendo-o.

– Ama-me. Por favor, Christian.

Os seus dentes sobem-me pelo maxilar até à orelha.

– Agora – sussurra ele, ao mesmo tempo que me sobe e desce.

A minha deusa interior liberta-se e eu empurro-o para o chão e começo a mexer-me, saboreando a sensação de o ter dentro de mim… monto-o… monto-o com força. Com as mãos à volta da minha cintura, ele corresponde ao meu ritmo. Senti a falta disto… a sensação estonteante de o ter debaixo de mim, dentro de mim… o sol a incidir-me nas costas, o cheiro doce do outono no ar, a brisa delicada e outonal. É uma fusão vertiginosa de sentidos: tato, paladar, olfato e a visão do meu querido marido debaixo de mim.

– Oh, Ana – geme ele, de olhos fechados, cabeça lançada para trás, boca aberta.

Ah… adoro isto. E, por dentro, a sensação cresce… cresce… aumenta… cada vez mais. As mãos de Christian passam para as minhas coxas e, delicadamente, os seus polegares pressionam-me no meio eu expludo à volta dele, uma e outra e outra vez, e deixo-me cair sobre o seu peito enquanto ele grita por seu turno, deixando-se levar e gritando o meu nome com amor e alegria.

Abraça-me contra o seu peito e embala-me a cabeça. *Hum.* De olhos fechados, saboreio a sensação de ter os braços dele à minha volta. Tenho a mão sobre o seu peito e sinto a batida constante do seu coração, que vai abrandando e acalmando. Beijo-o e passeio o nariz pelo seu peito, enquanto me passa pela cabeça, com espanto, que não foi assim há tanto tempo que não me permitia que o fizesse.

– Melhor? – sussurra ele.

Levanto a cabeça. Está com um sorriso de orelha a orelha.

– Muito. E tu?

Correspondo com um sorriso idêntico.

– Senti a sua falta, Mrs. Grey – diz ele, sério por um momento.

– Eu também.

– Basta de proezas heroicas, hã?

– Basta – prometo.

– Devias falar sempre comigo – sussurra.

– O mesmo vale para si, Mr. Grey.

Ele esboça um sorriso trocista.

– Tem razão. Vou tentar.

Dá-me um beijo na cabeça.

– Acho que vamos ser felizes aqui – sussurro, enquanto torno a fechar os olhos.

– Pois vamos. Eu, tu e... o Pontinho. Já agora, como te sentes?

– Bem. Descontraída. Feliz.

– Que bom.

– E tu?

– Sim, tudo isso – murmura ele.

Levanto a cabeça e fito-o, tentando avaliar a sua expressão.

– O que foi? – pergunta.

– Sabes, és muito mandão quando fazemos sexo.

– Estás a queixar-te?

– Não. Estava só a pensar... disseste que tinhas saudades daqueles tempos.

Ele imobiliza-se, de olhos fixos em mim.

– Às vezes – sussurra.

Oh.

– Bem, teremos de ver o que podemos fazer a esse respeito – murmuro antes de lhe dar um beijo ao de leve nos lábios e de me enroscar à sua volta como uma hera.

Imagens de nós juntos, no quarto do prazer; a música de Tallies, a mesa, a cruz, acorrentada à cama... adoro as suas quecas depravadas – as nossas quecas depravadas. Sim. Posso fazer essas coisas. Posso fazer isso por ele, com ele. *Posso fazer isso por mim.* Arrepio-me ao lembrar-me da vergasta.

– Também gosto de brincar – murmuro e, quando olho para cima, sou brindada com o seu sorriso tímido.

– Eu sei. Gostaria mesmo de te testar os limites – sussurra ele.

– Limites do quê?

– Do prazer.

– Oh, parece-me que isso me agradaria.

– Bem, talvez quando chegarmos a casa – sussurra ele, deixando a promessa a pairar entre nós.

Volto a acariciá-lo com o nariz. Amo-o tanto.

Passaram-se dois dias desde o piquenique. Dois dias desde a promessa de *bem, talvez quando chegarmos a casa*. Christian continua a tratar-me como se eu fosse feita de cristal. Continua a não me deixar ir ao escritório, pelo que tenho trabalhado a partir de casa. Afasto a pilha de cartas que tenho estado a ler e suspiro. Ainda não voltámos ao quarto do prazer desde que eu disse a palavra de segurança. E ele confessou que tem saudades. Bem, eu também... sobretudo agora, que ele quer explorar os meus limites. Coro ao pensar no que isso poderá incluir. Olho de relance para a mesa de bilhar... Pois, mal posso esperar por começar a explorá-los.

Os meus pensamentos são interrompidos por música suave e lírica que se espalha pelo apartamento. Christian está a tocar piano; não é um dos seus lamentos habituais, mas antes uma melodia doce, esperançosa – uma que reconheço, mas que nunca o tinha ouvido tocar.

Vou em bicos de pés até ao arco do salão e observo Christian ao piano. O céu está de um cor-de-rosa opulento e a luz reflete-se no seu cabelo acobreado. Está tão lindo como sempre, concentrado a tocar, sem dar pela minha presença. Tem sido tão honesto nos últimos dias, tão atencioso – oferecendo-me pequenos pormenores reveladores do seu dia, dos seus pensamentos, dos seus planos. É como se tivesse rompido um dique e começado a falar.

Sei que irá ver como estou dentro de alguns minutos, o que me dá uma ideia. Excitada, esgueiro-me, esperando que ainda não tenha reparado em mim, e corro até ao nosso quarto, a despir-me pelo caminho, até não ter nada vestido senão umas cuecas de renda azul-claras. Encontro um *top* azul-claro e visto-o muito depressa. Assim esconderei o hematoma. Atiro-me ao armário e saco de lá as calças de ganga coçada de Christian – as que usa no quarto do prazer e que são as minhas preferidas – da gaveta. Da minha mesa de cabeceira tiro o meu BlackBerry; depois dobro as calças de ganga com cuidado e ajoelho-me diante da porta do quarto. Esta encontra-se entreaberta e eu ouço as notas de outra música que não conheço. Mas também é esperançosa; é encantadora. Digito rapidamente um *e-mail*.

––––––

De: Anastasia Grey
Assunto: O Prazer do Meu Marido
Data: 21 setembro 2011 20:45
Para: Christian Grey

Senhor,

Aguardo as suas instruções.
Eternamente sua,

Mrs. G

––––––

Pressiono o botão de envio.

Pouco depois, a música para abruptamente. O meu coração sobressalta-se e começa a bater muito depressa. Espero, espero e, por fim, o meu BlackBerry vibra.

––––––

De: Christian Grey
Assunto: O Prazer do Meu Marido <--- adoro este título, querida

Data: 21 setembro 2011 20:48
Para: Anastasia Grey

Mrs. G,

Estou intrigado. Vou à sua procura.
Esteja preparada.

CEO expectante, Grey Enterprises Holdings, Inc

———

Esteja preparada! O meu coração desata a latejar e eu começo a contar. Trinta e sete segundos depois, a porta abre-se. Fito-lhe os pés descalços, que param à entrada. *Hum.* Ele não diz nada. Passa-se uma eternidade e ele não diz uma palavra. *Oh, merda.* Resisto ao impulso de levantar a cabeça e mantenho os olhos voltados para o chão.

Por fim, ele baixa-se e pega nas suas calças de ganga. Mantém-se calado mas encaminha-se para o quarto de vestir enquanto eu permaneço imóvel. *Oh, céus... é agora.* Tenho o coração acelerado e adoro o pico de adrenalina que me percorre o corpo. Retorço-me com a excitação crescente. O que me fará ele? Pouco depois Christian regressa, com as calças de ganga vestidas.

— Então queres brincar? — murmura ele.

— Sim.

Ele não diz mais nada e eu arrisco um olhar de esguelha... que sobe pelas suas calças, pelas coxas envolvidas em ganga, pela curva da sua braguilha, pela casa desabotoada da cintura, pelos seus pelos abdominais, pelo umbigo, pelo abdómen definido, pelos pelos do peito, pelos olhos cinzentos e fulgentes e pela cabeça inclinada para o lado. Está a arquear uma sobrancelha.

— Sim, quê? — sussurra.

Oh.

— Sim, senhor.

O seu olhar suaviza-se.

574

– Linda menina – murmura e faz-me uma festa na cabeça. – Acho que agora é melhor levar-te lá para cima – acrescenta.

As minhas entranhas liquidificam-se e a minha barriga contrai-se daquela maneira deliciosa.

Dá-me a mão e seu sigo-o pelo apartamento e pelas escadas. Diante da porta do quarto do prazer faz uma pausa, inclina-se e dá-me um beijo meigo antes de me agarrar o cabelo com força.

– Sabes, estás a inverter os papéis – murmura, com os lábios encostados aos meus.

– O quê?

Não faço ideia do que esteja a falar.

– Não te preocupes. Posso viver com isso – sussurra, divertido, e passa o nariz pelo meu maxilar até me mordiscar a orelha. – Quando entrares, ajoelha-te, como te ensinei.

– Sim... senhor.

Ele observa-me, com os olhos a brilhar de amor, admiração e pensamentos perversos.

Caramba... A vida nunca será enfadonha com Christian e eu entrei nisto a longo prazo. Amo este homem: meu marido, meu amante, pai do meu filho, Dominador às vezes... o meu Cinquenta Sombras.

EPÍLOGO

A Grande Casa, maio de 2014

Deito-me na nossa toalha de xadrez de piquenique e fito o céu de verão límpido e azul, com a visão emoldurada por flores silvestres e pela erva verde e alta. O calor do sol estival aquece-me a pele, os ossos e a barriga, e eu descontraio, com o corpo a transformar-se em gelatina. Isto é confortável. Bolas, não... isto é maravilhoso. Saboreio o momento, um momento de paz, um momento de contentamento puro e absoluto. Deveria sentir-me culpada por estar tão feliz, tão completa, mas não me sinto. A vida aqui e agora é boa e eu aprendi a apreciá-la e a dar valor ao presente, como o meu marido. Sorrio e contorço-me quando a minha mente regressa à memória deliciosa da última noite que passámos no apartamento do Escala...

As tiras do *flogger* deslizam sobre a minha barriga inchada a um ritmo doloroso e lânguido.

— Já tiveste que chegue, Ana? — sussurra Christian ao meu ouvido.

— Oh, por favor — rogo, puxando as amarras que me prendem os pulsos sobre a cabeça, vendada e amarrada à grade do quarto do prazer.

A vergastada doce do *flogger* bate-me no traseiro.

— Por favor o quê?

Arquejo.

— Por favor, senhor.

Christian pousa a mão sobre a minha pele ardente e esfrega com delicadeza.

— Pronto. Pronto. Pronto. — As suas palavras são meigas.

A sua mão desce e roda, e os seus dedos deslizam para dentro de mim. Gemo.

– Mrs. Grey – ofega ele antes de me mordiscar o lóbulo da orelha. – Está tão preparada.

Os seus dedos entram e saem de mim, atingindo aquele ponto, aquele ponto tão sensível outra vez. O *flogger* cai ao chão e a sua mão desliza-me pela barriga até aos seios. Reteso-me. Estão sensíveis.

– Chiu – diz ele, agarrando num, e passa o polegar ao de leve pelo mamilo.

– Ah.

Os dedos dele são delicados e estimulantes e o prazer parte do meu peito e desce, desce, desce muito. Inclino a cabeça para trás, empurrando o mamilo contra a palma da sua mão, e gemo outra vez.

– Gosto de te ouvir – sussurra ele. Tem a ereção contra a minha anca, os botões da braguilha a fazerem-me pressão na carne enquanto os seus dedos prosseguem o ataque incessante: entram, saem, entram, saem... mantendo um ritmo. – Faço-te vir assim? – pergunta.

– Não.

Ele imobiliza os dedos dentro de mim.

– A sério, Mrs. Grey? Cabe-lhe a si decidir?

Aperta-me mais o mamilo.

– Não... Não, senhor.

– Assim está melhor.

– Ah. Por favor – imploro.

– O que queres, Anastasia?

– A ti. Sempre. – Ele inspira profundamente. – Todo – acrescento, sem fôlego.

Ele tira os dedos de dentro de mim, vira-me para que fique de frente para ele e tira-me a venda. Pestanejo e fito uns olhos cinzentos cada vez mais escuros a fixarem os meus. Os seus dedos percorrem-me o lábio inferior e insere o dedo indicador e o do meio na minha boca, deixando-me provar o sabor salgado da minha excitação.

– Chupa – sussurra.

Passo a língua à volta e entre os dedos dele.

Hum... até eu tenho um sabor bom nos seus dedos.

As suas mãos percorrem-me os braços até às algemas acima da minha cabeça e libertam-nos. Virando-me de novo para a parede, puxa-me a trança e encosta-me a si. Inclina-me a cabeça para o lado e desliza os lábios do meu pescoço até à orelha enquanto me mantém junto a si.

— Quero a tua boca.

Fala numa voz baixa e sedutora. O meu corpo, maduro e pronto, contrai-se profundamente. O prazer é doce e intenso.

Gemo. Viro-me para ele, puxo-lhe a cabeça ao encontro da minha e beijo-o com força, invado-lhe a boca com a língua, provo-o e saboreio-o. Ele geme, leva as mãos ao meu traseiro e puxa-me contra si, mas só a minha barriga grávida lhe toca. Mordo-lhe o maxilar e deposito beijos pela sua garganta enquanto os meus dedos descem até às suas calças de ganga. Ele inclina a cabeça para trás, expondo mais a garganta, e eu desço com a língua pelo seu peito, por entre os pelos do peito.

— Ah.

Puxo-lhe o cós das calças e os botões saltam, ao que ele me agarra os ombros enquanto me ajoelho diante dele.

Comigo a fitá-lo por entre as pestanas, ele olha para baixo. Tem os olhos escuros, os lábios entreabertos e inspira profundamente quando o liberto e o insiro na boca. Adoro fazer isto a Christian. Vê-lo a derreter--se, ouvir a sua respiração entrecortada e os gemidos suaves que produz na garganta. Fecho os olhos e chupo com força, descendo por ele, deliciando-me com o seu sabor e a sua respiração arquejada.

Ele agarra-me na cabeça e para-me, ao que eu cubro os dentes com os lábios e o puxo mais para dentro da minha boca.

— Abre os olhos e olha para mim — ordena-me em voz baixa.

Uns olhos ardentes fitam os meus e ele inclina as ancas, enchendo--me a boca até ao fundo da garganta e retirando-se rapidamente. Volta a investir contra mim e eu ergo a mão para o agarrar. Ele para e segura-me.

— Não me toques, caso contrário volto a algemar-te. Só quero a tua boca — rosna.

Oh, céus. *Ai é assim?* Ponho as mãos atrás das costas e lanço-lhe um olhar inocente com a boca cheia.

— Linda menina — diz ele numa voz rouca, a fitar-me com um sorriso de gozo. Recua e, segurando-me delicada mas firmemente, volta a entrar. — Tem uma boca tão boa de foder, Mrs. Grey.

Ele fecha os olhos e entra na minha boca enquanto eu o aperto entre os lábios, passando a língua à sua volta. Ele entra mais e sai, uma e outra vez, com o ar a silvar-lhe por entre os dentes.

– Ah! Para – diz ele e afasta-se de mim, deixando-me a desejar mais.

Agarra-me pelos ombros e levanta-me. Segurando-me pela trança, dá-me um beijo forte, com a língua persistente tão ávida quanto generosa. De repente, solta-me e, antes que eu dê conta, pegou-me ao colo e está a levar-me para a cama de dossel. Com cuidado, pousa-me com o rabo mesmo à beira da cama.

– Passa as pernas à volta da minha cintura – ordena-me.

Eu assim faço e puxo-o contra mim. Ele debruça-se, com uma mão de cada lado da minha cabeça e, ainda de pé, entra em mim muito devagar.

Oh, sabe tão bem. Fecho os olhos e delicio-me com a sua posse lenta.

– Ok? – pergunta, num tom obviamente preocupado.

– Oh, Deus, Christian. Sim. Sim. Por favor.

Aperto as pernas à volta dele e impulsiono-me contra o seu corpo. Ele geme. Agarro-lhe os braços e ele balança as ancas devagar, para dentro e para fora.

– Christian, por favor. Com mais força... não vou partir-me.

Ele geme e começa a mexer-se, a mexer-se a sério, investindo uma e outra vez contra mim. Oh, é divinal.

– Sim – arquejo, apertando-o mais com o crescer da sensação... Ele geme, lançando-se contra mim com uma determinação renovada... e estou tão perto. *Oh, por favor. Não pares.*

– Vem-te, Ana – geme ele entre dentes cerrados e eu expludo à sua volta, com um orgasmo que dura e dura. Grito o seu nome e Christian imobiliza-se, a gemer bem alto, enquanto atinge o clímax dentro de mim.

– Ana – grita ele.

Christian deita-se ao meu lado, com a mão a acariciar-me a barriga, mantendo os dedos bem afastados.

– Como está a minha filha?

– Está a dançar – rio-me.

– A dançar? Oh, sim! Uau. Estou a senti-la.

Ele sorri enquanto o Pontinho Número Dois se agita dentro de mim.

– Acho que ela já gosta de sexo.

Christian franze o sobrolho.

– A sério? – comenta ele com secura. Mexe-se até ficar com os lábios encostados à minha barriga. – Não terás nada disso até fazeres trinta anos, minha menina.

Eu solto uma risada.

– Oh, Christian, és tão hipócrita.

– Não, sou um pai ansioso. – Ele olha para mim, com o sobrolho franzido a revelar a ansiedade que sente.

– És um pai maravilhoso, como eu sabia que serias.

Acaricio-lhe o rosto encantador e ele esboça o seu sorriso tímido.

– Gosto disto – murmura ele, acariciando e depois beijando a minha barriga. – Há mais de ti.

Faço beicinho.

– Eu não gosto de mais de mim.

– É ótimo quando te vens.

– Christian!

– E mal posso esperar pelo sabor do leite materno.

– Christian! És tão depravado...

Ele salta para cima de mim de repente, beijando-me com força, pondo uma perna por cima das minhas e mantendo-me as mãos acima da cabeça.

– Tu adoras quecas depravadas – sussurra ele e passa o nariz pela cana do meu.

Eu sorrio, contagiada pelo seu sorriso perverso.

– Sim, adoro as quecas depravadas. E adoro-te a ti. Tanto.

Acordo sobressaltada com um guincho deliciado do meu filho e, apesar de não o ver nem a Christian, a felicidade deixa-me a sorrir como uma idiota. Ted despertou da sua sesta e ele e Christian estão a divertir-se aqui perto. Deixo-me ficar deitada, ainda maravilhada com a capacidade que Christian tem para brincar. A sua paciência com Teddy é extraordinária – é muito mais paciente com ele do que comigo. Resfolego. Mas, afinal, é assim que deve ser. E o meu rapazinho, a alegria dos seus pais, não tem medo de nada. Christian, por outro lado, é protetor em demasia, tanto em relação ao filho como a mim. O meu querido e inconstante Cinquenta controlador.

– Vamos à procura da mamã. Ela está algures aqui no prado.

Ted diz qualquer coisa que não ouço e Christian solta uma gargalhada livre e feliz. É um som mágico, repleto de alegria paternal. Não resisto. Apoio-me nos cotovelos e tento espiá-los do meu esconderijo entre a erva crescida.

Christian está a fazer Ted girar e girar, o que lhe provoca mais um guinchinho de alegria. Depois para, lança-o ao ar – contenho a respiração – e apanha-o. Ted ri-se com um abandono infantil e eu solto um suspiro de alívio. Oh, meu homenzinho, meu querido homenzinho, sempre pronto para a aventura.

– Out'a vez, papá! – grita ele.

Christian faz-lhe a vontade e o meu coração volta a saltar-me para a boca quando ele torna a atirar Teddy ao ar e depois o apanha de novo e o abraça. Christian dá-lhe um beijo na cabeça de cabelo acobreado e outro na bochecha, após o que lhe faz muitas cócegas. Teddy grita e ri, esperneando e empurrando o peito de Christian, a tentar soltar-se dos braços do pai. A sorrir, Christian poisa-o no chão.

– Anda encontrar a mamã. Está escondida entre as ervas.

Ted sorri, a gostar do jogo, e procura pelo prado. Dá a mão a Christian e aponta para um sítio onde eu não estou, o que me dá vontade de rir. Volto a deitar-me sem fazer barulho, adorando o jogo.

– Ted, ouvi a mamã. Tu ouviste-a?

– Mamã!

O tom imperioso de Ted faz-me rir e resfolegar. Bolas... é tão parecido com o pai, e só tem dois anos.

– Teddy! – respondo, a fitar o céu com um sorriso ridículo na cara.

– Mamã!

Logo a seguir, ouço os passos deles a avançarem pelo prado e Ted, seguido por Christian, surge entre as ervas compridas.

– Mamã! – exclama Ted como se tivesse encontrado o tesouro perdido da Sierra Madre[9] e salta para o meu colo.

9. Referência a livro de B. Traven, publicado em 1927, *The Treasure of the Sierra Madre* (*O Tesouro da Sierra Madre* - Editorial Teorema, 1988), adaptado ao cinema em 1948. (N. da T.)

– Olá, bebé!

Embalo-o e dou-lhe um beijo na bochecha rechonchuda. Ele ri-se, beija-me também e depois debate-se para se libertar dos meus braços.

– Olá, mamã – diz-me Christian com um sorriso.

– Olá, papá.

Sorrio também e ele pega em Ted e senta-se ao meu lado, com o nosso filho ao colo.

– Tem cuidado com a mamã – avisa ele.

Esboço um sorriso trocista – a ironia não me escapa. Do bolso, Christian tira o seu BlackBerry e dá-o a Ted. Isto deve dar-nos uns cinco minutos de sossego, no máximo. Teddy estuda-o, com a sua pequena testa franzida. Parece tão sério, de olhos azuis muito concentrados, tal como o pai quando lê *e-mails*. Christian encosta o nariz ao cabelo de Ted e o meu coração expande-se ao vê-los juntos. Duas gotas de água: o meu filho, sentado e tranquilo – por ora, pelo menos – ao colo do meu marido. Os meus dois homens preferidos no mundo inteiro.

Claro que Ted é a criança mais bonita e talentosa do planeta, mas eu sou mãe dele, pelo que é natural que assim pense. E Christian é... bem, Christian é apenas ele mesmo. Numa *t-shirt* e de calças de ganga, está tão sensual como sempre. O que fiz eu para ganhar um prémio destes?

– Está com bom aspeto, Mrs. Grey.

– O senhor também, Mr. Grey.

– A mamã não é bonita? – sussurra ele ao ouvido de Ted.

Ted enxota-o com uma mão, mais interessado no BlackBerry do pai. Rio-me.

– Não dá para o distrair.

– Eu sei. – Christian sorri e beija-lhe a cabeça. – Nem acredito que fará dois anos amanhã. – Fala num tom melancólico. Esticando o braço, pousa a mão aberta sobre a minha barriga. – Vamos ter uma data de filhos – sugere.

– Pelo menos mais um.

Sorrio e ele afaga-me a barriga.

– Como está a minha filha?

– Está bem. A dormir, acho.

– Olá, Mr. Grey. Olá, Ana.

Ambos nos viramos e vemos Sophie, a filha de dez anos de Taylor, a surgir por entre as ervas altas.

– So-í! – grita Ted, encantado ao reconhecê-la.

Liberta-se do colo de Christian e larga o BlackBerry.

– A Gail deu-me gelados – diz Sophie. – Posso dar um ao Ted?

– Claro – digo eu.

Oh, céus, ele vai sujar-se todo.

– 'Lado!

Ted estende as mãos e Sophie passa-lhe um, que já está a pingar.

– Olha, deixa a mamã ver.

Endireito-me, pego no gelado e meto-o na boca, sugando o líquido derretido. Hum... é de groselha, está fresco e delicioso.

– Meu! – protesta Ted, num tom muito indignado.

– Toma.

Devolvo-lhe o gelado a pingar um pouco menos e ele leva-o logo à boca, com um grande sorriso.

– Posso dar uma volta com o Ted? – pergunta Sophie.

– Claro.

– Não se afastem muito.

– Não, Mr. Grey.

Os olhos cor de avelã de Sophie estão arregalados e sérios. Acho que ela tem algum medo de Christian. Estende a mão e Teddy agarra-a logo. Avançam juntos por entre as ervas altas.

Christian fica a observá-los.

– Eles vão ficar bem, Christian. O que poderia acontecer-lhes aqui? – Ele olha para mim de sobrolho franzido e eu passo para o seu colo. – Além disso, o Ted está completamente apaixonado pela Sophie.

Christian resfolega e encosta o nariz ao meu cabelo.

– É uma criança encantadora.

– Pois é. E tão bonita. Um anjo louro.

Christian imobiliza-se e depois pousa a mão na minha barriga.

– Meninas, hã? – Há um laivo de trepidação na sua voz.

Ponho uma mão à volta da sua nuca.

– Não tens de te preocupar com a tua filha durante, pelo menos, mais três meses. Eu cuido dela aqui, Ok?

Ele beija-me atrás da orelha e roça os dentes pelo lóbulo.

– Como queira, Mrs. Grey.

E depois morde-me. Solto um grito.

– Gostei da noite passada – diz ele. – Devíamos fazer aquilo mais vezes.

– Eu também gostei.

– E podíamos, se deixasses de trabalhar.

Reviro os olhos e ele aperta-me mais nos seus braços, a sorrir com os lábios encostados ao meu pescoço.

– Está a revirar-me os olhos, Mrs. Grey?

A sua ameaça é implícita mas sensual e faz-me contorcer; porém, como estamos no meio do prado com os miúdos por perto, ignoro o convite.

– A Grey Publishing tem um autor na lista dos mais vendidos do *New York Times*... as vendas do Boyce Fox são fenomenais, os livros eletrónicos estão a atingir números fantásticos e, finalmente, tenho a equipa que quero à minha volta.

– E estás a fazer dinheiro nestes tempos difíceis – acrescenta Christian, numa voz que revela o orgulho que sente. – Mas... gosto de ti descalça, grávida e na minha cozinha.

Eu reclino-me para conseguir ver-lhe o rosto. Ele fita-me, com os olhos a brilhar.

– Também gosto disso – murmuro e ele beija-me, ainda com as mãos sobre a minha barriga.

Vendo que está de tão bom humor, decido abordar uma questão delicada.

– Voltaste a pensar na minha sugestão?

Ele estaca.

– Ana, a resposta é não.

– Mas Ella é um nome tão bonito.

– Não vou dar o nome da minha mãe à minha filha. Não. Fim de discussão.

– Tens a certeza?

– Sim. – Agarrando-me pelo queixo, fita-me com um olhar honesto que irradia exasperação. – Ana, desiste. Não quero a minha filha maculada pelo meu passado.

– Ok. Desculpa.

Merda... não queria que se zangasse.

– Assim está melhor. Para de tentar emendar o passado – res-moneia. – Conseguiste fazer-me admitir que gostava dela, arrastaste-me até à sepultura dela. Chega.

Oh, não. Mexo-me no seu colo para ficar de frente para ele, com uma perna de cada lado, e seguro-lhe a cabeça entre as mãos.

– Desculpa. A sério. Não fiques zangado comigo, por favor.

Beijo-o e depois dou-lhe um beijo no canto da boca. Passado um instante, ele aponta para o outro lado e eu sorrio e beijo-o aí também. Depois aponta para o nariz. Dou-lhe um beijo aí. Ele sorri e pousa as mãos no meu traseiro.

– Oh, Mrs. Grey... que hei de fazer consigo?

– Estou certa de que lhe ocorrerá alguma coisa – murmuro.

Ele sorri e, virando-se de repente, faz-me deitar sobre a toalha.

– E se tratasse disso agora? – sussurra, com um sorriso libertino.

– Christian! – exclamo.

De súbito, ouvimos um grito agudo de Ted. Christian põe-se de pé num salto gracioso como o de uma pantera e corre em direção ao som. Eu sigo-o, mais devagar. Secretamente, não estou tão preocupada quanto Christian – não foi um grito que me fizesse subir os degraus dois a dois para descobrir o que se passa.

Christian pega em Teddy ao colo. O nosso rapazinho está a chorar, inconsolável, e a apontar para o chão, onde o que resta do seu gelado se encontra numa poça que se vai derretendo entre as ervas.

– Ele deixou-o cair – diz Sophie num tom triste. – Podia ter-lhe dado o meu, mas já o comi.

– Oh, Sophie, querida, não te preocupes.

Faço-lhe uma festa no cabelo.

– Mamã! – chora Ted, de mãos estendidas para mim.

Com relutância, Christian deixa-me pegar-lhe.

– Pronto, já passou.

– 'Lado – soluça ele.

– Eu sei, bebé. Vamos ter com Mrs. Taylor e pedir-lhe outro.

Dou-lhe um beijo na cabeça... oh, cheira tão bem. Cheira ao meu menino.

– 'Lado – funga.

Agarro-lhe na mão e beijo-lhe os dedos pegajosos.

– Os teus dedos sabem a gelado.

Ted para de chorar e examina a mão.

– Põe os dedos na boca.

Ele assim faz.

– 'Lado!

– Sim. Gelado.

Ele sorri. O meu rapazinho inconstante, igual ao pai. Bem, ao menos ele tem desculpa... só tem dois anos.

– Vamos ter com Mrs. Taylor? – Ele acena com cabeça e esboça o seu sorriso lindo de bebé. – Deixas que seja o papá a levar-te? – Ted abana a cabeça e passa os braços à volta do meu pescoço, apertando-me com força e encostando a cabeça à minha garganta. – Acho que o papá também quer provar o gelado – sussurro-lhe ao ouvido.

Ele olha para mim de sobrolho franzido, mas depois olha para a sua mão e estende-a a Christian. Este sorri e leva os dedos de Ted à boca.

– Hum... saboroso.

Ted ri-se e estica os braços, querendo que o pai lhe pegue. Christian sorri-me e agarra nele, equilibrando-o numa anca.

– Sophie, onde está a Gail?

– Estava na casa grande.

Olho para Christian. O seu sorriso ficou um pouco triste e eu pergunto-me o que estará a pensar.

– Tens tanto jeito para lidar com ele – murmura.

– Com este pequenito? – Despenteio Ted. – É só porque já sei como são os homens Grey.

Lanço um sorriso trocista ao meu marido, que se ri.

– Sim, pois sabe, Mrs. Grey.

Teddy retorce-se para escapar ao colo do pai. Agora quer caminhar, o meu rapazinho teimoso. Agarro-lhe uma mão e Christian segura na outra e, juntos, baloiçamos Ted entre nós até à casa, com Sophie a saltaricar à nossa frente.

Aceno a Taylor que, num raro dia de folga, está diante da garagem, vestido de calças de ganga e camisola de alças, a debater-se com uma velha motocicleta.

Paro à porta do quarto de Ted e ouço Christian a ler a Ted.
– Sou o Lorax! Falo pelas árvores...[10]

Quando espreito, Teddy está profundamente adormecido enquanto Christian continua a ler. Levanta a cabeça quando abro a porta e fecha o livro. Leva um dedo aos lábios e liga o intercomunicador para bebés que está ao lado do berço de Ted. Ajeita as cobertas, acaricia-lhe a bochecha e depois endireita-se e vem ter comigo em bicos de pés, sem fazer o mínimo ruído. É difícil não me rir.
Já no corredor, Christian abraça-me.
– Meu Deus, adoro-o, mas é fantástico quando adormece – murmura, com os lábios encostados aos meus.
– Não podia estar mais de acordo.
Ele fita-me com um olhar meigo.
– Custa a acreditar que já está connosco há dois anos.
– Eu sei.
Beijo-o e, por um momento, sou transportada para o nascimento de Teddy: a cesariana de emergência, a ansiedade incapacitante de Christian, a calma absoluta da Dr.ª Greene a cuidar das dificuldades do meu Pontinho. A memória faz-me estremecer.

– Mrs. Grey, está em trabalho de parto há quinze horas. Apesar da oxitocina, as suas contrações abrandaram. Precisamos de fazer uma cesariana... o bebé está a sofrer – diz a Dr.ª Greene, num tom inflexível.
– Já não era sem tempo, porra! – insurge-se Christian.
A médica ignora-o.
– Christian, calma. – Aperto-lhe a mão. Estou com a voz baixa e fraca e tudo me parece indefinido: as paredes, as máquinas, as pessoas de batas verdes... Só me apetece dormir. Mas primeiro tenho de fazer qualquer coisa importante... Oh, sim. – Queria ser eu a empurrá-lo para o mundo.

10. Livro de Dr. Seuss, com uma recente adaptação cinematográfica. (N. da T.)

– Mrs. Grey, por favor. Cesariana.

– Por favor, Ana – intervém Christian.

– Posso dormir, então?

– Sim, querida, sim. – É quase um soluço e Christian beija-me a testa.

– Quero ver o Pontinho.

– E vais ver.

– Ok – sussurro.

– Finalmente – resmoneia a Dr.ª Greene. – Enfermeira, chame o anestesista. Dr. Miller, prepare-se para uma cesariana. Mrs. Grey, vamos levá-la para a sala de operações.

– Levar? – perguntamos eu e Christian em uníssono.

– Sim. Agora.

E, de repente, estamos em movimento – depressa, com as luzes no teto a mesclarem-se numa única tira brilhante enquanto sou levada pelo corredor.

– Mr. Grey, terá de vestir roupa hospitalar.

– O quê?

– Agora, Mr. Grey.

Ele aperta-me a mão antes de a libertar.

– Christian – chamo-o, com o pânico a instalar-se.

Passamos por outras portas e, num instante, uma enfermeira está a colocar um painel diante do meu peito. A porta abre-se e fecha-se e a divisão enche-se de gente. Tanto barulho... quero ir para casa.

– Christian? – perscruto os rostos à minha volta, em busca do meu marido.

– Ele já vem ter consigo, Mrs. Grey.

Logo a seguir, ele encontra-se junto a mim, de bata azul, e dou--lhe a mão.

– Estou assustada – sussurro.

– Não, querida, não. Estou aqui. Não tenhas medo. És a minha Ana corajosa.

Beija-me a testa e o tom da sua voz diz-me que algo se passa.

– O que é?

– O quê?

– O que se passa?

– Nada. Está tudo bem. Querida, estás só exausta.

Nos seus olhos, o medo refulge.

– Mrs. Grey, o anestesista chegou. Ele vai ajustar a dose da sua epidural e depois poderemos avançar.

– Ela está a ter outra contração.

Tudo se contrai como um tambor de aço à volta da minha barriga. Merda! Esmago a mão de Christian enquanto suporto a contração. É isto que é cansativo – suportar esta dor. Estou tão cansada. Sinto o líquido entorpecedor a espalhar-se... a espalhar-se para baixo. Concentro-me no rosto de Christian. No vinco entre as suas sobrancelhas. Ele está tenso. Está preocupado. *Porque está preocupado?*

– Sente isto, Mrs. Grey? – pergunta a voz sem corpo da Dr.ª Greene, oculta pela cortina.

– Sinto o quê?

– Não sente.

– Bom. Dr. Miller, avancemos.

– Estás a ir muito bem, Ana.

Christian está pálido. Tem suor na testa. Está assustado. *Não tenhas medo, Christian. Não tenhas medo.*

– Amo-te – sussurro.

– Oh, Ana – soluça ele. – Eu também te amo, tanto, tanto.

Sinto algo estranho a ser puxado de dentro de mim. É diferente de tudo o que alguma vez senti. Christian olha para lá do painel e empalidece, mas fica especado e fascinado.

– O que está a acontecer?

– Sucção! Bom...

De repente, ouve-se um grito zangado e agudo.

– Tem um menino, Mrs. Grey. Verificar escala de Apgar.

– Nota nove.

– Posso vê-lo? – arquejo.

Deixo de ver Christian por um segundo, após o que ele surge com o meu bebé ao colo, embrulhado num lençol azul. Tem a cara cor-de-rosa e coberta por muco branco e sangue. O meu bebé. O meu Pontinho... Theodore Raymond Grey.

Quando olho de relance para Christian, ele tem lágrimas nos olhos.

– Aqui está o seu filho, Mrs. Grey – sussurra ele, numa voz tensa e rouca.

– O nosso filho – respondo. – É lindo.

– Pois é – diz Christian, antes de depositar um beijo na testa do nosso lindo menino, sob uma madeixa de cabelo preto. Quanto a Theodore Raymond Grey, ignora-nos. De olhos fechados, esquecido já o choro, adormeceu. É a visão mais bonita que alguma vez tive. É tão lindo que começo a chorar.

– Obrigado, Ana – sussurra Christian, também em lágrimas.

– O que foi? – Christian empurra-me o queixo para cima.

– Estava só a lembrar-me do nascimento do Ted.

Ele empalidece e leva a mão à minha barriga.

– Não vou passar por isso de novo. Desta vez, optamos logo pela cesariana.

– Christian, eu...

– Não, Ana. Da última vez quase morreste, porra.

– Isso não é verdade.

– Está decidido. – Fala num tom enfático e não vale a pena discutir, mas, enquanto me observa, o seu olhar suaviza-se. – Gosto do nome Phoebe – sussurra, antes de me acariciar o nariz com o seu.

– Phoebe Grey? Phoebe... Sim, também gosto.

Sorrio-lhe.

– Boa. Quero preparar o presente do Ted.

Dá-me a mão e encaminhamo-nos para o piso térreo. O entusiasmo que sente emana do seu corpo; Christian passou o dia à espera deste momento.

– Achas que ele vai gostar?

O seu olhar apreensivo procura o meu.

– Vai adorar. Durante cerca de dois minutos. Christian, ele só tem dois anos.

Christian acabou de montar o comboio de madeira que comprou para o aniversário de Teddy. Pediu a Barney, lá do escritório, que convertesse dois dos pequenos motores para que funcionem a energia solar, como o planador que lhe dei há uns anos. Christian parece ansioso por que o Sol nasça. Desconfio que isso acontece por ele próprio querer brincar com o comboio. A pista abarca quase todo o chão de pedra do nosso quarto exterior.

Amanhã faremos uma pequena festa para celebrar o aniversário de Ted. Ray e José virão, bem como todos os Grey, incluindo a nova prima de Ted, Ava, a filha de Kate e Elliot, que tem dois meses. Estou cheia de vontade de conversar com Kate e de ver como está a habituar--se a ser mãe.

Levanto a cabeça e observo a vista enquanto o Sol se põe por trás da península Olympic. É tudo o que Christian prometeu que seria e eu sinto o mesmo entusiasmo feliz ao vê-lo agora que senti da primeira vez. É absolutamente espantoso: o crepúsculo sobre o Sound. Christian puxa-me para os seus braços.

– É uma bela vista.

– É – responde ele e, quando me viro para o encarar, vejo que está a olhar para mim. Dá-me um beijo terno nos lábios. – É uma vista linda – murmura. – A minha preferida.

– Estamos em casa.

Ele sorri e torna a beijar-me.

– Amo-a, Mrs. Grey.

– E eu amo-te, Christian. Para sempre.

O primeiro natal do Cinquenta

A minha camisola faz-me comichão e cheira a novo. Tudo é novo. Tenho uma mamã nova. Ela é médica. Tem um *tetoscópio* que posso pôr nas orelhas e ouvir o meu coração. Ela é boa e sorri. Está sempre a sorrir. Tem os dentes pequenos e brancos.

— Queres ajudar-me a decorar a árvore, Christian?

Está uma árvore grande na sala dos sofás grandes. Uma árvore grande. Já tinha visto destas. Só que em lojas. Não dentro de casa onde estão os sofás. A minha casa nova tem muitos sofás. Não tem só um. Não tem um sofá castanho e peganhento.

— Toma, vê.

A minha mamã mostra-me uma caixa que está cheia de bolas. Montes de bolas bonitas e brilhantes.

— São ornamentos para a árvore.

Or-na-men-tos. Or-na-men-tos. Digo a palavra na cabeça. Or-na--men-tos.

— E aqui... — Para e tira um fio que tem flores pequeninas. — Aqui estão as luzes. Primeiro pomos as luzes e depois podemos decorar a árvore.

Ela baixa-se e passa os dedos pelo meu cabelo. Fico muito quieto. Mas gosto de sentir os dedos dela no meu cabelo. Gosto de estar perto da Nova Mamã. Ela cheira bem. A limpo. E só me toca no cabelo.

— *Mãe!*

Ele está a chamar. O Lelliot. É grande e barulhento. Muito barulhento. Fala. A toda a hora. Eu não falo. Não tenho palavras. Só tenho palavras na cabeça.

— Elliot, querido, estamos na sala de estar.

Ele entra a correr. Veio da escola. Fez um desenho. Fez um desenho para a minha mamã nova. Também é mamã do Lelliot. Ela ajoelha-se, abraça-o e olha para o desenho. É uma casa com uma mamã e um papá e um Lelliot e um Christian. O Christian é muito pequeno no desenho do Lelliot. O Lelliot é grande. Tem um sorriso grande e o Christian tem uma cara triste.

O papá também chegou. Anda até à mamã. Eu aperto a minha mantinha com força. Ele beija a Nova Mamã e a Nova Mamã não tem medo. Ela sorri. Também o beija. Aperto mais a mantinha.

– Olá, Christian.

O papá tem uma voz grave e baixa. Gosto da voz dele. Nunca fala alto. Não grita. Não grita como... Lê-me livros quando vou para a cama. Lê-me histórias acerca de um gato, de um chapéu, de ovos verdes e presunto. Eu nunca vi ovos verdes. O papá dobra-se para ficar pequeno.

– O que fizeram hoje?

Mostro-lhe a árvore.

– Compraram uma árvore? Uma árvore de Natal?

Digo que sim com a cabeça.

– É uma linda árvore. Tu e a mamã escolheram muito bem. É importante escolher a árvore certa.

Ele também me faz uma festa no cabelo e eu fico muito quieto, a segurar na minha mantinha. O papá não me magoa.

– Papá, olha o meu desenho.

O Lelliot fica zangado quando o papá fala comigo. O Lelliot está zangado comigo. Eu bato no Lelliot quando ele se zanga comigo. A Nova Mamã zanga-se comigo quando bato nele. O Lelliot não me bate. O Lelliot tem medo de mim.

As luzes na árvore são bonitas.

– Olha, deixa-me mostrar-te. O laço passa pelo buraquinho e depois podes pendurá-lo na árvore.

A mamã põe o or-na... or-na-men-to na árvore.

– Tenta com este sininho.

O sininho toca. Eu abano-o. Faz um som feliz. Volto a abaná-lo. A mamã sorri. É um sorriso grande. Um sorriso especial para mim.

– Gostas do sino, Christian?

Digo que sim com a cabeça e abano o sino outra vez e ouço-o a retinir, contente.

— Tens um sorriso encantador, meu menino. — A mamã pestaneja e passa uma mão pelos olhos. Faz-me festas no cabelo. — Adoro ver o teu sorriso.

Leva a mão ao meu ombro. Não. Dou um passo atrás e aperto a minha mantinha. A mamã parece triste e depois feliz. Faz-me outra festa no cabelo.

— Pomos o sino na árvore?

A minha cabeça diz que sim.

— Christian, tens de me dizer quando tens fome. Podes fazer isso. Podes dar a mão à mamã e levar a mamã até à cozinha e apontar.

Aponta para mim com um dedo comprido. Tem a unha brilhante e cor-de-rosa. É bonita. Mas não sei se a minha nova mamã está zangada comigo ou não. Comi o meu jantar todo. Massa com queijo. Sabe bem.

— Não quero que passes fome, querido. Ok? Agora, queres gelado?

A minha cabeça diz *sim!* A mamã sorri-me. Gosto dos sorrisos dela. São melhores do que massa com queijo.

A árvore é bonita. Fico à frente dela, a vê-la e a abraçar a minha mantinha. As luzes piscam e têm muitas cores diferentes e os or-na-men-tos são de muitas cores diferentes. Gosto dos azuis. E no cimo da árvore há uma estrela grande. O papá pegou no Lelliot ao colo e o Lelliot pôs a estrela na árvore. O Lelliot gosta de pôr a estrela na árvore. Eu quero pôr a estrela na árvore... mas não quero que o papá me levante. Não quero que me pegue ao colo. A estrela é brilhante e luminosa.

Ao lado da árvore está o piano. A minha nova mamã deixa-me tocar no preto e no branco do piano. Preto e branco. Gosto dos sons brancos. O som preto é errado. Mas também gosto do som preto. Vou do branco para o preto. Do branco para o preto. Do preto para o branco. Branco, branco, branco, branco. Preto, preto, preto, preto. Gosto do som. Gosto muito do som.

— Queres que toque uma música, Christian?

A minha mamã nova senta-se. Toca no branco e no preto e as músicas vêm. Carrega nos pedais em baixo. Às vezes é barulhenta e às vezes é calma. A música é feliz. O Lelliot também gosta que a mamã cante.

A mamã canta acerca de um patinho feio. A mamã grasna e é um barulho engraçado. O Lelliot também faz o barulho engraçado e faz de conta que os braços são asas e bate-os para cima e para baixo como um pássaro. O Lelliot é engraçado.

A mamã ri-se. O Lelliot ri-se. Eu rio-me.

– Gostas desta canção, Christian?

E a mamã está com a sua cara triste-contente.

Tenho uma meia. É vermelha e tem uma imagem de um homem de barrete vermelho e uma grande barba comprida. É o Pai Natal. O Pai Natal traz presentes. Eu já tinha visto retratos do Pai Natal. Mas o Pai Natal nunca me trouxe presentes. Eu era mau. O Pai Natal não dá presentes aos meninos maus. Agora sou bom. A minha nova mamã diz que sou bom, muito bom. A Nova Mamã não sabe. Não posso contar à Nova Mamã... mas eu sou mau. Não quero que a Nova Mamã saiba isso.

O papá pendura a meia por cima da lareira. O Lelliot também tem uma meia. O Lelliot consegue ler a palavra escrita na meia dele. Diz Lelliot. A minha meia tem uma palavra. A Nova Mamã soletra-a. C-H-R-I-S-T-I-A-N.

O papá senta-se na minha cama. Lê-me. Eu seguro na minha mantinha. Tenho um quarto grande. Às vezes o quarto fica escuro e eu tenho sonhos maus. Sonhos maus acerca de antes. A minha nova mamã vem deitar-se comigo quando tenho sonhos maus. Deita-se e canta-me baixinho e eu adormeço. Ela cheira a macio e a novo e a bonito. A minha nova mamã não é fria. Não é como... não é como... E os meus sonhos maus vão-se embora quando ela dorme comigo.

O Pai Natal esteve cá. O Pai Natal não sabe que me portei mal. Estou contente por o Pai Natal não saber. Tenho um comboio e um helicóptero e um avião e um helicóptero e um carro e um helicóptero. O meu helicóptero voa. O meu helicóptero é azul. Voa à volta da árvore de Natal. Voa por cima do piano e aterra no meio do branco. Voa por cima da mamã e voa por cima do papá e voa por cima do Lelliot enquanto ele brinca com o *Lego*. O helicóptero voa pela casa, passa pela sala de jantar, pela cozinha. Passa à frente do escritório do papá e sobe até ao meu quarto, até ao quarto do Lelliot, até ao quarto da mamã e do papá. Voa pela casa porque é a minha casa. É a minha casa onde eu moro.

Segunda-feira, 9 de maio de 2011

— Amanhã — resmungo, para mandar embora Claude Bastille, que se encontra à entrada do meu gabinete.

— Golfe, esta semana, Grey.

Bastille sorri com arrogância, sabendo que a sua vitória num campo de golfe é garantida.

Faço um esgar enquanto ele se vira e se afasta. As palavras com que se despediu esfregam-me sal nas feridas porque, apesar das minhas tentativas heroicas no ginásio hoje de manhã, o meu *personal trainer* deu-me cabo do couro. Bastille é o único capaz de me vencer e agora quer derrotar-me outra vez no campo de golfe. Detesto golfe, mas concretizam-se tantos negócios naqueles percursos que também tenho de suportar as suas lições lá... e, embora odeie admiti-lo, Bastille até se esforça por me melhorar a forma como jogo.

Enquanto fito o horizonte de Seattle, o tédio habitual insinua-se na minha consciência. Estou com um humor tão cinza e abatido como o tempo. Os meus dias mesclam-se sem qualquer distinção e preciso de alguma espécie de diversão. Passei o fim de semana a trabalhar no duro e agora, nos confins constantes do meu gabinete, sinto-me irrequieto. Não deveria sentir-me assim, não depois de vários combates com Bastille. Mas sinto.

Franzo o sobrolho. A verdade pura e simples é que a única coisa que, ultimamente, conseguiu interessar-me foi a decisão de enviar dois cargueiros cheios para o Sudão. Isso faz-me lembrar... Ros deveria trazer-me informação acerca de números e logística. *Que raio estará a demorá-la?* Decidido a descobrir o que andará a tramar, olho de relance para a agenda e levo a mão ao telefone.

Oh, meu Deuss! Tenho de me sujeitar a uma entrevista com a persistente Miss Kavanagh, para a revista dos estudantes da WSU. *Mas por que raio concordei fazer esta porra?* Abomino dar entrevistas – questões imbecis feitas por idiotas imbecis, desinformados e fúteis. O telefone vibra.

– Sim – atendo-o com rispidez, como se Andrea fosse a culpada. Ao menos poderei assegurar-me de que a entrevista será curta.

– Miss Anastasia Steele está aqui para o ver, Mr. Grey.

– Steele? Estava à espera da Katherine Kavanagh.

Faço uma careta. Detesto imprevistos.

– Deixe-a entrar – resmungo, ciente de que pareço um adolescente amuado, mas quero lá saber.

Ora, ora... Miss Kavanagh não tem disponibilidade. Conheço o pai dela, o dono da Kavanagh Media. Já fizemos negócios juntos e ele parece-me um profissional astuto e um ser humano racional. Esta entrevista é um favor que lhe faço – e que tenciono cobrar mais tarde quando me convier. E tenho de admitir que fiquei um pouco curioso quanto à filha dele, querendo saber se ela saía ou não ao pai.

Uma agitação à porta faz-me levantar e deparar-me com um rodopio de cabelo comprido de cor castanha, membros pálidos e botas castanhas que se lançam de cabeça para o meu gabinete. Reviro os olhos e reprimo a minha irritação natural perante tanta falta de jeito enquanto acorro à rapariga que aterrou de gatas no chão. Seguro-a pelos ombros estreitos e ajudo-a a levantar-se.

Uns olhos límpidos, azuis brilhantes e envergonhados fitam os meus e fazem-me estacar. Têm uma cor extraordinária – são francos e azul-claros – e, por um terrível momento, parece-me que é capaz de ver através de mim. Sinto-me... exposto. A ideia é enervante. Ela tem um rosto pequeno e doce que está a corar num tom rosado e inocente. Pergunto-me por um breve instante se toda a sua pele será assim – imaculada – e como ficaria rosada e aquecida por vergastadas. *Merda.* Travo os meus pensamentos desviados, alarmados pelo rumo que tomam. *Que porra te passa pela cabeça, Grey? Esta miúda é demasiado nova.* Ela fica boquiaberta a olhar para mim e eu quase volto a revirar os olhos. *Pois, pois, miúda, é só uma cara e a beleza é apenas superficial.* Quero dissipar o olhar desprotegido e admirador daqueles grandes olhos azuis.

Está na hora do espetáculo, Grey. 'Bora lá à diversão.

— Miss Kavanagh? Sou Christian Grey. Está bem? Quer sentar-se?

Lá está ela a corar outra vez. De novo com tudo controlado, observo-a. É bastante atraente, de uma forma desajeitada — magra, pálida, com uma juba de cabelo cor de mogno que o elástico mal consegue conter. Uma morena. Sim, é atraente. Estendo a mão e ela gagueja ao começar a apresentar uma desculpa esfarrapada enquanto me estende a mão. Tem a pele fresca e suave e um aperto de mão surpreendentemente firme.

— Miss Kavanagh está indisposta e por isso enviou-me a mim. Espero que não se importe, Mr. Grey.

Tem uma voz serena com uma musicalidade hesitante e pestaneja muito, com umas pestanas compridas que sobem e descem diante daqueles grandes olhos azuis.

Incapaz de disfarçar o divertimento na minha voz ao lembrar-me da sua entrada tudo menos elegante no meu gabinete, pergunto-lhe quem é.

— Anastasia Steele. Estudo literatura inglesa com a Kate, há... Miss Kavanagh, na WSU Vancouver.

É do género nervoso, tímido e que gosta de livros, há? É o que parece: hediondamente vestida, escondendo a figura esguia por baixo de uma camisola sem forma e uma saia castanha *evasé. Céus, será que não tem a mínima noção de estilo?* Olha nervosamente para todo o lado do meu gabinete — exceto para mim, reparo com uma ironia que me diverte.

Como poderá esta jovem ser jornalista? Não tem uma única pinga de assertividade. Toda ela é encantadoramente envergonhada, mansa, branda... submissa. Abano a cabeça, intrigado pelo rumo inapropriado dos meus pensamentos. Balbucio um lugar comum qualquer e peço-lhe que se sente, após o que noto que avalia com um olhar atento os quadros do meu gabinete. Antes que possa impedir-me, dou por mim a explicar o que são.

— Um artista local. Trouton.

— São admiráveis. Fazem do comum, extraordinário — diz ela num tom sonhador, perdida na mestria excecional e requintada dos meus quadros.

Tem um perfil delicado – um nariz arrebitado, uns lábios cheios e suaves – e, com as suas palavras, espelhou exatamente o que sinto. *Fazem do comum, extraordinário.* É um comentário arguto. Miss Steele é inteligente.

Digo-lhe que concordo com ela e vejo que a sua pele torna a ser tingida pelo rubor. Enquanto me sento à frente dela, tento pôr rédeas aos meus pensamentos.

Ela saca de uma folha amarrotada e de um gravador que traz na mala demasiado grande. Um gravador? *Estas coisas não morreram com as cassetes de VHS?* Meu Deus – é mesmo desajeitada: deixa aquilo cair duas vezes em cima da minha mesa de centro de estilo Bauhaus. É óbvio que nunca fez uma coisa destas mas, por algum motivo que não consigo discernir, acho-lhe graça. Regra geral, este género de falta de jeito irrita-me até mais não, mas agora estou a disfarçar o sorriso com um dedo indicador e a resistir à tentação de o pôr eu mesmo a funcionar.

À medida que ela vai ficando cada vez mais envergonhada, ocorre-me que poderia melhorar-lhe as capacidades motoras com o auxílio de uma vergasta. Bem usada, é capaz de levar até as mais espantadiças a acalmarem-se. O pensamento errante faz-me mexer na cadeira. Ela olha de relance para mim e morde o lábio inferior generoso. Macacos me mordam! Como é que não reparei naquela boca com olhos de ver?

– D-desculpe. Não estou a habituada a isto.

Bem vejo, querida – penso com ironia – *mas, neste momento, estou-me a cagar para isso, porque não consigo desviar o olhar da tua boca.*

– Leve o tempo que precisar, Miss Steele.

Preciso de mais um instante para dominar os meus pensamentos impudicos. *Grey... para com isso, já.*

– Importa-se que grave as suas respostas? – pergunta-me, com uma expressão cândida e expectante.

Dá-me vontade de rir. *Oh, valha-me Deus.*

– Depois do trabalho que teve para preparar o gravador, pergunta-me agora?

Ela pestaneja, ficando com os grandes olhos perdidos por um momento, e eu sinto uma pontada invulgar de culpa. *Para de ser merdoso, Grey.*

— Não, não me importo — resmoneio, pois não quero ser responsável por aquele olhar.

— A Kate, quer dizer, Miss Kavanagh, explicou-lhe para que era a entrevista?

— Sim, para figurar na edição do jornal académico da entrega dos diplomas, pois serei eu a entregá-los na cerimónia deste ano.

Por que raio acedi a *isso*, não faço ideia. Sam, do departamento de relações públicas, diz-me que é uma honra e que o departamento de ciência ambiental de Vancouver precisa da publicidade para atrair fundos adicionais que vão ao encontro da bolsa que lhes dei.

Miss Steele pestaneja, de novo com os olhos azuis muito abertos, como se as minhas palavras constituíssem uma surpresa e... *merda!* Está com um ar reprovador! Não fez qualquer pesquisa de preparação para esta entrevista? Devia estar a par disto. A ideia gela-me o sangue. É... desagradável não saber o que esperar dela ou de quem quer que seja a quem eu conceda tempo.

— Bom. Tenho aqui algumas perguntas, Mr. Grey.

Ela passa uma madeixa de cabelo para trás da orelha, o que me distrai da irritação.

— Foi o que assumi — replico com secura.

Vamos lá fazê-la contorcer-se. Como se me obedecesse, ela contorce-se e depois recompõe-se, endireita-se e alinha os ombros magros. Inclinando-se para a frente, carrega no botão do gravador e franze o sobrolho ao olhar para as notas amarfanhadas.

— É muito jovem e, no entanto, já construiu um império enorme. A que deve o seu sucesso?

Oh, Céus! Decerto será capaz de melhor? Que pergunta mais enfadonha, porra. Nem um pingo de originalidade. Desilude-me. Papagueio a minha resposta habitual acerca de ter pessoas excecionais dos Estados Unidos a trabalhar comigo. Pessoas em quem confio, na medida em que confio em quem quer que seja, e a quem remunero generosamente... blá, blá, blá... Mas, Miss Steele, a verdade é que sou um génio do caraças naquilo que faço. Para mim, isto não tem ciência. Comprar empresas em dificuldades, mal geridas, e consertá-las ou, se estiverem mesmo para lá de salvação possível, ficar-lhes com as mais-valias e vendê-las a quem der mais. É simplesmente uma questão de distinguir as duas situações e isso, invariavelmente, resume-se a quem as gere. Para ser bem--sucedido nos negócios é necessário ter boas pessoas e eu sou capaz de julgar uma pessoa melhor do que a maioria.

— Talvez seja apenas uma questão de sorte — diz ela em voz baixa.

Sorte? Um *frisson* de irritação percorre-me. *Sorte?* Não há sorte nenhuma aqui à mistura, porra, Miss Steele. Ela parece simples e sossegada, mas esta sugestão? Nunca houve quem quisesse saber se eu tive *sorte.* Trabalho duro, rodear-me das pessoas certas, vigiá-las de perto, duvidar delas, se tal for necessário. *É isso que eu faço e faço-o bem. Não tem nada que ver com sorte! Bem, que se foda isso.* Exibindo a minha erudição, cito-lhe uma frase do meu industrialista norte-americano preferido.

— Parece um maníaco do controlo — diz ela, com uma expressão absolutamente séria.

Mas que porra?

Talvez aqueles olhos singelos *possam mesmo* ver quem sou. Controlo é o que me define. Lanço-lhe um olhar intenso.

— Oh, exerço controlo sobre todas as coisas, Miss Steele.

E gostaria de o exercer sobre si, aqui e agora.

Os olhos dela arregalam-se. Aquele rubor atraente perpassa-lhe de novo o rosto e torna a morder o lábio. Eu continuo a falar, numa tentativa de me distrair da boca dela.

— Além disso, adquire-se um poder imenso quando, nas nossas divagações secretas, nos convencemos de que nascemos para controlar as coisas.

— Sente que tem um poder imenso? — pergunta-me numa voz suave e apaziguante, mas arqueia as sobrancelhas delicadas, o que revela a censura do seu olhar.

A minha irritação está a aumentar. Estará ela a tentar deliberadamente agrilhoar-me? Serão as perguntas, a atitude dela ou o facto de eu a considerar atraente o que me deixa passado?

— Emprego mais de quarenta mil pessoas, Miss Steele. Isso confere-me um certo sentido de responsabilidade; poder, se desejar.

Se eu resolvesse decidir que já não estava interessado no negócio das telecomunicações, e vendesse, passado um mês ou pouco mais, vinte mil pessoas ver-se-iam em apuros para pagar o empréstimo das suas casas.

Ela fica de queixo caído perante a minha resposta. Assim já gosto mais. *Engula lá esta, Miss Steele.* Sinto o equilíbrio a regressar.

– Não tem de responder perante nenhum conselho de administração?

– A companhia pertence-me. Não tenho de responder perante conselho nenhum – respondo num tom ríspido.

Ela deveria saber isto. Arqueio uma sobrancelha, à laia de interrogação.

– E tem algum interesse para além do seu trabalho? – apressa-se a continuar, tendo avaliado corretamente a minha reação. Sabe que estou chateado e, por alguma razão inexplicável, isso dá-me um enorme prazer.

– Tenho interesses variados, Miss Steele. Muito variados.

Sorrio. Imagino-a em várias posições no meu quarto do prazer: algemada à cruz, de pernas e braços abertos na cama de dossel, inclinada sobre o banco para eu a chicotear. *Merda! De onde é que isto está a vir?* E, veja-se só... lá está ela a corar outra vez. É como um mecanismo de defesa. *Acalma-te, Grey.*

– Mas se trabalha tanto, o que faz para descontrair?

– Descontrair?

Sorrio; aquela palavra, saída da sua boca inteligente, parece esquisita. Para mais, quando é que tenho tempo para descontrair? Será que não faz ideia da quantidade de empresas que detenho? Porém, ela fita-me com aqueles olhos inocentes e, para meu espanto, dou por mim a ponderar a sua pergunta. O que *faço* eu para descontrair? Velejo, piloto, fodo... testo os limites de raparigas franzinas e morenas como ela, faço-as ajoelharem-se... A ideia obriga-me a remexer-me na cadeira, mas respondo-lhe com ligeireza, omitindo os meus dois passatempos preferidos.

– Investe na indústria. Porquê, especificamente?

A sua pergunta arrasta-me bruscamente para o presente.

– Gosto de construir coisas. Gosto de saber como funcionam: o que as faz mexer, como construir e destruir. E tenho paixão por navios. O que posso dizer?

Os navios distribuem comida por todo o planeta – levam bens de quem os tem a quem não os tem e de volta. Como é possível não se gostar deles?

– Parece mais o seu coração a falar do que a lógica e os factos.

Coração? Eu? Oh, não, querida. O meu coração foi devastado e transformado numa coisa irreconhecível há muito tempo.

– Possivelmente. Embora haja pessoas que diriam que eu não tenho coração.

– Porque diriam isso?

– Porque me conhecem bem.

Fito-a com um sorriso sardónico. Na verdade, ninguém me conhece assim tão bem, exceção feita, talvez, a Elena. Gostaria de saber o que pensaria ela da pequena Miss Steele. A miúda é um amontoado de contradições: tímida, pouco à vontade, obviamente inteligente e excitante como tudo. *Sim, Ok, admito-o. É um naco atraente.*

Ela recita a pergunta seguinte sem precisar de a ler:

– Os seus amigos diriam que é uma pessoa fácil de conhecer?

– Sou uma pessoa muito reservada, Miss Steele. Esforço-me por proteger a minha privacidade. Não dou entrevistas com frequência.

Fazendo o que faço, vivendo a vida que escolhi, preciso de privacidade.

– Porque aceitou dar esta?

– Porque sou mecenas da universidade e porque, para todos os efeitos, não conseguia tirar Miss Kavanagh de cima de mim. Ela fartou-se de importunar a minha equipa do departamento de relações públicas e eu admiro esse tipo de tenacidade.

Mas estou contente por ter sido você quem apareceu e não ela.

– Também investe em tecnologias agrícolas. Porque se interessa por essa área?

– Não podemos comer dinheiro, Miss Steele, e há demasiadas pessoas neste planeta que não têm o que comer.

– Isso parece muito filantrópico. É algo que o apaixona? Alimentar os pobres do mundo?

Fita-me com uma expressão intrigada, como se eu fosse alguma espécie de enigma que ela tivesse de desvendar, mas de forma alguma quero aqueles grandes olhos azuis a perscrutarem-me a alma sombria. Não é uma área aberta a discussão. Nunca.

– É puro negócio.

Encolho os ombros, fingindo-me enfastiado, e imagino-me a foder-
-lhe a boca expedita para me distrair de todas as imagens de fome que
me ocorrem. Sim, aquela boca precisa de treino. *Isso é que é uma imagem cativante* e permito-me imaginá-la de joelhos à minha frente.

– Tem alguma filosofia? Se sim, qual é? – pergunta ela, mais uma
vez de cor.

– Não tenho propriamente uma filosofia. Talvez um princípio
orientador, de Carnegie: "O homem que obtém a capacidade de se apro-
priar da sua mente por completo, pode apropriar-se de tudo o resto que
lhe seja justamente devido." Sou uma pessoa muito singular, sou muito
determinado. Gosto de ter controlo: sobre mim e sobre os que estão à
minha volta.

– Então quer possuir coisas?

Sim, querida. A começar por ti.

– Quero merecer possuí-las; mas sim, de facto, quero.

– Parece o consumidor supremo.

A sua voz está carregada de reprovação, o que torna a chatear-me.
Fala como uma miúda rica que sempre teve tudo o que quis mas, ao
examinar-lhe as roupas com mais atenção – veste-se no Walmart, ou
no Old Navy[11], talvez –, percebo que não se trata disso. Não cresceu
numa casa abastada.

Eu podia mesmo tomar conta de ti.

Merda, de onde é que esta porra saiu? Ainda que seja verdade que,
agora que penso nisso, estou a precisar de uma nova submissa. Já se passaram, o quê, uns dois meses desde Susannah? E aqui estou, a babar-me
por esta rapariga de cabelo castanho. Tento sorrir e concordar com ela.
O consumo não tem nada de errado – afinal, é o que impulsiona o que
resta da economia norte-americana.

– Foi adotado. Considera que isso influenciou muito a pessoa que é?

Que porra tem isso que ver com o preço do petróleo? Miro-a com um
esgar. Que pergunta mais ridícula. Se eu tivesse ficado com a prostituta

---

11. Grandes armazéns de retalho norte-americano, o último especializado apenas em vendas de roupa. (N. da T.)

viciada em *crack*, provavelmente estaria morto. Para a despistar, respondo-lhe vagamente, tentando manter a voz calma, mas ela insiste, querendo saber que idade tinha quando fui adotado. *Cala-a, Grey!*

— É uma questão do conhecimento público, Miss Steele — riposto num tom glacial. Ela deveria saber esta merda. Agora está com um ar contrito. Bom.

— Sacrificou a família em prol do trabalho.

— Isso não é uma pergunta — censuro.

Ela volta a corar e a morder aquele maldito lábio. Mas tem a elegância de pedir desculpa.

— Teve de sacrificar a família em prol do seu trabalho?

— Eu tenho família. Tenho um irmão e uma irmã e pais carinhosos. Não estou interessado em alargar a minha família para além disso.

— É *gay*, Mr. Grey?

Mas que porra?! Nem *acredito* que tenha dito aquilo em voz alta! A pergunta nunca feita que nem a minha família se atreve a proferir, para meu gáudio. *Como se atreve!?* Tenho de reprimir o impulso de a arrancar da cadeira, dobrá-la sobre o meu joelho e dar-lhe umas boas palmadas, para em seguida a foder em cima da secretária, sem me esquecer de lhe amarrar as mãos atrás das costas. Isso responderia à sua pergunta. Que mulher tão frustrante! Inspiro profundamente para me acalmar. Por vingança, fico encantado ao ver que parece estar tremendamente embaraçada pela sua própria pergunta.

— Não, Anastasia, não sou.

Arqueio as sobrancelhas, mas mantenho uma expressão impávida. Anastasia. Que nome encantador. Gosto da forma como a minha língua se enrola ao dizê-lo.

— Peço desculpa. Está, há... aqui escrito.

Ela nem sequer sabe o que está a perguntar? Se calhar não foi ela quem escreveu as perguntas. Interrogo-a a esse respeito e ela empalidece. Porra, é mesmo atraente, de uma forma muito subtil. Poderia até dizer que é linda.

— Eh... não. A Kate, a Miss Kavanagh, compilou as perguntas.

— São colegas no jornal académico?

— Não. Divide o apartamento comigo.

Não admira que esteja tão nervosa. Coço o queixo, a ponderar se quero deixá-la mesmo, mesmo aflita.

– Ofereceu-se para fazer esta entrevista? – pergunto-lhe e sou recompensado com o seu olhar submisso: olhos grandes, preocupados com a minha reação.

Agrada-me surtir esse efeito nela.

– Fui chamada. Ela não está bem – diz numa voz suave.

– O que explica muita coisa.

Alguém bate à porta; é Andrea, que entra.

– Mr. Grey, peço desculpa pela interrupção, mas a sua próxima reunião é daqui a dois minutos.

– Ainda não acabámos, Andrea. Por favor cancele a minha próxima reunião.

Andrea hesita, boquiaberta. Eu dispenso-a com um olhar austero. *Rua! Já! Estou ocupado com a pequena Miss Steele.* Andrea fica vermelha como um pimento mas depressa se recompõe.

– Muito bem, Mr. Grey – responde e, voltando costas, deixa-nos.

Eu torno a concentrar-me na criatura intrigante e frustrante que está no meu cadeirão.

– Onde íamos, Miss Steele?

– Por favor, não deixe que o atrase.

– Quero saber mais sobre si. Parece-me justo.

Enquanto me recosto e levo os dedos aos lábios, o seu olhar foca-se por um instante na minha boca e ela engole em seco. *Oh, sim – o efeito do costume.* E é gratificante perceber que não é completamente indiferente aos meus encantos.

– Não há muito para saber – diz ela, com o rubor a regressar. Estou a intimidá-la. *Bom.*

– O que planeia fazer depois de terminar o curso?

Ela encolhe os ombros.

– Não fiz planos nenhuns, Mr. Grey. Só preciso de passar nos exames finais.

– Temos um programa de estágios excelente.

Merda. O que me levou a dizer isto? Estou a infringir a regra de ouro – nunca, nunca levar funcionárias para a cama. *Mas, Grey, não levaste esta rapariga para a cama.* Ela parece surpreendida e os seus dentes tornam a arrepanhar o lábio. *Porque será que aquilo é tão excitante?*

– Hum... Vou lembrar-me disso – murmura ela. – Embora não tenha a certeza de que fosse enquadrar-me muito bem aqui.

Porque não, raios? Qual é o problema da minha empresa?

– Porque disse isso? – pergunto.

– É óbvio, não é?

– Para mim não é.

Ela torna a ficar ruborizada e agarra no gravador. *Merda, vai-se embora.* Revejo mentalmente a minha agenda da tarde – não há nada que não possa esperar.

– Quer que lhe mostre as instalações? – sugiro.

– De certeza que tem muito que fazer, Mr. Grey, e eu tenho uma longa viagem pela frente.

– Volta de carro para Vancouver? – Olho de relance pela janela. É uma viagem e tanto, e está a chover. Merda. Ela não deveria conduzir com o tempo assim, mas não posso proibi-la. A ideia irrita-me. – Bem, é melhor ir com cuidado.

Ela guarda o gravador. Quer sair do meu gabinete e, por algum motivo que não consigo precisar, eu não quero que ela vá.

– Tem tudo aquilo de que precisa? – acrescento, numa tentativa óbvia de lhe prolongar a estada.

– Sim, senhor – diz em voz baixa.

A sua resposta deixa-me de rastos – o som daquelas palavras, a saírem daquela boca despachada... e, por um breve instante, imagino aquela boca às minhas ordens.

– Obrigada pela entrevista, Mr. Grey.

– O prazer foi todo meu – respondo honestamente, pois há muito não me sentia tão fascinado por alguém. É um pensamento perturbador.

Ela levanta-se e eu estendo o braço, ávido por lhe tocar.

– Até uma próxima, Miss Steele – digo numa voz grave enquanto ela encosta a sua pequena mão à minha.

Sim, quero vergastar e foder esta rapariga no meu quarto do prazer. Tê-la amarrada e desejosa... a precisar de mim, a confiar em mim. Engulo em seco. *Isso não vai acontecer, Grey.*

– Mr. Grey.

Ela acena com a cabeça e retira a mão depressa... demasiado depressa.

Merda, não posso deixá-la ir-se embora assim. É óbvio que está desesperada por partir. A irritação e a inspiração atingem-me em simultâneo enquanto a acompanho à porta.

– Apenas para me certificar de que passa pela porta, Miss Steele.

Ela cora de imediato, naquele delicioso tom rosado.

– É muito atencioso da sua parte, Mr. Grey – riposta ela.

Miss Steele tem garras! Sorrio nas suas costas enquanto ela sai e sigo-a. Tanto Andrea como Olivia levantam a cabeça e olham para nós com um ar escandalizado. *Está bem, está bem, vou só acompanhar a rapariga à saída.*

– Trouxe casaco? – pergunto.

– Um blusão.

Lanço um olhar austero a Olivia, que logo salta da cadeira para ir buscar um blusão azul-escuro. Recebo-o e mando-a sentar-se com outro olhar. Céus, Olivia é irritante – sempre a suspirar por mim.

Hum. O casaco *é mesmo* do Walmart. Miss Anastasia Steele deveria vestir-se melhor. Seguro-o para a ajudar a vesti-lo e, ao levá-lo até aos seus ombros esguios, toco-lhe na pele da base do pescoço. Ela imobiliza-se ao sentir o contacto e empalidece. *Sim!* De facto, *surto* efeito nela. Aperceber-me disso dá-me um prazer imenso. Caminho até ao elevador e carrego no botão para o chamar enquanto ela vai remexendo as mãos.

Oh, eu acabava-te com esses tiques, querida.

As portas abrem-se e ela apressa-se a entrar, após o que se vira para mim.

– Anastasia – murmuro, em jeito de despedida.

– Christian – sussurra ela.

E as portas do elevador fecham-se, deixando o meu nome a pairar no ar, com uma sonoridade estranha, desconhecida mas sensual como tudo.

Bem, macacos me mordam. Que raio foi isto?

Preciso de saber mais sobre a rapariga.

– Andrea – chamo num tom ríspido assim que volto ao gabinete.

– Passe-me ao Welch, já.

Sentado à secretária à espera da chamada, olho para os quadros pendurados na parede do meu gabinete e as palavras Miss Steele acorrem-me à memória. *Fazem do comum, extraordinário.* Podia perfeitamente estar a descrever-se a si mesma.

O meu telefone toca.

– Tenho Mr. Welch em linha.

– Passe a chamada.

– Sim, senhor.

– Welch, preciso de uma investigação.

Sábado, 14 de maio de 2011

Anastasia Rose Steele

Data de Nascimento	10 de setembro de 1989, Montesano, Washington
Morada	114 SW Green Street, 7, Haven Heights, Vancouver, WA 98888
N.º Telemóvel	360 959 4352
N.º Segurança Social	987-65-4320
Dados Bancários	Wells Fargo Bank, Vancouver, WA 98888 N.º Conta: 309361. Saldo: $683.16
Ocupação	Estudante de Licenciatura WSU Vancouver College of Liberal Arts Licenciatura em Inglês
GPA [12]	4.0
Educação Anterior	Escola Preparatória e Secundária de Montesano

12. Grade Point Average, i.e., média de notas. Nos EUA, a escala mais comum é de 0 a 4. (N. da T.)

Emprego	Loja de Ferramentas Clayton's (*part-time*)
Pai	Franklin A. Lambert 01-09-1969 – 11-09-1989
Mãe	Carla May Wilks Adams Data de Nascimento: 18 de julho de1970 casada, Frank Lambert - 1 de março de 1989, viúva a 11 de setem- bro de 1989 casada, Raymond Steele - 6 de junho de 1990, divorciada a 12 de julho de 2006 casada, Stephen M. Morton - 16 de agosto de 2006, divorciada a 31 de janeiro de 2007 casada, Robbin (Bob) Adams - 6 de abril de 2009
Afiliações Políticas	Não encontradas
Afiliações Religiosas	Não encontradas
Orientação Sexual	Desconhecida
Relações	Nenhuma indicada

Examino o resumo conciso pela centésima vez desde que o recebi, há dois dias, em busca de algo revelador da enigmática Miss Anastasia Rose Steele. Não consigo tirar a maldita mulher da cabeça e está a começar a chatear-me seriamente. Nesta última semana, sobretudo nas reuniões mais enfadonhas, dei por mim a rever mentalmente a entrevista. Os seus dedos desajeitados no gravador, a forma como prendia o cabelo atrás da orelha e mordia o lábio. *Sim.* A porra da maneira como mordia o lábio dá cabo de mim.

E agora eis-me aqui, estacionado diante do Clayton's, a modesta loja de ferramentas nos arredores de Portland, onde ela trabalha.

És um tolo, Grey. Porque estás aqui?

Eu sabia que acabaria aqui. Toda a semana... sabia que tinha de voltar a vê-la. Soube-o desde que ela proferiu o meu nome no elevador e desapareceu nas profundezas do meu edifício. Tentei resistir. Esperei cinco dias, cinco malditos dias para ver se a esquecia. *E eu não espero. Detesto esperar... pelo que quer que seja.* Nunca persegui ativamente uma mulher. As mulheres que tive compreendiam o que esperava delas. O meu receio agora é que Miss Steele seja simplesmente jovem de mais e não esteja interessada no que tenho para lhe oferecer... estará? Dará sequer uma boa submissa? Abano a cabeça. Só há uma forma de descobrir... por isso, eis-me aqui, um idiota chapado, sentado num parque de estacionamento suburbano numa área tristonha de Portland.

A investigação a que foi submetida não revelou nada de impressionante – à exceção do último facto, que não me tem abandonado a mente. É por isso que aqui estou. *Porque não tem namorado, Miss Steele?* Orientação sexual desconhecida – talvez seja lésbica. Resfolego, já que me parece improvável. Lembro-me da pergunta que me fez durante a entrevista, da forma como a sua pele se ruborizou naquele tom rosado... *Merda.* Sofro com estes pensamentos ridículos desde que a conheci.

É por isso que estás aqui.

Estou ansioso por voltar a vê-la – aqueles olhos azuis têm-me atormentado, mesmo nos meus sonhos. Não falei dela a Flynn e ainda bem que não, pois agora estou a comportar-me como um perseguidor. *Talvez devesse contar-lhe.* Reviro os olhos – não o quero a acossar-me com a sua última treta baseada numa solução. Só preciso de uma distração... e, neste momento, a única distração que quero trabalha como vendedora numa loja de ferramentas.

Já vieste até aqui. Vamos lá ver se a pequena Miss Steele é tão atraente como te lembras. Está na hora do espetáculo, Grey.

Saio do carro e atravesso o parque de estacionamento em direção à porta da frente. Um sino eletrónico soa quando entro.

A loja é muito maior do que parece do lado de fora e, apesar de ser quase hora de almoço, está calma, para um sábado de manhã. Há corredores e corredores cheios das tretas que se esperaria. Tinha-me esquecido das possibilidades que um armazém destes poderia apresentar para uma pessoa como eu. Regra geral, faço as minhas compras *online*, mas, já que aqui estou, posso abastecer-me de alguns itens... velcro, aros fendidos — *Sim.* Vou encontrar a deliciosa Miss Steele e divertir-me.

Bastam-me três segundos para a localizar. Está debruçada sobre o balcão, a fitar um ecrã de computador com um ar compenetrado e a depenicar o almoço — um *bagel.* Sem pensar, limpa uma migalha do canto da boca e suga o dedo. O meu pénis mexe-se, reagindo. *Merda! Mas que idade tenho, catorze anos?* A minha reação irrita-me como o caraças. Talvez esta reação adolescente pare se eu a aferrolhar, foder e flagelar... e não necessariamente por esta ordem. Pois. É disso que preciso.

Ela está completamente absorta na sua tarefa, o que me dá a oportunidade de a observar. Pondo de parte pensamentos devassos, ela é atraente, mesmo atraente. Lembrava-me bem dela.

Ela levanta a cabeça e estaca, fixando em mim o seu olhar inteligente e astuto — o mais azul dos azuis, que parece ver para além da minha máscara. É tão enervante como quando a conheci. Ela limita-se a fitar-me, parece-me que chocada, e não sei se se trata de uma reação boa ou má.

— Miss Steele. Que surpresa tão agradável.

— Mr. Grey — sussurra ela, ofegante e corada. Ah... é uma reação boa.

— Estava nesta zona. Preciso de me abastecer de algumas coisas. É um prazer voltar a vê-la, Miss Steele.

Um prazer mesmo. Está a usar uma *t-shirt* e umas calças de ganga justas, nada daquela merda disforme que tinha vestido no início da semana. Tem umas pernas compridas, uma cintura estreita e umas mamas perfeitas. Continua boquiaberta e eu tenho de resistir ao impulso de esticar a mão e subir-lhe o queixo para lhe fechar a boca. *Voei de Seattle só para a ver e, dada a expressão com que está, a viagem valeu a pena.*

— Ana, o meu nome é Ana. Em que posso ajudá-lo, Mr. Grey?

Ela inspira profundamente, endireita os ombros como fez na entrevista e presenteia-me com um sorriso forçado que aposto que reserva para os clientes.

O jogo vai começar, Miss Steele.

— Há alguns itens de que preciso. Para começar, gostaria de levar algumas braçadeiras para cabos.

Os seus lábios entreabrem-se enquanto ela inspira profundamente.

Ficaria espantada com o que sou capaz de fazer com uns quantos cabos, Miss Steele.

– Temos vários comprimentos. Quer que lhe mostre?

– Por favor. Pode avançar, Miss Steele.

Ela sai de trás do balcão e aponta para um dos corredores. Tem uns ténis *All Star* calçados. Deixo-me imaginar como ficaria nuns sapatos de salto agulha. *Louboutins... só com Louboutins.*

– Estão junto aos materiais elétricos, corredor oito.

A voz treme-lhe e ela cora... outra vez.

Sente-se afetada por mim. A esperança aflora-me no peito. *Então não é lésbica.* Sorrio.

– A menina primeiro – murmuro, com um gesto para que me mostre o caminho.

Fazê-la caminhar à minha frente dá-me espaço e tempo para lhe admirar o rabo fantástico. É mesmo tudo o que se pode querer: doce, educada e linda, com todos os atributos que valorizo numa submissa. Mas a questão que realmente se coloca é: Poderia ela ser uma submissa? O mais provável é que não saiba nada sobre esse estilo de vida – o meu estilo de vida – mas quero mesmo apresentar-lho. *Estás a pôr a carroça à frente dos bois, Grey.*

– Está em Portland em negócios? – pergunta, interrompendo-me os pensamentos.

Fala numa voz aguda, a tentar fingir-se desinteressada. Isso dá-me vontade de rir, o que é revigorante. As mulheres raramente me fazem rir.

– Vim visitar o polo agrícola da WSU. Fica localizado em Vancouver – minto. *Na verdade, vim vê-la, Miss Steele.* Ela cora e eu sinto-me mal como a merda. – Atualmente estou lá a fundar um projeto de pesquisa no âmbito da rotação de culturas e da pedologia. – Isto, ao menos, é verdade.

– Faz tudo parte do plano para alimentar o mundo inteiro?

Os seus lábios curvam-se num quase sorriso.

– Qualquer coisa assim – resmoneio.

Estará a gozar comigo? Oh, como gostaria de pôr fim a isso, se fosse o caso. Mas como hei de começar? Talvez com um convite para jantar, em vez da entrevista do costume... isso é que seria uma novidade: levar uma candidata a jantar fora.

Chegámos à zona das braçadeiras para cabos, que estão dispostas de acordo com o comprimento e a cor. Distraidamente, os meus dedos percorrem as várias embalagens. *Posso convidá-la simplesmente para jantar.* Como num encontro amoroso? Será que ela aceitava? Quando olho para ela, vejo que está muito concentrada nos seus dedos emaranhados. Nem consegue olhar para mim... *isto promete.* Escolho as braçadeiras mais compridas. Afinal, são mais flexíveis – dão para prender dois tornozelos e dois pulsos de uma só vez.

– Estes servem – murmuro, ao que ela volta a corar.

– Mais alguma coisa? – apressa-se a perguntar. Ou está a ser muitíssimo atenciosa, ou quer-me fora da loja. Não consigo perceber se é uma coisa ou outra.

– Queria fita adesiva.

– Está a fazer obras?

Suprimo o riso.

– Não, obras não.

Há muito tempo que não pego sequer numa trincha. A ideia faz-me sorrir; tenho pessoal para tratar de todas essas merdas.

– Por aqui – murmura, parecendo envergonhada. – A fita adesiva está no corredor da decoração.

Vá lá, Grey. Não te resta muito tempo. Interessa-a com alguma conversa.

– Trabalha aqui há muito tempo?

Claro que já sei a resposta. Ao contrário de algumas pessoas, eu trato de fazer pesquisa prévia. Ela volta a corar – céus, esta rapariga é tímida. *Não tenho a mínima hipótese.* Vira-se depressa e encaminha-se para o corredor com a tabuleta que diz DECORAÇÃO. Eu sigo-a avidamente. *Mas eu sou o quê, a porra de um cachorrinho?*

– Há quatro anos – balbucia quando chegamos às prateleiras da fita adesiva.

Ela baixa-se e agarra em dois rolos de larguras diferentes.

– Levo essa – escolho.

A fita mais larga é muito mais eficaz como mordaça. Quando ela ma passa, as pontas dos nossos dedos tocam-se e a sensação replica-se no meu baixo-ventre. *Caramba!* Ela empalidece.

– Mais alguma coisa? – A sua voz está rouca e ofegante.

Meu Deus, estou a surtir nela o mesmo efeito que ela em mim. *Talvez…*

– Um bocado de corda, julgo eu.

– Por aqui. – Ela percorre rapidamente o corredor, dando-me outra oportunidade de lhe apreciar o belo traseiro. – De que tipo procurava? Temos cordas de fibras sintéticas e naturais… barbante… cabo…

Merda… para. Gemo mentalmente, tentando afugentar a imagem dela suspensa do teto do meu quarto do prazer.

– Levo cinco metros da corda de fibras naturais, por favor.

É mais áspera e fricciona mais a pele quando uma pessoa se debate… é a minha corda de eleição.

Tremem-lhe os dedos, mas ela mede eficientemente cinco metros. Tirando um x-ato do bolso direito, corta a corda com um gesto despachado, enrola-a bem e ata-a com um nó corredio. *Impressionante.*

– Foi escuteira?

– As atividades de grupos organizados não são a minha onda, Mr. Grey.

– E o que é a sua onda, Anastasia?

Olho fixamente para ela e as suas pupilas dilatam-se. *Sim!*

– Livros – sussurra ela.

– Que tipo de livros?

– Ah, sabe como é, o costume. Os clássicos. Literatura inglesa principalmente.

Literatura inglesa? Brontë e Austen, aposto. Todos esses géneros românticos cheios de corações e florzinhas. Merda. Isso não é bom.

– Há mais alguma coisa de que precise?

– Não sei. Que mais recomendaria?

– Para fazer bricolagem? – pergunta, surpreendida.

Apetece-me desatar a rir a bandeiras despregadas. *Oh, querida, bricolagem não é a minha onda.* Assinto com a cabeça, sufocando o riso. Ela passa o olhar pelo meu corpo e eu reteso-me. Ela está a mirar-me! *Raios partam.*

– Um macacão – diz ela.

É a coisa mais inesperada que já ouvi a sair-lhe pela boca doce e expedita desde que me perguntou se era *gay*.

– Não vai querer estragar a roupa.

Aponta para as minhas calças de ganga, de novo embaraçada.

Não sou capaz de resistir.

– Posso sempre tirá-la.

– Pois.

Ela fica vermelha como um tomate e fita o chão.

– Levo o tal macacão. Nem pensar em estragar a roupa – murmuro, para a livrar do embaraço.

Sem dizer nada, ela vira-se e caminha rapidamente pelo corredor, ao que eu torno a seguir-lhe as passadas cativantes.

– Deseja mais alguma coisa? – pergunta-me num gemido, entregando-me um macacão azul.

Está mortificada, de olhos ainda baixos e rosto afogueado. Meu Deus, ela faz-me sentir coisas.

– Como está a correr o artigo? – inquiro, na esperança de que talvez descontraia um pouco.

Ela levanta a cabeça e esboça um sorriso breve mas aliviado. *Finalmente.*

– Não sou eu quem está a escrevê-lo, é a Kate. Miss Kavanagh. Que vive comigo; é ela. Está muito contente com o artigo. É editora do jornal e ficou destroçada por não poder fazer ela mesma a entrevista.

É a frase mais comprida que me dirigiu desde que nos conhecemos e está a falar de outra pessoa, não de si mesma. *Interessante.*

Antes que eu possa fazer algum comentário, ela acrescenta:

– A única preocupação dela é não ter fotografias suas originais.

A tenaz Miss Kavanagh quer fotografias. Imagens promocionais, hã? Posso fazer isso. Sempre ganharei mais tempo com a deliciosa Miss Steele.

– Que tipo de fotografia é que ela quer?

Ela fita-me por um instante e depois abana a cabeça.

– Bom, eu estou por aqui. Amanhã, talvez...

Posso ficar em Portland. Trabalhar a partir de um hotel. Um quarto no Heathman, quem sabe. Vou precisar que Taylor venha cá, me traga o portátil e algumas roupas. Ou Elliot – a menos que ele ande enrolado com alguém, que é como costuma ocupar os fins de semana.

– Estaria disponível para uma sessão fotográfica?

Ela não consegue disfarçar a surpresa.

Aceno com a cabeça. *Ficaria espantada com o que eu faria para passar mais tempo consigo, Miss Steele... na verdade, eu também estou.*

– A Kate ficará encantada, se conseguirmos encontrar um fotógrafo.

Ela sorri e o seu rosto ilumina-se como uma alvorada de verão. Meu Deus, é de cortar a respiração.

– Diga-me alguma coisa sobre isso amanhã. – Tiro um cartão da carteira. – Tem o meu telemóvel. Tem de ligar antes das dez da manhã.

E, se não o fizer, eu volto para Seattle e esqueço esta façanha estúpida. A ideia deprime-me.

– Ok – diz ela, ainda a sorrir.

– Ana!

Ambos nos viramos quando um jovem, vestido com roupas informais mas caras, aparece ao fundo do corredor. Todo ele é sorrisos para Miss Anastasia Steele. Mas quem raio é este sacana?

– Há... dê-me licença por um instante, Mr. Grey.

Ela vai ter com ele e o cabrão agarra-a num abraço de gorila. Fico com o sangue gelado. É uma reação primitiva. *Tira as patas de cima dela, filho da mãe.* Cerro as mãos em punhos e só o facto de ver que ela não faz qualquer movimento para lhe corresponder ao abraço me aplaca um pouco.

Começam a cochichar. *Merda, talvez o Welch me tenha fornecido dados errados.* Talvez este tipo seja o namorado dela. Parece ter a idade certa e não consegue desviar os olhos ávidos dela. Segura-a por um instante à distância de um braço para a observar e depois mantém o braço sobre os ombros dela, num gesto que parece descontraído mas que eu percebo que é uma declaração de posse, para que eu me afaste. Ela está com um ar envergonhado, a mudar o peso de um pé para o outro.

Merda, é melhor ir-me embora. Depois ela diz-lhe qualquer coisa e afasta-se dele, tocando-lhe no braço e não na mão. Torna-se óbvio que não são íntimos. *Bom.*

– Há... Paul, este é Christian Grey. Mr. Grey, este é Paul Clayton. O irmão é o dono da loja. – Ela lança-me um olhar estranho que eu não compreendo e continua: – Conheço o Paul desde que comecei a trabalhar aqui, apesar de não nos vermos com grande frequência. Ele chegou de Princeton, onde estuda administração de empresas.

O irmão do patrão, não o namorado. O alívio que sinto é inesperado e faz-me franzir o sobrolho. *Esta mulher afetou-me mesmo.*

– Mr. Clayton – cumprimento-o, num tom deliberadamente ríspido.

– Mr. Grey. – Dá-me um aperto de mão frouxo. – Espere aí... não é *o* Christian Grey? Da Grey Enterprises Holdings?

Sim, sou eu, seu cretino.

– Uau! Há alguma coisa que possa fazer por si?

– A Anastasia já tratou de tudo, Mr. Clayton. Tem sido muito atenciosa.

Agora põe-te a andar.

– Fixe – balbucia ele, de olhos esbugalhados e num tom deferente. – Vemo-nos mais logo, Ana.

– Sim, Paul – anui ela e ele evapora-se, graças a Deus. Vejo-o desaparecer para as traseiras do armazém. – Mais alguma coisa, Mr. Grey?

– Só estes artigos – resmungo.

Merda, estou a ficar sem tempo e ainda não sei se vou voltar a vê-la. Tenho de saber se há a mínima hipótese de ela considerar aquilo que tenho em mente? Como hei de perguntar-lhe? Estarei preparado para aceitar uma nova submissa que não sabia nada? Merda. Ela vai precisar de treino básico. Gemo mentalmente perante todas as possibilidades interessantes que isso proporciona... Caramba, chegar lá será metade do gozo. Ficará ela sequer interessada? Ou terei percebido tudo isto mal?

Ela volta para trás do balcão e regista as minhas compras na caixa, sempre de olhar baixo. *Olha para mim, raios partam!* Quero voltar a ver os seus lindos olhos azuis e tentar entender o que está a pensar.

Por fim, levanta a cabeça.

– São quarenta e três dólares, por favor.

Só isso?

– Quer um saco? – pergunta-me, entrando no papel de funcionária de caixa quando lhe passo o meu cartão da American Express.

– Por favor, Anastasia.

O seu nome – um nome lindo para uma rapariga linda – rola-me na língua.

Ela guarda as compras no saco com gestos rápidos e eficientes. Pronto. Tenho de ir.

– Telefona-me se quiser que faça a sessão fotográfica?

Ela acena com a cabeça enquanto me devolve o cartão de crédito.

– Bom, até amanhã, talvez. – *Não posso limitar-me a ir embora. Tenho de lhe dar a entender que estou interessado.* – Ah, Anastasia, fico contente por Miss Kavanagh não ter podido fazer a entrevista.

Encantado com a sua expressão atordoada, ponho o saco ao ombro e saio da loja.

Sim, apesar de saber que não devo, quero-a. Agora terei de esperar... esperar, porra... outra vez.

É tudo... por ora.
Obrigada, muito obrigada por ter lido.

E L JAMES

JÁ PUBLICADO, DA MESMA COLEÇÃO:

As Cinquenta Sombras de Grey

O primeiro volume da trilogia de que todas as mulheres estão a falar... discretamente.

As Cinquenta Sombras de Grey é um romance obsessivo, viciante e que fica na nossa memória para sempre.

Anastasia Steele é uma estudante de literatura, jovem e inexperiente. Christian Grey é o temido e carismático presidente de uma poderosa corporação internacional.

O destino levará Anastasia a entrevistá-lo para um jornal universitário. No ambiente sofisticado e luxuoso de um arranha-céus, ela descobre-se estranhamente atraída por aquele homem enigmático, sombrio, cuja beleza corta a respiração.

Voltarão a encontrar-se dias mais tarde, por acaso ou talvez não. O implacável homem de negócios revela-se incapaz de resistir ao discreto charme da estudante. Ele quer desesperadamente possuí-la. Mas apenas se ela aceitar os bizarros termos que ele propõe...

Anastasia hesita. Todo aquele poder a assusta – os aviões privados, os carros topo de gama, os guarda-costas... Mas teme ainda mais as peculiares inclinações de Grey, as suas exigências, a obsessão pelo controlo... E uma voracidade sexual que parece não conhecer quaisquer limites. Dividida entre os negros segredos que ele esconde e o seu próprio e irreprimível desejo, Anastasia vacila. Estará pronta para ceder? Para entrar finalmente no Quarto Vermelho da Dor?

JÁ PUBLICADO, DA MESMA COLEÇÃO:

As Cinquenta Sombras – Mais Negras

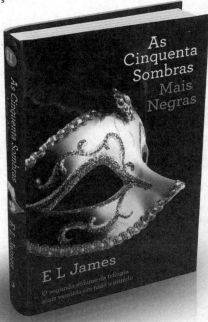

O segundo volume da trilogia
de que todas as mulheres estão a falar... discretamente.

Erótica, apaixonante e profundamente comovedora, a trilogia *As Cinquenta Sombras* vai obcecar-te, possuir-te e ficar marcada na tua memória para sempre.

Perseguida pelas peculiares inclinações e segredos do belo e atormentado Christian Grey, Anastasia Steele liberta-se da sua relação para começar uma nova carreira a trabalhar numa editora em Seattle.

Mas a sua atração por Grey fala mais alto, e não passa um minuto sem que pense nele com desejo. Quando o milionário CEO lhe propõe um novo acordo, Anastasia não consegue resistir. Ambos retomam a sua sensual relação enquanto Anastasia descobre novas sombras no doloroso passado do seu amante impetuoso, devastado e exigente.

Enquanto Grey se debate com os seus demónios, Anastasia vê-se confrontada com a raiva e inveja das mulheres que o amaram, e é obrigada a tomar a mais importante decisão da sua vida.

Revisão: **Isabel Bento**
Capa: **Jennifer McGuire**
Adaptação da capa: **Maria Manuel Lacerda/Lua de Papel**
Paginação: **Ana Sena**
Produzido e acabado por: **Multitipo**